LE SCEAU DU SECRET

DU MÊME AUTEUR
CHEZ LE MÊME ÉDITEUR

La Maison des sœurs
Les Roses de Guernesey

Charlotte Link

LE SCEAU DU SECRET

Roman

*Traduit de l'allemand
par Corinne Tresca*

PRESSES
DE LA CITÉ

Titre original : *Am Ende des Schweigens*

© Blanvalet Verlag, département de Random House GmbH, Munich, Allemagne, 2003
© Presses de la Cité, 2005, pour la traduction française
ISBN 2-258-06495-3

Première partie

Un silence étrange régnait sur Stanbury.

Un silence immense et qui enveloppait tout, comme si le monde avait cessé de respirer.

Ils devaient être tous partis. Peut-être étaient-ils allés faire les courses.

C'était toutefois surprenant car personne, ce matin, n'en avait parlé et c'était d'ordinaire un sujet dont ils discutaient. Comme ils discutaient d'ailleurs toujours de tout. Hormis de ce qui aurait pu mettre en péril l'équilibre de la structure. Mais que quelqu'un décide de faire les courses n'entrait pas dans ce cas de figure.

Ce silence avait décidément une dimension inhabituelle.

Elle réfléchit mais ne put s'expliquer ce qu'il avait de si différent. Peut-être cela tenait-il au fait qu'elle était particulièrement fatiguée. Les événements des derniers jours, les nausées que lui valait sa grossesse, la chaleur exceptionnelle. Elle ne se souvenait pas d'un mois d'avril qui eût été chaud sur une aussi longue période. Hier, le vent avait tourné et ils avaient cru un instant que le temps allait changer, mais il faisait à nouveau une chaleur accablante.

Elle était allée plus loin qu'elle n'en avait eu l'intention – elle avait pris par l'ouest, traversé le petit bois, puis marché vers le sud jusqu'au-delà de la colline et fait ainsi un tour presque complet de la propriété. C'était seulement maintenant qu'elle se rendait compte qu'elle était hors d'haleine et en nage ; son visage ruisselait, la sueur plaquait ses cheveux sur sa nuque. Barney, son tout jeune chien, filait et bondissait devant elle avec le même entrain que s'il n'avait pas couru plus de cinq minutes. Habituellement, elle aussi était plutôt résistante, mais elle avait mal dormi, cette nuit-là, et elle avait beaucoup souffert de vomissements au cours des dernières semaines. A présent qu'elle approchait de la fin du troisième mois, les nausées semblaient s'atténuer, mais elle se sentait très affaiblie.

Il faut dire aussi qu'elle était beaucoup trop chaudement vêtue. Pourtant, elle avait déjà noué sa veste sur ses hanches, tout à l'heure, en traversant les prairies du sommet de la colline. Elle s'était alors plusieurs fois surprise à regarder discrètement autour d'elle. Elle l'avait souvent rencontré au cours de ses longues promenades solitaires. Comme s'il avait été certain qu'elle viendrait. Il avait deviné en elle une alliée, en quoi il n'avait peut-être pas tort. Ce faisant, elle contrevenait à la règle suprême du groupe, mais depuis quelques jours elle se demandait s'il existait encore un groupe, ou plutôt si elle avait toujours envie de lui appartenir.

Elle franchit la haute grille en fer forgé qui marquait l'entrée du domaine. Le portail était ouvert, comme la plupart du temps ; le mur qui encerclait la propriété étant en ruine en de nombreux endroits, quand il n'avait pas complètement disparu, il eût été absurde de se montrer intransigeant en la matière.

Elle regarda autour d'elle, pleine d'espoir : s'ils étaient tous partis, il y avait une chance que quelqu'un soit sur le retour et qu'elle puisse profiter d'une voiture pour l'ultime étape de sa promenade. Le chemin qui menait à la maison était une longue montée en pente douce de près d'un kilomètre. Jusqu'à l'année dernière, de nombreux arbres ombrageaient l'allée, mais une maladie en avait touché quelques-uns et il avait fallu les abattre. L'allée y avait perdu beaucoup de son charme, les souches avaient un aspect désolé et ce qui avait été un sous-bois délicieusement sauvage donnait d'un coup l'impression d'une propriété mal entretenue.

Elle se fit la réflexion qu'il y avait beaucoup de choses, à Stanbury House, qui se dégradaient.

Personne à l'horizon. Elle s'arrêta un bref instant, le temps de reprendre sa respiration, puis elle se mit en devoir d'attaquer la montée. Son pull-over en coton collait à son dos moite, elle sentait que ses pieds, au supplice dans des baskets trop chaudes, avaient gonflé. L'idée d'une douche et d'un verre de jus d'orange glacé commençait à tourner à l'obsession.

Puis elle s'installerait dans une chaise longue, les pieds surélevés, et ne bougerait plus de la journée.

Pourtant, la promenade avait été agréable, réellement agréable. L'Angleterre au printemps avait quelque chose d'euphorisant. Elle avait suivi des yeux les petits nuages échevelés qui filaient dans le bleu limpide du ciel, elle avait humé à pleins poumons l'odeur de fleurs et de bourgeons prêts à éclore qui flottait dans l'air chargé de promesses, elle avait caressé des moutons qui paissaient en liberté sur la haute lande et qui, confiants, s'étaient approchés d'elle. Les jonquilles qui s'épanouissaient dans les vallons et sur les flancs des collines déversaient des flots de jaune lumineux sur la campagne austère. Les oiseaux gazouillaient, chantaient, lançaient des trilles sur tous les tons…

Les oiseaux !

Elle se figea. Les oiseaux. Elle savait à présent ce que le silence avait d'irréel.

Les oiseaux s'étaient tus. Tous. Pas un qui pépiât.

Elle ne se souvenait pas d'avoir jamais entendu un silence aussi absolu.

En un éclair, la moiteur qui lui collait à la peau se mua en une sueur glacée, elle releva les épaules en frissonnant. Qu'est-ce qui pouvait faire taire des oiseaux par une si belle journée de printemps ? Quelque chose devait avoir troublé leur tranquillité, si violemment qu'ils ne pouvaient plus laisser éclater leur soif de vivre. Un chat ? Un chat en maraude, inconscient de sa cruauté, avait peut-être attrapé et tué l'un des leurs. Ses cris d'agonie avaient fait taire ses congénères puis débouché sur ce silence pesant qui semblait avoir arrêté le temps.

Bien que sa fatigue fût toujours aussi vive, elle hâta le pas. Un point de côté l'élançait, elle aurait bien couru, comme Barney, mais elle n'en avait pas la force. Encore quelques mois, et elle serait difforme et se dandinerait comme un canard. Retrouverait-elle ensuite sa silhouette ? Tandis qu'elle se rapprochait de la maison, la question ne voulait pas lui sortir de la tête. Mais elle n'était pas dupe. Cette histoire de kilos était le cadet de ses soucis, elle la laissait occuper le terrain pour ne pas penser à autre chose. Pour ne pas devoir se poser d'autres questions, se demander pourquoi elle grelottait alors qu'elle avait chaud, pourquoi elle ressentait ce picotement sur le haut du crâne, pourquoi elle éprouvait ce besoin subit de se dépêcher.

Et pourquoi cette radieuse journée de printemps, soudain, n'était plus aussi radieuse.

Elle aperçut le pignon de la maison, un pan de la belle façade de style

Tudor, le reflet du soleil sur les vitres à petits carreaux. Machinalement, elle compta les fenêtres qui s'alignaient sous le toit – comme toujours quand elle arrivait à cette hauteur de l'allée ; la quatrième en partant de la gauche était celle de sa chambre – et elle repéra la tache claire du bouquet de jonquilles qu'elle avait cueillies la veille et placées dans un vase sur le rebord intérieur.

Elle s'arrêta et sourit.

La vue des fleurs lui avait rendu sa sérénité.

Elle aperçut alors Patricia agenouillée devant l'auge de bois qui occupait le centre de la cour pavée. C'était une auge à laquelle jadis s'abreuvaient moutons et vaches, et que quelqu'un, des années auparavant, avait trouvée quelque part sur le domaine et traînée jusque-là. Depuis, ils y plantaient des fleurs, des fleurs de printemps, des fleurs d'été, des fleurs d'automne, et l'hiver, des sapins nains auxquels ils accrochaient des guirlandes scintillantes.

— Ohé, Patricia ! lança-t-elle. Quelle chaleur invraisemblable, tout d'un coup, tu ne trouves pas ?

Patricia ne dut pas l'entendre car elle ne répondit pas et la petite silhouette juvénile vêtue d'un jean décoloré, d'une chemise à carreaux bleu et blanc et de bottes en caoutchouc ne bougea pas.

Barney gronda doucement et ne fit plus un mouvement.

Elle avança de quelques pas.

Patricia n'était pas agenouillée devant l'auge, comme on aurait pu le croire de loin, elle était penchée en avant, courbée en deux sur le rebord, le visage plongé dans la terre fraîchement remuée, humide. Son bras gauche pendait sur le côté, tordu d'une drôle de façon. Son autre bras était replié à côté de sa tête, ses doigts enfoncés dans la terre comme s'ils avaient voulu s'y agripper ou chercher quelque chose qui eût valu la peine qu'on le retienne.

A ses pieds, sur les pavés, une flaque de sang s'était formée, anéantissant la première idée qui venait à l'esprit : Patricia victime d'une chute de tension ou prise de nausées.

Quelque chose de beaucoup plus grave s'était passé. Quelque chose de trop grave pour que l'esprit ne refuse pas de l'enregistrer.

Elle savait qu'elle devait regarder ce que l'on avait fait à Patricia. Sans guère de difficultés car Patricia était à peine plus grande et plus corpulente qu'une adolescente, elle redressa le corps courbé sur l'auge. La tête roula sur le côté comme si elle ne tenait plus que par un fil. Tout était gorgé de sang, la chemise, ses longs cheveux, l'auge ; et ce qui donnait à la terre cet aspect humide et gras était sans nul doute du sang.

Quelqu'un avait égorgé Patricia, puis l'avait laissée retomber en avant, à l'endroit où elle se trouvait, où elle avait jardiné, ôté les sapins de Noël nains, remis de la terre fraîche et où elle s'apprêtait à planter de nouvelles fleurs. Elle avait étouffé, s'était vidée de son sang, avait tenté, dans son agonie, de se raccrocher à la terre.

Une odeur de sang imprégnait l'air.

D'horreur, les oiseaux avaient cessé de chanter.

Jamais, songea-t-elle, jamais le silence de cet instant ne quittera Stanbury. Plus jamais une conversation n'y sera à sa place, ni même un rire, ou le cri joyeux d'enfants...

A cette idée, elle posa une main sur son ventre. Le choc subi par sa mère pouvait-il causer des dommages au bébé ?

Ce fut seulement à cet instant qu'elle se demanda si celui qui avait fait cela s'était enfui ou se trouvait encore quelque part à l'affût. Alors ses jambes, brusquement, refusèrent de lui obéir. Elle était paralysée, incapable d'esquisser un mouvement, et dans ce silence de mort la seule chose qu'elle entendait était sa respiration, haletante, terrorisée.

1

A sa grande stupéfaction, Phillip Bowen découvrait qu'il n'avait encore jamais haï. Même s'il lui était déjà arrivé, par le passé, de croire qu'il éprouvait de la haine – pour Sheila, par exemple, quand en dépit de ses promesses et de ses serments, il la surprenait encore et toujours une aiguille dans le bras –, il comprenait à présent que ces sentiments devaient s'apparenter à de la colère, du dépit, de la rage ou de la tristesse, mais pas à de la haine.

Parce que la haine, c'était ce qu'il éprouvait aujourd'hui en regardant cette maison dont pas une tuile ne lui appartenait, et c'était un sentiment d'une intensité, d'une puissance telles que force lui fut de reconnaître que c'était une émotion qu'il éprouvait pour la première fois de sa vie.

Le style de la maison était simple, elle était sobre, sans fioritures, avec des lignes droites et claires : exactement telle qu'il aurait souhaité que soit la maison de ses rêves s'il s'était trouvé en situation d'y réfléchir. Elle possédait un étage, des combles avec des petites lucarnes en saillie et des fenêtres à guillotine à petits carreaux. Un lierre qui avait pris racine à côté de la lourde porte d'entrée en chêne grimpait à l'assaut de la façade puis se perdait dans le garde-corps en fer forgé d'un balcon du premier étage.

En contournant la maison, on découvrait une élégante terrasse qui s'étendait sur toute la façade arrière et était bordée d'une

15

rambarde à balustres en grès cédant la place, côté jardin, à quatre longues marches qui permettaient d'accéder au jardin. En réalité, c'était un parc, immense, où alternaient prairies et bois, et ceint d'un très vieux mur qui toutefois était en ruine, voire avait complètement disparu en de si nombreux endroits qu'on ne pouvait, sur des centaines de mètres, fixer les limites des terres. Phillip avait tout regardé. Il avait fait le tour du domaine, de l'ensemble de la propriété, et cela lui avait pris presque quatre heures. A présent, il gravissait les marches qui menaient à la terrasse et essayait d'imaginer ce que ce devait être de monter et descendre à longueur de journée, distraitement, et de savoir qu'aussi loin que le regard portait, tout vous appartenait.

Dans un coin ombreux de la véranda, il découvrit de grands pots de terre cuite dans lesquels séchaient des fleurs fanées, signe que la propriété était une maison de vacances qui ne recevait que de loin en loin la visite et les soins d'un jardinier et d'une femme de ménage. La pelouse en contrebas, dans la partie du parc qui jouxtait la maison, était du reste relativement haute. Au village, Phillip avait glané des informations. Il avait parlé avec la propriétaire de l'épicerie, et celle-ci l'avait volontiers fait bénéficier de sa science :

« Ma sœur y fait le ménage, et toutes les trois semaines elle va s'assurer que tout va bien. Quand les propriétaires arrivent, elle aère à fond, fait la poussière, et même, parfois, elle met des fleurs dans les chambres. Il y a aussi Steve, le jardinier. Enfin... jardinier est un grand mot. En réalité, il n'est pas jardinier du tout, il travaille à Leeds, je ne sais pas exactement dans quoi... mais de l'argent, il n'y en a jamais de trop, n'est-ce pas ? Alors dès qu'il peut trouver à s'employer ici ou là, il est bien content. C'est comme ça qu'il tond la pelouse et voit ce qu'il y a à faire à droite et à gauche... »

L'histoire de Steve le jardinier intéressait modérément Phillip, aussi avait-il embrayé :

« Ce sont bien des Allemands, les propriétaires, n'est-ce pas ?

— Oui, mais ils sont très gentils. »

L'épicière, dont Phillip estimait qu'elle devait avoir dans les soixante-cinq ans, avait dû connaître la guerre et, à en juger par sa remarque, en avoir gardé une prévention certaine contre les Allemands.

« A vrai dire, avait-elle poursuivi, on ne les connaît pas tant que ça, au village. Ils viennent bien faire leurs courses chez moi, mais ils ne sont pas très causants. Ça tient peut-être à la langue. Parce que c'est vrai que demander du pain et un paquet de beurre, ce n'est pas la même chose que tenir une vraie conversation, n'est-ce pas ? Il n'y a qu'une des femmes qui bavardait de temps en temps avec moi... Je crois qu'elle avait envie de discuter avec d'autres gens, pas toujours uniquement avec ses amis. Une bien gentille personne. Elle était espagnole. Brune, très belle. Mais il y a long-temps qu'elle n'est plus là... Steve m'a raconté un jour qu'elle et son mari avaient divorcé. Lui s'est remarié l'année dernière. Avec une femme bien sympathique, ma foi.

— Ils viennent à trois couples, je crois ?

— Tout à fait. Ils sont là dès qu'il y a des vacances, et toujours ensemble. Et ils ont trois filles, mais je ne saurais pas vous dire à qui elles sont... Il y en a une un peu plus vieille que les deux autres, ravissante... Elle doit avoir une quinzaine d'années... Elle est déjà... bien... »

Elle avait décrit avec ses mains une poitrine rebondie et Phillip en avait conclu que la jeune fille avait déjà de quoi séduire.

« Un jour, avait ajouté l'épicière en baissant la voix, elle est venue à la fête patronale, je crois bien que c'était l'été dernier. Tard dans la nuit, Rob – c'est mon fils – l'a surprise avec le jeune Keith Mallory dans sa grange, je veux dire dans la grange qui fait partie de la ferme de Rob, et il était drôlement furieux. Bien sûr, il n'a pas pu savoir s'il s'était passé quelque chose. N'empêche qu'il a mis le père de Keith au courant, et il voulait aussi aller trouver le père de la jeune fille, mais je lui ai dit qu'il valait mieux pas. Après tout, ça ne nous regarde pas, et on n'est jamais trop prudent... Ce sont des étrangers, allez savoir quelles tracasseries ils pourraient faire au pauvre Keith ! Parce que Keith, à la fête, il avait joliment tourné autour de la fille. C'est en tout cas ce qu'ont dit ceux qui les avaient vus. Apparemment, l'histoire n'a pas eu de suites, sinon, on l'aurait su, c'est sûr. »

Phillip s'intéressait peu à ce type d'événement, au contraire de son interlocutrice.

« Connaîtriez-vous une des femmes ? Patricia Roth ? »

Il prononça le nom à l'allemande, supposant que c'était ainsi qu'elle-même le faisait.

« C'est à elle que la maison appartient.

— Oui, c'est ce qu'on dit. Une histoire d'héritage un peu confuse. Le vieux Kevin McGowan voulait léguer le domaine à son fils, qui vit en Allemagne, mais il n'en a pas voulu, alors tout est allé directement à la petite-fille... Ce doit être la femme dont vous parlez. Patricia Roth. Je crois que je sais laquelle c'est. Une petite, toute menue... D'après moi, c'est aussi la mère des deux autres filles. Celles-ci doivent avoir entre dix et douze ans. De belles petites. Elle les accompagne de temps à autre chez les Sullivan, c'est la première ferme à l'entrée du village. Elles y font du poney. »

Il se remémorait cette conversation tout en observant la façade arrière de la maison et en commençant machinalement à en compter les fenêtres. Il ne parvenait toujours pas à se représenter Patricia ; apprendre qu'elle était petite et menue l'avait certes fait progresser, mais ne lui donnait toujours ni visage ni voix. Patricia Roth, une femme dont il ignorait encore l'existence voilà à peine deux ans. Jusqu'à ce fameux été où sa mère avait commencé à raconter...

Au dire de son informatrice de l'épicerie, les trois couples et leurs enfants devaient arriver le surlendemain et rester deux semaines, le temps des vacances de Pâques. Elle le tenait de sa sœur, qui avait reçu des instructions pour préparer la maison.

Il se retourna et embrassa le jardin du regard. Nul doute que Steve, le « jardinier », avait lui aussi reçu sa feuille de route.

L'herbe avait pris des allures envahissantes, il était urgent de tondre. Le mois de mars et les deux premières semaines d'avril avaient connu une alternance de soleil et de pluie en égale abondance. La nature explosait.

L'ouest du Yorkshire, le pays des sœurs Brontë. Il eut un rire bref. Incroyable qu'il ait atterri là. Qu'il regarde une maison et veuille l'avoir. Lui, le rat des villes, le Londonien invétéré qui n'avait jamais pu imaginer vivre ailleurs, sauf, à la rigueur, dans une autre métropole, comme New York, Paris ou Madrid. Ses pérégrinations l'avaient amené à habiter ces trois villes à différentes époques de sa vie. Il avait beau s'y être plu, s'y être senti chez lui, jamais il n'avait cessé de regretter Londres, du moins un petit peu, au fond de son cœur.

Et voilà qu'à quarante et un ans il déboulait à Stanbury, un village qui ne figurait sur presque aucune carte, et qu'il tombait amoureux d'une maison et de l'idée d'un mode de vie dont il n'avait jamais su que la possibilité existât en lui.

Il tenta de regarder à l'intérieur de la maison à travers l'une des fenêtres mais ne put rien voir ; les doubles rideaux, épais, étaient tirés. Il commençait à jouer avec l'idée de trouver un moyen d'entrer – un des soupiraux de la cave n'était peut-être pas fermé, ou bien il y avait une porte de service dont il pourrait forcer la serrure – quand il entendit une voiture remonter l'allée et s'arrêter devant l'entrée principale. Il contourna la maison et vit une femme d'un certain âge descendre d'une petite voiture amortie depuis longtemps. Elle était vêtue d'une blouse-tablier à fleurs et tenait à la main un panier contenant des ustensiles non identifiables. Il supposa qu'il s'agissait de la femme de ménage.

Il se dirigea vers elle. Effrayée, elle eut un mouvement de recul, puis le dévisagea d'un air méfiant.

— Oui ? fit-elle comme s'il avait dit quelque chose.

Phillip sourit. Il savait combien il pouvait avoir l'air charmant et inspirer confiance.

— Quelle chance que vous arriviez ! dit-il. C'est vous qui faites le ménage, n'est-ce pas ? J'ai eu l'occasion de m'entretenir avec votre sœur...

Elle se détendit. Qu'il connût sa sœur le rendait tout de suite moins suspect.

— Je m'appelle Phillip Bowen, se présenta-t-il en lui tendant la main. Je suis un parent de Patricia Roth.

— Ah ? Je ne savais pas que Mme Roth avait des parents en Angleterre.

Elle répondit à sa poignée de main et désigna son panier, dans lequel Phillip reconnut alors tous les produits d'entretien imaginables.

— Je suis Mme Collins. Il faut que je nettoie la maison. Ces messieurs dames arrivent dans deux jours.

— Je suis vraiment heureux de tomber sur vous. Il y a des

semaines que Patricia m'a demandé de vérifier le chauffage... Ils ont eu des petits problèmes lors de leur dernier séjour, et en avril ils risquent d'avoir besoin de l'allumer...

Il sourit à nouveau en prenant une mine de petit garçon contrit. Il avait longuement cherché sa voie dans l'existence et parmi ses multiples expériences figurait la fréquentation d'un cours d'art dramatique. Si cette énième tentative n'avait pas plus abouti que les autres, ses professeurs lui avaient néanmoins reconnu un talent certain, plus particulièrement dans l'art de jouer de la mobilité de son visage pour changer d'expression.

— ... mais je dois reconnaître que, une fois de plus, j'ai attendu le dernier moment...

Elle lui rendit enfin son sourire.

— Je sais ce que c'est. On croit toujours qu'on a le temps et d'un coup il faut mettre les bouchées doubles. Vous êtes chauffagiste ?

— Non, non. Mais je m'y connais un peu. Du moins Patricia le croit-elle !

Il savait qu'il avait placé la conversation au niveau humble et franc qui plaisait à une femme comme Mme Collins. Il poussa son avantage.

— Le problème, c'est que... je n'arrive pas à remettre la main sur la clé ! J'ai vidé mes poches, fouillé partout dans ma voiture... Rien !

Un mouvement de recul, presque imperceptible cette fois, échappa à Mme Collins.

— Vous avez une clé ?

— Oui. Mais je ne m'en suis jamais servi. J'étais persuadé qu'elle était dans ma voiture. Ça, c'est un mauvais coup de ma mémoire ! Patricia va m'en vouloir. Si jamais il se met à faire froid et que le chauffage ne fonctionne pas...

— Vous voulez que je vous fasse entrer ? proposa Mme Collins.

Il faillit applaudir.

— Ce serait très aimable à vous.

— Je... je ne sais pas si...

— Vous ne serez jamais bien loin de moi. Ça m'étonnerait que je réussisse à chaparder un objet de valeur sans que vous vous en rendiez compte. Mais je vous assure que je ne veux que vérifier rapidement le chauffage.

Il vit à son expression que tout ce qu'elle avait lu ou entendu dire sur des escrocs qui gagnaient la confiance de femmes trop crédules puis leur flanquaient un coup sur la tête défilait dans sa tête. Comment lui en vouloir ? Les journaux regorgeaient d'histoires de cet acabit.

— Toutefois... Je ne voudrais pas vous contrarier. Vous ne me connaissez pas, et, ma foi, vous avez raison d'être prudente. Je vais voir si je...

Il laissa sa phrase en suspens et fit mine de partir.

Elle se jeta à l'eau.

— Attendez ! Ne partez pas. On ne va pas se mettre à soupçonner tout le monde, pas ? Allez, venez avec moi !

La clé était dans la poche de son tablier.

Dans un premier temps, il était descendu à la cave et s'était affairé à grand bruit autour de la chaudière, puis il était remonté quelques minutes plus tard et avait demandé à Mme Collins, qui était en train de nettoyer la salle à manger, si elle voyait un inconvénient à ce qu'il se rende maintenant dans toutes les pièces pour ouvrir les radiateurs.

Elle parut ne plus avoir aucune prévention contre lui.

— Faites donc, je vous en prie, répondit-elle.

Il constata que l'intérieur de la maison n'avait rien de luxueux. Il y avait quelques beaux meubles anciens, probablement acquis par le vieux Kevin McGowan et légués à ses héritiers avec l'ensemble de la propriété, mais, pour l'essentiel, l'ameublement était plutôt simple : des canapés et des fauteuils de bon goût et confortables mais certainement pas de grand prix, beaucoup de coussins et de lampes de lecture, des étagères en bois brut chargées de livres. Il les imagina tous groupés autour de la cheminée du salon, par une froide journée d'hiver ou un soir de printemps humide et venteux, occupés à lire ou à bavarder à mi-voix, un verre de vin à portée de main. Les enfants jouaient peut-être sur le tapis, à leurs pieds, et...

Stop ! Un sourire cynique déforma ses traits quand il mesura combien le style douillet et chaleureux de l'antique maison de campagne lui avait déjà brouillé l'esprit pour qu'il brosse dans sa tête un tableau d'un romantisme aussi niais. Il y avait des chances pour que la réalité ne soit pas aussi idyllique. En tout cas, il savait déjà qu'une des filles préférait le flirt dans des granges inconnues aux soirées familiales au coin du feu. Et il était probable que la promiscuité n'était pas toujours un enchantement pour ces trois couples. La maison était vaste, cependant on devait y être à longueur de temps les uns sur les autres, et, quand il pleuvait, ce devait être pire encore. Il n'y avait qu'une cuisine, une salle à manger et un salon. Cela signifiait que les six adultes et les trois enfants devaient être contraints d'organiser le principal de leurs journées en commun.

— Je monte au premier, dit-il à Mme Collins, qui approuva d'un hochement de tête tout en étalant de la cire sur la table.

L'escalier, qui prenait naissance dans le vaste hall d'entrée, menait à une galerie sur laquelle donnaient plusieurs portes et d'où partait une sorte d'échelle de meunier qui devait permettre d'accéder aux combles.

Phillip ouvrit au hasard la porte la plus proche de l'escalier et pénétra dans une chambre d'un romantisme poussé à l'extrême avec lit à baldaquin, quantité de bougies disposées sur une table de toilette ancienne magnifiquement restaurée et lourds rideaux de brocart de part et d'autre des fenêtres. Quelques vêtements élégants, dont il supposa qu'ils avaient coûté une fortune, étaient suspendus dans l'armoire. Il se demanda s'ils appartenaient à Patricia, et presque dans le même temps constata que cela ne pouvait pas être le cas. Patricia lui avait été décrite comme petite et menue. Or ces vêtements étaient ceux d'une femme aux formes généreuses, voire très corpulente.

Un rapide coup d'œil par la fenêtre lui révéla que la vue donnait sur le chemin en direction du village. Il longeait une prairie puis disparaissait sous les frondaisons d'un petit bois dont quelques arbres commençaient à se parer de vert tendre.

Sacrément chouette, cette chambre, songea-t-il en inspectant la salle de bains, moderne et très confortable, à laquelle on accédait par une porte tapissée de papier peint qui se fondait dans le décor. Ce doit être bien agréable de se réveiller le matin dans cet endroit, d'écouter le chant des oiseaux dans le parc, puis de prendre une longue douche chaude à côté.

Il songea à sa propre chambre, si tant est que l'on puisse appeler chambre l'unique pièce avec coin cuisine qu'il louait dans un quartier pouilleux de Londres et où il devait déplier un canapé et sortir draps et couvertures du fond d'un placard quand il voulait dormir. Il ne disposait pas de vraie salle de bains, seulement d'un réduit en soupente dans lequel une douche avait été installée. Quant aux toilettes, elles se trouvaient sur le palier et il les partageait avec cinq autres logements tout aussi reluisants. La mouscaille, et pas le moindre espoir d'amélioration en vue.

Si. Maintenant il avait un espoir. Un minuscule espoir.

Dans la chambre suivante, mitoyenne, il se heurta littéralement à Patricia, à au moins deux douzaines de Patricia qui lui souriaient dans des cadres accrochés aux murs, posés sur les tables de nuit, les commodes, les étagères. Elle ne figurait jamais seule sur les photos, sa famille au complet était toujours à ses côtés. C'était une femme remarquablement fine et menue, très blonde et très jolie. La plupart du temps, elle était lovée dans les bras d'un grand et bel homme, et entourée de deux fillettes aussi blondes et aussi jolies que leur mère, qui tantôt montaient des poneys, tantôt câlinaient des chiots aux poils ébouriffés. Phillip examina chacune des photos. Il n'eut pas le sentiment qu'il s'agissait d'instantanés pris à la va-vite, mais plutôt de tableaux soigneusement mis en scène qui donnaient à cette image de la famille heureuse une perfection peu crédible.

Elle veut prouver quelque chose, se dit-il, à tout prix. Regardez comme nous sommes heureux ! Regardez comme notre vie est merveilleuse ! Le mari parfait. L'épouse parfaite. Les enfants parfaits.

Quand se donne-t-on un mal pareil pour démontrer quelque chose ? réfléchit-il. D'ordinaire, quand ce quelque chose n'est pas aussi parfait qu'on le voudrait.

Il étudia une nouvelle fois les traits de la femme. Elle ne devait pas avoir beaucoup plus de trente ans et ne s'était certainement pas fait faire de lifting, cependant son sourire avait l'aspect figé que présentent souvent les visages passés par la chirurgie

23

esthétique. Il n'y avait pas de lumière dans ses yeux. Seulement une volonté de fer. Une détermination sans faille.

Elle ne serait pas une adversaire facile.

Il visita la troisième chambre, sans toutefois en tirer grand enseignement sur ses occupants. Pas de photos, pas de vêtements dans l'armoire. Un peignoir blanc solitaire était suspendu sur un cintre. La chambre paraissait froide et nue, hormis des rideaux rouges aux fenêtres qui mettaient un peu de couleur. On aurait dit que quelqu'un en avait enlevé tout ce qui un jour avait peut-être contribué à la rendre chaleureuse. L'homme qui avait divorcé et ne s'était que récemment remarié lui vint aussitôt à l'esprit. Phillip était prêt à parier que cette chambre était la sienne.

Il s'engageait sur l'échelle de meunier pour jeter un œil aux chambres des enfants quand il entendit le téléphone sonner dans le hall d'entrée.

La poisse.

Mme Collins se hâta vers l'appareil. Il reconnut le bruit de ses pas sur le carrelage.

— Oui, allô ? entendit-il, puis : Oh, madame Roth... Comment allez-vous ?... Oui... Oui...

Elle écouta un bon moment sans rien dire d'autre que « oui » ou « entendu, madame Roth ». La parfaite Patricia devait débiter la longue liste de ses instructions et exigences sur la façon dont la maison devait être nettoyée. Néanmoins, à un moment ou à un autre, Mme Collins allait bien finir par glisser que son très serviable cousin, à moins que ce ne soit un oncle ou un neveu, enfin bref, son parent anglais, était justement en train de réparer le chauffage. Et là, il vaudrait mieux qu'il ait pris le large.

Au reste, il lui revint à l'esprit que Géraldine l'attendait. Depuis déjà une bonne demi-heure. Elle était certes habituée à attendre, mais il n'aurait rien à gagner à abuser de sa patience.

Il descendit l'escalier d'un pas aussi naturel que possible. Mme Collins avait l'air quasi au supplice. Phillip ne comprenait pas ce que Patricia lui racontait, mais il entendait sa voix dans le téléphone. Elle parlait fort et distinctement, et vite.

J'ai fini, signifia-t-il d'un geste à Mme Collins, *je me sauve !*

Bien sûr, cette souillon ne pouvait pas laisser passer le coup.

Mais peut-être n'était-elle que trop contente d'avoir une bonne raison d'interrompre sa patronne.

— Madame Roth, reprit-elle en hâte, euh... madame Roth, votre euh... parent est justement là. Pour le chauffage. Je l'ai fait entrer. Il a tout réparé. Il vient de finir à l'instant.

Patricia dut en rester sans voix car pendant quelques secondes plus un son ne provint de l'appareil.

Puis elle dit quelque chose et Mme Collins tourna un visage horrifié vers Phillip.

— Pardon ? Vous dites que vous n'avez aucun parent en Angleterre ?

Il reconnut une intonation hystérique dans les sons qui sortaient maintenant de l'appareil.

— Le chauffage fonctionnait bien ? répétait Mme Collins.

Un tressautement nerveux était apparu dans ses yeux. Elle ne doutait pas qu'elle allait recevoir d'une seconde à l'autre un coup sur la tête, ou qu'elle allait se faire poignarder ou encore violer. Pourtant, elle doit bien voir que je n'ai que l'intention de ficher le camp, songea Phillip, qui avait presque atteint la porte d'entrée.

Elle laissa tomber l'écouteur dans lequel résonnait toujours la voix de Patricia.

— Qui êtes-vous ? demanda-t-elle.

La main sur la poignée de la porte, il sourit à Mme Collins.

— Je suis un parent de Mme Roth, répondit-il. Elle ne le sait pas encore, voilà tout.

Il la laissa à sa stupéfaction, ouvrit le battant et retrouva la douceur printanière de cette belle journée d'avril.

Il s'était fait une première idée.

2

Journal de Ricarda

13 avril

Demain, lundi, je vais chez papa et je pars ensuite avec lui à Stanbury. Personne ne sait à quel point il me manque. Même pas maman parce que ça la rendrait à tous les coups très malheureuse car elle croirait que ça ne me plaît pas d'être avec elle. A l'époque, quand elle a quitté papa, elle m'a demandé chez qui je préférais habiter et elle avait l'air si triste et si seule que j'ai dit « Avec toi, maman ». Mais ce n'était pas vrai. Au fond de moi, je criais « Chez papa ! Chez papa ! Chez papa ! ». Mais bien évidemment, maman n'a rien entendu, et moi, j'avais tellement mauvaise conscience que j'ai mis mes bras autour de son cou et que je l'ai serrée très fort. Et elle ne m'a jamais reposé la question.

Ce n'est pas nul, de vivre avec maman, mais papa est quelqu'un de tout à fait exceptionnel et personne sur terre ne le remplacera jamais. Je donnerais n'importe quoi pour pouvoir être tout le temps avec lui. Sauf qu'il faudrait qu'il ne se soit pas marié avec cette horrible bonne femme.

Je la déteste, je la déteste, je la déteste !

Nouille à un point que c'est difficile à croire. Elle est plus jeune que maman, mais je trouve qu'elle est loin d'être aussi jolie qu'elle ! Quand elle conduit, elle met des lunettes et alors on dirait une instit. Elle est vétérinaire. Au début, papa a essayé de m'embobiner avec ça : « Elle est vétérinaire, Ricarda, tu te rends compte ! Toi qui as toujours voulu devenir vétérinaire ! Jessica va pouvoir t'apprendre plein de choses. Et elle t'emmènera sûrement à son cabinet. »

Merci, sans façon. Papa n'a décidément pas l'air de se rendre compte qu'entre-temps j'ai un petit peu grandi. Je voulais être vétérinaire quand j'avais neuf ou dix ans. Toutes les petites filles ont un jour envie d'être vétérinaire, il n'y a qu'à voir Diane et Sophie aujourd'hui. C'est classique. Je n'ai aucune idée de ce que je veux faire plus tard. Au mieux, rien du tout. Simplement vivre. Me connaître, connaître le monde. Et tout oublier. Toute cette merde avec mes parents. Les gens ne pourraient pas se demander avant s'ils ont envie de rester ensemble ou pas ? Je veux dire avant qu'ils mettent au monde des enfants innocents ? Il devrait y avoir une loi qui interdirait aux gens de divorcer quand ils ont des enfants. Les parents seraient autorisés à se séparer seulement quand les enfants auraient terminé leur scolarité. Et si ça se trouve, il y en a beaucoup qui entre-temps se supporteraient à nouveau.

Quand maman m'a dit que papa se remariait, j'ai dit que je n'irais plus jamais avec lui à Stanbury. Et que de toute façon je ne voulais plus le voir du tout.

Maman ne m'a pas prise au sérieux, comme d'habitude, mais je n'ai pas réussi non plus à le faire. Ne plus voir papa, ça ferait trop mal, je n'y arriverais pas. Le problème, c'est que J. est toujours avec lui. Et il faut toujours qu'elle prenne un air compréhensif et amie-amie à chier, et j'imagine qu'elle adorerait que je lui confie mes problèmes et tout ça, mais elle peut toujours attendre. Je préférerais encore parler avec Evelin, ou Patricia. Enfin, Patricia, peut-être pas. Elle est froide comme un glaçon et elle a toujours ce sourire de marchande de dentifrice. Mais Evelin est vraiment gentille. Un peu gnangnan, mais faut dire qu'elle n'a pas une vie marrante.

Ce que j'aimerais le plus, c'est partir une fois toute seule avec papa. Sans tous les autres. Seulement lui et moi. J'aimerais trop traverser le Canada avec lui en camping-car. C'est mon rêve. Le soir, on ferait des feux de camp et on ferait griller des marshmallows et on observerait les étoiles. Et le jour, on verrait peut-être des grizzlis. Et des élans.

A partir de maintenant, c'est ce que je vais écrire sur toutes mes fiches de vœux. Pour Noël, Pâques et mon anniversaire. Je n'écrirai rien d'autre que : *Vacances au Canada toute seule avec papa.*

Comme ça, un jour il exaucera mon souhait.

En attendant, je vais passer ces vacances de Pâques une fois de plus à Stanbury. Je déteste.

Je déteste J.

Je déteste ma vie.

3

Le soir de leur arrivée à Stanbury, ils mangeaient toujours des spaghettis. C'était une tradition presque aussi vieille que leurs vacances en commun et il était exclu de ne pas respecter une tradition. L'usage voulait que les trois femmes préparent les pâtes, puis qu'ils dînent tous ensemble dans la salle à manger et débouchent pour l'occasion deux bouteilles de champagne. Le deuxième soir, c'étaient les hommes qui faisaient la cuisine, puis à nouveau les femmes et ainsi de suite. Il leur arrivait de temps à autre de rompre ce rythme par un dîner dans un pub, rarement à vrai dire.

Jessica fut surprise de ne trouver personne dans la cuisine quand elle descendit. Chacun, en arrivant, s'était retiré dans sa chambre pour défaire ses bagages, mais ils étaient convenus de commencer la cuisine à sept heures. Or il était sept heures et quart.

Ce n'est pas grave, songea Jessica, je m'y mets seule, voilà tout.

Elle s'assura que le champagne se trouvait au frais et emplit un grand faitout d'eau. De la fenêtre, elle voyait le parc, que le soleil du soir baignait d'une douce lumière dorée. Ils s'étaient rendu compte dès leur descente d'avion, ce midi, à l'aéroport de Leeds Bradford, qu'il régnait une chaleur inhabituelle pour un mois d'avril. Ils avaient réceptionné leurs deux voitures de location et, au cours du trajet entre Yeadon et Stanbury, s'étaient tous, à tour de rôle, défaits de leurs manteaux, vestes et pull-overs. Partout dans la campagne les jonquilles étaient en fleurs et quelques arbres arboraient déjà leurs premières feuilles.

Jessica vit Léon et Tim marcher côte à côte sur la pelouse ; ils discutaient et paraissaient essentiellement occupés de leur sujet, quelque chose de sérieux à en juger par leur front plissé et leur air grave.

Léon était le mari de Patricia. La plupart du temps, ses amis faisaient comme si c'était lui le propriétaire de Stanbury alors que c'était elle qui avait hérité du domaine. En réalité, Léon n'avait pas son mot à dire et, quand on lui parlait de quelque chose qui concernait la maison, on savait qu'il irait au bout du compte en référer à Patricia et prendre ses instructions auprès d'elle.

Jessica jeta une poignée de gros sel dans l'eau, posa le faitout sur la cuisinière et alluma le gaz. C'étaient ses deuxièmes vacances de Pâques à Stanbury et son sixième séjour dans la maison puisque, entre-temps, ils étaient également venus à la Pentecôte, en été, à la Toussaint et à Noël. Elle se sentait à l'aise dans la cuisine désormais familière, et les lieux, la campagne alentour l'avaient conquise. Cependant, elle se disait parfois qu'elle aimerait aussi, de temps à autre, passer ses vacances ailleurs. Et seule avec son mari.

L'ironie voulait qu'elle partageât ce souhait avec la grande fille de quinze ans d'Alexander : assurément le seul trait qu'elles avaient en commun. Jessica savait que Ricarda la détestait de toute son âme. Quelques heures plus tôt, alors qu'ils défaisaient leurs bagages, Alexander avait sorti une feuille pliée en quatre d'une poche de son pantalon et l'avait tendue à Jessica :

« Tiens. Lis. La fiche de vœux de Ricarda. Pour Pâques. »

C'était un feuillet perforé, arraché sans soin aux anneaux d'un classeur. Ricarda ne s'était même pas donné la peine de s'appliquer un peu ou d'écrire lisiblement.

Tout en haut, elle avait griffonné à la hâte : *Ma fiche de vœux*, puis en dessous, en capitales d'imprimerie géantes : *Vacances au Canada toute seule avec papa*. Le mot *seule* était souligné trois fois.

« Et si tu partais une fois tout seul avec elle ? avait suggéré Jessica en lui rendant la feuille. Ça vous ferait peut-être beaucoup de bien. Elle n'a toujours pas accepté que vous ayez divorcé, toi et Eléna. Et encore moins que tu te sois remarié. Il faudrait qu'elle ne doute pas que tu l'aimes comme avant, qu'une partie de ton cœur lui appartient toujours, à elle seule. »

Alexander avait secoué la tête.

« Je ne veux pas rester plusieurs semaines loin de toi.

— Je comprendrais. Et ça nous permettrait peut-être à tous d'avancer un peu.

— Il faudrait d'abord qu'elle commence par changer d'attitude. Pour le moment, vu la façon dont elle se comporte avec toi, elle ne mérite pas de récompense. Si j'accède maintenant à son souhait, elle se figurera qu'elle peut tout se permettre. Je connais ma fille. »

Ricarda ayant en outre annoncé avant même qu'ils soient arrivés qu'il était hors de question qu'elle dîne avec eux, Alexander venait de monter au grenier pour lui parler. Jessica se demandait s'il parviendrait à quelque chose.

La porte s'ouvrit brutalement et Evelin, essoufflée, déboula dans la cuisine. Elle s'était changée pour le dîner, avec comme à son habitude une recherche peu en adéquation avec la situation. C'est à la rigueur pour aller au théâtre que Jessica aurait revêtu un semblable fourreau de soie bleu pâle. A Stanbury, elle portait presque exclusivement des jeans et des sweat-shirts.

— Je suis très en retard, annonça Evelin, dont le visage se marbrait de rouge, sur le ton dépité d'une écolière prise en faute. Je suis désolée. J'ai oublié l'heure... Patricia n'est pas là ?

— Elle a dû elle aussi oublier l'heure, répondit Jessica d'un ton égal. Mais il n'y a pas péril en la demeure. D'ici que l'eau bouille, on a encore du temps devant nous.

— Je me demande où est passé Tim.

Jessica désigna la fenêtre.

— Il est dehors avec Léon. Je ne sais pas de quoi ils parlent, mais ça a l'air d'une discussion très sérieuse.

Evelin s'assit sur une chaise.

— Veux-tu que je coupe des tomates ?

— Je ne suis pas certaine que ta robe soit très appropriée. Et puis... avec ta main...

La main d'Evelin était bandée, elle s'était blessée en jouant au tennis, leur avait-elle appris le matin même en les retrouvant à l'aéroport. Evelin jouait régulièrement au tennis, fréquentait quotidiennement un club de gymnastique, et elle faisait du jogging et de l'aérobic avec une constance louable. Cependant, elle n'était pas sportive pour deux sous et sa maladresse lui valait

31

de se blesser plus souvent qu'à son tour. Compte tenu de sa silhouette, Jessica n'en était pas étonnée.

Evelin n'était pas simplement forte, elle était obèse, et elle paraissait prendre constamment plus de poids. Ses multiples activités sportives ne parvenaient pas à compenser les milliers de calories qu'elle engloutissait en une journée sous forme de gâteaux, chocolat, vin doux et autres sucreries. Elle n'avait pas l'air heureuse, en dépit de la belle maison dans laquelle elle vivait et d'un mariage sans nuage. Elle n'exerçait pas de profession et n'avait pas d'enfants. Tim, son mari, était psychothérapeute. Il passait le plus clair de son temps à son cabinet, une affaire florissante dont il tirait de très confortables revenus. Evelin était souvent seule. Il émanait d'elle une grande impression de solitude et de tristesse.

« Il y a six ans, lui avait raconté Patricia, elle a perdu un bébé au sixième mois de grossesse. Depuis, elle n'a pas l'air de parvenir à être à nouveau enceinte. Je crois qu'elle le vit très mal. »

— Que comptes-tu faire pendant ces vacances ? demanda Evelin. Encore des heures de marche à pied ?

Dès son premier séjour à Stanbury, Jessica avait stupéfié ses amis par sa passion pour les randonnées en solitaire. Quel que soit le temps, elle partait pour au moins deux ou trois heures. Parfois, elle disparaissait des journées entières. Jessica savait que Patricia s'en était plainte, arguant qu'elle s'isolait trop et se souciait trop peu des autres. Alexander le lui avait rapporté.

« Peut-être devrais-tu, un jour, lui proposer de t'accompagner, ou le proposer à Evelin, avait-il dit. Ou bien te joindre à elles. Elles risquent sinon de penser que tu ne les apprécies pas.

— Je peux apprécier des gens sans avoir pour autant envie d'être vingt-quatre heures sur vingt-quatre avec eux. Patricia et Evelin restent des heures assises dans l'herbe à regarder les filles de Patricia monter leurs poneys. Ce n'est pas un truc pour moi.

— Je ne te demande pas non plus de le faire tous les jours, seulement une fois de temps en temps. Histoire de resserrer un peu les liens. »

Jessica avait fait l'effort de suivre ses conseils, et failli périr d'ennui. Diane et Sophie avaient tourné en rond à califourchon sur le dos de leurs poneys tandis que Patricia commentait chacun des gestes de ses filles ou contait par le menu une anecdote extraite des riches heures de leur vie. Ce en quoi elle fut fidèle à elle-même. Patricia ne savait jamais parler d'autre chose que de sa famille. Ses filles, son mari. Son mari, ses filles. A l'occasion, il lui arrivait aussi de parler des amis de ses filles, des institutrices de ses filles et, quand l'envie lui en prenait, des procès de son mari, qui était avocat, et même, à l'en croire, l'un des meilleurs et des plus en vue de Munich. Le petit monde de Patricia était si merveilleux qu'un être normal n'y aurait pas trouvé sa place. Cette débauche de perfection n'éveillait que méfiance chez Jessica ; en outre, eu égard au drame qu'elle avait vécu, elle considérait comme déplacé de la part de Patricia de jouer ainsi constamment de la fierté que lui inspiraient ses filles devant Evelin. Au début, Jessica ne comprenait pas pourquoi celle-ci, malgré tout, recherchait la présence de Patricia, puis elle eut le sentiment que ces moments d'intimité étaient pour Evelin une occasion de s'identifier à Patricia. Elle paraissait voir en elle un modèle, un idéal. Sans doute était-ce aussi la raison pour laquelle elle s'essayait dans chacun des sports que pratiquait Patricia. Sauf que Patricia excellait dans toutes les disciplines quand Evelin était empotée et maladroite au possible. Jessica l'observa, grosse et informe dans son absurde robe de soie moulante, et elle ne put s'empêcher de penser qu'elle était la moins heureuse d'eux tous. Il y avait une telle détresse dans ses yeux, et personne ne semblait jamais faire l'effort de parler avec elle.

Dans un élan de compassion, elle vint vers elle avec l'intention de s'asseoir à son côté, de passer un bras autour de ses épaules et de lui demander ce qui la rendait si malheureuse quand la porte s'ouvrit d'un coup, livrant passage à Patricia. Comme toujours lorsqu'elle entrait quelque part, et peu importaient son petit mètre soixante et sa silhouette d'adolescente androgyne, aussitôt elle occupa et emplit tout l'espace. Beaucoup de gens la trouvaient fatigante.

— Je suis en retard, dit-elle, désolée.

Ses longs cheveux blonds prenaient des reflets d'or pâle dans la lumière du soleil couchant. Elle portait un ensemble d'intérieur vert bouteille coupé près du corps, à la fois parfait pour faire la cuisine et suffisamment élégant pour ensuite passer à table sans avoir l'air négligé. Un de ces vêtements dont Jessica se demandait toujours où certaines femmes les dénichaient.

Patricia s'assit sur la table de la cuisine. C'était son style. Jamais elle ne se serait laissée tomber sur une chaise comme Evelin. Il y avait toujours une volonté, une intention et une force particulières dans chacun de ses gestes.

— Je viens à nouveau d'avoir Mme Collins au téléphone. C'est la personne la plus stupide que j'aie jamais rencontrée. On croit rêver ! Comment a-t-elle pu laisser fouiner dans la maison un type dont elle ignorait tout, simplement parce qu'il se prétendait mon cousin et devait soi-disant réparer le chauffage ? Elle aurait au moins pu m'appeler pour me demander mon avis !

Jessica soupira discrètement. Patricia les bassinait avec cette histoire depuis des jours. Dès qu'elle avait appris ce qui s'était passé, c'est-à-dire à peine Mme Collins lui avait-elle parlé du mystérieux inconnu auquel elle avait ouvert la maison, elle avait téléphoné à toute l'équipe pour raconter sa mésaventure. Et elle n'avait su parler d'autre chose pendant tout le vol entre Munich et Leeds. Cette affaire la mettait hors d'elle, et tout particulièrement le flegme avec lequel réagissait son mari.

« Je ne comprends pas comment Léon peut rester si calme ! répétait-elle à qui voulait l'entendre. Qui nous dit que ce type n'est pas dangereux ? C'est peut-être un criminel, un fou... Est-ce que je sais ? Nous avons deux jeunes enfants... Mon Dieu, ces vacances... Jamais je ne pourrai avoir l'esprit tranquille ! »

Elle ne parvenait toujours pas à se calmer.

— Mme Collins gémit en prétextant qu'il inspirait confiance. Comment peut-on être aussi bête ? Comme s'il fallait se fier aux apparences ! Qu'est-ce qu'elle croit, cette vieille chouette ? Que les assassins ont un bandeau noir sur l'œil et une barbe de trois jours ? Si seulement je savais ce que ce type cherchait !

— En tout cas, il n'a apparemment rien volé, souligna Evelin.

C'était la cinquième ou sixième fois qu'elle faisait cette remarque depuis qu'ils étaient arrivés, mais il eût été erroné de conclure à un manque d'intelligence et Jessica s'en garda bien. Concernant le sujet, il y avait longtemps que toutes les hypothèses avaient été épuisées. Continuer à discuter ne pouvait rien apporter, cependant il était clair que Patricia ne renoncerait pas de sitôt.

— Il a repéré les lieux, insista-t-elle. J'en suis certaine. Il cherchait peut-être à trouver un endroit par où s'introduire la nuit dans la maison. Ou bien alors il a discrètement déverrouillé l'un des soupiraux de la cave avec l'idée de revenir plus tard.

— C'est facile à vérifier, observa Jessica.

— Qu'est-ce que tu crois que j'aie fait en arrivant ? J'ai tout vérifié : les portes, les serrures, les soupiraux, à quatre pattes dans le noir, debout sur un escabeau. Il y a une de ces poussières dans cette fichue cave ! Et un bazar ! Il y a des lustres que personne n'a rien flanqué à la décharge.

— Cette idée n'est pas logique, objecta Jessica. La maison est vide depuis Noël dernier. Elle est complètement isolée. Et quand quelqu'un veut à tout prix entrer dans une maison, il y entre. Alors pourquoi attendrait-il que nous soyons tous là ? Ce serait bien bête de sa part. Et pourquoi se montrerait-il à la femme de ménage, pourquoi lui donnerait-il son nom quand il a eu trois mois pour tout déménager ? En admettant qu'il en ait eu envie. Sans compter qu'il n'y a pas grand-chose à voler ici.

— Ça, il ne le savait pas. Quand nous ne sommes pas là, les rideaux sont toujours fermés. On ne peut rien voir de l'extérieur.

— Maintenant, il le sait. D'après ce que tu dis, il a regardé partout. Il n'y a rien ici qui vaille le risque d'un cambriolage.

— Il n'a peut-être pas l'intention de voler, s'obstina Patricia. C'est peut-être un psychopathe. Un pervers qui prépare un mauvais coup, un bain de sang...

Evelin pâlit.

— Ne dis pas des choses pareilles ! s'exclama-t-elle. Je ne vais pas fermer l'œil de la nuit !

Patricia lui décocha un regard glacial.

— Ce n'est pas en niant la réalité que tu seras plus en sécurité.

— Et ce n'est pas en noircissant le tableau que...

Jessica, qui voyait arriver la vraie dispute, intervint.

— Et s'il était réellement un de tes parents ? s'immisça-t-elle d'un ton posé.

Patricia la regarda en écarquillant les yeux.

— Je n'ai pas de parents en Angleterre.

— Tu n'en sais rien. Tu peux avoir des cousins au troisième ou quatrième degré... Ou des parents par alliance... Je ne sais pas, moi. Ton grand-père était anglais. Ta famille doit donc bien avoir quelque part une branche anglaise.

— C'est en Allemagne que mon grand-père a fondé une famille. Il n'avait plus personne de sa famille anglaise. Mon père me l'a assez souvent raconté. Quand il est retourné vivre en Angleterre, il était complètement seul. Il ne peut y avoir personne.

— Peut-être que si. Cet homme. Et peut-être qu'il a justement envie d'entrer en contact avec toi.

— Eh bien, c'est une drôle de façon de chercher à entrer en contact. Pourquoi ne se présente-t-il pas normalement, comme tout le monde ? On prendrait le thé et voilà.

— C'est peut-être précisément ce qu'il voulait. Il est venu, nous n'étions pas encore là et il est tombé par hasard sur Mme Collins. Il en a profité pour en savoir un peu plus sur toi. Tu imagines à quel point tu dois titiller sa curiosité ? Sa cousine... ou sa lointaine petite-nièce allemande !

— Mais...

— Ce qu'il a fait n'est pas correct. C'est vrai que l'on n'entre pas comme ça chez les gens. Mais l'hypothèse se tient, auquel cas on est loin de ta version d'un psychopathe criminel à l'affût d'un mauvais coup.

Patricia ne parut pas convaincue.

— Euh... peut-être... fit-elle d'un ton dubitatif.

Jessica ouvrit le réfrigérateur et en sortit une bouteille de vin italien.

— Allez, je propose que nous prenions un petit apéritif entre nous, sans les hommes. Histoire de fêter le début de nos vacances et le fait que le rôdeur psychopathe de Patricia soit en réalité un monsieur charmant avec lequel nous allons très bien nous entendre !

Dehors, la nuit tombait. Un calme paisible envahit la cuisine. Dans le faitout, l'eau des pâtes commençait à bouillonner. Jessica regarda par la fenêtre. Léon et Tim revenaient vers la maison.

Tim serrait les lèvres au point que sa bouche n'était plus qu'un trait. Léon parlait avec de grands gestes.

Jessica eut le sentiment que quelque chose les opposait. Elle en fut surprise et inquiète. Jamais il n'y avait la moindre dissension au sein de l'équipe. C'était même sa caractéristique essentielle.

Un désaccord était inconcevable.

Conformément à ce qu'elle avait annoncé, Ricarda ne parut pas au dîner. Alexander n'avait pas échoué à la convaincre de changer d'avis : il n'avait pas pu lui parler faute de la trouver dans sa chambre ou ailleurs dans la maison.

Il arborait une tête sinistre tandis que Patricia, fidèle à elle-même, déployait une énergie usante.

— Tu ne peux pas laisser passer ça ! Tout de même, Alexander, cette fille a quinze ans ! C'est un âge extrêmement dangereux. Elle a peut-être été retrouver un homme ! Tu veux qu'elle te fasse grand-père ?

— Je t'en prie, Patricia, dit Alexander d'un ton las en passant une main sur son front. Elle n'en est pas encore là.

— Vraiment ? Et qu'est-ce que tu en sais ? Tu ne sais même pas où elle traîne. D'ailleurs, tu n'as aucune autorité sur elle – comme tous les pères divorcés. Je n'ai jamais pensé grand bien des méthodes éducatives d'Eléna, tu le sais. Elle a toujours laissé Ricarda beaucoup trop libre, en premier lieu parce qu'elle n'avait pas envie de se compliquer la vie avec elle. Quand je pense à tout ce que je fais pour Diane et Sophie... Mais évidemment, Madame avait mieux à faire que de s'occuper d'une gamine !

Jessica était souvent choquée par la sévérité et le mépris avec lesquels ils parlaient entre eux de la première femme d'Alexander. Elle avait pendant de longues années fait partie de leur cercle, partagé leurs vacances à Stanbury, vécu, discuté, ri avec eux, et peut-être aussi leur avait-elle parfois ouvert son cœur. Son divorce avait fait d'elle une paria. Jessica se mêla à la conversation pour contrer l'attaque en règle de Patricia, qui menaçait d'anéantir Alexander.

— Il ne faut pas non plus dramatiser, intervint-elle. Il est bien normal qu'une jeune fille de l'âge de Ricarda se démarque de sa famille et cherche sa propre voie. J'ai fait la même chose.

— Mes filles ne feront pas ça, déclara Patricia d'un ton péremptoire.

Et les filles, qui de l'avis de Jessica disposaient déjà d'une bonne dose de suffisance, sourirent suavement en manière d'approbation.

Léon leva son verre aux vacances qui commençaient et, suivant son exemple, tous trinquèrent. Un sentiment très fort d'appartenance au groupe, d'amitié, de chaleur et de confiance parut alors emplir la salle à manger aux vieux murs lambrissés de chêne. Jessica comprenait que l'on puisse être attaché à cette cellule presque intime qui s'était construite et structurée au fil des années. Elle regarda les trois hommes, liés depuis qu'ils étaient enfants. Alexander, Léon, Tim.

« Nous étions inséparables, lui avait confié un jour Alexander. Quand tu en rencontrais un, tu savais que les deux autres n'étaient pas loin. Il n'y avait rien que nous ne fassions pas ensemble. Et nous sommes très heureux d'être toujours amis, en dépit des années et bien que chacun ait suivi une voie différente après le bac. »

Avant de passer à table, Jessica avait interrogé Léon sur sa discussion avec Tim.

« Vous vous disputiez ? Je vous regardais traverser la pelouse pour rentrer et... »

Léon l'avait interrompue d'un rire bref.

« Voyons, Jessica ! Où es-tu allée chercher ça ? Nous ne nous disputions pas du tout. Tim me racontait sur quoi il travaille actuellement et je l'écoutais avec beaucoup d'intérêt. Tu as dû prendre notre concentration pour un désaccord, je t'assure que ce n'était pas le cas. »

Jessica n'avait pas l'impression de s'être trompée ; cependant, sa mince expérience des relations au sein du groupe lui avait déjà enseigné qu'il eût été inutile d'insister.

Elle se tourna vers Tim.

— Au fait, il paraît que tu t'es attelé à des recherches très intéressantes. Tu peux nous en dire plus ?

— Eh bien, je ne travaille pas sur un cas, si c'est le sens de ta question, répondit-il. J'ai seulement commencé à réfléchir à ma thèse.

— Pourquoi veux-tu brusquement faire une thèse ? s'étonna Patricia. Ton cabinet marche super bien, tes séminaires de développement personnel aussi. Crois-tu que ça va changer quelque chose que tu puisses écrire *Docteur* sur ta carte de visite ?

— Ma chère Patricia, répliqua Tim, je considère que l'un des principaux charmes de l'existence réside dans les défis que nous nous lançons et à la réalisation desquels nous nous consacrons ensuite corps et âme. Ce qui importe, au fond, n'est pas tant ce qui est indispensable à la vie que notre capacité à progresser, à mettre toujours la barre un peu plus haut.

— Quel est le sujet de ta thèse ? demanda Jessica.

Cela plaisait à Tim d'être, avec son projet de thèse, le point de mire de l'assemblée, cela se lisait sur son visage.

— La dépendance, répondit-il.

— La dépendance que développe un être par rapport à un autre ?

— Oui, et également certaines constellations bourreau/victime qui en découlent. Ce qui est presque toujours le cas dans un rapport de dépendance entre deux êtres. Qui revêt quel rôle et pourquoi ? Quels bénéfices chacune des parties en tire-t-elle ?

— Ça a l'air intéressant, observa Jessica.

— *C'est* intéressant, rectifia Tim sur un ton satisfait. Mais également très complexe et particulièrement ardu. Je vais devoir y travailler une partie de mes vacances.

— Tu en es au tout début ? s'enquit Patricia.

Tim acquiesça.

— En réalité, encore aux recherches préliminaires. Je suis en train d'établir les profils psychologiques à partir desquels je compte développer mes théories.

Patricia rit nerveusement.

— Ce n'est donc pas tout à fait anodin de te fréquenter d'un peu près. On risque de se retrouver décortiqué dans ta thèse.

— Effectivement, confirma Tim.

Elle le dévisagea.

— De toute façon, ça ne me concerne pas. Je ne pense pas que l'on puisse, même avec la meilleure volonté du monde, me taxer d'une quelconque dépendance.

— En es-tu certaine ? jeta Tim.

Les yeux de Patricia lancèrent des éclairs.

— Alors là, vraiment, j'aimerais bien savoir ce que tu serais capable de trouver chez moi !

— Oh, ce n'est pas bien difficile. Ça saute même aux yeux. Tu es immensément dépendante de l'image que tu donnes de toi. La parfaite Patricia. L'épouse parfaite. La mère parfaite. Patricia avec ses filles parfaites, son mari parfait et sa maison parfaite. Pour faire court : la vie parfaite. Le résultat de tout ça, c'est que tu te projettes dans un état de dépendance extrême par rapport à Léon. Comme sans lui tu ne peux pas faire exister cette image, tu es assujettie à sa coopération et, l'un n'allant pas sans l'autre, également contrainte à une certaine... tolérance.

Droite sur sa chaise, les joues rouge vif, Patricia était tendue comme un ressort.

— Pourrais-tu être plus explicite ? demanda-t-elle d'un ton suraigu.

Tim consacra à nouveau son intérêt au contenu de son assiette.

— Je crois que nous nous sommes compris, répondit-il en mastiquant, sans la moindre trace d'émotion.

Un silence gêné pesa quelques minutes sur l'assemblée, puis ils entendirent une porte claquer dans le hall d'entrée.

— C'est sûrement Ricarda ! dit aussitôt Patricia, trop heureuse de détourner l'attention. Alexander, tu devrais tout de suite aller la voir et lui dire ce que tu penses de...

Alexander reculait déjà sa chaise pour se lever quand Jessica l'arrêta en posant une main sur son bras.

— Non. Ça ne fera que compliquer les choses. Laisse-la pour le moment.

— Je ne comptais pas du tout aller retrouver Ricarda, protesta Alexander, je voulais faire une annonce.

Il sourit.

— Je...

Pour le coup, Jessica planta ses ongles dans son bras.

— Non ! Alexander, je t'en prie !

Tous la regardèrent, surpris.

— Qu'est-ce qui se passe ? fit Evelin.

Alexander se rassit.

— Je ne te comprends pas, dit-il.

Jessica se leva d'un geste brusque.

— Je vais voir Ricarda, balbutia-t-elle.

Elle savait qu'elle allait au-devant d'une déconvenue. Néanmoins, elle quitta la salle à manger à pas rapides et s'engouffra dans l'escalier.

4

Jessica se réveilla au milieu de la nuit sans comprendre ce qui l'avait tirée de son sommeil. Quelque chose devait l'avoir troublée jusque dans ses rêves car son cœur battait précipitamment et elle éprouvait un sentiment diffus de menace. Elle était déjà venue à Stanbury, mais c'était la première fois qu'elle dormait dans ce lit et elle se demanda si c'était ce qui l'avait perturbée. Puis elle remarqua la lumière qui filtrait sous la porte de la salle de bains contiguë à la chambre et, presque dans le même temps, que le lit jumeau près du sien était vide. De l'autre côté de la porte, de l'eau coulait dans le lavabo.

Elle comprit ce qui l'avait réveillée et soupira.

Des semaines durant, il ne s'était rien passé. Mais il était presque inévitable que ça recommence.

Elle alluma sa lampe de chevet et rejeta ses couvertures en jetant un œil au radio-réveil posé par terre. Bientôt quatre heures. L'heure habituelle.

Elle frappa doucement à la porte de la salle de bains.

— Alexander ?

Il ne répondit pas. Elle entra.

Il se tenait devant le lavabo, faisait couler de l'eau froide dans ses mains en coupe sous le robinet, puis s'aspergeait le visage. Il était livide et paraissait trembler de tout son corps.

— Alexander !

Elle s'approcha de lui, posa une main sur son épaule.

— Tu as de nouveau fait ce rêve ?

Il hocha la tête. Il ferma le robinet, prit une serviette de toilette, sécha son visage et ses mains. L'eau glacée elle-même n'était guère parvenue à redonner un soupçon de couleur à ses joues.

— Désolé d'avoir interrompu ton sommeil, dit-il. J'ai dû crier, une fois de plus, ou parler.

— Je ne sais pas. Je viens juste de me réveiller. Et ça n'a pas d'importance.

Elle s'assit sur le rebord de la baignoire et l'attira doucement près d'elle.

— Tu ne veux vraiment pas me raconter ce rêve ? Me dire ce qui te préoccupe à ce point ?

Il secoua la tête.

— Ça ne changerait rien. C'est tellement vieux !

— Ça change souvent beaucoup de choses de parler. Tu as peut-être ces problèmes justement parce que tu gardes tout au fond de toi.

Il frotta ses yeux irrités par la fatigue.

— Non. Il y a des choses... Il vaut mieux ne plus jamais y toucher. Elles appartiennent au passé et sont très bien là où elles sont. Fichons-leur la paix.

Jessica soupira.

— Sauf qu'elles ne se tiennent pas tranquilles. C'est bien le problème. Elles reviennent constamment à la charge, elles te tourmentent. Elles ne se laissent pas oublier. Jamais.

Il secoua la tête, enfouit son visage dans ses mains et elle comprit que cette discussion serait aussi vaine que les précédentes. Il y avait eu plusieurs épisodes comme celui-ci, où elle avait tenté de l'aider à parler, chez eux, dans la salle de bains, parfois aussi dans la cuisine, ou bien assis l'un à côté de l'autre dans leur lit. Alexander se réveillait en criant et il lui fallait du temps pour maîtriser les tremblements qui agitaient son corps. La première fois – quelques semaines avant leur mariage –, Jessica avait cru qu'il s'agissait d'un simple cauchemar, comme on peut en faire de temps à autre. A l'époque, il est vrai que l'intensité de la réaction d'Alexander, de même que la persistance de son malaise, l'avait effrayée. Elle lui avait demandé ce qui l'avait tant bouleversé, mais il avait prétendu ne pas en garder de souvenir précis.

« Je ne sais pas. Quelque chose me poursuivait... C'est confus. »

L'incident s'était reproduit, une fois, deux fois, trois fois. Un jour, elle comprit que le cauchemar devait avoir des causes plus profondes que ce qu'elle avait cru. Mais elle eut beau insister, elle ne put lui arracher le moindre début d'explication, le plus petit indice. Souvent, il affirmait qu'il ne comprenait pas lui-même. Puis il disait qu'il ne voulait pas revenir sur le passé.

« Si tu ne veux pas en parler avec moi, avait-elle remarqué un jour, tu devrais te confier à quelqu'un d'autre. Peut-être à Tim ou Léon ? »

Il s'était presque mis en colère.

« Ridicule. Ce ne sont pas des choses dont on parle entre hommes. Je te raconte mes cauchemars, tu me racontes les tiens... Jamais. Il n'en est pas question.

— Dans ce cas, pourquoi ne te ferais-tu pas aider par un psychologue ? »

Il lui avait adressé un regard qui signifiait qu'elle perdait son temps et qu'il était inutile qu'elle s'obstine dans cette voie.

Il redressa la tête, tourna les yeux vers elle. Au moins ses lèvres avaient-elles repris un peu de couleur.

— Retourne te coucher, lui conseilla-t-il. Je reste ici encore un peu puis je te rejoins.

— Mais...

— S'il te plaît. Tu sais bien...

Elle savait. Elle savait que, dans ces moments, il désirait être seul, que sa sollicitude lui était pénible. Lui qui sinon recherchait sa présence, qui répétait combien il avait besoin d'elle, besoin de la sentir près de lui, de la toucher, qui disait combien elle comptait pour lui, combien elle était nécessaire à son équilibre, l'excluait de cette partie de sa vie avec une obstination farouche.

Elle se leva, caressa ses cheveux ébouriffés et humides de sueur, et regagna la chambre. L'air encore très frais de la nuit filtrait par l'entrebâillement de la fenêtre, elle se blottit en frissonnant sous ses couvertures. Aucun bruit ne lui parvenait de la salle de bains. Il devait être assis, immobile, et attendre que s'apaise en lui quelque chose que lui seul connaissait. Il reviendrait alors se coucher, et se tournerait et retournerait dans son lit jusqu'au petit matin. Le lendemain, il aurait les traits tirés, le teint blême, pourtant d'heure en heure son soulagement deviendrait plus visible – tel quelqu'un qui sait qu'il a surmonté quelque chose dont il va désormais être débarrassé pour un petit moment.

Jessica se tourna sur le côté. Bien qu'elle crût être complètement réveillée, elle s'endormit avant qu'Alexander ne la rejoigne.

5

Elle s'appelait Géraldine Roselaugh[1] et réussissait à avoir un physique à la hauteur d'un nom qu'elle-même jugeait plutôt difficile à porter. Rares étaient ceux à ne pas être fascinés lorsqu'ils la rencontraient. Elle avait des cheveux d'un noir de jais qui lui arrivaient à la taille, le teint pâle et des yeux d'un vert intense, légèrement en amande. Ses pommettes, très hautes, donnaient de la finesse à son visage, ses lèvres pleines, de la sensualité. Sa silhouette était parfaite et son emploi du temps de mannequin surbooké. Elle avait vingt-cinq ans et savait qu'elle aurait pu chaque soir sortir avec des dizaines d'hommes riches et intéressants, boire du champagne et se faire offrir des cadeaux.

Elle se demandait comment elle avait fait pour tomber sur Phillip Bowen et être incapable de le quitter.

D'autant qu'il ne déployait guère d'efforts pour conserver son affection.

Ce n'était que pour lui qu'elle était là, en avril, à quelques jours de Pâques, au bar du Fox and The Lamb, un petit hôtel de l'ouest du Yorkshire, et qu'elle l'attendait. Qu'elle l'attende n'avait au demeurant rien d'extraordinaire, elle avait même parfois le sentiment qu'hormis son métier et le stress qui allait de pair, sa vie ne consistait plus qu'à attendre Phillip Bowen.

Elle n'avait jusque-là jamais entendu parler d'un lieu nommé Stanbury ni jamais mis les pieds dans le Yorkshire. Son travail l'amenait à séjourner dans les diverses capitales européennes, à l'occasion également à New York, et elle passait toujours ses

---

1. Littéralement : rire de rose. *(N.d.T.)*

vacances au soleil, quelque part où il y avait des plages imma-
culées, des palmiers et une totale absence de nuages dans le ciel.
Elle était allée une fois en Ecosse, avait été séduite par les grands
espaces, le charme romantique de la solitude des hautes landes.
Mais le Yorkshire...

Le minuscule village de Stanbury était à un jet de pierre de
Haworth, le village rendu célèbre par les sœurs Brontë. La
maison du pasteur Brontë était ouverte à la visite et, ainsi que
le recommandait le guide touristique, on pouvait, en suivant un
chemin de randonnée sur la haute lande, accéder aux ruines de
Top Withins, la demeure qui aurait servi de cadre aux *Hauts de
Hurlevent*, le célèbre roman d'Emily Brontë. C'était ce à quoi
Géraldine avait prévu d'employer son après-midi, et Phillip lui
avait promis de l'accompagner. Ils étaient convenus de se
retrouver une demi-heure plus tôt. Mais il avait voulu une fois de
plus retourner à Stanbury House, et, comme d'habitude, il était
en retard.

Ne supportant plus de l'attendre dans sa chambre, elle était
descendue au bar de l'hôtel, une sorte de pub qui le midi proposait un buffet. Une famille occupait une table d'angle, quatre
enfants agités et des parents stressés qui depuis que Géraldine
était là débattaient, sans arriver à un accord, de ce qu'ils
voulaient manger. La mère, pâle, à bout d'arguments, paraissait
ne rien souhaiter d'autre que le retour de cette période de sa vie
où son union avec son voisin de table n'avait pas encore été bénie
par une joyeuse équipe de quatre descendants turbulents. Géraldine aurait volontiers échangé son rôle contre le sien.

Fonder une famille avait toujours été pour elle une évidence.
Elle n'avait jamais aspiré à autre chose qu'à une vie bourgeoise
et rangée. Elle avait été repérée à seize ans dans une disco-
thèque, mais elle disposait d'un solide sens des réalités et savait
que le métier de mannequin n'aurait qu'un temps. A trente ans,
elle voulait être mariée et avoir deux enfants. Les choses n'avaient
pas l'air de vouloir prendre cette tournure.

Elle buvait l'eau minérale qu'elle avait commandée, les yeux
rivés sur la porte. Phillip n'apparaissait toujours pas. Des effluves
alléchants arrivaient du buffet, mais elle s'interdit toute idée de
nourriture. Sa ligne était son capital, si elle réussissait à ne pas se

laisser tenter, ce soir, elle pourrait se permettre un petit dîner quelque part avec Phillip et peut-être même s'autoriser un verre de vin et parler un peu de l'avenir. En outre, elle voulait lui redire que, pour ce voyage dans le Yorkshire, elle avait refusé un contrat extrêmement bien payé à Rome, s'était fâchée avec son agent, et...

Elle interrompit ses divagations et eut un sourire las. Phillip aurait tôt fait de répliquer qu'il ne lui avait jamais demandé de l'accompagner, et c'était vrai. Elle n'avait pas supporté l'idée de le laisser partir seul. Cette fois, Lucy, son amie et agent, s'était mise en colère.

« Ce n'est pas une chose que tu peux te permettre ! avait-elle dit en frappant sa table de travail du plat de la main. Tu n'es pas une star, il faut sans doute que je te le répète pour que ça entre dans ta tête ! Aujourd'hui, on te paye plutôt bien pour montrer ta jolie frimousse, mais ça ne va pas plus loin. Et tu as vingt-cinq ans ! Tu sais combien de gamines de dix-sept ou dix-huit ans poussent derrière ? Le sommet de ta carrière est derrière toi, ma belle ! Accepte ce qu'on t'offre, marche comme ça tant que ça dure, et dans deux ou trois ans, quand ce sera fini pour toi, ton compte en banque ressemblera au moins à quelque chose. Encore que, vu que tu entretiens plus ou moins ce monsieur... »

Lucy ne lui avait encore jamais parlé en ces termes, mais elle ne lui apprenait rien. Géraldine n'était pas dupe de la situation ; jamais elle ne s'était fait d'illusions.

« Je ne peux pas m'en empêcher, Lucy, avait-elle doucement répondu. J'ai besoin de sa présence. J'ai besoin de lui. Il est très important pour moi.

— Mais depuis que tu le connais, il ne fait que te décevoir !

— Un jour...

— ... il changera ? Géraldine, tu n'y crois pas toi-même ! Il a plus de quarante ans. Ce n'est pas un gamin qui profite un peu de la vie avant de se ranger des voitures. Il n'est pas net. Et il ne le sera jamais ! »

Elle était tout de même allée dans le Yorkshire. Elle savait que c'était une erreur. Et elle avait conscience que Phillip n'éprouvait pas le moindre attrait pour l'avenir dont elle rêvait et dont les quatre bambins qui se chamaillaient à la table voisine figuraient le bruyant avant-goût.

Elle se dit qu'elle devrait se lever, regagner sa chambre, faire ses bagages et rentrer à Londres. Vivre sa vie et oublier cet homme.

La porte du bar s'ouvrit et Phillip entra.

Ses cheveux étaient ébouriffés et il apportait avec lui des odeurs de soleil, de vent printanier et de terre bien plus en accord avec lui que les relents de cigarette dont il était d'ordinaire imprégné. Il portait un jean et un pull-over à col roulé bleu foncé. Géraldine se sentit brusquement déplacée dans son élégant ensemble en daim.

Il regarda autour de lui, la découvrit et se dirigea vers sa table.

— Je suis en retard, excuse-moi.

Il s'assit et pointa son verre d'eau minérale du doigt.

— C'est ton repas de midi ?

— Mon repas de midi et mon petit déjeuner réunis.

— Dans ce cas, prends bien garde à ne pas grossir ! Ça ne t'ennuie pas que je mange un morceau ? ajouta-t-il en regardant le buffet.

— Je pensais que nous pourrions dîner quelque part ce soir.

— Rien ne s'y oppose. Mais d'ici là, j'aimerais quand même reprendre quelques forces.

Il se leva et disparut en direction du buffet. Elle le suivit des yeux en se demandant à quoi ça tenait.

Ça tenait forcément à quelque chose. Ça ne pouvait pas être seulement son physique séduisant, parce que des hommes séduisants, elle en rencontrait tous les jours. Et s'il possédait des qualités cachées, elle était assurément celle qui en profitait le moins. La plupart du temps, il était gentil avec elle, mais d'une façon indifférente et distante, sans s'impliquer. Elle savait que sa vie n'avait pas été facile et elle se répétait qu'il ne fallait pas chercher ailleurs la raison de son refus de s'engager et de son incapacité à instaurer des relations de réelle intimité avec elle, mais elle ne cessait d'être tourmentée par le doute. Si lui était assurément son grand amour, peut-être n'était-elle pas le sien. Sa compagnie lui était agréable parce qu'elle était séduisante, intelligente et prête à faire beaucoup de choses pour lui. Mais il ne l'aimait pas.

Au bout du compte, il ne l'aimait pas. Tout simplement.

« Peut-être que tu ne l'aimes pas non plus, lui avait dit Lucy un jour. Que tu en es simplement dépendante sexuellement. »

Elle avait rejeté cette hypothèse avec la dernière énergie.

« Ce que tu dis est absurde. Tu me connais. Tu m'imagines sautant dans le lit de n'importe qui ?

— Non, pas de n'importe qui. Mais tu peux quand même être dépendante. »

Tout au fond d'elle-même, Géraldine savait que Lucy avait raison. C'était une idée qu'elle refusait avec force, qu'elle refoulait dès qu'elle se manifestait. Sa relation avec Phillip s'expliquait d'abord par le désir physique qu'elle ressentait pour lui. Elle aimait coucher avec lui. Elle aimait même sa façon indifférente de lui faire l'amour. Il n'était pas dénué d'égards mais il ne répondait pas à ses besoins. Il était dans l'acte sexuel aussi éloigné d'elle qu'il l'était à tout autre instant du jour ou de la nuit. Parfois, dans les brefs moments où elle s'avouait sa dépendance, elle désespérait de comprendre comment elle pouvait être à ce point asservie à quelque chose qui n'était pas agréable, pas satisfaisant, pas même excitant et lui donnait au fond surtout le sentiment d'être utilisée.

Ce n'est pas ce que je veux. Ce n'est pas ce que je veux. Ce n'est pas ce que je veux !

Il revint avec un verre de bière dans une main et une assiette, pour autant que Géraldine pût en juger, d'un plat au curry, dans l'autre.

— J'ai pris une fourchette pour toi. Au cas où tu voudrais quand même manger un peu.

Aussitôt la méfiance de Géraldine s'éveilla. Pour être aussi prévenant, il devait avoir quelque chose de désagréable à lui annoncer.

— Qu'y a-t-il ? fit-elle sans toucher à la fourchette qu'il avait apportée.

Phillip soupira mais n'en commença pas moins à manger de bon appétit.

— Je ne peux pas t'accompagner. Il faut que j'aille voir Patricia Roth.

— Mais tu devais y aller demain matin !

— J'ai changé d'avis. Je suis trop énervé pour attendre. Et le temps presse. Si Patricia Roth, comme je le présume, refuse de me parler, il faudra que j'entreprenne de longues démarches. Je ne veux pas perdre de temps.

Ces dernières années, la sensibilité de Géraldine s'était exacerbée, elle eut du mal à avaler ce qu'elle venait d'entendre.

— Perdre du temps, répéta-t-elle. Tu considères que faire une balade avec moi est une *perte de temps* ?

Il voulut lui glisser une fourchette de riz au curry dans la bouche, mais elle repoussa son geste.

— Arrête. Je n'ai pas faim. Je n'ai vraiment pas faim.

— Je ne suis venu ici que pour cette affaire, dit-il. Dans un sens, tout ce qui ne concerne pas mon projet est du temps perdu. Ça n'a rien à voir avec toi.

— Tu me l'avais promis.

— Tu as tellement insisté que j'ai fini par dire oui, pour qu'on n'en parle plus. Mais je n'en ai pas envie. Et puis tu peux bien te promener toute seule.

Elle sentit sa gorge se nouer. Pourvu qu'elle parvienne à retenir ses larmes.

— Je suis là pour toi. Pas pour me promener toute seule !

— Je ne t'ai pas demandé de venir. Oh non…

Il repoussa son assiette encore à demi pleine, agacé qu'elle lui ait gâché son repas.

— … tu ne vas pas commencer à pleurer ! Je t'ai très précisément expliqué pourquoi je venais, et je ne t'ai jamais priée de m'accompagner. Tu as absolument voulu venir. Tu ne peux pas maintenant exiger que j'organise mes journées en fonction de toi.

— Mais j'imaginais que…

Il sortit une cigarette aplatie du fond d'une poche de son pantalon.

— Je t'écoute. Qu'est-ce que tu imaginais ?

Qu'avait-elle imaginé ? Avait-elle sérieusement cru à une escapade en amoureux ? Randonnées, promenades, longues soirées au coin du feu dans un petit hôtel de charme et excursions à travers le pays avec pique-niques au bord de ruisseaux bondissants ? Siestes à deux dans l'herbe tendre ? Moutons dans les prés, petits nuages blancs dans le ciel et odeur de soleil sur la terre humide ? Le printemps et ses promesses ? La vie simple de la campagne... Oui, si elle était honnête avec elle-même, c'était bien ce qu'elle avait espéré. Elle avait cru que loin de Londres, de l'agitation de la ville, des voitures, du métro, de la foule, des puanteurs d'essence et du bruit, loin de sa sinistre chambre sous les toits et des bars enfumés dans lesquels il passait la moitié de ses nuits, il deviendrait un autre.

Elle avait naïvement misé sur une sorte d'effet thérapeutique de la nature et de ses bienfaits. Dans le Yorkshire, Phillip découvrirait les vraies valeurs et il comprendrait que ce qu'il avait choisi de faire de sa vie ne pourrait pas le rendre heureux. Le changement de décor n'avait pas eu l'effet escompté. La haute lande, l'air pur et les petits moutons n'avaient transformé ni Phillip, qui n'avait rien découvert, ni Géraldine, qui était toujours Géraldine. Et leurs relations étaient toujours aussi difficiles.

Elle se leva pour éviter l'humiliation de fondre en larmes devant lui.

— Tu permets que j'y aille ? fit-elle d'une voix contrainte qu'elle-même ne reconnut pas. Puisque tu ne m'accompagnes pas, il est inutile que j'attende que tu aies fini de déjeuner. Je peux prendre la voiture ?

La dernière question était purement rhétorique, car la voiture lui appartenait. Phillip n'en possédait pas. Si elle n'était pas venue avec lui, il aurait dû prendre le train. Et il aurait dû se chercher un mode d'hébergement moins dispendieux, parce que c'était Géraldine qui payait le très confortable hôtel.

Le pire, c'est que cela lui aurait été complètement égal, elle le savait.

6

La nausée se dissipa aussi vite qu'elle était venue. La pièce cessa de tourner autour d'elle, les spasmes qui lui mettaient le cœur au bord des lèvres s'étaient eux aussi envolés. Jessica, incrédule, resta encore quelques minutes assise sur le rebord de la baignoire ; elle se trouvait, en cas de besoin, proche des toilettes, mais elle ne s'était pas trompée : la vague était passée.

Elle se leva et regagna la chambre, où Alexander, inquiet, faisait les cent pas.

— Ça va mieux ? demanda-t-il quand il la vit.

Elle hocha la tête.

— Je croyais que l'on avait mal au cœur seulement le matin, dit-elle, mais ça me prend à n'importe quel moment de la journée.

— C'est pourquoi je ne comprends pas que l'on doive faire un tel mystère de ta grossesse. Ils vont bien finir par se rendre compte que tu vomis plusieurs fois par jour. Sans compter que tu vas grossir.

— Pour ça, j'ai encore le temps. Je n'en suis qu'à la onzième semaine.

— Tout de même. Pourquoi m'as-tu empêché de leur annoncer la nouvelle, hier soir ?

— D'une part, je ne trouve pas ça très gentil pour Evelin. Depuis qu'elle a perdu son bébé...

— Ça fait des années ! Il y a longtemps qu'elle s'en est remise.

Jessica constata avec un étonnement intact que même un homme comme Alexander, qu'elle jugeait plus sensible et plus intelligent que la moyenne, pouvait se méprendre sur les sentiments d'une femme qu'il fréquentait intimement depuis des années.

— Evelin ne s'en est pas du tout remise. Elle y parviendrait peut-être si elle réussissait à être de nouveau enceinte, mais après tant d'années, je ne sais pas si elle peut encore l'espérer... Ne pas être mère est pour elle très difficile à accepter.

Alexander parut étonné.

— Je ne m'en serais pas douté. Elle est très introvertie, mais en même temps, elle est aussi tellement... tellement équilibrée !

— Evelin n'est pas quelqu'un d'équilibré. Pas du tout. D'ailleurs, il doit y avoir d'autres raisons à son malaise, j'ignore lesquelles. Quoi qu'il en soit, je trouve déplacée une annonce officielle de ma grossesse.

— Pourtant, tu ne vas pas pouvoir en faire mystère.

— Je n'en ai pas l'intention. Mais c'est peut-être mieux que je lui en parle moi-même un jour où nous serons seules.

— Ou que tu en parles à Tim. Il est psychologue. Il devrait savoir lui annoncer la nouvelle avec ménagement.

— Peut-être. De toute façon...

Jessica s'assit sur le bord du lit et enfila ses chaussures de sport.

— ... de toute façon, reprit-elle, je pense que Ricarda devrait le savoir avant les autres.

— Tu as dit toi-même que Ricarda allait sans doute mal réagir.

— Il faut le lui dire quand même. Elle fait partie de la famille. Les autres sont des amis.

Elle se leva et prit sa veste de pluie dans la penderie.

— Je vais me promener, je serai de retour pour le dîner.

— Ne va pas trop loin. Et ne te fatigue pas inutilement.

— Ne t'inquiète pas, je fais attention.

Ils s'embrassèrent avant de se séparer, avec la tendresse et l'affection qu'ils mettaient dans tous leurs rapports. Il y avait des moments, et celui-ci en faisait partie, où ils se sentaient extrêmement proches. Jessica brûlait de lui redemander de lui parler de ses cauchemars, mais elle devinait qu'il ne lui répondrait pas et que la magie de l'instant en serait rompue.

Dans l'escalier, elle rencontra Patricia, Evelin et les filles de Patricia. Les enfants étaient en tenue d'équitation, et tout le monde paraissait en route pour le poney club. Evelin avait comprimé sa silhouette opulente dans un pantalon légèrement trop petit qu'elle avait assorti à un pull-over à col roulé dans lequel elle allait affreusement transpirer. Il avait toutefois le mérite de dissimuler ses hanches et Jessica supposa que c'était la raison pour laquelle elle s'y accrochait, bien que Patricia s'employât justement à lui démontrer qu'il était inadapté à la température.

— Il est beaucoup trop chaud ! Remonte vite te changer !

Elle aperçut Jessica.

— Jessica, te voilà ! Je me demandais où tu étais. Ça te dit de venir avec nous ? Nous accompagnons Diane et Sophie à l'équitation.

Les deux fillettes gloussaient stupidement. Elles avaient douze et dix ans, et glousser était chez elles une seconde nature. Leur parfaite maman les avait équipées de pied en cap avec un soin jaloux : les culottes mastic leur seyaient comme une seconde peau, les bottes de cuir noir étincelaient et les chemisiers neigeux resplendissaient. Diane, l'aînée, avait négligemment noué un pull-over sur ses épaules et relevé ses cheveux. Elle et sa jeune sœur exprimaient la certitude satisfaite des enfants élevés dans l'argent.

— Je préfère marcher un peu, décida Jessica.

Elle se sentit coupable car, la veille encore, Alexander l'avait encouragée à se montrer plus sociable. Mais l'idée de passer deux heures au bord d'une prairie à regarder ces deux gamines éternellement gloussantes la démoralisait à l'avance.

Patricia la considéra sans aménité.

— Comme tu voudras. Bon, Evelin, qu'est-ce que tu fais : tu te changes ?

— Je reste comme ça, répondit Evelin, les joues en feu.

Jessica se retint de demander à Patricia de ménager un peu plus Evelin, qui ne pouvait décemment pas porter les mêmes tee-shirts moulants qu'elle.

Elles sortirent ensemble de la maison. Dehors, Tim était en contemplation devant le tapis de jonquilles sous lequel disparaissait le rond de pelouse du centre de la cour. Quand il les entendit, il se retourna. Son regard d'ordinaire placide pétillait.

— N'est-ce pas merveilleux ? dit-il. Ce printemps anglais n'est-il pas merveilleux ?

— Tim peut regarder des fleurs pendant des heures, expliqua Evelin.

— C'est vrai, confirma Tim. Surtout au printemps, quand on sort enfin de l'hiver... Je vois que vous allez au poney club ? ajouta-t-il en les rejoignant.

— Sauf Jessica, évidemment, répliqua Patricia sur un ton acerbe. Elle se sent plus attirée par la solitude.

Tim considéra Jessica de son regard scrutateur de thérapeute qui dès leur première rencontre lui avait été désagréable. C'était une expression qu'il pouvait prendre à volonté, selon qu'il en éprouvait ou non le besoin, et qui en un éclair lui permettait d'effacer toute distance entre lui et son vis-à-vis. Jessica croyait volontiers qu'il y avait des femmes prêtes à lui confier leurs émotions les plus intimes sur ce seul regard, tout au moins sa réussite professionnelle permettait-elle de le supposer. Chez elle, il provoquait l'effet inverse : elle ressentait chaque fois le besoin de reculer de quelques pas.

Evelin, Patricia et les enfants montèrent dans l'une des deux voitures de location garées près de l'allée. Evelin était toujours rouge comme une pivoine.

Tim suivit des yeux la voiture qui s'éloignait.

— Pourquoi ne voulais-tu pas aller avec elles ? demanda-t-il sans préambule.

— Pardon ?

— Tu ne veux jamais passer l'après-midi avec elles, non ? J'ai eu deux ou trois fois l'occasion de le constater lors des dernières et des avant-dernières vacances. Ces promenades solitaires pendant des heures... C'est quoi, au juste ?

Pour le coup, elle recula effectivement de deux pas. Elle se sentait transpercée par son regard.

— Je ne sais pas ce que c'est, au juste, répondit-elle sans prendre d'égards, et je ne veux pas le savoir.

Il poursuivit, comme s'il n'avait pas entendu :

— Eléna était comme ça aussi. Tu as eu l'occasion de faire sa connaissance ? La première femme d'Alexander ?

— Elle a accompagné Ricarda deux ou trois fois chez nous, et elle est revenue la chercher.

— Une très belle femme, vraiment. Remarquablement belle. Espagnole. Brune. Avec de magnifiques yeux dorés. Et très fière. Jamais de demi-mesure.

C'était la première fois que quelqu'un parlait d'elle en termes élogieux. Jessica en prit note avec étonnement.

— Elle se tenait toujours à l'écart, poursuivit Tim, elle gardait ses distances. Elle ne faisait pas de longues promenades comme toi, mais elle aimait s'enfoncer dans les profondeurs du parc et s'asseoir au soleil au pied d'un arbre ou sur un rocher pour lire ou rêver. Ça mettait Patricia en rage parce qu'on ne pouvait jamais la convaincre de faire quelque chose avec les autres.

— Vous n'appréciez pas beaucoup les manifestations d'individualisme, n'est-ce pas ?

Ce fut à nouveau comme s'il ne l'avait pas entendue.

— Ce qui m'intéresse le plus, c'est pourquoi Alexander se sent toujours attiré par ce type de femme. On ne se choisit pas un partenaire par hasard. Et quand bien même devrait-on en souffrir... Je sais qu'Alexander a souffert du comportement d'Eléna. Pourtant...

Tim regarda Jessica et elle sut ce qu'il avait voulu dire.

— Tu penses que je suis comme Eléna. Et que je vais moi aussi le faire souffrir ?

— Je me demande si votre mariage va tenir, répondit Tim avec bienveillance, puis, remarquant la stupeur de Jessica, il ajouta d'un ton monocorde : Qu'as-tu ressenti en entendant ce que je viens de dire ?

Elle parvint à se ressaisir.

— Nous ne sommes pas en consultation, Tim. Et je ne suis pas ta patiente. Je n'ai pas envie de parler de mon mariage avec toi. Ni maintenant ni jamais.

Dans ses yeux, qui pouvaient être très doux et en même temps pénétrants, la petite flamme s'éteignit. Son regard devint froid.

— Message reçu, dit-il. Mais ne viens pas me voir si un jour tu as des problèmes. Je n'aurai pas envie non plus d'en parler avec toi.

Elle mit du temps à se rendre compte qu'elle marchait beaucoup plus vite que d'habitude. Tim l'avait tellement énervée qu'elle était partie tête baissée, comme si presser le pas pouvait l'aider à échapper au malaise qu'il avait créé. Elle s'essoufflait, un point de côté l'élançait, il lui vint brusquement à l'esprit que fatiguer son corps de cette façon pouvait être nocif au petit être qui grandissait dans son ventre. Elle avait chaud, son pull-over collait à sa peau, la sueur plaquait ses cheveux sur sa nuque. Elle ôta sa veste et la noua autour de ses hanches. Pour la première fois depuis qu'elle était partie, elle regarda autour d'elle.

Elle avait pris l'habitude de contourner le vaste parc de Stanbury House en décrivant un grand cercle autour de la propriété. Il y avait plusieurs chemins possibles qui pour la plupart passaient par le sommet de collines dépourvues d'arbres où des moutons broutaient parmi les bruyères. Elle les avait plusieurs fois empruntés et les connaissait tous. Sans s'en rendre compte, elle avait dû quelque part s'engager dans une mauvaise direction, car elle n'avait jamais vu l'endroit où elle avait abouti. Elle se trouvait sur une petite hauteur ; devant elle s'étendaient de vertes prairies en pente douce sillonnées de murets de pierre sèche. Des vaches paissaient à l'ombre des arbres. Un ruisseau serpentait au creux du vallon. Quelque part dans le lointain, on entendait le ronronnement sourd d'un tracteur. Le ciel était bleu, ponctué çà et là de quelques nuages diaphanes. Le soleil était presque aussi chaud qu'en été – à moins que ce ne fût une impression due à l'énergie qu'elle avait mise à marcher.

Elle s'appliqua à respirer lentement pour retrouver son souffle, puis elle s'assit dans l'herbe haute. Elle ferma un instant les yeux. Une brise légère et bienfaisante caressa son visage.

Tout va bien. Tu n'as aucune raison de t'énerver.

Tim avait réussi à la perturber et elle se demandait comment il avait pu y parvenir. Il avait été lui-même : Tim, le psychothérapeute qui ne décrochait jamais, qui mélangeait vie privée et vie professionnelle, qui dépassait les bornes en entreprenant, qu'ils le veuillent ou non, d'aider les gens. Tim avec son regard doux, ses cheveux un peu trop longs, sa barbe et ses chaussures anatomiques.

Tim qu'elle n'avait jamais supporté.

Jusque-là, jamais elle ne s'était autorisé cette pensée, maintenant c'était fait et elle vivait comme une libération de ne plus avoir à se mentir à elle-même.

Je ne supporte pas Tim ! Je ne l'aime pas !

Alexander lui avait peu parlé de son mariage avec Eléna, mais il lui était arrivé de dire que l'attitude très critique d'Eléna envers ses meilleurs amis avait posé problème.

« Elle se plaignait beaucoup de Léon. Quant à Tim, je crois qu'elle ne l'aimait pas. »

Il était manifeste qu'Alexander avait souffert de la situation, si bien que Jessica, presque à son insu, avait d'emblée résolu d'aimer Léon, Tim et leurs femmes, et de bien s'entendre avec eux. Dans sa volonté farouche de ne pas créer de complications, elle avait refoulé toutes les petites voix discordantes qui hantaient son subconscient. Elle avait approuvé les vacances en commun, et, le reste du temps, souscrit à tout ce qu'ils entreprenaient de concert. Elle s'était montrée simple et enjouée, avait même souligné combien il était agréable d'avoir non seulement épousé un homme mais tout un groupe d'amis.

Pourtant, elle aimait aussi peu Patricia que Tim. Et elle n'aimait pas non plus Diane et Sophie, qui ricanaient bêtement à tout propos. En réalité, elle n'appréciait que Léon et Evelin.

Drôle de situation, songea-t-elle en ouvrant à demi les yeux et en levant son visage vers le soleil.

C'était grâce à Tim et à Evelin qu'elle avait fait la connaissance d'Alexander. A Munich, elle n'habitait pas très loin du couple, sans qu'ils aient jamais eu le moindre contact. Elle avait remarqué Evelin qui partait faire ses courses ou du lèche-vitrine toujours très élégamment vêtue et les yeux cachés derrière des lunettes fumées de star. Elle l'avait prise pour une femme inintéressante, essentiellement occupée à dépenser l'argent de son mari. Il lui était également arrivé de voir des patients de Tim se rendre à son cabinet, situé à l'entresol de la maison. Rien chez Tim et Evelin ne l'aurait jamais incitée à souhaiter mieux les connaître.

Evelin possédait un très beau chien de berger qui finit par atteindre un âge vénérable mais qu'elle n'avait jamais amené en consultation au cabinet de Jessica. Il s'avéra par la suite qu'elle lui préférait un vétérinaire à la mode, qui pour être renommé n'en fut pas moins injoignable la nuit où la malheureuse bête entama son dernier combat. Evelin se souvint qu'une jeune vétérinaire habitait quelques maisons plus loin et elle appela Jessica. Il était deux heures du matin quand celle-ci fit au vieux chien la piqûre libératrice. Evelin lui en fut profondément reconnaissante et l'invita à dîner une semaine plus tard. Alexander avait lui aussi été convié. Evelin le présenta comme un « ami intime de la famille ». Il était en plein divorce, paraissait très affecté par ce qu'il vivait et ne dit pas trois mots de la soirée. Jessica n'aurait jamais soupçonné qu'il s'intéresserait à elle, pourtant il lui téléphona quelques jours plus tard et ils convinrent d'un rendez-vous dans un restaurant. Elle apprit qu'il était professeur d'histoire à l'université et père d'une fille qui vivait maintenant avec sa mère, en banlieue, sur les rives du lac de Starnberger, donc à quelques kilomètres, mais il avait l'impression que c'était à l'autre bout de l'Allemagne.

Ils se revirent, se revirent encore, puis un jour ils se marièrent, sans grande pompe et sans battage, tranquillement, dans une sorte de commun accord évident. Toute leur histoire s'était déroulée sur le même mode, calmement, sans heurts, sans frictions ni disputes, sans ces fameuses querelles de couple que la plupart des amis de Jessica avaient dû surmonter à un moment ou un autre.

Il leur manquait peut-être une touche de passion, mais il ne serait pas venu à l'esprit de Jessica de le regretter. Elle avait connu d'autres relations amoureuses, plus mouvementées sinon passionnelles, qui toutes s'étaient achevées dans les larmes et la douleur. Elle avait trente-trois ans, et l'époque où elle se serait enthousiasmée pour de grands chavirements des sens était derrière elle. Avec Alexander, elle partageait un bonheur paisible et confiant. C'était exactement ce qu'elle voulait vivre.

Certains de ses amis étaient peut-être déplaisants, mais elle n'avait pas le sentiment que cela puisse un jour devenir un problème.

La jeune femme reporta son attention sur le paysage qui s'étendait à ses pieds. Elle repéra un promeneur solitaire qui suivait un chemin jalonné de pommiers en fleurs. Des abeilles bourdonnaient dans l'air soyeux. Elle eut soudain envie d'enlever ses chaussures et de tremper ses pieds dans l'eau claire du ruisseau. Elle descendait le long de la pente quand quelque chose, en bas, dans les remous du courant, attira son attention. Elle s'arrêta et plissa les yeux. L'eau s'engouffrait dans un amas de grosses pierres en formant des tourbillons mousseux, quelque chose paraissait accroché au milieu, quelque chose de sombre... que l'eau ballottait... à moins que... La chose bougeait par elle-même, pataugeait, se débattait...

Jessica se mit à courir, trébucha, se rattrapa in extremis. Elle atteignit la rive et, consternée, découvrit un petit chien noir qui tentait désespérément d'escalader une des pierres et de garder la tête hors de l'eau. Apparemment, une de ses pattes arrière était prise dans quelque chose et ses forces semblaient sur le point de l'abandonner.

Elle renonça à ôter ses chaussures et entra dans le ruisseau. L'eau lui arrivait à mi-mollet et était beaucoup plus froide qu'elle ne s'y attendait. Les pierres sur lesquelles elle devait poser les pieds s'avérèrent très lisses et très glissantes en raison des algues qui les recouvraient. Elle ne progressait que très lentement. Le chien était à présent à quelques mètres d'elle. C'était encore un chiot et il paraissait au bord de l'épuisement. Il coulait, des vaguelettes submergeaient sa tête, puis il jaillissait hors de l'eau, toussait, gémissait et s'enfonçait à nouveau. Dans sa panique, ses dernières forces ne lui servaient plus qu'à s'agiter en vain dans l'eau glacée.

Tout en s'approchant de lui, Jessica tentait de l'apaiser en lui parlant.

— Calme-toi, petit chien ! J'arrive, je suis tout près de toi. Tu es sauvé !

Elle parvint enfin à sa hauteur. Elle prit la veste qu'elle portait toujours nouée sur ses hanches, l'enveloppa autour de ses mains et attrapa le chien par les flancs. Il se débattit comme un diable mais elle ne lâcha pas prise et d'un geste ferme le tira hors de l'eau. Il jappa de douleur quand les herbes qui retenaient sa patte prisonnière entamèrent ses chairs avant de céder et de le libérer. Il se débattit alors de plus belle. De par son métier, Jessica avait souvent entre les mains des animaux qui mettaient toute leur énergie à essayer de lui échapper ; seulement, d'ordinaire, elle était sur la terre ferme. Elle ne savait pas quelles conséquences l'eau glacée pouvaient avoir pour son bébé et elle préférait ne pas y penser. La rive lui semblait loin, elle se demandait comment elle allait réussir à la regagner et se crispait pour ne pas perdre l'équilibre quand une main de fer la saisit par le bras tandis qu'une voix d'homme disait :

— Je vous tiens ! N'ayez pas peur. Tenez solidement cette petite furie et pivotez sur les talons. Je vous aide.

Elle se retourna et découvrit l'homme juste derrière elle. Il n'avait pas enlevé ses chaussures, lui non plus. Avec le bruit du ruisseau, elle ne l'avait pas entendu arriver. Après coup, elle pensa qu'il devait être le promeneur solitaire qu'elle avait aperçu de loin.

Un pas après l'autre, ils regagnèrent la rive. Soutenue par l'inconnu, Jessica parvenait à tenir solidement le chiot. Au reste, il renonça soudain à toute résistance et se transforma en un paquet inerte dans ses bras.

L'inconnu aida Jessica à escalader le talus et ce fut seulement en haut qu'elle se rendit compte à quel point l'aventure l'avait fatiguée. Elle déposa son fardeau dans l'herbe et se laissa choir à côté. Le chiot s'endormit instantanément.

— Ouf... souffla-t-elle. Il était moins une. Si vous n'aviez pas été là, il me glissait entre les mains.

L'inconnu s'assit à côté d'elle et entreprit d'enlever ses chaussures dégoulinantes.

— Je crois qu'elles sont bonnes à jeter, dit-il d'un air sombre. Du nubuck... Elles ne vont pas s'en remettre. A votre avis ?

— Pour marcher dans la campagne, elles feront encore l'affaire.

Jessica entreprit à son tour d'enlever ses chaussures, puis ses chaussettes, qu'elle essora l'une après l'autre.

— Je n'aurais jamais cru que l'eau était si froide.

— Frottez vos pieds et mettez-les au soleil, sinon vous allez attraper la crève. Que devient notre jeune ami ?

Jessica regarda la boule de poils mouillés qui dormait profondément dans l'herbe.

— Je crois qu'il est seulement épuisé. Mais je l'examinerai tout à l'heure. Il est possible qu'il soit blessé.

— Vous avez l'air de savoir vous y prendre avec les animaux. Vous êtes intervenue sans tergiverser, tout à l'heure.

Jessica éclata de rire.

— Ça vaut mieux. Je suis vétérinaire.

— Et vous n'êtes pas anglaise, constata-t-il. Vous parlez très bien anglais mais j'entends un petit accent...

— Je suis allemande. En vacances pour quelques jours.

Elle eut l'impression qu'il la regardait soudain avec un intérêt accru. Il se raidit presque imperceptiblement, ses yeux se plissèrent.

— Allemande ? Vous faites partie des gens qui habitent Stanbury House ?

— Oui, pourquoi ?

— Pour rien. Au fait, je me présente : Phillip Bowen. Je suis moi aussi en vacances. Sinon, j'habite Londres.

Elle le regarda. Il lui plaisait. Avec ses cheveux noirs trop longs et sa barbe naissante, il affichait un laisser-aller qui n'était pas dénué de charme. Son pull-over à col roulé bleu marine était feutré et probablement très vieux. Cependant, Jessica n'avait pas l'impression de se trouver en face de quelqu'un qui avait l'habitude d'être tiré à quatre épingles et profitait des vacances pour s'autoriser quelques libertés avec le sacro-saint costume-cravate. Quelque chose, chez lui, trahissait la pauvreté et le début d'un renoncement qui commençait, au fond de son être, à prendre le dessus. Peut-être était-ce une expression dans son visage, ou dans ses yeux. Cet homme vivait depuis longtemps déjà en marge de la société.

— Je m'appelle Jessica Wahlberg, dit-elle. Je suis de Munich.

— Vous passez vos vacances ici depuis des années, n'est-ce pas ?

Elle fut surprise.

— Comment le savez-vous ?

— On le raconte au village.

— Nous sommes un petit groupe d'amis. Les autres viennent effectivement depuis des années. Moi, non. Je ne fais partie de l'équipe que depuis un an.

Le petit chien dressa la tête, se mit difficilement sur ses pattes, tangua, puis s'ébroua. Phillip et Jessica, qui avaient réussi à ne pas complètement se mouiller dans le ruisseau, renoncèrent à sécher au soleil.

— Je crois que je vais vite rentrer à la maison avant d'attraper froid pour de bon, reprit Jessica.

Elle baissa les yeux vers le petit chien, qui, confiant, se réinstallait dans l'herbe en se collant à elle pour poursuivre sa sieste.

— Je me demande comment il a pu tomber dans l'eau.

— Il n'est peut-être pas tombé, dit Phillip. Je ne serais pas étonné que quelqu'un l'y ait jeté. J'imagine que les paysans d'ici sont comme partout. A la campagne, on se débarrasse des progénitures encombrantes, sans état d'âme.

— On devrait leur faire la même chose. Pour qu'ils comprennent ce que ça fait de se noyer ! Heureusement, il a l'air de s'en sortir plutôt bien.

— Que fait-on de lui, maintenant ?

Elle haussa les épaules.

— Vous le voulez ?

Phillip refusa l'offre à deux mains.

— Surtout pas ! Vous n'imaginez pas le trou à rats dans lequel je vis. Je me vois très très mal avec un chien !

— Alors je le prends. Nous ne pouvons pas le laisser ici.

— C'est vrai, mais nous pouvons l'emmener dans un refuge pour animaux.

Comme s'il avait compris que l'on parlait de lui, le chien dressa à nouveau la tête. Il ouvrit de grands yeux et regarda gravement Jessica et Phillip en agitant la queue.

— Non, décida Jessica. Pas question de refuge pour lui. Je le garde. Finalement, si nous nous sommes rencontrés, lui et moi, ce n'est pas par hasard.

— Vraiment ?

— Vraiment. Je ne crois pas au hasard.

Il sourit, amusé.

— C'est une idée intéressante. Notre rencontre n'est donc pas un hasard non plus.

Jessica se leva, débarrassa son pantalon de la terre et de l'herbe qui y adhéraient, et prit le chiot dans ses bras. Il devait entre-temps avoir compris qu'il ne lui arriverait rien de fâcheux, car non seulement il se laissa faire, mais il se blottit contre elle et émit un soupir satisfait.

— Allez, en route, maintenant. On rentre à la maison ! dit-elle sans relever la dernière remarque de Phillip.

Ses chaussures imbibées d'eau couinèrent quand elle glissa ses pieds à l'intérieur.

— Je vous remercie de votre aide, monsieur Bowen. Passez donc à l'occasion à Stanbury House prendre des nouvelles de notre petit protégé.

— Je n'y manquerai pas, promit Phillip, qui s'était levé à son tour.

Le vent rabattait ses cheveux sur son visage.

— Oui, répéta-t-il, je viendrai certainement.

Jessica crut percevoir un sous-entendu dans la façon dont il avait souligné ces derniers mots.

Mais elle prit le chemin du retour et oublia d'y réfléchir.

7

Journal de Ricarda

15 avril

Quelque chose de merveilleux vient d'arriver !

J'ai rencontré Keith ! Tout à l'heure, au village. Je n'ai pas dîné à la maison, parce que manger avec ces hypocrites, ça me gave vraiment. Il faut toujours qu'ils fassent semblant d'être de bonne humeur et de s'adorer. C'est faux. Archi-faux !

(Papa me fait des histoires. Il dit que si demain je ne dîne pas avec eux, il va sévir ! En tout cas, ce n'est pas avec des menaces qu'il va obtenir ce qu'il veut !)

Je suis allée au village à pied. Il faut une bonne demi-heure. Evelin, cette pauvre grosse, n'arrête pas de se plaindre parce que c'est loin, moi, ça ne me fait rien. Je suis entraînée. Aujourd'hui, je trouve ça super que maman ait tenu à ce que je ne lâche pas le sport. C'est surtout le basket que j'aime. Et du coup, j'ai une forme trop géniale !

Au village, je me suis assise sur une espèce de grande jardinière, devant l'épicerie, parce qu'il y a souvent des jeunes qui se retrouvent là. Au début, j'étais toute seule. Juste avant Pâques, il y en a beaucoup qui doivent être en vacances et qui en profitent pour aller à Leeds ou autre part, même les soirs de semaine. Mais ce n'était pas grave, je trouvais bien d'être un peu tranquille. Ce qui m'énerve le plus, comme d'hab, c'est Diane et Sophie. Ces deux-là, elles sont chiantes à un point ! Je ne trouve même pas les mots pour le dire. Elles sont déjà au moins aussi atroces que leur mère, ça donne une idée de ce qu'elles vont devenir en vieillissant. Encore pires qu'elle !

Et il est arrivé ! ! !

Je ne l'avais même pas remarqué. J'avais les yeux fermés, la tête en arrière, je rêvais. Et tout d'un coup, une voiture s'arrête à côté de moi et j'entends la voix de Keith.

Il a dit : « Hé, la petite ! »

Tu parles, si je suis petite. Déjà un mètre soixante-quinze, à mon âge ! Mais comme Keith doit bien mesurer un mètre quatre-vingt-dix, il doit trouver tout le monde petit. (N'empêche que j'espère très très fort qu'il n'appelle personne d'autre comme ça !)

Il était beau à tomber ! Bronzé, avec des lunettes de soleil trop cool et une chemise en jean qu'il porte les manches roulées au-dessus des coudes. Au poignet, il avait une montre géniale. Il a des poignets incroyablement forts, et ils sont aussi très bronzés. J'aime ses cheveux bruns et bouclés et j'aime ses yeux verts.

J'ai eu le vertige et je crois que je suis devenue toute rouge. J'ai dit :

« Salut, Keith ! Comment vas-tu ?

— Bien, et toi ?

— Bien aussi, merci. »

Il a dit : « Monte donc ! On va trouver un endroit sympa et discuter un peu. »

J'avais les jambes toutes molles quand je suis montée dans sa voiture. Et une drôle d'impression dans le ventre. Keith a démarré. Je ne sais même plus de quoi nous avons discuté en roulant. Je crois que je lui ai parlé de mon équipe de basket et raconté à quel point Patricia, Diane et Sophie me tapaient sur les nerfs. Keith a ri quand j'ai imité les chichis de cette idiote de Diane. Puis il a dit que mon anglais s'était encore amélioré, que je n'avais presque plus d'accent et que je pouvais super bien m'exprimer. Ça m'a donné à nouveau le vertige. S'il savait le nombre d'heures que je passe à la maison à travailler l'anglais ! D'ailleurs, au lycée, mon prof n'arrête pas de se poser des questions parce que tout d'un coup je me suis mise à bosser comme une dingue et à faire plein de progrès.

Toujours est-il que nous avons roulé dans la campagne,

jusqu'à une ferme abandonnée, assez loin sur la lande. Je n'étais jamais venue dans cet endroit, mais Keith m'a dit qu'il venait souvent quand il était un peu plus jeune et qu'il allait encore au lycée.

« C'est là que j'ai fumé ma première cigarette, a-t-il expliqué. Et c'est là que je venais quand ça n'allait pas avec mes parents, ou une fille, ou bien seulement pour être un peu seul.

— Tu voulais venir, ce soir ? ai-je demandé.

— Non. Je pensais aller à Leeds. Voir ce qu'il s'y passe, zoner un peu… Mais avec toi… »

Il m'a regardée d'un drôle d'air : « … avec toi, je préfère être seul. »

La ferme est un ancien élevage de moutons. Le dernier propriétaire est mort il y a longtemps et depuis tout tombe en ruine. La maison est barricadée avec des planches et on ne peut pas y entrer, mais il y a une grange qui est encore en bon état. On voit bien que Keith y vient souvent car il a installé un vieux fauteuil et un canapé dans un coin et il y a plein de bouteilles dans lesquelles il a mis des bougies. Je n'ai pas pu m'empêcher de penser à la grange de l'été dernier, chez son ami, où le père de cet ami nous a trouvés. Il en a fait toute une histoire, pourtant il ne s'est absolument rien passé. On était allongés dans le foin et Keith me tenait la main et me racontait des histoires. Mais je sais qu'après, dans le village, ils ont dit qu'on se « roulait dans le foin ». Heureusement que rien n'est arrivé aux oreilles de mon père. Je me doute bien que Keith ne va pas éternellement avoir envie seulement de me tenir la main et de me raconter des histoires, alors j'étais plutôt nerveuse. Jamais un garçon ne m'a encore embrassée, et l'autre chose, je ne l'ai jamais faite non plus, bien évidemment. Keith a dix-neuf ans, il a sûrement beaucoup d'expérience.

On est restés un moment l'un à côté de l'autre sur le canapé. Keith a allumé les bougies et ça a créé une ambiance très romantique. Mais j'ai commencé à avoir plutôt froid et quand il s'en est rendu compte, il a mis un bras autour de mes épaules et il m'a serrée tout contre lui.

Il a dit : « Tu n'es pas comme les autres filles. J'aime bien être avec toi. »

Et là, il m'a embrassée !

C'était génial, pas du tout horrible comme je le croyais. Ses lèvres étaient douces sur les miennes, sa peau sentait trop bon et ses bras me tenaient très fort. Il avait un peu le goût de cigarette et c'était le moment le plus merveilleux, le plus absolument merveilleux de toute ma vie ! ! !

« Mais tu trembles », il a dit, et j'ai répondu : « C'est seulement que... que tu es le premier garçon qui m'embrasse. »

Là, il a ri et il a dit : « Mais tu es un bébé ! »

Il y avait tellement de douceur dans sa voix, j'ai pensé : cher bon Dieu, fais que cet instant ne s'arrête jamais ! S'il te plaît, fais qu'il ne s'arrête jamais !

J'avais le cœur qui battait comme un fou !

Puis d'un coup, Keith a eu l'air pressé.

« Il fait trop froid, maintenant, a-t-il dit. Je te raccompagne chez toi. De toute façon, il est déjà dix heures passées. »

Je n'avais plus froid du tout, sans doute tellement j'étais dans tous mes états. Je le lui ai dit, mais il a tout de même préféré qu'on s'en aille.

« Je ne veux pas que nous fassions une chose pour laquelle tu ne serais pas encore prête, a-t-il expliqué. Voilà pourquoi c'est mieux que je te raccompagne. Tu comprends ? »

On est sortis de la grange, je le suivais tant bien que mal dans le noir. J'avais une peur invraisemblable qu'il me trouve ennuyeuse ou trop bébé. En plus, je craignais qu'il me dépose à la maison, puis qu'il parte à Leeds où il y a sûrement des filles plus intéressantes que moi et qui ne tremblent pas quand on les embrasse. Dehors, la nuit était incroyablement belle, un ciel très très haut, sans nuages et avec des milliers d'étoiles. Il faisait froid, mais il y avait dans l'air une odeur tellement extraordinaire de printemps, de terre, d'herbe et de fleurs. Je savais qu'il allait me prendre encore pour un bébé, mais je n'ai pas pu m'empêcher de lui demander s'il avait l'intention d'aller à Leeds après.

Il a ri et m'a embrassée sur le front.

« Non. Bien sûr que non. Je vais rentrer chez moi, me coucher et penser à toi. »

J'étais trop heureuse et soulagée. Je l'aime tellement ! Si seulement je pouvais parler de lui avec quelqu'un !

Dans la voiture, nous avons écouté des cassettes, de la musique très douce de Shania Twain. Keith tenait ma main et pendant tout le temps il n'a conduit que d'une seule main. Je lui ai demandé de me laisser en bas de l'allée de la maison.

« Sinon, ils vont me poser des tas de questions. Il vaut mieux que je finisse à pied.

— Veux-tu que je t'accompagne ? a-t-il demandé.

— Non. Ils risqueraient de nous voir des fenêtres. »

Je voudrais bien parler de Keith avec quelqu'un, c'est vrai, mais je ne veux pas que mon père me pose des questions ou que Diane et Sophie se moquent de moi. Je n'ai pas envie non plus d'entendre les remarques ironiques de Patricia. Et j'ai encore moins envie – je n'ai surtout pas envie ! – que J. me fasse son numéro style : tu sais bien que je suis ta meilleure amie !

« On peut se voir demain ? a demandé Keith.

— Bien sûr, ai-je répondu. Quand ?

— A midi ? Je pourrais être là à midi.

Ça voulait dire que demain, je ne serai pas là non plus pour le déjeuner. Il faut que je m'attende à ce que cette fois, ça crie vraiment, mais il était bien évident que je n'allais pas dire non à Keith pour ça. Mon père n'a pas intérêt à s'énerver ! Parce que, en fait, il n'a qu'une envie : être seul avec J. Il ne s'intéresse plus du tout à moi. Il essaye seulement de me mettre la pression pour faire croire aux autres qu'il s'occupe de moi.

« Je viendrai, ai-je dit. Au portail à midi. »

Il m'a à nouveau embrassée pour me dire au revoir, sur la bouche mais pas comme dans la grange, plutôt amicalement. Je crois qu'il ne veut pas que je me sente bousculée. Je suis descendue de voiture et j'ai remonté le chemin. Je me sentais toute légère. Ma vie est belle ! La nuit était toujours aussi claire et sentait tellement bon. Il y avait des jonquilles partout, quand un rayon de lune passait à travers les arbres et les éclairait, elles avaient l'air d'être en argent. J'étais tellement heureuse que j'aurais pu marcher pendant des heures. J'étais complètement réveillée et autour de moi, tout était merveilleux et extraordinaire.

Il était un peu plus de dix heures et demie quand je suis arrivée à la maison. La fenêtre de la chambre de mon père et de J. était encore éclairée. Sinon, tout était dans le noir, du moins sur la façade côté cour. J'ai ouvert la porte et je suis entrée dans le hall... au moment précis où Evelin sortait de la cuisine. Elle portait une de ses drôles de robes d'intérieur. Un machin en soie. Je crois qu'elle espère qu'avec ce truc elle va pouvoir cacher qu'elle a encore grossi, mais bien sûr, ça ne marche pas. En fait, j'aime bien Evelin. Elle est gentille, et elle me fait de la peine. Pour de vrai. Elle ne va pas bien, c'est évident, mais aucun de ses soi-disant amis ne s'en rend compte. (Ou ne veut s'en rendre compte.) Dès qu'elle m'a vue, elle a fait demi-tour et disparu dans la cuisine. J'imagine qu'elle espérait que je ne l'avais pas vue. Je l'ai entendue renifler et j'ai compris qu'elle pleurait, une fois de plus, et qu'elle allait se consoler avec ce qu'il y avait dans le réfrigérateur. Elle me fait vraiment de la peine, surtout en ce moment où je suis si heureuse. Je voudrais que tout le monde soit aussi heureux que moi ! (Sauf Patricia et J.)

Je suis montée sans faire de bruit. Apparemment, papa ne m'a pas entendue, en tout cas, il n'a pas surgi sur le palier. J'étais trop contente d'être dans ma chambre.

En ce moment, je suis assise dans mon lit, enveloppée dans ma couette, et j'écris. Ma fenêtre est grande ouverte parce que ça sent trop bon dehors. Jamais je n'ai senti aussi fort le printemps.

J'aime Keith. Je suis trop heureuse de le revoir demain.

8

Le petit chien fut baptisé Barney et devint, dès le lendemain, la vedette de la maison. La veille, Jessica était montée directement dans sa chambre avec lui, où elle l'avait séché et nourri. Dans un premier temps, elle ne l'avait montré à personne. Alexander n'était pas là quand elle était rentrée et elle souhaitait parler avec lui du nouveau membre de la famille avant d'informer les autres de son arrivée. Elle présenta son protégé le lendemain matin au petit déjeuner et, selon les personnalités, suscita les réactions les plus diverses.

Diane et Sophie piaillèrent d'enthousiasme. Patricia, indignée, voulut savoir si le jeune chien était propre. Evelin dit aussitôt qu'elle aimerait beaucoup avoir à nouveau un chien, mais le non courroucé qu'elle s'attira de Tim la fit taire. Léon caressa Barney d'un air absent ; il paraissait plongé dans ses pensées, voire préoccupé, en tout cas loin de ce qui se passait autour de lui. Le visage de Ricarda, qui parut bonne dernière et avec l'air de dormir debout, s'éclaira d'un sourire conquis mais presque dans le même temps se ferma quand elle comprit que c'était Jessica qui avait ramené le chien.

— Je veux te voir après le petit déjeuner, dit Alexander. Nous avons à parler. Je n'accepterai pas que tu sautes un repas de plus et que tu passes la moitié de la nuit dehors.

Ricarda baissa la tête, se tassa sur sa chaise, ne dit plus un mot et ne toucha pas à ses toasts.

— Tu devrais peut-être assister à cet entretien, suggéra Alexander en se tournant vers Jessica.

Jessica vit la haine briller dans les yeux de Ricarda et elle secoua la tête, gênée.

— C'est quelque chose qui vous regarde, toi et Ricarda. J'irai faire pendant de ce temps une balade avec Barney.

La journée s'écoula, identique aux autres. Jessica se sentait nauséeuse, mais trois heures de marche dans la campagne avec Barney dissipèrent son malaise. Patricia accompagna ses filles à l'équitation, cette fois sans Evelin, qui souffrait de maux de tête et préféra se reposer dans sa chambre. Léon et Tim s'assirent sur un banc dans le jardin. Jessica les vit en revenant. Léon parlait, parlait, Tim avait l'air sombre et Jessica eut la même impression que le jour de leur arrivée : ils se disputaient. Et ce qui les opposait était autre chose qu'un simple différend.

Ricarda ne descendit pas déjeuner. Alexander trouva sa chambre vide. Quand il redescendit, il avait l'air fatigué et plus vieux qu'il ne l'était.

— Elle n'est pas là, dit-il.

— Et tu acceptes ça ! s'indigna Patricia sans lui laisser le temps de s'asseoir. Je croyais que tu avais parlé avec elle ce matin !

— On ne peut pas vraiment appeler ça « parler avec elle », expliqua-t-il. J'ai parlé. Elle, non. Elle n'a pas voulu dire où elle était hier soir, elle n'a pas voulu dire pourquoi elle nous évite. Elle n'a pas voulu parler de ses problèmes. Rien, elle n'a rien voulu dire. J'aurais pu aussi bien parler à un mur.

— Eh bien, enferme-la dans sa chambre jusqu'à ce qu'elle se décide à ouvrir le bec, décréta Patricia.

Jessica, qui n'avait toujours pas touché à son repas et luttait contre la nausée, s'interposa.

— La contraindre ne mènera à rien. Elle a quinze ans, elle vit sa vie et c'est normal.

— Je vous le répète : elle va finir par traîner avec des voyous ! insista Patricia.

— Ce n'est pas parce que l'on n'est pas constamment scotché à votre communauté que l'on traîne avec des voyous, répliqua Jessica avec une agressivité inhabituelle.

Patricia laissa tomber sa fourchette.

— Que veux-tu dire, exactement ?

— Je veux dire que je comprends parfaitement qu'une jeune

fille de quinze ans n'ait pas envie de partager la communauté forcenée que vous avez instaurée ici.

— *La communauté forcenée ?* répéta Patricia, incrédule.

— Jessica ! s'exclama Alexander, consterné.

Mon Dieu, qu'est-ce que j'ai dit ? songea Jessica. Je n'aurais jamais dû !

La nausée qui la tourmentait depuis le matin devint insupportable. Si elle restait une seconde de plus sur sa chaise, elle allait vomir sur la table.

— Excusez-moi, marmonna-t-elle en reculant son siège.

Elle quitta la salle à manger, Barney sur les talons, et se précipita dans les toilettes d'invités attenantes au hall d'entrée, où elle rendit son petit déjeuner. Quand elle se redressa, elle découvrit dans la glace un visage au teint terreux, aux yeux rougis et aux lèvres exsangues.

— Qu'est-ce qui t'a pris ? dit-elle à son reflet. Tu ne penses même pas ce que tu as dit ?

Ou bien n'avait-elle précisément rien dit d'autre que ce qu'elle pensait au fond d'elle-même ?

Elle s'attendait plus ou moins qu'Alexander la rejoigne, mais il ne se montra pas. Elle se rinça la bouche et s'essuya avec un mouchoir en papier, puis tamponna son front et ses joues avec un peu d'eau froide. Quand elle regagna le hall d'entrée, des voix étouffées lui parvinrent de la salle à manger.

— Elle me rappelle de plus en plus Eléna, disait Patricia.

— Tu devrais un jour réfléchir à ce qui t'attire tant chez ce type de femme, Alexander.

C'était bien évidemment Tim, qui ne renonçait pas à sa théorie favorite.

— Vous n'allez pas lui tomber sur le poil simplement parce qu'elle n'est pas là, intervint Léon.

— Elle n'est pas très en forme, en ce moment, observa Evelin. Et je la trouve... comment dire... différente.

— Moi, je trouve surtout qu'elle n'a pas une bonne influence sur Ricarda !

Apparemment, Ricarda était devenu le sujet de prédilection de Patricia.

74

— Elle t'empêche de prendre les décisions énergiques qui s'imposent avec ta fille. C'est préoccupant.

Dans le hall, Jessica serrait les poings à s'en faire mal.

Mais dis quelque chose, Alexander ! Dis-leur de se taire ! Dis-leur qu'ils n'ont pas le droit de parler de moi ! Que la façon dont nous vivons ne les regarde pas ! Et la raison pour laquelle tu es tombé amoureux de moi, et moi de toi, non plus. Que tu ne veux pas me voir devenir le sujet de leurs analyses.

Mais elle n'entendit pas Alexander. Il ne prononça pas un mot.

Quand elle entra dans la salle à manger, tous se turent et piquèrent du nez dans leurs assiettes, dont le contenu paraissait soudain très intéressant. Jessica s'assit en évitant de croiser le regard d'Alexander. Elle avait froid et une peur diffuse avait éclos dans un coin de sa tête. Peut-être était-ce en rapport avec Eléna. Deux fois au cours des derniers jours, elle avait été comparée à elle, par deux personnes différentes. Comparée à la femme dont Alexander avait divorcé. Avec laquelle il n'avait pu continuer à vivre. Il avait souffert qu'elle n'ait pu s'entendre avec ses amis. Quand il le lui avait dit, Jessica avait pensé que ce n'était pas la vraie raison de son divorce, que la vraie raison était plus profonde, ou ailleurs. Cette histoire d'amis n'était que la partie émergée de l'iceberg. Forcément.

Brusquement, une idée s'imposa à son esprit : et si c'était tout de même la vraie raison ? Si tout avait été bien sauf ça ?

Etait-ce une raison suffisante pour qu'Alexander se sépare de sa femme ?

Ricarda ne parut pas de la journée. L'après-midi s'était écoulé dans une atmosphère pesante. Jessica s'était sentie si nauséeuse qu'elle était restée plusieurs heures allongée sur son lit. Alexander avait passé une partie de l'après-midi dans le jardin avec Tim et Léon ; ils avaient bu du café, parlé un peu, puis Tim était retourné à son ordinateur portable et à sa thèse. Patricia avait joué au badminton avec ses filles, sans toutefois que l'enthousiasme soit vraiment de la partie. Evelin s'était enfoncée dans les profondeurs du parc, où elle avait médité, assise au soleil sur un muret de pierre.

Il n'y avait pas un souffle d'air et les oiseaux poussaient des cris stridents.

Comme avant un orage, songea Jessica en se levant vers six heures du soir afin de se préparer pour le dîner. Ils avaient prévu de réchauffer les restes du repas de midi, si bien que personne n'aurait besoin de se mettre aux fourneaux. Comme tous les jours, ils devaient se retrouver à six heures et demie dans le salon pour prendre l'apéritif, coutume que Jessica avait toujours appréciée. Aujourd'hui, y penser suffisait à lui ôter l'envie de sortir de sa chambre. Elle aurait voulu se trouver à des kilomètres de là, avec Alexander, quelque part où ils auraient été seuls tous les deux. Au fond d'elle-même, elle savait que désormais ce désir ne la quitterait plus, qu'elle ne pourrait plus l'empêcher de la hanter. Sa remarque de ce midi n'était pas une absurdité qui lui avait échappé, une remarque stupide qui dépassait sa pensée. Elle avait exprimé ce qu'elle ressentait depuis longtemps déjà sans oser se l'avouer. Le groupe lui pesait, elle considérait les amis de son mari comme une contrainte et il était évident qu'un jour viendrait où, comme Eléna, elle se rebellerait.

Ils étaient tous au salon et Patricia était déjà en train d'agresser Alexander, qui se montrait incapable de faire entendre raison à sa fille. Elle interrompit sa diatribe quand Jessica entra.

Evelin prit une coupe de champagne sur le rebord de la cheminée et l'apporta à Jessica.

— Tiens, c'est pour toi, dit-elle. Tu te sens mieux ?

— Oui, tout va bien, murmura Jessica.

Elle n'avait plus mal au cœur mais les pensées qui se bousculaient dans sa tête l'oppressaient.

— Je n'ai toujours pas vu Ricarda, annonça Alexander, très pâle, avant d'ajouter, l'air soucieux : Tu vas vraiment mieux ? Tu n'as toujours pas l'air très en forme.

— Toi non plus, répliqua Jessica. Ça ne doit pas être notre jour.

Un rire aigu, qui sonnait faux, échappa à Patricia.

— La seule de votre famille à être en grande forme, c'est Ricarda. Pendant que vous vous rongez les sangs, elle s'amuse je ne sais où !

— Je ne me fais aucun souci pour Ricarda, lança Jessica. Je pense l'avoir déjà expliqué ce midi.

— Jessica, s'il te plaît ! intervint Alexander à mi-voix.

Brusquement, l'ambiance fut à nouveau aussi tendue qu'au déjeuner. Ils étaient tous debout, leur coupe de champagne à la main, et personne ne disait plus rien. Patricia ressemblait à un petit chat prêt à attaquer.

Mon Dieu, songea Jessica, et les vacances ne font que commencer !

— Je crois que...

Avant que Patricia n'ait pu achever sa phrase, la sonnette de la porte d'entrée retentit.

Trop heureuse de cette occasion d'échapper à la tension, Jessica posa son verre.

— J'y vais, dit-elle en quittant la pièce.

Elle ouvrit. Phillip Bowen se tenait sur le seuil.

— Oh, fit Jessica.

— Bonsoir, dit Phillip.

Elle le regardait, indécise. Barney, qui l'avait suivie, se faufila entre eux et manifesta sa joie en entamant une danse un peu désordonnée autour de Phillip, qui se pencha alors vers lui.

— Hé, mais c'est que tu es un très beau petit chien quand tu es sec !

— On l'a appelé Barney, lui apprit Jessica. Et il va rester avec nous.

— Tant mieux.

Phillip se redressa. Il portait le même pull-over que lors de leur première rencontre, et le même jean délavé. Il était toujours rasé aussi approximativement et il ne s'était pas plus peigné que la veille. Il n'avait pas l'air de quelqu'un qui vient faire une visite de courtoisie.

— Oui ? demanda enfin Jessica.

— Je souhaiterais voir Patricia Roth, déclara-t-il.

Dans sa bouche, le nom de Patricia prononcé à l'allemande avait quelque chose de déconcertant.

— Patricia ? Vous la connaissez ?

— Je souhaiterais faire sa connaissance.

A la seconde où Phillip répondit, les yeux de Jessica se dessillèrent. Phillip Bowen ! Comment n'y avait-elle pas pensé plus tôt ? C'était le nom que Patricia avait maintes fois répété. Le nom de l'homme qui avait prétendu être un parent à elle pour s'introduire dans la maison.

— Qui êtes-vous ? questionna-t-elle sèchement.

— Qui est-ce ? cria Patricia du salon.

— Excusez-moi, dit Phillip sans répondre.

Il la repoussa, traversa le hall et entra dans le salon. Elle le suivit, à la fois contrariée et furieuse.

Ils étaient toujours debout, leur verre à la main, hormis Evelin, qui s'était assise dans un fauteuil et se massait le dos comme si la longue station debout lui avait brisé les reins. Stupéfaits, ils dévisageaient l'inconnu dépenaillé qui venait de surgir parmi eux.

— Qui êtes-vous ? demanda Léon sur le même ton que Jessica une minute auparavant.

— Phillip Bowen, répondit Phillip.

Patricia fut la première à comprendre, ses yeux s'agrandirent.

— Phillip Bowen ! s'écria-t-elle. Vous êtes l'homme qui...

— En fait, je voulais déjà vous rendre visite hier après-midi. Mais ce n'est pas très facile pour moi, si bien que... je ne viens que maintenant. J'ai dû prendre mon courage à deux mains. Je crains en effet que ce que j'ai à vous dire ne vous surprenne... beaucoup. Pour le moins.

Il sourit d'un air conciliant, mais il était visiblement tendu.

— Je suis un de vos proches parents, madame Roth, reprit-il. Ou bien puis-je vous appeler Patricia ?

Léon fit un pas vers lui.

— En vertu de quoi vous permettez-vous de telles allégations ? demanda-t-il avant que Patricia ait eu le temps de se remettre de sa stupéfaction. Je vous serais reconnaissant, soit de vous expliquer, et vite, soit de quitter immédiatement cette maison.

— Vous êtes l'homme qui est venu espionner ! souffla Evelin du fond de son fauteuil, ses yeux bleus tout écarquillés.

— Je vous explique très volontiers, dit Phillip sans relever la remarque d'Evelin. Pour faire simple : le grand-père de Patricia est mon père. En d'autres termes : le père de Patricia est mon demi-frère. Quel est le lien de parenté qui me lie à Patricia... ?

Il regarda autour de lui comme un instituteur qui vient de poser une question difficile à sa classe et espère qu'un élève va être capable d'y répondre.

Jessica, qui se tenait toujours derrière lui, rejoignit les autres en répondant d'une voix claire :

— Un oncle. Dans ce cas, vous seriez un oncle de Patricia.

— Je n'ai jamais rien entendu d'aussi ridicule de ma vie ! s'exclama Patricia.

Elle ne maîtrisait plus le ton de sa voix, suraigu, et elle faillit renverser son champagne.

— Oncle Phillip, confirma Phillip en grimaçant un sourire. Ce n'est pas très sexy, mais il faut faire avec. Je suis donc l'oncle de Mme Roth. Vous devez à la belle vigueur de votre grand-père d'avoir un oncle qui n'a guère qu'une dizaine d'années de plus que vous !

Léon et Patricia ouvraient en même temps la bouche pour parler quand Tim, qui n'avait encore rien dit, les interrompit d'un geste de la main.

— Vous comprendrez, monsieur Bowen, commença-t-il poliment, que vous nous paraissiez bien présomptueux. N'importe qui pourrait sonner à la porte et nous tenir le même discours. Disposez-vous d'une preuve quelconque pour étayer votre théorie ?

Phillip secoua la tête.

— Etant donné que je suis un fils illégitime du vieux Kevin McGowan et que ma mère, par fierté, a toujours renoncé à demander à McGowan de reconnaître sa paternité, il n'existe aucun acte officiel, aucun document qui me permettrait de prouver mes origines.

— Vous avez donc un culot extraordinaire de... s'écria Patricia, outrée.

— Laisse-le finir, Patricia, l'interrompit Tim.

Léon vola au secours de sa femme.

— J'estime que nous n'avons pas à écouter ces histoires à dormir debout. Il est temps, à présent, que M. Bowen s'en aille.

Phillip ne se laissa pas impressionner. Jessica, qui l'observait, fut la seule à le voir serrer les poings à s'en faire blanchir les articulations. De surcroît, sa paupière inférieure gauche palpitait imperceptiblement.

— Je peux vous raconter beaucoup de choses sur Kevin McGowan, une foule de détails tels que vous serez obligés de reconnaître que je ne peux pas être un étranger à la famille. Si toutefois vous décidiez malgré tout de ne pas me croire...

Il marqua une pause.

— Je refuse d'en entendre plus ! s'exclama Patricia.

— Si toutefois vous décidiez de ne pas me croire, reprit Phillip, qui regardait maintenant Patricia droit dans les yeux, j'entamerais une procédure judiciaire pour obtenir l'exhumation du corps de votre grand-père, autrement dit de mon père. Un test ADN lèvera les derniers doutes.

Sa déclaration lui valut un silence sceptique. Puis Patricia partit d'un rire proche de l'hystérie.

— Il ne manquait plus que ça ! s'exclama-t-elle. Je n'ai encore jamais entendu quelque chose d'aussi invraisemblable ! Monsieur Bowen, mon grand-père est mort depuis dix ans. Mis à part le fait que jamais je n'autoriserai qui que ce soit à troubler son dernier repos, j'aimerais que vous m'expliquiez ce que vous espérez d'une exhumation. Pour autant que je sache, aucune analyse génétique n'est possible après tant de temps.

— Vous vous trompez, insista Phillip. La science ne cesse de progresser. Aujourd'hui, on sait analyser l'ADN de personnes mortes depuis des siècles et on en tire des quantités d'informations.

Le regard de Patricia devenait franchement haineux.

— Je vous demande maintenant de quitter immédiatement ma maison ! Personne ici ne souhaite être importuné plus longtemps par vos élucubrations.

— Je ne peux que donner raison à ma femme, ajouta Léon d'un ton sec. Partez, je vous prie, monsieur Bowen.

— J'aimerais savoir une chose, monsieur Bowen, dit Tim en plissant les yeux. Pourquoi un tel déploiement de forces pour prouver votre lien de parenté avec Mᵐᵉ Roth ? L'esprit de famille vous aurait-il tardivement touché, ou bien avez-vous d'autres raisons ?

— A votre avis ?

Jessica ne put s'empêcher de penser que les yeux de Tim, réduits à deux fentes, lui donnaient un air fourbe.

— Oh, j'ai ma petite idée, répondit Tim.

— C'est sans doute la bonne, assura Phillip.

Il balaya le salon du regard, s'arrêta sur la cheminée, les hauts murs lambrissés de chêne, le plafond. Puis il regarda à nouveau Patricia.

— Cette maison, dit-il, le domaine de Stanbury. Vous l'avez hérité de votre grand-père. S'il s'avère à présent que votre grand-père avait un second fils, en l'occurrence moi...

Il demeura un bref instant silencieux.

— Je voudrais que vous partagiez, madame Roth. J'ai droit à la moitié de Stanbury House.

9

Il se sentait fatigué. Plus, même : épuisé et déprimé. Il avait a peine fermé l'œil de la nuit et ne s'était pas levé avant six heures et demie uniquement pour ne pas déranger le sommeil de Jessica. Elle s'était cependant réveillée, s'était aussitôt plainte de violentes nausées et avait disparu dans la salle de bains. Elle en était ressortie livide et le visage couvert d'une pellicule de sueur.

« Je me recouche », avait-elle murmuré d'une voix à peine audible en se glissant sous les couvertures.

Il avait pris une douche, s'était habillé et à présent descendait sans bruit au rez-de-chaussée. La maison était silencieuse. Il était heureux d'être quelque temps un peu seul avant que les autres se réveillent et le rejoignent.

Il avait besoin de réfléchir.

La veille, après avoir disparu avant midi, Ricarda était rentrée vers onze heures du soir. Personne n'était encore couché, ils étaient dans le salon et parlaient de Phillip Bowen. Patricia ne parvenait pas à se calmer, elle avait beaucoup bu et par chance était tant occupée de son cas personnel qu'elle en avait oublié de faire la leçon à Alexander quand la porte d'entrée s'était doucement ouverte puis que des pas légers avaient résonné dans l'escalier. Elle avait entendu, comme les autres, mais après s'être interrompue quelques secondes et avoir distraitement tendu l'oreille, elle avait marmonné :

« Il s'est fait des illusions. Il se trompe ! Il n'aura rien de ce qui est à moi ! »

C'est seulement à cet instant qu'Alexander s'était rendu compte à quel point il redoutait ses critiques et son agressivité, combien il se sentait acculé, combien la pression qu'elle exerçait lui pesait. Il s'était souvenu qu'Eléna disait souvent de Patricia qu'il fallait qu'elle ait toujours raison. Qu'elle ne supportait pas que quelqu'un fasse autre chose que ce qu'elle avait décidé pour lui. Et que quiconque ne se pliait pas à sa volonté ne pouvait s'entendre avec elle.

Il n'était pas monté voir Ricarda, Jessica l'avait dissuadé d'intervenir à chaud. Mais il s'était posé une question, puis une autre et une autre encore ; il avait réfléchi toute la nuit, avec pour seul résultat positif que son insomnie lui avait épargné de faire cette nuit-là son cauchemar habituel.

Comme quoi, si l'on voulait bien s'en donner la peine, on finissait toujours par voir le bon côté des choses.

Il se demandait s'il avait failli dans son rôle de père.

C'était une question naturelle chez un père récemment divorcé. L'enfant souffrait parce que son monde s'était effondré, et les parents souffraient parce qu'ils avaient échoué à offrir au petit être qu'ils avaient mis au monde, sans lui demander son avis, une enfance stable, heureuse et sans nuages. C'était une faillite bien humaine, mais ça n'en restait pas moins une faillite.

Ricarda rejetait Jessica de toutes les fibres de son être. Alexander s'était attendu à cette réaction, mais il avait cru que ce serait passager. Jessica était jeune, spontanée, naturelle et de plus vétérinaire, profession qui avait toujours fait rêver Ricarda. Il avait imaginé que sa fille bouderait pendant quelques semaines, puis céderait au charme et à la gentillesse de Jessica. Par chance, la jeune femme n'avait joué aucun rôle dans la séparation d'Alexander et Eléna. Elle était entrée dans la vie d'Alexander alors qu'Eléna et sa fille ne vivaient déjà plus avec lui et que la procédure de divorce était en cours.

Mais Ricarda avait l'air de vouloir persévérer dans son attitude glaciale. Elle avait passé plusieurs week-ends avec le couple avant puis après le mariage, et séjourné déjà quatre fois avec eux à Stanbury, ces vacances de Pâques étant les cinquièmes qu'ils passaient ensemble. Jessica avait déployé tous les efforts. A la demande d'Alexander, elle avait même proposé à Ricarda de venir aider au cabinet un ou deux après-midi par semaine. Alexander savait que sa fille en mourait d'envie, mais elle avait refusé. Au reste, elle n'avait jamais rien manifesté d'autre à la nouvelle femme de son père qu'une politesse distante, à contrecœur.

A présent, elle commençait à mettre la même distance entre son père et elle. Jusque-là, il avait pu croire que la relation de confiance qu'ils avaient toujours entretenue était intacte. Puis brusquement, sans raison, du moins sans qu'il en perçoive la raison, c'était comme si le lien qui les unissait était rompu. Avant qu'ils partent, quand elle lui avait remis sa fiche de vœux pour Pâques, passer des vacances seule avec lui était encore son plus cher et seul désir. Que lui était-il arrivé depuis ? Elle traînait, disparaissait des journées entières, rentrait le soir à pas d'heure, refusait de parler de ce qu'elle faisait, ignorait ses injonctions et ses interdictions avec la même impassibilité que si elle n'avait pas entendu ce qu'il disait. Elle avait basculé dans un monde à elle.

Il ouvrit la porte de la cuisine, et se trouva nez à nez avec elle. Sa fille était assise sur l'un des vieux tabourets, les coudes sur la table. Elle portait son ensemble de jogging gris clair et semblait ne s'être ni douchée ni peignée. Elle était très pâle et tenait à deux mains un mug en faïence épaisse. La cuisine embaumait le café frais.

Elle sursauta quand son père s'encadra sur le seuil et, l'espace d'un bref instant, elle regarda autour d'elle comme si elle cherchait par où s'enfuir. Puis elle se ressaisit et prit l'air arrogant qu'elle arborait depuis quelques jours.

— Comment se fait-il que tu sois déjà debout ? demanda-t-elle. Il n'est que sept heures !

— Je n'arrivais pas à dormir.

Il hésitait, planté au milieu de la pièce. Il aimait cette authentique cuisine ancienne, vaste et accueillante, d'où la vue sur le parc était magnifique. Dehors, le jour se levait sur une nouvelle matinée radieuse, les premiers rayons du soleil faisaient étinceler les perles de rosée.

En réalité, ils prenaient d'ordinaire leur petit déjeuner tous ensemble dans la salle à manger, mais Alexander se souvint brusquement que, les dix-huit mois qui avaient précédé sa séparation d'avec Eléna, il avait toujours pris son petit déjeuner seul dans la cuisine. A l'époque, il dormait très mal. Il descendait souvent dès six heures du matin, s'installait dans la cuisine et buvait du café en remuant des idées noires. Curieusement, il l'avait oublié. Il venait seulement de s'en souvenir.

La cafetière électrique était le seul équipement moderne de la cuisine. Alexander la désigna de la main.

— Je peux me servir ?

— Bien sûr !

Il prit une grande tasse dans le placard, la remplit de café et s'assit en face de sa fille. Comme elle, il buvait son café sans lait ni sucre. A vrai dire, il estimait qu'à quinze ans elle était trop jeune pour commencer la journée sur un café noir. Quand elle vivait encore sous son toit, il lui préparait tous les matins du cacao. Puis elle était partie avec Eléna, il y avait maintenant un peu plus de deux ans de cela, et un jour de l'année précédente, alors qu'elle était là pour le week-end, elle l'avait surpris en réclamant du café.

« Je ne pense pas que ce soit bon pour toi », lui avait-il expliqué. Mais elle avait répliqué que c'était dorénavant ce qu'elle prenait chez sa mère et qu'il était donc inutile qu'il s'y oppose. Il avait cédé – peut-être, en ce qui concernait l'éducation de Ricarda, avait-il cédé sur trop de choses – et depuis, même pendant les vacances à Stanbury, elle buvait du café noir comme une adulte. Ce que Patricia, naturellement, ne se lassait pas de critiquer.

— Tu es plutôt matinale, toi aussi, dit-il, et comme elle ne répondait pas, il ajouta : Surtout quand on songe à l'heure à laquelle tu es rentrée hier soir.

Elle haussa les épaules. Son visage était fermé.

— Je t'avais demandé d'être présente au déjeuner. Tu ne m'as pas écouté et tu n'as même pas prévenu. As-tu une explication à fournir ?

Elle but une longue gorgée de café et ne répondit toujours pas. Alexander désespéra de comprendre d'où venait son mutisme. Jamais elle n'avait eu cette attitude.

Il fit une seconde tentative.

— Personne ne veut restreindre ta liberté, Ricarda. Je ne le souhaite pas et Jessica encore moins. A ce propos, c'est la meilleure avocate que tu puisses trouver, autant que tu le saches. Elle intervient beaucoup pour que l'on ne soit pas toujours sur ton dos à te surveiller.

Ricarda haussa les épaules. Alexander ne décela pas le moindre frémissement sur son visage.

— Où étais-tu hier soir ? interrogea-t-il en s'efforçant de prendre un ton autoritaire. Et avant-hier soir ? Je veux le savoir.

Elle le regarda.

— C'est mon problème.

— Non, ça ne l'est pas. Tu n'es pas encore majeure, et jusqu'à ce que tu le sois, ce qui te concerne me concerne également un peu. Alors, s'il te plaît, dis-moi où tu étais.

Elle se détourna et pinça les lèvres. Il ne put s'empêcher de penser comment, enfant, elle se blottissait dans ses bras quand il lui lisait des histoires, comment elle lui sautait au cou le soir quand il rentrait à la maison. Difficile d'imaginer que l'adolescente butée qui était en face de lui et la petite fille d'hier étaient une même personne.

— J'ai lu ta fiche de vœux, continua-t-il. Tu y exprimes le souhait de faire un voyage au Canada avec moi. Je trouve ça surprenant. En effet, tu n'as de toute évidence aucune confiance en moi et, en règle générale, aucune envie de me parler un peu de toi non plus. Comment allons-nous tenir le coup, l'un en face de l'autre, des semaines durant, dans les grandes solitudes canadiennes ?

Enfin, elle s'anima.

— Pourquoi tu me demandes ça ? rétorqua-t-elle avec une violence soudaine. Tu ne vas jamais partir avec moi ! Je le sais très bien !

— Et sur quoi te bases-tu pour *très bien* le savoir ?

— A cause d'*elle* !

— *Elle* a un nom.

— A cause de J. Parce que, depuis qu'elle est là, je n'existe plus pour toi !

— C'est ridicule.

Une douleur légère remonta le long de sa nuque. Il avait rarement mal à la tête, mais, à cet instant, il comprit qu'il n'allait pas y échapper.

— J'aime Jessica. Elle est ma femme. Mais cela ne change rien au fait que…

Les yeux sombres de Ricarda lancèrent des éclairs.

— Tu ne l'aimes pas ! Tu ne l'aimes absolument pas ! Tu essayes de te le faire croire parce que sinon tu ne la supporterais pas ! C'est tout ! Tu aimes maman. Tu l'aimeras toujours. Mais eux, ici…

Elle fit un grand geste de la main censé englober Stanbury House et ses occupants, mais qui faillit balayer les deux tasses de café.

— … tous, oui, tous, ils l'ont mise dehors ! Elle ne les supportait plus. Et toi, tu l'as laissée partir ! Comment as-tu pu faire ça ? Comment ?

— Ricarda !

Il voulut poser une main sur la sienne, mais elle la retira et bondit sur ses pieds. Quand elle s'emportait ainsi, tout son côté latin ressortait, les cheveux noirs, le sang chaud, elle ressemblait à sa mère.

— Je déteste tes amis ! cria-t-elle. Je les déteste autant que maman les détestait ! Je voudrais qu'ils soient tous morts ! Tous !

Avant qu'il ait pu répondre quelque chose, elle avait bondi hors de la cuisine et claqué la porte derrière elle.

Un bruit avait troublé Géraldine jusque dans son sommeil et elle s'était réveillée. Elle était une grande dormeuse et se serait volontiers enfouie sous les couvertures pour finir sa nuit, cependant, en dépit de l'heure matinale, elle eut confusément conscience que quelque chose n'allait pas – ou n'allait pas la veille au soir… quand elle s'était couchée.

Elle s'assit dans son lit. Une aube hésitante filtrait à travers les rideaux. Elle vit Phillip, tout habillé, prêt à s'en aller. En un éclair elle se souvint qu'il n'était pas là quand elle s'était couchée. Il avait dû rentrer au milieu de la nuit sans qu'elle s'en rende compte.

— Phillip !

Elle l'entendit soupirer.

— Continue à dormir, dit-il. Il est à peine sept heures.

— Où vas-tu ?

— Dehors. Marcher. Et réfléchir.

— Quand es-tu rentré ? Je me suis inquiétée. Je ne me suis pas endormie avant au moins minuit et demi !

— Je suis allé boire un verre. J'étais là à une heure.

Elle dut prendre sur elle pour ne pas lui adresser de reproches. Elle savait par expérience que cela ne réussissait qu'à aiguiser son agressivité. Dès qu'il avait le sentiment qu'elle touchait à sa liberté, il devenait hargneux.

— Nous devions dîner ensemble.

— Géraldine...

— OK, je n'ai rien dit !

Elle n'osa pas penser à ce que Lucy aurait dit de la conversation. Bien sûr qu'elle n'aurait pas dû se laisser faire. Mais dans ce cas, c'était tous les jours qu'elle aurait dû monter sur les barricades parce que c'était en permanence qu'il se comportait ainsi.

— Comment ça s'est passé, hier ? demanda-t-elle. Tu es allé à Stanbury House ?

— Oui. J'y suis allé. Ils étaient tous là, gentiment réunis au salon comme s'ils m'attendaient, un verre de champagne à la main. On aurait pu directement trinquer à notre rencontre.

— Sauf qu'ils ne devaient pas être enchantés de faire ta connaissance.

— En effet. J'ai rarement vu des têtes si ahuries.

Il parlait d'un ton ironique, mais Géraldine percevait sa nervosité. Il n'était nullement d'humeur enjouée.

— Et alors... ? s'enquit-elle.

Il garda la main sur la poignée de la porte. Pas une seconde il ne renonça à lui signifier son intention de sortir.

— Ils ne me croient pas.

— C'était prévisible.

— Je vais leur prouver que c'est vrai.

— Tu veux leur raconter ce que tu sais ?

— Dans un premier temps, oui.

— Et tu crois qu'ils vont accepter de t'écouter ? Qu'ils vont t'ouvrir leur porte en grand ?

— On verra bien.

— Phillip...

Elle savait qu'elle adoptait malgré elle un ton suppliant qu'il interpréterait déjà comme une tentative de manipulation.

— Phillip, reprit-elle néanmoins, qu'espères-tu obtenir ? Tu crois que cette Patricia Machin attendait qu'un parfait inconnu sonne à sa porte, prétende être de sa famille et...

— Je ne prétends pas être de sa famille. *Je le suis !*

— Tu le dis ! Mais comment veux-tu qu'elle réagisse ? Tu peux lui raconter ce que tu veux sur son grand-père, c'était quelqu'un de très connu et tu pouvais aller piocher ça dans les montagnes d'archives qui existent sur lui. C'est d'ailleurs ce que tu as fait pour une bonne part. Ça fait un an que tu passes ta vie dans les bibliothèques à collecter tout ce que tu peux trouver sur McGowan et à le classer dans ce... ce dossier qui, en plus, est devenu ton livre de chevet. Et maintenant tu te figures que Patricia va sauter de joie à l'idée de partager son héritage avec toi. Tu n'es pas au bout de tes peines.

Seul un dernier reste de politesse le retint de s'en aller en claquant la porte. Il vibrait d'impatience, elle avait le don de lui mettre les nerfs à vif.

— S'il le faut, c'est l'exhumation qui apportera la preuve de ce que je dis. Personne ne peut contester une analyse comparative d'ADN.

— Es-tu certain que ce soit aussi facile à obtenir ? Je ne m'y connais pas beaucoup, mais j'imagine mal que l'on puisse faire exhumer quelqu'un simplement en en faisant la demande. La procédure doit être complexe, et il faut certainement avoir de bonnes raisons pour obtenir gain de cause.

— Mes raisons sont excellentes. Et je me demande qui pourrait en avoir de meilleures !

— Tu n'as pas l'ombre d'une preuve, rien, absolument rien que tu puisses présenter à la justice ! La seule chose que tu aies est la parole de ta mère aujourd'hui disparue te disant que Kevin McGowan était ton père. Mais tu sais...

Elle s'interrompit et se mordit la lèvre.

— Oui ? demanda Phillip en la fusillant du regard. Oui ? répéta-t-il d'un ton mauvais. Qu'est-ce que je sais ?

— Je veux dire seulement que...

Elle aurait donné cher pour n'avoir rien dit, mais, maintenant qu'elle avait commencé, elle était obligée de continuer.

— Je veux dire que tu ne sais même pas si ce que ta mère t'a raconté est vrai. Elle était déjà très malade, très affaiblie, et parfois... elle n'avait plus toute sa tête. C'est peut-être quelque chose qu'elle a imaginé et...

Il y avait une telle colère et un tel mépris dans le regard qu'il lui lança que, pour la première fois, elle eut peur de lui.

— Excuse-moi, bredouilla-t-elle en hâte. C'était simplement une idée comme ça... Tu connais ta mère mieux que moi... Je n'ai pas réfléchi...

Géraldine avait consacré une grande part des loisirs que lui accordait sa profession à soigner Mme Bowen. En d'autres termes, elle avait beaucoup négligé sa profession, au grand dam de Lucy, qui prétendait qu'elle ne le faisait pas pour la vieille dame mais pour s'attirer la reconnaissance et l'amour de Phillip, ce qui était une entreprise vaine et vouée à l'échec. Puis le cancer de Mme Bowen s'était aggravé et Philip avait dû la faire hospitaliser dans un établissement où elle était morte six semaines plus tard dans d'épouvantables souffrances. Il n'avait pas échappé à Géraldine que Mme Bowen était alors passée par des phases de confusion mentale où elle avait régalé son entourage d'histoires plus invraisemblables les unes que les autres sur sa vie et ses amis. Pourquoi Kevin McGowan, le célèbre grand reporter de la télévision, n'aurait-il pas été l'une de ces chimères qu'elle avait inventées de toutes pièces pour enjoliver une vie qu'elle-même avait un jour qualifiée de ratée ?

Mais impossible d'en parler avec Phillip, surtout depuis qu'il s'était projeté dans l'histoire de sa mère et y puisait matière à s'imaginer un avenir.

— Ne m'attends pas, dit-il. Je ne sais pas à quelle heure je rentrerai.

Il ferma la porte derrière lui.

Elle était seule. Elle avait peur.

Léon observait sa femme. Elle avait sauté du lit avec la sonnerie de son réveil, à huit heures tapantes, et aussitôt disparu

90

dans la salle de bains, où elle avait pris une douche froide et frotté son corps au gant de crin pour activer la circulation et raffermir les tissus. Elle avait regagné la chambre pour s'habiller. Elle évoluait, nue, entre la penderie et la commode. Il savait qu'elle ne cherchait pas à le provoquer. C'était plutôt l'expression de leur mutuel désintérêt, de leur éloignement. Elle ne le percevait plus en tant qu'homme. Il devait toutefois reconnaître qu'il n'y était pas pour rien.

Son corps était parfait. Elle était si menue que le moindre gramme de graisse superflue aurait sauté aux yeux, mais il n'y avait rien nulle part qui ne fût à sa place. A trente et un ans, et après deux grossesses, elle avait encore une silhouette de jeune fille. Mais son visage la trahissait, il en fut une nouvelle fois frappé. Il révélait de la dureté, de l'arrogance, de la détermination et une volonté de fer.

Elle enfila des sous-vêtements en coton blanc immaculé, un pantalon de jogging et un tee-shirt noir qui proclamait *It's me* en lettres blanches.

— Tu ne veux pas te lever ? demanda-t-elle tandis que, penchée vers le miroir au-dessus de la commode, elle maquillait ses lèvres en rouge intense. Il est huit heures vingt.

Léon bâilla.

— On est en vacances. J'ai l'impression que tu l'as encore oublié.

— On prend le petit déjeuner à neuf heures. C'est convenu.

— Justement. Qu'est-ce que j'ai besoin de me lever à huit heures vingt ? Tu projettes de faire quoi, jusque-là ?

— Du jogging. D'ailleurs, ça te ferait à toi aussi le plus grand bien.

Léon bâilla une deuxième fois. Il n'avait pas un poil de graisse et se savait séduisant, aussi n'attacha-t-il aucune importance à la remarque de sa femme. Critiquer son prochain était chez Patricia une seconde nature. Il avait pris l'habitude de ne même plus l'écouter.

Elle s'assit sur le lit pour lacer ses chaussures de jogging.

— Après le petit déjeuner, je vais à l'équitation avec Diane et Sophie, annonça-t-elle.

Il se redressa et s'adossa à son oreiller.

91

— Je te trouve bien détendue, ce matin. Hier soir, tu étais incapable de parler d'autre chose que de ce Phillip Bowen et ses déclarations extravagantes, et, depuis que tu es levée, tu n'en as pas encore dit un mot.

— Et je n'en parlerai plus. Cette nuit, j'ai réfléchi. Cet homme est un affabulateur. S'il remet encore un pied chez moi, j'appelle la police. Je refuserai de parler avec lui. Comme ça, l'affaire mourra de sa belle mort.

Ses chaussures lacées, elle se leva et fit quelques flexions des genoux.

— Espérons que tu ne le sous-estimes pas, reprit-il. Ce type n'avait pas l'air du genre à lâcher facilement. Je serais étonné que tu t'en débarrasses comme ça.

— On va lui interdire l'accès à Stanbury House. Et s'il s'approche de l'un de nous, quand on fait les courses au village, ou au club d'équitation... eh bien...

Elle s'interrompit et regarda Léon presque avec indignation, comme si elle ne pouvait pas croire qu'il voie un problème quelque part.

— Enfin, Léon, tu es avocat ! Tu sais bien ce que l'on fait dans des cas comme celui-ci ! On va intenter contre lui une action en référé et on en sera débarrassés !

— Je ne connais pas bien le droit anglais. Je ne sais pas s'il est difficile ou non d'obtenir une exhumation.

— Voyons ! C'est certainement *très* difficile ! Sinon, il suffirait que n'importe qui prétende être le fils de quelqu'un pour le faire déterrer. Réfléchis un peu ! Et puis tout de même : ça me concerne qu'on laisse mon grand-père tranquille dans sa tombe ! Moi aussi, j'ai mon mot à dire dans cette histoire.

— Si un tribunal lui donne raison, tu ne pourras que t'incliner.

— De ce côté-là, je ne me fais pas de souci...

Elle continua à échauffer ses muscles en se penchant en avant pour toucher alternativement ses pieds avec les mains opposées.

— ... c'est un escroc, et n'importe quel jury aura vite fait de s'en rendre compte !

— As-tu déjà songé que son histoire était peut-être vraie ?

Patricia interrompit son exercice et dévisagea son mari.

— Tu es fou ? Ne me dis pas que tu parles sérieusement !

— Je n'ai pas dit que je le croyais. Je t'ai simplement incitée à y réfléchir.

— Je vais faire mon jogging, décida-t-elle en se dirigeant vers la porte. Je crois qu'avant toute chose tu as besoin d'un café. Pour arrêter de voir tout en noir. On se retrouve au petit déjeuner ?

— Oui. Au fait, Patricia...

Il avait autre chose sur le cœur, depuis longtemps, mais il ne savait pas par quel bout commencer.

— A propos des leçons d'équitation...

— Oui ?

Elle avait déjà ouvert la porte, la main sur la poignée, elle faisait des flexions des genoux.

— Je t'écoute. Qu'est-ce qu'il y a ?

Le courage lui manqua, une fois de plus.

— Rien. C'est bon.

Il espérait confusément qu'elle insisterait, mais elle n'en fit rien.

Il se laissa retomber sur son oreiller.

Plus tard. Il lui en parlerait plus tard. Ça devenait urgent.

10

— Jusqu'à sa mort, ma mère a énormément souffert d'être la mère d'un enfant illégitime, dit Phillip Bowen à Jessica. Je ne crois pas que la moralité ait joué un grand rôle dans l'histoire. C'était plutôt le sentiment d'avoir représenté si peu pour un homme qu'il n'ait jamais accepté de fonder une famille avec elle. Ça blessait sa fierté.

Ils étaient assis dans l'herbe sur les flancs de la petite colline au pied de laquelle ils s'étaient rencontrés deux jours auparavant. Barney, qui avait couru comme un fou dans la prairie, s'était éloigné de deux pas, puis effondré dans l'herbe et instantanément endormi. Son ventre se soulevait et s'abaissait régulièrement au rythme de sa respiration ; parfois, son oreille gauche tressaillait.

Remise de ses nausées, Jessica était partie pour une promenade juste après le petit déjeuner. Elle s'était engagée dans la direction qu'elle avait prise l'avant-veille par inadvertance pour retrouver le si joli vallon où elle avait repêché Barney dans le ruisseau. Elle avait vu de loin une silhouette assise au sommet de la colline et un sixième sens l'avait avertie que ce devait être Phillip. Elle avait voulu faire demi-tour, mais il avait dû sentir sa présence car il s'était brusquement retourné et lui avait fait signe. Elle s'était crue obligée de le rejoindre, mais à contrecœur. Le rencontrer et parler avec lui équivalait à trahir Patricia, qui au petit déjeuner avait pris soin d'informer l'assemblée de ses desideratas.

« Nous ne parlerons plus à ce monsieur. Je ne lui parlerai plus et je vous prie instamment de faire de même. Nous ne lui donnerons même pas l'occasion de commencer à raconter ses élucubrations. Qu'il mette un pied dans le parc et nous le flanquerons dehors. S'il veut obtenir quelque chose, qu'il entame une procédure judiciaire. Il n'est pas près d'en voir le bout. Et il m'a l'air de quelqu'un qui n'a même pas le premier centime à investir là-dedans. »

Jessica aurait pu l'ignorer et poursuivre son chemin, cependant cela lui avait paru difficile vis-à-vis d'un homme qui lui apparaissait encore comme un sauveur vingt-quatre heures auparavant et à l'encontre duquel elle n'avait de surcroît aucun grief. Il était en conflit avec Patricia, mais, après tout, pourquoi aurait-elle épousé les querelles de Patricia ?

« Vous auriez pu me prévenir, avait-elle dit en s'asseyant à côté de lui.

— Pour que vous préveniez Patricia ?

— Et alors ? Qu'est-ce que ça aurait changé ? Elle ne risquait pas d'en être mieux ou moins bien disposée à votre égard. Vous n'avez tout de même pas cru qu'elle allait hurler de joie à l'idée de partager son héritage avec vous ?

— Il faudra bien qu'elle cède.

— Elle ne vous écoutera même pas. »

Il l'avait regardée, un mince sourire sur les lèvres.

« Elle est coriace, c'est ça ?

— Elle a du tempérament. »

Phillip commença à arracher des brins d'herbe et à les nouer ensemble.

— Il y avait une drôle d'atmosphère, chez vous, hier soir, dit-il. Je suis entré dans cette pièce et me suis trouvé face à ces gens dont tout le village raconte qu'ils sont les meilleurs amis du monde, depuis des années et que sais-je encore, et j'ai tout de suite eu le sentiment que quelque chose clochait. Que c'était faux. Il y avait une telle tension dans l'air, une telle agressivité latente ! J'aurais été incapable de dire quoi, au juste, mais tellement de... oui, tellement de choses ne collaient pas. Cela dit, je ne connais véritablement personne... Vous comprenez ?

Elle avait la désagréable impression de très bien le comprendre.

— Non, mentit-elle, et elle vit à son expression qu'il ne la croyait pas.

— Cette femme très forte, insista-t-il, vous voyez qui je veux dire, avec cette robe qui a dû coûter une fortune... elle a l'air

95

effroyablement triste. Non, plus que triste... désespérée. Oui, c'est ça. Désespérée. Comme si quelque chose était mort en elle.

— Evelin.

Elle s'étonna de ses dons d'observation et fut frappée par la justesse d'une formulation dont il ne pouvait supposer à quel point elle était pertinente. *Comme si quelque chose était mort en elle...*

— Il y a quelques années, elle a perdu un bébé à six mois de grossesse, expliqua-t-elle. A la suite de quoi elle a fait une longue dépression. Je ne suis pas certaine qu'elle en soit véritablement remise. Et elle semble ne pas pouvoir être à nouveau enceinte.

— Elle donne l'impression d'être très seule. D'ailleurs, Patricia aussi.

— Patricia ? Elle est pleine de dynamisme, elle est toujours sur le pont, elle connaît la terre entière...

— Ça ne veut pas dire qu'elle n'est pas seule. Elle fait un tel numéro autour de sa merveilleuse petite famille... J'ai vu sa chambre, quand j'ai visité la maison. C'était bien la première fois qu'autant de photos radieuses me sautaient à la figure d'un coup. Si vous voulez mon avis, elle en rajoute un peu trop. Et ce bellâtre avec lequel elle est mariée n'a pas l'air follement amoureux.

— Je vois que vous avez beaucoup réfléchi, commenta Jessica, mal à l'aise. Et je ne suis pas sûre que vous deviez parler de ça avec moi. Nous nous connaissons à peine.

— Vous me croyez ?

— Quand vous dites que vous avez des droits sur Stanbury ?

— Oui.

— Comme je viens de vous le dire : nous nous connaissons à peine. Comment pourrais-je savoir si c'est vrai ?

— Que savez-vous de Kevin McGowan ?

— Le grand-père de Patricia ? Pas grand-chose, seulement qu'il était un journaliste de renom, qu'on le voyait beaucoup à la télévision et qu'il jouissait d'une certaine notoriété. Du moins en Angleterre. En Allemagne, je n'ai jamais entendu parler de lui.

— Il a pourtant vécu plusieurs années en Allemagne, et il s'y était déjà fait un nom dans le milieu du journalisme.

Elle haussa les épaules.

— C'était avant ma naissance.

— Il était considéré comme l'un des plus fins connaisseurs du problème irlandais. Il entretenait, semble-t-il, de bons contacts avec l'IRA. D'après ce que prétendent certains, qui seraient allés plus loin que ce qu'aurait dû se permettre un sujet de Sa Gracieuse Majesté. Mais rien ne permet de l'affirmer.

— Ce qui m'étonne, c'est pourquoi vous ne vous manifestez que maintenant. Pour autant que je sache, le grand-père de Patricia – l'homme, donc, qui serait votre père – est mort il y a dix ans. C'est à cette époque qu'elle a hérité. Pourquoi n'avez-vous alors rien dit ?

— Parce que l'identité de mon père était le grand secret de ma mère. Ce dont j'ai beaucoup souffert. Enfant, et plus encore adolescent. C'est seulement l'été dernier, alors qu'elle n'avait plus que quelques semaines à vivre, qu'elle m'a tout raconté.

— Pourquoi si tard ?

Il lui parla de la souffrance de sa mère, de son sentiment d'être marquée à jamais par l'humiliation de ne pas avoir été jugée digne d'être épousée par le père de son enfant.

— Elle l'a rayé de sa vie. Elle n'a même pas exigé qu'il reconnaisse sa paternité. Elle n'a pas accepté d'argent de lui. Il n'existait tout simplement plus. Je crois que rarement une personne a fait aussi radicalement disparaître quelqu'un de sa vie.

— Vous deviez pourtant lui poser des questions ?

— Bien sûr. Tous les enfants autour de moi avaient un père, moi pas. Elle m'a raconté qu'il était mort avant ma naissance, dans un accident de voiture, avant qu'ils aient eu le temps de se marier. Au début, je l'ai crue...

— Puis vous avez grandi...

— J'ai grandi, j'ai mûri, je suis devenu plus curieux. Je voulais voir des photos. Je voulais savoir où il était enterré. Et il devait bien avoir de la famille, des parents, des frères et sœurs... Je la poussais dans ses retranchements. Elle a fini par m'avouer la vérité. Tout au moins une partie de la vérité. Son nom, elle n'a jamais voulu me le dire.

— Elle vous a élevé sans le moindre soutien financier ?

— Elle avait un caractère très entier. Il n'était pas question pour elle d'accepter de l'argent de quelqu'un dont elle ne voulait plus entendre parler. Elle était institutrice dans une école pour enfants handicapés. Son salaire n'était pas faramineux, mais nous nous en sortions, et à vrai dire... je n'ai manqué de rien.

Il se tut, l'air pensif et un peu triste, et recommença à tresser des brins d'herbe.

— Sauf d'un père, dit Jessica.

— Oui. Sauf d'un père.

Barney redressa la tête. Il décida qu'il avait assez dormi et qu'il était temps de se dégourdir un peu les pattes dans l'herbe haute. Il reprit ses cabrioles de pataud tout fou et se lança dans la poursuite des dizaines d'abeilles et de papillons qui croisaient son chemin. Il paraissait très heureux de son sort.

— Quand votre mère est-elle décédée ? demanda Jessica.

— Il y a dix-huit mois, en novembre. Ça a commencé par un cancer du sein, il y a trois ans, et ça s'est terminé par des métastases dans presque tous les organes. Elle est restée chez elle aussi longtemps que cela a été possible. Une voisine prenait soin d'elle, je venais la voir dès que je le pouvais, et je dois dire que Géraldine s'en est également beaucoup occupée... Mon amie, expliqua-t-il après avoir remarqué le regard interrogateur de Jessica. Nous sommes ensemble depuis pas mal d'années.

Il continuait à arracher des brins d'herbe et à les tresser ensemble.

— Bref... Peu de temps avant sa mort, elle s'est décidée à me parler. De mon père et de son histoire. Je suis tombé des nues quand j'ai appris que c'était Kevin McGowan. C'était la grande vedette de la télévision quand j'avais une quinzaine d'années et commençais à m'intéresser à la politique. Dans un sens, j'ai grandi avec lui. C'est le journaliste qui m'a le plus marqué. Ce qu'il disait me semblait limpide et j'aimais la façon dont il expliquait les choses. Et voilà que j'apprenais que c'était mon père et que c'était lui le salaud qui avait laissé tomber ma mère. J'ai eu du mal à l'avaler.

Il releva les cheveux qui lui tombaient sur le front. Jessica regarda son pull-over, son pantalon, les mêmes vêtements usés que la veille et l'avant-veille. Son apparence ne laissait planer aucun doute sur son manque de moyens. L'héritage de son défunt père lui serait plus profitable qu'à Patricia. Si tant est que Kevin McGowan fût son père...

— Et vous êtes tout à fait sûr, commença-t-elle, que votre mère... eh bien, en dépit de la gravité de sa maladie, avait tous ses esprits et...

Il lui lança un regard de mépris.

— Vous êtes comme Géraldine. Elle aussi me rabâche cette histoire. Vous savez, au cours de sa maladie, ma mère a eu des périodes où ça n'allait pas et d'autres où ça allait mieux, du moins jusqu'au mois d'octobre où elle n'a plus connu de rémissions. C'est comme ça, avec le cancer. Quand ça n'allait pas, elle prenait des antalgiques puissants, et il lui arrivait effectivement d'être troublée, de confondre les dates et de mélanger les souvenirs. Quand elle allait bien, elle ne prenait aucun médicament, précisément parce qu'elle redoutait encore plus ces moments de confusion que la douleur. Et moi qui l'écoutais, je savais parfaitement quand elle avait toute sa tête et quand elle ne l'avait pas. Je peux très précisément faire le tri dans ce qu'elle a raconté.

Jessica eut l'impression de l'avoir agacé, pourtant elle lui posa encore une question.

— Et votre mère était tout à fait certaine que Kevin McGowan était votre père ?

Sur le moment, il ne comprit pas sa question et il la regarda en fronçant les sourcils, puis les mots prirent leur sens et il blêmit. Jessica, qui vit le sang se retirer de son visage, tenta de rattraper sa maladresse.

— Je veux dire...

— J'ai très bien compris ce que vous vouliez dire, la coupa-t-il sèchement. Vous pensez qu'il est finalement très possible que ma mère ait couché à droite et à gauche, et n'ait plus très bien su qui était le père de son bâtard !

Il se leva et continua à lui parler sans masquer sa colère.

— Et tant qu'à inventer, autant viser carrément haut, et si par-dessus le marché l'heureux élu est mort et a laissé un coquet héritage, c'est encore mieux !

Jessica se leva à son tour. Elle voulut poser la main sur le bras de Phillip, mais il recula et elle ne rencontra que le vide.

— Phillip...

Sa tentative de réconciliation tourna court. Il lui jeta un regard furieux, pivota sur ses talons et commença à descendre vers la vallée. Elle vit à sa façon de tenir les épaules et de se lancer dans la pente combien elle l'avait blessé. Elle n'en avait pas eu l'intention et en fut affectée, mais pour le moment elle ne pouvait rien faire.

Elle appela Barney, qui galopa vers elle avec empressement, et elle prit le chemin du retour.

11

Journal de Ricarda

19 avril

Avant, mon père était mon meilleur ami, aujourd'hui c'est complètement différent. Je sens très bien qu'il ne s'intéresse plus du tout à ma vie. Il me pose des questions parce qu'il espère apprendre des choses et pouvoir après faire de l'autorité. Mais je ne lui dirai rien, pas un mot sur Keith. Je suis certaine qu'il dirait tout de suite que je suis trop jeune pour ça !

Un jour, maman m'a dit qu'il était dépendant de ses amis et que c'était quelque chose qu'elle n'avait plus supporté. J'étais en rage parce que je ne voulais pas qu'elle dise du mal de lui. Mais aujourd'hui, je crois qu'elle a raison. C'est drôle, cette année, Stanbury House. C'est la première fois que tout me paraît complètement évident. Avant, ils m'énervaient, mais finalement, je ne connaissais rien d'autre et je ne me posais pas trop de questions. Je ne suis plus une gamine, maintenant. Je me rends bien compte à quel point ils sont faux jetons et que rien n'est vrai. Rien du tout ! Des amis : tu parles !

Patricia dit du mal d'Evelin dès qu'elle a le dos tourné et Tim est à couteaux tirés avec Léon. Je les ai entendus hier. Je n'ai malheureusement pas bien compris de quoi il s'agissait, mais Tim était franchement mauvais, et Léon drôlement intimidé. Et au dîner, ils font comme si tout allait super bien. C'est trop nul.

Je vois Keith tous les jours. Nous allons souvent dans sa grange et on discute pendant des heures de plein de choses qui nous intéressent. Je n'ai encore jamais pu parler de façon aussi géniale avec quelqu'un. Quand je raconte à Keith ce que je ressens, à propos de mes parents, du divorce et tout ça, de J. et des autres, il m'écoute très attentivement, puis il dit quelque chose qui montre qu'il a complètement compris ce qui est important. C'est la première personne qui me comprend. Parfois, nous nous allongeons sur le canapé, je me blottis contre lui et il me tient serrée dans ses bras. Je me sens alors tellement en sécurité, comme avant, enfin. La laine de son pull-over gratte un tout petit peu ma joue, et je sens son cœur battre. Il sent tellement bon, et c'est tellement agréable de le toucher.

Je ne peux pas imaginer que j'aimerai un jour quelqu'un d'autre autant que lui.

Keith a lui aussi plein de problèmes. Il ne trouve pas de stage d'apprentissage, et il dit que de toute façon c'est difficile dans toute la région avec l'emploi et tout ça. Il voudrait apprendre le métier de stucateur et si possible travailler ensuite dans les belles maisons des quartiers chics de Londres. Il dit qu'il veut absolument gagner sa vie avec un métier artistique. Il aime beaucoup peindre. Hier, quand il est venu me chercher, il a vu Barney et je lui ai dit à quel point je le trouvais super mais que je ne le montrerai jamais parce que sinon J. croirait qu'elle a avec lui un moyen de pression sur moi. Aujourd'hui, il m'a offert un dessin qu'il a fait de Barney, comme ça, de mémoire. Et c'est exactement lui ! On reconnaît tout de suite son museau tout rond et ses drôles d'oreilles beaucoup trop grandes. Keith l'a à peine vu, mais il a tout de suite remarqué et enregistré dans sa tête ce qui était essentiel. C'est pour ça que je suis certaine qu'il a beaucoup de talent et je lui dis toujours qu'il ne doit pas baisser les bras, qu'un jour il réussira à faire le métier qui lui plaît tant.

Son père lui fait bien sûr plein d'histoires à cause de ça. Les parents de Keith ont une ferme et ils veulent que Keith la reprenne un jour. Aux yeux de son père, stucateur n'est pas un métier mais une bêtise. Il a une sœur plus vieille que lui qui travaille à la ferme, mais son père a peur qu'elle se marie et s'en aille. Keith m'a dit que le matin, son père, au lieu de « Bonjour », lui dit : « Salut, le flemmard. A quelle sorte de foutaises comptes-tu employer ta journée aujourd'hui ? » Keith dit que ça lui fait vraiment mal. Et ça me fait à moi encore plus mal ! ! ! J'ai très très envie d'aller voir son père et de lui dire à quel point je le trouve grave et que jamais il ne pourra réparer ce qu'il fait à son fils. Mais Keith pense que son père n'en a rien à faire et qu'en plus je ne ferais que rendre les choses encore plus difficiles pour lui.

Mais j'espère que je donne de la force à Keith.

Il m'en donne lui-même tant.

12

Evelin se pencha au-dessus de la cage d'escalier et tendit l'oreille. Pas un bruit. Pourtant il n'était pas très tard. Un peu plus de dix heures du soir seulement, et le silence était total.

Lundi de Pâques. La veille, ils avaient organisé une grande chasse aux œufs dans le jardin, mais c'était Barney, le chien de Jessica, qui les avait presque tous dénichés et aussitôt engloutis, papier métallisé compris. Ensuite, ils avaient déjeuné sur la terrasse, en fin d'après-midi ils avaient servi des gâteaux et du café, et, le soir, du champagne. Cela avait été une belle journée, chacun y avait mis du sien et rien n'était venu troubler l'ambiance paisible. Dont les effets s'étaient prolongés jusqu'au lendemain. Tim avait travaillé sur son portable presque toute la journée, et Patricia avait loué trois chevaux et était partie en randonnée avec ses filles. Quant à elle, Evelin, elle avait lu, et de temps à autre grignoté un œuf en chocolat.

Mais à présent... cette soirée avait quelque chose d'étrange. Pour commencer, Léon et Patricia étaient allés dîner à l'extérieur, seuls, ce qui ne s'était pour ainsi dire jamais produit. Ils n'avaient même pas emmené leurs filles, et ça, ça méritait pour le moins de figurer dans les annales de Stanbury House. Pour ce que les autres en avaient entendu, Patricia s'était rebiffée, mais Léon avait insisté pour mettre son projet de sortie à exécution et soudain parlé d'un ton autoritaire si inhabituel chez lui que Patricia, sidérée, n'avait plus osé le contredire.

Fidèle à elle-même, Ricarda n'était pas apparue au dîner. Alexander, l'air sombre et le front soucieux, n'avait presque rien mangé et avait fixé son assiette pendant tout le repas.

L'assemblée avait été très silencieuse. En l'absence du mur protecteur de leurs parents, Diane et Sophie avaient cessé de glousser. Tim, qui était peut-être abruti de travail après une journée sur son ordinateur, n'avait pas caché sa mauvaise humeur, et Jessica avait semblé perdue dans ses pensées. Le seul à avoir paru à l'aise était Barney. Allongé de tout son long au milieu du tapis, il était plongé dans un sommeil profond que troublait sporadiquement un léger ronflement.

Vers neuf heures et demie, Evelin avait mis les deux fillettes au lit ainsi qu'elle l'avait promis à Patricia. Elle avait pris plaisir à les regarder brosser leurs longs cheveux blonds, papoter, rire et faire les diables dans leurs pyjamas de coton multicolore. Avant de redescendre, elle avait passé la tête dans la chambre de Ricarda. La jeune fille n'était toujours pas rentrée de sa mystérieuse escapade. Evelin était loin de dramatiser l'affaire comme Patricia, cependant elle aussi commençait à trouver que Ricarda dépassait les bornes. Alexander se faisait beaucoup de souci, ça se lisait sur son visage. Pourquoi lui menait-elle cette vie ?

Elle fit quelques pas dans le jardin. La soirée s'annonçait éprouvante. Ses crises dépressives surgissaient rarement comme un coup de tonnerre dans un ciel clair. D'ordinaire, elles venaient de loin et s'installaient lentement. Plusieurs facteurs favorisaient leur apparition : une ambiance délétère, l'arrivée du mauvais temps, des changements dans le cours des choses.

Oui, songea-t-elle tandis qu'elle déambulait dans le jardin, transie car la température avait brusquement chuté. C'est surtout ça. Un changement dans le cours des choses. Ça fait vaciller tout ce sur quoi je m'appuie. Les choses se transforment, je me sens perdue au milieu de la tempête, j'ai l'impression que tout s'écroule.

Le docteur Wilbert, son analyste, lui avait conseillé d'avoir toujours à l'esprit, dans ces moments, ce qui en avait été le déclencheur.

« Ça vous aidera à rationaliser l'événement. Le plus délicat, c'est que vous ressentez les choses sans filtre. Vos sentiments, notamment la souffrance, vous assaillent dans toute leur brutalité sans que rien les freine. Essayez d'être logique et concrète. Ça pourrait agir comme une digue qui ferait barrage au plus douloureux. »

Elle suivit les conseils de son analyse, elle s'appliqua à faire ce qu'il lui avait conseillé, pourtant elle savait qu'aujourd'hui ça aurait peu de chances de réussir. Au reste, elle avait tellement froid qu'elle finirait par attraper la mort à rester plus longtemps dehors. Il faisait nuit, mais, pour la première fois depuis le début de leur séjour, on ne distinguait aucune étoile. Le ciel s'était couvert. L'air sentait la pluie.

De retour dans la maison, elle monta au premier. Arrivée devant la porte de sa chambre, elle s'arrêta. Tim était sans doute sur son ordinateur et hormis, éventuellement, un grognement distrait, il ne lui apporterait aucune aide.

Elle écouta discrètement aux portes voisines mais ne décela aucun signe de vie à l'étage, et supposa que Jessica et Alexander s'étaient retirés dans leur chambre. Léon et Patricia ne devaient pas être encore rentrés, et probablement Ricarda non plus. Elle redescendit sur la pointe des pieds ; du moins s'efforça-t-elle d'être aussi légère qu'une femme de près de quatre-vingt-dix kilos pouvait l'être. Elle disparut dans la cuisine, alluma la lumière, ferma la porte derrière elle et, soulagée, s'adossa au mur.

La cuisine était pour elle un refuge. Une retraite, un abri dans lequel elle se sentait protégée et en sécurité. Elle acceptait volontiers l'idée d'un lien avec l'enfance qu'elle avait passée dans une vieille maison tarabiscotée dont le souvenir le plus prégnant était la cuisine, immense et merveilleuse, avec des dalles de grès au sol, des carreaux de céramique blancs cernés de bleu au-dessus de la cuisinière et de l'évier, et une collection de pots en cuivre étincelants sur une étagère de bois. Elle avait passé énormément de temps dans cette cuisine. Il lui vint subitement à l'esprit que le docteur Wilbert avait manifesté un intérêt surprenant pour ce fait.

« Pourquoi vous teniez-vous si souvent dans la cuisine ? Qu'est-ce qui attirait la petite Evelin dans cette pièce ? »

Elle s'entendait encore rire maladroitement.

« Pas ce que vous croyez, docteur Wilbert. Pas la nourriture. Même si cela paraît aujourd'hui difficile à croire, enfant, j'étais maigre comme un clou. Mes parents avaient les plus grandes difficultés à me faire avaler quelque chose. »

Le docteur Wilbert n'avait pas ri avec elle.

« Si ce n'était pas la nourriture, qu'était-ce alors ? »

Elle avait réfléchi.

« C'était une cuisine accueillante. Grande, chaleureuse. Qui sentait bon. Il y avait une porte qui donnait sur quelques marches et ensuite le jardin. C'était un jardin très sauvage, et les marches étaient envahies d'herbe et de touffes de petites fougères. En été, de gros buissons de jasmin les plongeaient dans l'ombre. »

La porte et les marches, ainsi que d'innombrables séances devaient le mettre au jour, s'avérèrent d'une importance décisive, mais jusqu'à ce que le docteur Wilbert sorte d'elle son histoire, elle était passée par une vallée de larmes et ne voulait pas y penser. A vrai dire, elle ne voulait plus jamais y repenser, même si le docteur Wilbert lui répétait qu'il était important qu'elle ne refoule pas ces réalités.

Ça lui était facile de parler !

Toujours est-il que la cuisine de Stanbury House lui rappelait celle de son enfance. Elle n'avait pas de porte donnant sur le jardin, mais elle aussi était ancienne et peu pratique, et Evelin s'y sentait bien. A Munich, la cuisine haut de gamme de leur très élégante maison d'architecte était, comme il se doit, intégrée au séjour, avec un comptoir auquel on pouvait manger perché sur des tabourets. Tout était fonctionnel, chic et de bon goût, mais Evelin ne l'aimait pas. Elle ne pouvait pas s'y sentir comme dans un cocon.

Elle commença par aller et venir sans but précis, remit ici et là une chose droite, balaya quelques miettes de pain de la table, lava une cuillère oubliée, étendit les torchons, sans jamais être dupe : il ne s'agissait que de manœuvres de diversion. Elle avait besoin de donner le change à sa conscience. Elle aurait eu trop honte de se précipiter sur le réfrigérateur, il fallait que l'ouverture de la porte magique prenne l'allure d'une action fortuite. Car, par rapport à autrefois, une chose avait changé : aujourd'hui, c'était la nourriture qui l'attirait dans la cuisine.

C'était Jessica qui s'était occupée du dîner. Elle avait préparé un merveilleux gratin de brocolis à la crème ; ayant su trop tard que Léon et Patricia ne dîneraient pas avec eux, elle avait, comme d'habitude, cuisiné pour neuf personnes, et il en était resté une belle part. Si à table Evelin s'était retenue, et bien qu'elle ait cru penser à mille autres choses, elle n'avait cessé depuis d'être dominée par l'idée de ce reste de gratin. Tôt ou tard, elle irait se chercher du supplément dans la cuisine...

Elle ouvrit la porte du réfrigérateur.

Le plat à gratin était là, recouvert d'une assiette. Elle le sortit, prit une cuillère, s'assit en le posant sur la table et commença à manger. Le gratin était glacé mais ça ne la dérangeait pas. Elle ne réchauffait jamais ce qu'elle mangeait en dehors des repas, et elle prenait tout aussi peu le temps de sortir une assiette du placard ou de boire quelque chose. Souvent, elle se coupait simplement une tranche de pain, s'asseyait devant la porte ouverte du réfrigérateur, plongeait le doigt dans la boîte de fromage à tartiner et se le fourrait ensuite dans la bouche en alternant avec une bouchée de pain. Elle s'interrompait de temps à autre pour pêcher un cornichon à la russe dans son bocal ou bien roulait une tranche de jambon qu'elle avalait gloutonnement. Le cérémonial, de même que le décorum, lui importait peu, au contraire de Tim, qui était capable d'orchestrer toute une soirée autour de trois canapés au fromage, autant de grains de raisin et un verre de vin rouge et de trouver cela merveilleux. Le plaisir d'Evelin était d'une autre nature. Elle se remplissait, se remplissait, se remplissait pour sentir le vide qui l'habitait devenir de plus en plus petit, puis la chaleur et le bien-être se répandre dans son ventre et prendre lentement possession de tout son être.

« C'est le seul moyen, quand elle survient, de prendre la tristesse au piège, avait-elle expliqué au docteur Wilbert. Je me sens bien quand je mange. Et je me sens encore bien un petit peu après. »

Le docteur Wilbert attribuait sa boulimie à la perte de son bébé, et le fait est que ce trouble était apparu juste après.

« Vous ne parvenez pas à dépasser cette perte. Depuis, il y a ce vide dans votre vie, dont vous dites qu'il est à peine supportable. En remplissant votre ventre, vous remplissez l'endroit où se trouvait le bébé. Ce n'est bien sûr pas exact du point de vue anatomique, mais les deux endroits sont néanmoins très voisins. »

108

Elle avait beau être malheureuse et avoir honte de son corps difforme, elle ne s'était encore jamais fait vomir volontairement. Le geste lui semblait impossible.

A présent qu'elle avait ingurgité le reste de gratin, elle se sentait mieux. Elle soupira d'aise et se laissa aller contre le dossier de la chaise. Une douce torpeur commençait à l'envahir, pourtant le mélange de légumes, de sauce et de fromage gratiné froid pesait sur son estomac. Elle se leva, retourna au réfrigérateur, mangea des rondelles de saucisson et pour finir en beauté choisit ironiquement d'engloutir deux des yaourts à 0 % de matière grasse dont se nourrissait Patricia pour conserver la ligne.

Tout irait mieux, tout allait s'arranger, maintenant.

Elle regagna la table, s'assit et regarda par la fenêtre. Elle ne vit dans les vitres noires qu'une grosse femme solitaire assise à une table : son reflet.

Il était alors presque dix heures et demie.

13

Ils ne trouvèrent de table libre que dans la troisième auberge dont ils poussèrent la porte. Léon, pâle et très nerveux, n'avait cessé de remonter les mèches qui lui tombaient sur le front comme s'il ne savait pas quoi faire de ses mains.

« Mais d'où sortent tous ces gens ? » marmonnait-il à chaque échec, et Patricia répondait : « C'est Pâques. Ils vont au restaurant. »

Ils avaient finalement atterri à Haworth, dans une auberge de style victorien située à quelques pas de l'ancien presbytère du pasteur Brontë. L'endroit s'appelait le Jane Eyre et les prix étaient à la hauteur de la réputation internationale du roman. Léon pâlit encore d'un cran en découvrant la carte.

« On paye déjà le droit de s'asseoir, ma parole ! On devrait peut-être continuer à cher... »

Patricia ne l'avait pas laissé finir sa phrase.

« Pas question ! Ça fait des heures qu'on tourne dans la campagne, maintenant : ça suffit. On reste. »

Ils avaient commandé, ils avaient mangé, et Léon, l'air absent, avait à peine dit un mot, ce dont Patricia, qui ne cessait de mastiquer que pour vitupérer contre Phillip Bowen, ne s'était pas immédiatement rendu compte. Ce n'est qu'après avoir bu le café qui clôturait son repas et constaté en regardant sa montre qu'il était dix heures et demie qu'elle interrompit son énumération de tout ce que Phillip Bowen ne risquait pas d'obtenir un jour ; elle posa sur Léon un regard soupçonneux.

— Dis-moi, pourquoi au juste tenais-tu à ce qu'on dîne dehors ? Avons-nous quelque chose à fêter qui m'aurait échappé ?

Elle réfléchit.

— Ce n'est pas notre anniversaire de mariage, ni celui de notre rencontre... Et je n'ai pas le souvenir que ce soit le tien ou le mien non plus... D'ailleurs, tu n'as pas franchement la tête de quelqu'un d'humeur à faire la fête. Qu'est-ce qui se passe ?

Il en coûtait à Léon de parler.

— Patricia... commença-t-il avant de s'interrompre.

C'est à cet instant que Patricia prit conscience de l'inquiétude qui l'envahissait, une inquiétude peu éloignée de la peur, et elle comprit que toute la soirée elle s'était sentie mal à l'aise, en fait depuis que Léon avait insisté pour l'emmener au restaurant. Tout de suite, elle avait eu l'intuition qu'il avait quelque chose de désagréable à lui annoncer. Soudain, une idée s'imposa à son esprit : mon Dieu, Léon, pas ça ! Ne me jette pas notre mariage à la figure ! Ne détruis pas notre famille ! Continue à jouer le jeu ! Je t'en prie !

— Qu'est-ce qu'il y a ? demanda-t-elle sans se rendre compte qu'elle serrait son verre si fort qu'il était près de se briser.

Il prit une longue inspiration.

— Il s'est produit quelque chose que je ne peux plus gérer seul. Il faut que tu le saches parce que cela va entraîner beaucoup de changements dans notre vie...

— Je t'écoute.

— Les temps ont changé... Nous avons longtemps vécu dans l'insouciance. Mais à présent... Je suis ruiné, Patricia. J'ai des dettes, et je n'ai pas la moindre idée de la manière dont je vais pouvoir les rembourser.

Sa première réaction fut le soulagement. Elle avait cru qu'il s'apprêtait à dénoncer la farce qui leur tenait lieu de mariage et souhaitait reprendre sa liberté, et voilà qu'il parlait d'argent. Comme tous les gens qui n'ont jamais vécu dans le besoin, elle demeurait persuadée que les problèmes liés à l'argent n'étaient pas de vrais problèmes.

— Mon Dieu, dit-elle, c'est pour me dire ça que tu fais tous ces mystères ?

Lui aussi parut soulagé. Il s'était enfin libéré de ce qui lui pesait, la haie qu'il finissait par percevoir comme une montagne

111

insurmontable était désormais franchie. Il ne lui restait plus qu'à convaincre Patricia de la gravité de la situation.

— Il ne s'agit pas d'une mauvaise passe temporaire, expliqua-t-il. Je l'ai cru, au début. J'espérais pouvoir me maintenir jusqu'à ce que la situation s'améliore. Mais elle ne s'améliore pas, en tout cas pas pour moi, tout au moins pas assez vite pour que j'aie encore une chance. Ça devient vraiment difficile. Nous ne pouvons pas continuer à vivre sur le même pied.

— La plupart des familles doivent économiser. C'est devenu plus difficile pour presque tout le monde. Nous y arriverons nous aussi.

Ses mains avaient lâché le verre. Elle se détendait, mais que son mari ait pu l'effrayer à ce point la laissait songeuse. La crainte latente que son mariage puisse un jour voler en éclats tenait beaucoup plus de place dans sa vie qu'elle n'avait jusque-là bien voulu l'admettre.

— Dans notre cas, insista Léon, il ne s'agit pas seulement de faire des économies. Nous allons devoir vendre la maison. Nous devrons louer un appartement et...

— Quoi?

Elle était à nouveau tendue comme un arc. Elle le dévisagea, tous ses sens en alerte.

— Tu es devenu fou? On ne peut pas vendre!

Ils avaient fait construire leur maison quatre ans après s'être mariés. Ils avaient dû lourdement s'endetter, mais à l'époque, Léon, qui était avocat associé dans un gros cabinet, jouissait de très confortables revenus. Patricia était persuadée qu'ils n'auraient aucune difficulté à rembourser leurs emprunts. Elle avait en outre défendu l'idée qu'il serait trop bête de faire alors des économies de bouts de chandelle et de lésiner sur les dépenses pour regretter ensuite pendant des années de ne pas avoir une maison parfaite à tout point de vue. Ainsi n'y avait-il pas une pierre, pas une planche, pas une tuile du toit et pas une porte dont elle n'eût longuement discuté avec l'architecte. Des mois durant, elle avait surveillé le chantier comme le lait sur le feu, vérifiant la conformité de la construction avec ses idées, pour changer continuellement d'avis, poussant à la folie architectes, directeur des travaux et ouvriers réunis. La maison était son enfant. Elle s'y était investie corps et âme, avec cette énergie propre à stupéfier ceux qui ne la connaissaient pas. Léon se souvenait que déjà, à l'époque, sa présence lui inspirait surtout de la lassitude.

— Nous n'en sommes pas à *pouvoir* ou *ne pas pouvoir* vendre la maison. Nous *devons* la vendre, reprit-il. Ça fait déjà longtemps que je ne peux plus payer les traites. Pour être plus précis, j'ai dû souscrire un nouvel emprunt pour couvrir mon déficit, résultat : j'ai des traites encore plus lourdes. Et il n'y a plus une banque disposée à me prêter un centime...

Il secoua lentement la tête.

— Je dois lâcher du lest, Patricia. Nous devons tous les deux lâcher du lest. Et la maison *est* du lest.

Après s'être sentie soulagée, elle avait maintenant l'impression qu'un poids s'était abattu sur ses épaules. Une crampe lui noua l'estomac. Elle souffrait d'une légère gastrite chronique, sensible au stress et à l'anxiété. Naturellement, elle n'avait aucun médicament dans son sac. Elle ne s'attendait pas à une surprise aussi désagréable.

— Mais la maison... est...

Elle ne savait pas comment exprimer ce qu'elle ressentait.

— ... la maison est importante pour nous, dit-elle enfin, mais ce n'était pas vraiment ce qu'elle avait voulu dire.

— Je sais. Mais la situation est ce qu'elle est. J'ai beaucoup réfléchi, tu peux me croire. J'aurais aimé que vous n'ayez pas à le savoir, toi et les filles. Mais...

Il passa la main sur son front dans un geste de résignation.

— ... ce n'est plus possible. Je ne vois pas comment réussir à cacher plus longtemps l'étendue du désastre.

— Je ne comprends pas comment ça a pu prendre de telles proportions, dit Patricia tout en réfléchissant à toute vitesse aux dizaines de solutions possibles pour éviter le pire. Tu as toujours tellement de clients, et...

— Non. Je n'ai pas beaucoup de clients. Je n'ai surtout pas beaucoup de clients qui rapportent. Essentiellement des petits litiges sans grand intérêt qui me demandent beaucoup de travail et me sont payés une misère. Des problèmes de voisinage pour des histoires de nains de jardin, de musique trop bruyante et que sais-je encore. Je n'aurais jamais cru que le métier d'avocat puisse être aussi ennuyeux.

— Mais ce n'était pas comme ça, au début ! Avant, tu avais...

— Avant, je n'étais pas à mon compte. Je faisais partie d'un cabinet, en quelque sorte d'une entreprise, et cette entreprise gagnait beaucoup d'argent, avait les reins solides et une clientèle dorée sur tranche. Les soucis ont commencé quand je me suis retrouvé seul.

Il vit à son expression qu'elle se demandait qui portait la responsabilité dans la décision d'ouvrir son propre cabinet et cela lui aurait presque arraché un pâle sourire. C'était typique de Patricia, typique de leurs relations qu'elle éprouve ce besoin de tout peser à l'aune de la responsabilité de l'un ou de l'autre.

— Tous les deux, dit-il sans attendre qu'elle pose la question. A l'époque, nous souhaitions tous les deux que je me mette à mon compte. Je t'ai fait remarquer que ça présentait des risques, mais tu pensais que j'y arriverais sans problème. Et... Non ! Je t'en prie ! s'interrompit-il quand il vit qu'elle ouvrait la bouche pour protester. Ne nous disputons pas. Je ne cherche pas à te faire porter le chapeau. Au contraire. Je voulais ajouter que j'étais heureux que tu me soutiennes. J'avais envie de voler de mes propres ailes.

C'était la vérité. Pour une fois, et de façon exceptionnelle, ils avaient été du même avis. Léon rêvait depuis longtemps d'avoir un cabinet à lui et Patricia, qui avait une confiance inébranlable en ses capacités propres et en celles de son mari, considérait que c'était ce qu'il lui fallait. Elle ne pouvait pas évaluer le risque. Aurait-il dû, lui-même, se montrer plus prudent ?

— Je présume que tu as déjà hypothéqué la maison ?

Léon hocha la tête affirmativement.

— Et Stanbury ? demanda-t-elle.

— Je ne peux pas hypothéquer Stanbury. C'est à toi.

— Et si je...

— Si tu vendais ? Ecoute, Patricia...

Ils se regardèrent et ce fut un de ces moments, devenus rares dans leur couple, où ils se découvrirent unis dans un sentiment commun : leur amour de Stanbury, la certitude d'y posséder un refuge, un univers à soi, protégé des agressions du monde extérieur.

— Stanbury est plus qu'une maison, dit Léon. S'en défaire signifierait qu'une époque est révolue. Et comment l'expliquer aux autres ?

— Je n'arrive toujours pas à y croire, murmura Patricia. C'est si soudain.

— Je dois te demander de commencer dès à présent à limiter un peu les dépenses. Ces heures de manège, tous les jours, pour les filles... Nous ne pouvons plus nous le permettre.

— Mais comment vais-je le leur expliquer ?

— Dis-leur ce qu'il en est. De toute façon, elles s'en rendront bien compte à notre retour, quand nous déménagerons. Elles n'ont pas besoin de savoir à quel point c'est sérieux, mais on ne peut pas leur faire croire que tout va continuer comme avant.

— Et si tu... je veux dire... si tu demandais à Tim et Alexander de t'aider ? Vous êtes amis depuis longtemps, ils ne refuseraient certainement pas.

— Ça ne peut être qu'une solution temporaire. Mon cabinet va continuer à végéter et tôt ou tard nous en serons au même point. A long terme, nous ne pouvons nous en sortir qu'en adaptant notre train de vie à mes revenus.

Il la vit tressaillir. Comme il ne la connaissait que trop bien, il savait quelle vision d'horreur elle associait à ce qu'il venait de dire : dégringolade sociale, pauvreté, début de la fin. Plus dure sera la chute...

— Au reste, se dépêcha-t-il d'ajouter, j'ai déjà emprunté de l'argent à Tim. L'été dernier... Son cabinet et ses séminaires marchent bien, crut-il nécessaire de préciser, avec une pointe d'envie à peine perceptible. L'argent m'a permis de boucler l'hiver. Mais... à terme, je le disais, ce n'est pas une solution.

— Combien t'a-t-il prêté ?

— Cinquante mille.

Elle sursauta.

— Euros ?

— Oui.

Comme la plupart des gens, elle avait encore besoin de convertir la somme pour retrouver une échelle de valeur familière.

— Cent mille marks ! fit-elle après un rapide calcul. C'est une grosse somme. Tu vas pouvoir le rembourser un jour ?

— Lentement. Un euro après l'autre. Mais ainsi que tu le disais, Tim est un ami, mon meilleur ami. Il me laissera le temps qu'il faut.

— Ça m'est passablement désagréable vis-à-vis d'Evelin, murmura Patricia.

Léon lui jeta un regard froid.

— Tu viens toi-même de suggérer de demander à Tim et Alexander de nous aider !

La migraine commençait à la gagner.

— Je sais. Mais je peux quand même trouver ça désagréable, non ? Tu peux payer ? dit-elle en prenant son sac à main. J'aimerais bien rentrer à la maison, maintenant.

Ils n'échangèrent pas un mot durant le trajet de retour. Léon songeait à la montagne de problèmes qu'il allait devoir affronter dès leur retour à Munich et dont il n'avait pas dévoilé toute l'ampleur à sa femme. Patricia, elle, réfléchissait à la façon dont elle allait pouvoir dissimuler à ses amis son délicat changement de situation. Au cas où ils ne seraient pas déjà tous au courant. Tim avait dû en parler à Evelin, et Evelin le rapporter à Jessica. Il était également possible que Tim en ait parlé à Alexander. Elle avait la détestable impression d'être la dernière informée.

Elle reconstruisait l'histoire dans sa tête et se demandait, atterrée, comment elle avait pu ne se rendre compte de rien. La somme que Léon avait empruntée à Tim l'été précédent était énorme. Cela signifiait que déjà, à l'époque, il devait avoir eu du mal à maintenir la tête hors de l'eau. Et elle ne s'était doutée de rien. D'absolument rien. C'était dire la merveilleuse entente qui régnait au sein de leur couple...

En arrivant à l'entrée du parc, ils virent une grosse voiture garée sur le bas-côté de la route. Ses phares étaient éteints et Patricia, dont la méfiance s'éveillait déjà, s'apprêtait à maugréer

116

contre ces gens qui se permettaient de laisser leur voiture à quelques mètres de son portail quand, dans la lumière de leurs propres phares, elle vit quelque chose bouger à l'intérieur du véhicule. Aussitôt elle se redressa sur son siège.

— Arrête-toi ! Il y a quelqu'un.

— Où ça ? fit Léon en enfonçant la pédale du frein.

— Là, dans la voiture. Je parie que c'est cet escroc... ce... C'est quoi, son nom, déjà ? Ah, Phillip Bowen !

— Et alors ? Laisse-le donc. Il est *devant* chez nous. Pas *chez nous*. Tu n'as rien à lui dire.

— N'empêche. Je veux qu'il fiche le camp. Arrête-toi. *Arrête-toi !*

Léon, qui avait redémarré, freina à nouveau. Patricia ouvrit sa portière.

— Patricia, reste ici. Tu ne sais pas si ce type n'est pas dangereux ! Ne fais pas l'idiote, tu veux !

Patricia était déjà dehors. Elle s'approcha du véhicule. Une vieille guimbarde rouillée, à ce qu'elle constata, un de ces énormes bateaux qui ne tenaient pas la route et dont le bas de caisse devait être percé comme une passoire. Elle avait tout de suite compris que ce Bowen était un minable sans scrupule qui cherchait à mettre la main sur ce qui ne lui appartenait pas.

Elle était à présent tout près du véhicule. Les phares de la voiture de Léon éclairaient faiblement l'intérieur de l'habitacle.

Elle se pencha. Deux visages apeurés la fixaient.

L'un était celui d'un jeune homme.

L'autre appartenait à Ricarda Wahlberg.

14

— Je veux qu'elle sorte d'ici ! dit Ricarda, et son regard, où se lisait une haine ouverte, se dirigea vers Jessica. Je te l'ai dit dès le début : si tu veux me parler, c'est sans J. !

— Elle s'appelle Jessica et je... commença Alexander.

Jessica, qui estimait qu'il était beaucoup plus raisonnable de laisser père et fille s'entretenir seuls, fit un pas vers la porte.

— Si vous avez besoin de moi, je suis là, dit-elle, mais je vais d'abord...

— Tu restes ici ! l'interrompit Alexander.

C'était d'une brutalité tellement inhabituelle que Jessica le regarda sans comprendre.

— S'il te plaît, ajouta-t-il à mi-voix.

Elle soupira discrètement. *C'est quelque chose que tu ne peux pas forcer, Alexander. Elle m'acceptera un jour, mais pas de cette façon.*

Elle renonça à son intention de s'éclipser. L'embarras d'Alexander la peinait.

Il se tourna vers sa fille. Ils se tenaient tous les deux au milieu de la pièce car Ricarda avait refusé de s'asseoir. Pour la première fois, leur ressemblance frappa Jessica. Ricarda ayant hérité la peau mate et les cheveux noirs de sa mère mais rien des yeux bleus et des cheveux blonds de son père, la première impression de tout observateur était de voir en elle le portrait d'Eléna. C'était toutefois de lui qu'elle tenait sa stature, son petit menton carré et sa bouche aux lèvres fines, et à présent qu'elle était en colère, le même pli vertical que chez son père creusait son front. A cet instant, leur lien de parenté n'aurait échappé à personne.

— Je veux connaître le nom de ce jeune homme, insista Alexander.

C'était la troisième fois qu'il posait la question, et pour la troisième fois Ricarda secoua la tête.

— Ça ne te regarde pas !

— Bien sûr que ça me regarde ! Tu as quinze ans, en d'autres termes tu es très loin d'avoir l'âge d'organiser ta vie comme tu l'entends. Je suis responsable de toi et je n'accepterai pas que tu traînes la nuit dans une voiture avec un type, à faire... à faire...

Le mot pour désigner ce que sa fille avait fait paraissait lui manquer.

— Oui ? A faire quoi ? Qu'est-ce que je fais la nuit avec un type dans une voiture ? le défia Ricarda en redressant encore un peu la tête.

— Patricia dit que vous étiez à moitié dévêtus.

Ricarda hésita entre le rire et la colère.

— Pauvre Patricia ! Quelle vision d'horreur ça a dû être ! Je la plains ! Deux êtres à moitié nus dans une voiture ! Je comprends qu'elle ait eu besoin de le crier sur tous les toits !

— Je suis heureux qu'elle m'en ait informé, répliqua Alexander.

Patricia avait frappé à la porte de la chambre d'Alexander et Jessica dès les premières heures du jour et à peine attendu qu'ils lui répondent pour entrer. Jessica, qui venait de prendre une douche, sortait de la salle de bains enveloppée dans une grande serviette. Alexander était encore au lit. Elle-même portait la tenue de jogging dans laquelle elle commençait toutes ses journées. Elle avait la tête de quelqu'un qui n'avait pas dormi de la nuit.

La porte refermée derrière elle, elle s'était lancée dans une description quasi apocalyptique de ce qu'elle avait découvert la veille. Alexander avait blêmi et paru à la fois désarmé et infiniment triste. Jessica avait été peinée de le voir se laisser prendre au piège des outrances hystériques de Patricia.

« Il faut absolument que tu fasses quelque chose ! C'est bien gentil, tes grands principes libéraux, mais il y a un moment où ça ne peut plus continuer. Ils étaient... eh bien, si tu veux le savoir, à mon avis, ils avaient des rapports intimes ! Dans une voiture

119

de… de marginal ! Et ce type est sûrement aussi un marginal ! Qu'est-ce que tu vas faire si elle tombe enceinte ? Ou s'il lui arrive je ne sais quoi ? Elle a quinze ans, Alexander ! Dans un sens, c'est encore une enfant ! Tu ne peux pas lui laisser faire ce qu'elle veut, te mettre la tête dans le sable et dire : "Ça ne m'intéresse pas !"

— Je ne pense pas qu'Alexander ait jamais dit "Ça ne m'intéresse pas" à propos de Ricarda », était intervenue Jessica avec vivacité.

Patricia avait continué à pérorer comme si elle n'avait pas entendu et, quand enfin elle avait estimé en avoir terminé et avait quitté la pièce, Alexander portait le poids du monde sur les épaules.

« Je crois que je vais faire l'impasse sur le petit déjeuner et discuter tout de suite avec Ricarda, avait-il dit en s'extirpant du lit. J'aimerais que tu restes là, Jessica. »

Déjà Jessica s'était montrée réticente.

« Je ne pense pas que ce soit une bonne idée. Nous aurons l'air d'être… deux contre elle. »

D'ordinaire, il était sensible à ce type d'argument, mais cette fois il avait persisté à exiger sa présence.

Ils se trouvaient donc tous les trois dans la chambre : Jessica et Alexander habillés, Ricarda en robe de chambre et les cheveux ébouriffés.

— Patricia crève de jalousie parce que Léon ne la touche plus ! dit Ricarda avec tout le mépris dont elle était capable.

— Ricarda ! s'exclama Alexander, abasourdi. Comment oses-tu inventer des choses pareilles ?

— Je n'invente rien. Je le sais. J'ai entendu Léon dire à Tim qu'il n'arrivait plus à prendre sur lui pour coucher avec Patricia.

— Ça ne nous regarde pas, dit Alexander, mal à l'aise, et j'aimerais que tu n'essayes pas de détourner l'attention de tes propres difficultés.

— Je n'ai aucune difficulté.

— Tant mieux. Et pour que ça continue, tu vas commencer par cesser de voir ce jeune homme.

— Tu ne peux pas me demander ça.

— Etant donné que tu refuses de nous dire son nom ou de

120

nous le présenter, je ne vois pas d'autre solution que de t'interdire purement et simplement de le fréquenter. Je n'accepterai pas que ma fille encore adolescente se fasse peloter la nuit dans des voitures par des hommes que je ne connais pas et dont j'ignore tout.

Jessica retint son souffle. Elle vit les yeux de Ricarda s'emplir de larmes – de larmes de colère.

— Tu n'étais pas comme ça, avant ! lâcha-t-elle entre ses dents. Avant, tu étais mon meilleur ami. Tu me comprenais. Tu me soutenais. Mais depuis que tu es avec J., cette...

— Ricarda, ça suffit !

Alexander était blanc de colère.

— J'exige que tu l'appelles par son nom ! Elle s'appelle *Jessica* ! Et j'exige que tu te comportes correctement avec elle. Sinon...

— Quoi, sinon ?

— Sinon, tu vas découvrir que je peux être encore plus désagréable ! Je te conseille d'éviter que nous en arrivions là. Et en ce qui concerne ce dont nous parlions : à partir de maintenant, tu ne sors plus de la propriété. Si tu as des courses à faire au village, tu demanderas à Jessica, à moi ou à quelqu'un d'autre de t'accompagner. Je veux te voir à tous les repas, et à l'heure. Tu m'as compris ?

— Tu ne me forceras à rien. A rien du tout !

Elle pivota sur ses talons et sortit de la chambre en claquant la porte de toutes ses forces.

— Ricarda ! appela Alexander, mais elle ne l'entendait plus.

— Là, je crois que tu as été maladroit, conclut Jessica.

— Où vas-tu ? demanda Géraldine.

Elle revenait de son jogging au moment où Phillip sortait de l'hôtel. Il avait les traits tirés et, comme de coutume, les cheveux hirsutes.

— J'ai besoin de prendre l'air, dit-il. De marcher. Et de réfléchir.

— Je peux t'accompagner.

Bien qu'elle eût couru quarante minutes, sa respiration avait déjà retrouvé un rythme normal et elle se sentait prête à repartir.

Elle était fière de sa forme. En outre, elle était consciente d'être très séduisante avec son collant noir qui mettait ses longues jambes en valeur, sa veste de jogging blanche et ses chaussures de sport assorties. Elle avait attaché ses cheveux sur la nuque, mais quelques mèches s'étaient échappées et voletaient autour de son visage. Les personnes qu'elle avait croisées en faisant son jogging, hommes ou femmes, n'avaient pu s'empêcher de la suivre rêveusement des yeux. Pourtant Phillip semblait ne pas voir combien elle était jolie.

Il ne le remarque jamais, songea-t-elle, résignée. Je pourrais tout aussi bien être transparente.

— Je peux t'accompagner, répéta-t-elle. Je suis échauffée à point.

— Tu te poses cinq minutes et tu prends ton petit déjeuner.

— Tu sais bien que je ne prends jamais de petit déjeuner.

Il soupira.

— Je voudrais être seul.

Elle s'en était doutée, néanmoins, elle fut blessée qu'il le dise.

— Alors ne fais pas semblant de t'intéresser à moi, lança-t-elle. Tu te moques bien que je prenne ou pas un petit déjeuner. Tu veux seulement que je te laisse tranquille.

— Je suis venu ici dans un but précis. Pas pour prendre des vacances avec toi.

Elle savait que le moment comme l'endroit étaient mal choisis pour l'entraîner dans une discussion de fond, mais elle ne put se retenir.

— J'aimerais bien savoir quand, au juste, tu as envie de faire quelque chose avec moi. Je veux dire : hormis coucher épisodiquement avec moi, avoir la bonté de tolérer occasionnellement ma présence et profiter de mon argent quand ça t'arrange ?

Elle n'aurait pas dû parler de l'argent, elle s'en rendit compte à peine le mot prononcé. Elle le comprit à son regard. Il était furieux.

— Ton argent ? Ton fichu argent ? fit-il sans élever le ton mais en s'approchant d'elle. Tu crois vraiment que ton argent m'intéresse ?

Elle prit sur elle pour ne pas reculer.

— Eh bien, je... bafouilla-t-elle avant de s'interrompre.

— Je n'en ai rien à faire, de ton argent. Je ne t'ai jamais rien demandé. S'il t'est arrivé de m'acheter des choses, c'est parce que tu en avais envie. Et non parce que je te l'avais demandé. C'est comme pour ce séjour ici... Tu m'as imposé ta présence et tu voudrais maintenant que je t'en sois reconnaissant. Tu me donnes de l'argent pour que je rampe devant toi. Tu t'immisces dans ma vie en pensant qu'un jour je ne pourrai plus me passer de toi. Tu te trompes lourdement, Géraldine. Je peux me passer de toi. Je le peux aujourd'hui et je le pourrai demain. Notre couple n'existe que parce que tu ne veux pas lâcher. Moi, en revanche...

Il se rapprocha encore d'elle, comme pour bien enfoncer dans sa tête ce qu'il allait lui dire afin qu'elle ne l'oublie jamais.

— ... moi, en revanche, je n'ai jamais essayé de te retenir.

— Phillip...

Il la planta là et descendit la rue du village à pas rapides, comme s'il cherchait à se libérer de quelque chose.

Comme s'il cherchait à se libérer d'elle.

Elle enfonça ses ongles dans la paume de ses mains pour ne pas hurler. La douleur qu'elle ressentait était si violente qu'elle avait l'impression de ne plus pouvoir respirer. Il ne lui avait rien dit qu'elle ne sût déjà, mais jamais il n'avait été aussi dur. Il lui avait fait comprendre sans détour qu'il ne l'aimait pas. Qu'il n'envisageait aucun avenir avec elle. Que pour l'essentiel elle l'importunait. Et dans le meilleur des cas, qu'elle lui était indifférente.

Combien de temps vais-je encore me laisser humilier comme ça ?

Elle réussit à entrer dans l'hôtel et à atteindre leur chambre avant que les larmes ne la submergent, un déluge de larmes.

Elle pleura, sanglota désespérément pendant une heure, jusqu'à ce que la fatigue physique l'emporte sur les sanglots.

Je vais faire ma valise et m'en aller avant qu'il revienne, se dit-elle.

Ça le laisserait complètement indifférent.

Jessica commençait à entrevoir la nature des difficultés qu'Eléna avait rencontrées et se demandait comment elle n'avait pas compris plus tôt. Peut-être la nouveauté avait-elle anesthésié son jugement. A présent qu'elle voyait un peu plus loin, un malaise diffus la gagnait. A moins qu'il n'ait toujours été là, refoulé quelque part au fond d'elle-même. Aujourd'hui, il ne se laissait plus ignorer.

Elle était partie marcher sans avoir pris de petit déjeuner. L'atmosphère qui régnait ce matin-là dans la maison était à couper au couteau ; jamais elle n'avait autant aspiré à sortir. De plus, les nausées l'avaient épargnée et elle n'avait pas voulu prendre le risque de les réveiller en mangeant un œuf brouillé ou un simple bol de muesli.

Elle marchait vite et à longues foulées. Barney, dont la moindre promenade stimulait l'enthousiasme, gambadait à ses côtés, courait devant, revenait vers elle en aboyant. Il devait avoir plu en fin de nuit car des flaques d'eau persistaient au milieu du chemin et l'herbe des bas-côtés était mouillée. Un vent plus frais s'était levé, qui chassait les nuages. D'ici midi, le soleil serait revenu.

Jessica ne s'était pas disputée avec Alexander, mais elle lui avait dit qu'elle n'approuvait pas l'attitude qu'il avait adoptée envers Ricarda. Il s'était muré dans son silence, lui signifiant ainsi qu'il ne voulait pas discuter avec elle. C'était nouveau ; habituellement, il sollicitait son avis sur ce qui concernait Ricarda. Il fallait croire qu'entre Jessica et Patricia il redoutait de se trouver pris entre deux feux. Jessica estimait que Patricia n'était ni fondée à se mêler de cette histoire, ni n'en avait le droit. Mais à l'évidence, la remettre à sa place était au-dessus des forces d'Alexander.

Une bonne part du problème venait de là. Il n'y avait entre eux tous aucune véritable barrière. Chacun pouvait s'ingérer dans la vie de chacun. Renvoyer l'un ou l'autre dans ses cordes n'était pas admis, de peur, sans doute, de mettre en péril leur œuvre d'art : leur grande, belle et infinie amitié...

Oui, une œuvre d'art. Leur amitié était une œuvre d'art. Un artifice ? Jessica avait le sentiment croissant qu'il y avait quelque chose de forcé, de fabriqué, dans cette amitié prétendument exceptionnelle. Le lien qui unissait les trois hommes, pourtant à l'origine du groupe, manquait d'authenticité, quant aux femmes... Sans doute était-ce la raison pour laquelle ils n'avaient pas établi de limites, ou les avaient effacées si elles avaient existé un jour. Une amitié vraie acceptait les manifestations d'individualisme et respectait la sphère privée. Une amitié moins authentique n'en semblait pas capable.

Chacun se mêlait des affaires des autres – du moins aussi longtemps qu'on restait dans l'anodin et le superficiel. Patricia organisait tout un tintamarre autour de Ricarda, pourtant Ricarda ne faisait rien de bien extraordinaire. Elle avait un amoureux. Ils flirtaient. Peut-être couchaient-ils ensemble. Sa mère lui avait certainement expliqué ce qu'il y avait à expliquer. Il n'y avait pas de quoi fouetter un chat.

Dans le même temps, ils se gardaient bien, tous autant qu'ils étaient, de s'intéresser à la dépression d'Evelin. Réveiller l'eau qui dort, c'était prendre le risque de mettre au jour de vrais problèmes, et à l'évidence il n'y avait rien qu'ils redoutaient autant que les vrais problèmes. D'après ce que Ricarda avait entendu – et Jessica ne mettait pas sa parole en doute –, de gros nuages planaient sur le mariage de Léon et Patricia. Pourtant, ils continuaient à servir aux autres leur numéro bien rodé de bonheur familial, et avec une constance telle que Patricia elle-même devait parfois y croire.

Eléna n'avait plus trouvé sa place au sein de ce groupe qui signifiait tant pour son mari. Alexander disait qu'Eléna avait mis en avant des difficultés à s'entendre avec ses amis alors qu'en réalité c'étaient tout simplement eux deux qui ne s'entendaient plus. Jessica n'avait eu aucune raison de ne pas le croire. Aujourd'hui, elle n'était plus sûre de rien ; surtout, elle avait l'intuition que si mésentente il y avait eu, c'était essentiellement parce que Eléna n'avait plus supporté l'hypocrisie qui l'entourait, parce que ce climat malsain lui donnait l'impression d'étouffer.

Il ne faut pas que j'en arrive là, se répétait-elle, il ne le faut pas.

C'était plus facile à dire qu'à faire. Maintenant qu'elle avait mis le doigt sur le problème, qu'elle le comprenait, comment l'ignorer ? Elle ne pourrait plus essayer de se raconter que tout allait bien.

Sans réfléchir, elle s'engagea dans le chemin qui menait au ruisseau dans lequel elle avait repêché Barney. Plus tard, elle devait se demander si c'était par hasard ou guidée par un désir inconscient.

Cette fois, il n'y avait personne au sommet de la colline où l'herbe était trop mouillée pour qu'elle puisse s'asseoir. Elle découvrit Phillip plus bas, près de la rive. Il était assis à califourchon sur un tronc d'arbre couché à terre et nouait des brins d'herbe. La chaîne qu'il fabriquait était déjà conséquente.

Elle s'attendait qu'il se lève et s'en aille en remarquant sa présence, mais elle ressentait un tel besoin de s'excuser auprès de lui qu'elle tenta tout de même sa chance.

— Phillip, lança-t-elle quand elle ne fut plus qu'à quelques pas de lui.

Il parut à peine étonné quand il se retourna. Il l'avait peut-être entendue arriver.

Il ne dit rien mais ne bougea pas non plus de sa place, si bien qu'elle s'assit en face de lui, également à califourchon sur le tronc, et le regarda.

— Je suis sincèrement désolée, reprit-elle. Ma remarque, l'autre jour, était déplacée. Je comprends qu'elle vous ait blessé. J'espère que vous me pardonnez.

Il lui tendit sa tresse de brins d'herbe.

— Tenez, je vous l'offre. J'offre toujours des tresses de brins d'herbe quand je pardonne à quelqu'un.

Elle fut elle-même étonnée d'éprouver un tel soulagement. Elle tenait la tresse à deux mains.

— Merci. Je suis... Ça me pesait vraiment. Maintenant, ça va mieux.

Il caressa Barney, qui s'était dressé sur ses pattes arrière en prenant appui sur sa jambe et suivait les mouvements de sa main avec son museau.

— J'ai l'impression qu'il est déjà plus grand que lorsque nous l'avons trouvé.

— Il mange comme un ogre. Mais il faudrait que ses pattes grandissent un peu.

Barney se retourna soudain et fila aux trousses d'un gros bourdon. Phillip recommença à tresser des brins d'herbe.

— Je pense aller à Stanbury House demain matin, dit-il. Je vous en parle tout de suite afin que vous ne vous sentiez pas prise de court. Il faut que je discute avec Patricia. J'ai beaucoup traîné dans le coin, ces derniers jours, et j'ai réfléchi. Une chose est sûre : je ne laisserai pas tomber. Patricia n'est pas près d'être débarrassée de moi.

— Elle n'acceptera pas de vous parler. Et elle a prié tout le monde de faire de même.

Il sourit.

— Si je comprends bien, Jessica, vous prenez le risque d'être accusée d'intelligence avec l'ennemi ! Ce n'est pas rien !

— En fait, je cherche plutôt à ne pas être mêlée à la bagarre.

— Vous pensez qu'on va à l'affrontement ?

— Patricia ne reconnaîtra rien de ce que vous dites. Elle vous ignorera. Ça signifie qu'il vous faudra passer à la vitesse supérieure – et ça risque de prendre les allures d'une vraie bagarre.

— Je vais demander une exhumation. Un test ADN confirmera mes dires.

— Je crains que la procédure juridique ne soit longue et semée d'embûches. En tant qu'héritière légitime de Kevin McGowan, Patricia va tout faire pour empêcher une exhumation, et ses cartes sont certainement meilleures que les vôtres. Je ne sais pas si...

Elle n'acheva pas sa phrase, de peur de froisser ses sentiments, mais il avait deviné le fond de sa pensée.

— Vous doutez que je sois capable d'assumer financièrement une longue bataille juridique. Vous avez raison. Ce sera très difficile. Mais je suis sûr que je trouverai une solution.

— Vous faites quoi, comme métier ?

— Bah... tantôt ci, tantôt ça. J'ai des dizaines de formations derrière moi. De débuts de formation. Je n'ai jamais rien terminé, pas même mes études secondaires. J'ai plaqué le lycée à dix-sept ans pour aller aux Etats-Unis. J'ai traversé le pays en stop, j'ai fait des petits boulots, je vivais au jour le jour. Ça a duré deux ans. Puis j'ai suivi des cours d'art dramatique à New York, que j'ai laissés tomber juste avant l'examen. Je suis rentré en Angleterre, je me suis marié, à peine trois ans après, j'ai divorcé. Ensuite...

— Comment était-elle ?

— Qui ?

— Votre femme. Vous deviez avoir un peu plus de vingt ans, elle ne devait guère être plus âgée.

— Elle avait dix-huit ans. Et elle était toxico. Nous avons

essayé ensemble de... Elle replongeait tout le temps. Tout le temps. Un jour, j'ai craqué. Je n'en pouvais plus.

— Qu'est-ce qu'elle est devenue, finalement ?

— Elle est morte.

Avant que Jessica ait pu répondre, il poursuivit :

— Après, j'ai voulu tout faire. Photographe. Journaliste. Aide au développement en Inde. J'ai recommencé le théâtre. J'ai essayé de passer le bac. Et que sais-je encore... J'ai tout essayé, rien terminé. Comme d'habitude.

Il tira si fort sur les brins d'herbe que pour la première fois ils cassèrent.

— C'est le fil rouge de ma vie. Une saloperie de fil rouge dont je n'arrive pas à me débarrasser. Ce n'est pourtant pas faute d'essayer. Mais cette fois, je ne vais pas laisser tomber. Je veux qu'on reconnaisse que Kevin McGowan était mon père, et je veux la part d'héritage qui me revient.

— L'héritage, c'est la maison. Même si vous parvenez à obtenir que l'on reconnaisse votre droit à cet héritage, vous n'obtiendrez pas d'argent. Sans l'accord de Patricia, vous ne pourrez pas vendre, et elle n'acceptera jamais. Elle ne se séparera jamais de Stanbury House, ne serait-ce que parce que ses amis l'en empêcheront.

— Il ne s'agit pas d'argent.

Elle comprit ce qu'il voulait dire.

— Il s'agit de votre père, n'est-ce pas ?

— De ce que mon père a laissé.

— Je peux te parler une minute, Tim ?

Léon avait entendu Tim descendre l'escalier et il était sorti de la salle à manger pour l'intercepter. Bien que le temps se fût remis au beau, il ne se sentait d'humeur ni à marcher dans la campagne, ni à jardiner ni même à s'asseoir au soleil. Ses soucis omniprésents lui ôtaient toute idée de se distraire ou se détendre.

— Qu'est-ce qu'il y a ? demanda Tim, qui lui aussi paraissait d'humeur lugubre.

Pas étonnant avec une épouse aussi déprimée et déprimante qu'Evelin, songea Léon.

— Je voulais seulement te dire que j'ai parlé à Patricia, répondit Léon. Elle est au courant de tout. J'ai maintenant les coudées franches pour réviser notre train de vie à la baisse. On va sérieusement resserrer les boulons et les économies vont se...

— Est-ce que le fait que ta femme et tes filles viennent de partir pour l'équitation entre dans ton plan de révision de votre train de vie à la baisse ? le coupa Tim d'un ton dénué de tout humour. Pour autant que je sache, les paysans du coin se font grassement rémunérer les balades sur le dos de leurs canassons. Ce n'est pas un peu dispendieux, ce passe-temps, pour quelqu'un qui est ruiné ?

— Les heures d'équitation doivent cesser ; Patricia le sait. Nous voulions seulement ne pas supprimer brutalement une activité que les filles aiment particulièrement. Patricia a prévu de leur expliquer tout à l'heure, en rentrant du manège, qu'elles vont devoir faire une pause.

— Ah bon, grommela Tim.

Léon fit un pas vers lui.

— Tu récupéreras ton argent, Tim. Tu as ma parole ! Laisse-moi seulement encore un peu de temps. Ton cabinet marche super bien, tu n'es tout de même pas à un mois près. Tu pourrais...

— Ecoute-moi bien, commençait Tim quand au premier étage une porte s'ouvrit.

Evelin apparut en haut des marches puis commença à descendre lentement. Elle boitait. Quand elle vit Tim et Léon, elle se figea.

— Qu'est-ce que vous faites là ? demanda-t-elle, puis elle poursuivit, sans attendre de réponse : Je me suis tordu la cheville. Je ne sais pas comment j'ai fait mon compte. J'ai voulu faire un peu de jogging, ce matin, mais...

Elle n'en dit pas plus.

Mais, pour son malheur, elle voudrait être ce qu'elle n'est pas, acheva Léon en lui-même, sensible à la détresse qu'il devinait chez Evelin. Elle voudrait être aussi sportive, aussi mince et séduisante que Patricia, et elle n'y arrive pas. Elle essaye de faire avec quatre-vingt-dix kilos ce que Patricia fait avec cinquante, et chaque fois ça tourne mal.

— Ce n'est pas forcément bon pour la santé, tu sais, le jogging, dit-il gentiment.

— Surtout quand les articulations ont un tel poids à supporter, ajouta Tim.

Les yeux d'Evelin s'emplirent de larmes. Elle pivota sur ses talons et remonta au premier en clopinant. Puis la porte de sa chambre claqua.

Un bruit de moteur parvint de la cour ; peu après, Diane et Sophie apparurent dans le hall. Elles étaient en tenue d'équitation, comme de coutume tirées à quatre épingles, mais elles avaient le visage défait, les yeux pleins de larmes et le nez rouge. Elles passèrent devant Tim et leur père sans rien dire, puis une seconde porte claqua dans les étages.

— Patricia leur a parlé, observa Léon d'un air désolé.

— Je voudrais vous raconter quelque chose sur mon père, dit Phillip.

Ils avaient abandonné leur tronc d'arbre et marchaient côte à côte sur le chemin. Phillip tenait les mains enfoncées dans les poches de son pantalon, vision inhabituelle pour Jessica qui sinon le voyait toujours les mains occupées.

— J'ai amassé pas mal d'informations sur lui, du jour où... j'ai su. Je tiens beaucoup de choses de ma mère, mais c'était quelqu'un qui avait en quelque sorte une vie publique et on trouve facilement des articles sur lui dans les archives de la presse. Il avait une jambe raide. A la suite d'un accident de voiture à vingt ans. Il n'a jamais remarché normalement. Il traînait la jambe.

Elle le regarda, surprise. C'était étonnant que ce handicap de son père fût la première chose dont il parlât.

Il remarqua son regard.

— Tout vient de là, expliqua-t-il. C'est ce qui a orienté sa vie, notamment le fait qu'il ait vécu en Allemagne.

Des souvenirs confus revinrent à la mémoire de Jessica. Patricia ne parlait pas beaucoup de son grand-père, cependant...

— Il n'est pas, à une époque, intervenu en France ? demanda-t-elle. Il me semble avoir entendu Patricia parler d'un lien entre lui et la Résistance.

— Toute l'Europe était en guerre et il rongeait son frein. Avec une patte folle et de surcroît des douleurs parfois violentes... Il avait été déclaré inapte. Ça devait le rendre dingue. C'était un tout jeune homme, à l'époque ardent patriote, ce qui, soit dit en passant, ne devait pas toujours être le cas par la suite... Il admirait Winston Churchill, sa façon déterminée de mener la guerre, et il voulait à tout prix participer aux événements. Il a réussi à entrer en contact avec un réseau de résistants français, des îles Anglo-Normandes, je crois. Finalement, il est passé sur le continent et il a vécu en France, en semi-clandestinité, avec de faux papiers et en prenant des risques notables. Ce ne fut pas une période facile. Il existe de nombreuses interviews dans lesquelles il en parle. Mais j'ai eu l'impression, en les lisant, que jusqu'au bout il a considéré que ce furent malgré tout les meilleures années de sa vie.

— Il a certainement vécu des moments très forts.

— Et c'est de cette époque que date sa grande histoire d'amour. Il avait fait la connaissance d'une Allemande, une jeune radio de l'armée. Il a toujours clamé haut et fort qu'elle n'avait jamais adhéré au parti nazi, mais... au fond, on n'en sait rien. C'est peut-être vrai. C'était peut-être effectivement une jeune femme, presque encore une enfant, qui avait tout bêtement envie de partir de chez elle et qui n'a rien trouvé de plus excitant que de se faire embaucher par la Wehrmacht et de partir pour la France avec les troupes d'occupation. Sans vraiment se poser de questions. C'est du moins ainsi qu'il l'a toujours présentée.

— A l'époque, ce devait être beaucoup plus difficile que pour nous aujourd'hui, surtout pour les jeunes, d'avoir une vision globale de la situation, observa Jessica.

— Je crois qu'une bonne part de l'histoire a été récrite après coup, dit Phillip, et Jessica se demanda s'il ne nourrissait pas du ressentiment à l'égard de la femme que son père avait aimée au risque de sa vie, quand il n'avait eu qu'une brève liaison avec sa mère.

— Cette femme était la grand-mère de Patricia, n'est-ce pas ?

Phillip hocha affirmativement la tête.

— Elle s'appelait également Patricia. C'est drôle d'imaginer qu'elle a dû longtemps croire que mon père était français. Il avait un nom français, des papiers français... Elle prenait des risques en ayant une liaison avec un Français, mais c'était beaucoup plus dangereux pour lui, ce qu'elle ignorait. Au début, il en obtenait des informations qu'il transmettait utilement à la Résistance, mais plus ses sentiments pour elle grandirent, moins il supporta l'idée de la tromper de cette façon. Il lui a dit toute la vérité au début de l'année 1944.

— Ça a dû être un sacré choc pour elle.

— Je le présume. Ils sont néanmoins restés ensemble. Tout en continuant chacun à servir son pays et alors que l'effondrement de l'Allemagne ne faisait plus de doute... Je me suis souvent demandé quelle influence l'imminence de la fin a eue sur leur relation. Se sont-ils sentis plus proches ? Patricia doit en savoir plus que moi. Elle connaît peut-être des faits précis. J'aimerais pouvoir en parler avec elle. Mais d'après ce que vous m'avez dit, elle va m'envoyer promener.

— Je le crains. Patricia vous perçoit comme quelqu'un qui veut lui prendre quelque chose. En d'autres termes, comme un ennemi.

— Nous sommes parents !

— Il n'y a que vous pour l'affirmer.

— Excusez-moi, je vous ennuie avec ces vieilles histoires, dit-il sans transition. J'ai un tel besoin de parler de mon père que j'oublie que ça n'intéresse pas forcément les autres.

— Détrompez-vous. Je vous ai écouté avec beaucoup d'intérêt. Peut-être... peut-être pourrions-nous en reparler une autre fois ?

Elle se sentait brusquement mal à l'aise. Depuis combien de temps était-elle partie ? Alexander ne s'inquiétait-il pas ? Et cette journée qui avait commencé de façon si détestable...

— Il faut que je rentre, ajouta-t-elle.

Il sourit.

— Vous avez mauvaise conscience ?

— Bien sûr que non !

Elle se sentit piquée parce qu'elle éprouvait en effet quelque chose qui ressemblait à de la mauvaise conscience.

— Je suis libre de parler avec qui je veux. Mais... nous avons actuellement quelques soucis, mon mari et moi, et ce matin...

Elle s'interrompit, agacée de s'être crue obligée de justifier son désir de rentrer.

— En tout cas, il faut que j'y aille, dit-elle. Au revoir, Phillip !

— Au revoir, Jessica.

Elle partit, Barney courant comme un fou devant elle, et ne se retourna pas.

Tout le temps qu'elle fut à portée de vue, elle sentit le regard de Phillip dans son dos.

15

C'était décidément une mauvaise journée. Tout allait de travers et Jessica, dont le malaise grandissait, ne comprenait pas pourquoi personne ne semblait s'en rendre compte.

Ricarda avait disparu. Juste après que son père lui eut parlé. Elle ne s'était pas montrée au petit déjeuner, ce qui en soi était prévisible, mais lorsqu'elle ne parut pas non plus à midi, Alexander monta dans sa chambre et redescendit, le visage décomposé.

— Elle est partie, dit-il.

Jessica, qui était arrivée quelques secondes avant de passer à table, en nage et essoufflée, et s'était glissée sur sa chaise sous le regard désapprobateur de Patricia, essaya de sauver la situation.

— Elle est peut-être dans le jardin. Ou en balade.

— Tu ne le crois pas toi-même ! répliqua Patricia en prenant un air excédé.

— Je lui ai dit que j'exigeais sa présence aux repas, expliqua Alexander.

Jessica le regarda.

Ne te rends pas malade pour ça, disaient ses yeux, elle ne fait rien de bien méchant ! Mais il détourna le regard et elle comprit qu'il se sentait trahi. Elle n'aurait pas dû partir, ce matin. Peut-être même avait-il espéré qu'elle partagerait ses difficultés avec lui. Qu'elle lui parlerait, réfléchirait. Qu'elle s'engagerait. C'était comme si elle l'avait laissé tomber, ne s'était pas sentie concernée, avait refusé d'être impliquée. Comme si elle lui avait fait comprendre qu'il s'agissait de sa fille à lui, pas de la sienne.

Il était blessé.

Diane et Sophie avaient les yeux rouges et manquaient d'appétit. Sans doute étaient-elles là uniquement parce que leur mère les y avait obligées. Jessica se demanda ce qui s'était passé. Peut-être l'apprendrait-elle, peut-être n'en saurait-elle rien. Beaucoup de choses étaient tues dans cette maison.

Après tout, ça ne devrait même pas m'intéresser, se dit-elle.

Léon était mutique. Le repas à peine terminé, il s'excusa et disparut dans sa chambre.

Patricia annonça son intention d'aller à Haworth avec ses filles, puis de marcher jusqu'aux ruines des *Hauts de Hurlevent*.

— Vous n'allez pas faire du cheval ? s'étonna Jessica.

— Nous y sommes allées ce matin, répondit brièvement Patricia.

Diane fondit en larmes, ce que sa mère ignora.

— Tu viens avec nous ? demanda-t-elle à Evelin.

Evelin s'excusa, expliquant que sa foulure la gênait toujours beaucoup. Patricia lui fit un exposé sur la nécessité de s'essayer très progressivement aux sports nouveaux. Quand enfin elle disparut avec ses filles, tous eurent l'impression d'un soulagement.

Tim décida Alexander à une promenade.

Sans doute pour lui donner quelques bons conseils sur la façon de manœuvrer avec une adolescente récalcitrante, songea Jessica, elle-même étonnée que cette seule idée la mette en rage.

En fin d'après-midi, elle prit un café avec Evelin dans le salon, devant la cheminée. Le temps était toujours au beau fixe, mais il faisait frais et il y avait trop de vent pour qu'elles puissent se tenir sur la terrasse. Aucun des autres n'était encore rentré ; quant à Léon, il n'avait pas émergé de sa chambre de l'après-midi. Evelin était plus détendue que d'habitude. Après le café, elle but plusieurs cognacs, et parla à Jessica des problèmes financiers de Léon et des dettes qu'il avait contractées auprès de Tim.

— C'est pour ça qu'ils ont tiré un trait sur les leçons d'équitation des petites, raconta-t-elle, et ils vont sans doute devoir vendre leur maison.

— Mais pourquoi n'en parlent-ils pas ? s'enquit Jessica. Pourquoi Patricia fait-elle comme si tout allait bien ? Vous êtes tous amis depuis si longtemps !

— Elle ne veut pas montrer la moindre faille. Je crois qu'elle serait à l'agonie qu'elle prétendrait encore être au mieux de sa forme.

Le soir, tous se retrouvèrent dans la salle à manger pour dîner ensemble, mais ils parlèrent peu.

Ricarda n'avait pas réapparu.

Léon mangeait du bout des lèvres et sursautait quand on lui adressait la parole.

Marcher au grand air avait donné de belles couleurs à Patricia. Avec son teint hâlé, ses cheveux blonds et son pull-over en coton rouge vif, elle était une fois de plus ravissante. En même temps, on devinait chez elle une agressivité prête à jaillir. Comme chez quelqu'un qui a décidé de passer à l'attaque. Au contraire de son mari, qui, lui, donnait tous les signes de quelqu'un qui a baissé les bras.

Alexander desserra à peine les dents.

A onze heures, Ricarda n'était toujours pas rentrée.

La journée s'acheva de façon aussi déprimante qu'elle avait commencé.

16

Journal de Ricarda

23 avril

Je suis trop énervée ! J'ai les jambes en coton et mon cœur bat à toute vitesse. Mes mains tremblent un peu en écrivant. Il est presque deux heures et demie du matin. Je viens juste de rentrer. Quand j'étais dans l'escalier, la porte de la chambre de papa et J. s'est ouverte et papa a demandé si c'était moi. J'ai dit « oui » et j'ai cru qu'il allait me faire un sermon interminable, mais il a seulement dit : « Nous parlerons demain. »

Et il a refermé la porte.

De toute façon, ça m'aurait été égal qu'il veuille me parler tout de suite. Je crois que je n'aurais rien écouté.

Je l'ai fait. Keith et moi on l'a fait. On a dormi ensemble. Et c'était la chose la plus merveilleuse qui me soit jamais arrivée.

On avait passé toute la journée ensemble. Ce matin, papa a cherché à me convaincre de ne plus voir Keith, mais il perd son temps parce que je préférerais encore mourir. Entre parenthèses, je crois que là J. est de mon côté. Elle essaye peut-être de se rapprocher. Je m'en fiche. Je ne la supporte pas quand même.

Je suis allée direct à la grange ; je n'allais pas prendre le petit déjeuner avec ces débiles. Ils me font chier, ils me font tous trop chier... Si je n'avais pas Keith, je ne tiendrais pas un jour de plus.

Il était déjà dans la grange quand je suis arrivée. Nous avons un peu flirté, puis il a dit que nous pourrions faire un tour en voiture. On a traversé d'étranges petits villages avec de minuscules maisons de poupée et on a roulé dans de grands paysages complètement déserts, sans maisons, sans âme qui vive, sans même une vache. Nous nous sommes arrêtés plusieurs fois pour marcher un peu. C'était une journée magnifique, il y avait beaucoup de vent, le ciel était immense et bleu. On tombait toujours sur des petits murs qu'il fallait escalader. Au début, j'avais un peu peur à cause des moutons très nombreux de l'autre côté, mais Keith m'a expliqué que tous les chemins de randonnée publics du Yorkshire traversaient des pâtures où se trouvaient des moutons et des vaches et qu'il n'était encore jamais rien arrivé. A un moment, on a eu faim, surtout moi qui n'avais pas pris de petit déjeuner, et Keith a proposé que nous mangions quelque part. On a vidé nos poches, ce n'était pas terrible. A tous les deux, nous avions péniblement deux livres. Nous avons trouvé dans un village un snack qui avait l'air plutôt miteux. Nous pensions qu'en échange il ne serait pas cher, mais en fait, c'était comme partout. Nous avons partagé une bière et une part de maquereaux aux pommes. On avait tous les deux encore faim, mais ça n'avait pas vraiment d'importance.

Pendant tout le temps, j'étais assise en face de lui, je le regardais et je me disais : ça va être aujourd'hui. C'est aujourd'hui que ça va arriver, j'en suis sûre.

Nous sommes retournés à la grange, où nous avons passé l'après-midi. Keith avait quelques bouteilles de bière, si bien que nous avons pu boire un peu. Il faisait froid, nous nous sommes blottis sous une couverture sur le canapé, serrés l'un contre l'autre, et nous avons écouté Céline Dion. C'est un peu tarte, mais ça allait.

Ma tête tournait un peu à cause de la bière. Je ne bois jamais d'alcool et en fait je n'aime pas du tout la bière, mais j'avais tellement faim. Keith pensait avoir des cigarettes quelque part. Il les a cherchées et a fini par les trouver. Heureusement que ce n'était pas la première fois que je fumais, sinon je ne sais pas de quoi j'aurais eu l'air. Nous avons fumé, flirté, écouté de la musique, et j'avais une merveilleuse sensation de paix et de bien-être. Quand il a commencé à faire nuit dehors, Keith a pensé qu'il valait mieux qu'il me ramène à la maison. Il a dit :

« Tu vas déjà te faire disputer, ne rendons pas les choses encore pires.

— Justement, ai-je répondu. Je vais de toute façon me faire disputer, alors autant que je reste. »

Je n'avais vraiment pas envie de rentrer. Papa m'aurait encore barbée avec ses discours et en plus il aurait fallu supporter cette garce de Patricia.

Au bout d'un moment, j'étais presque en train de m'endormir, Keith a commencé à s'agiter. Ça m'a tout de suite réveillée. Keith a dit qu'il ne se sentait pas très à l'aise et m'a demandé si ça m'ennuierait qu'il se déshabille. Ça m'a encore plus réveillée ! Et mon cœur a commencé à battre à toute vitesse, mais naturellement, j'ai fait comme si j'étais très cool et j'ai dit que j'étais d'accord et que j'allais me déshabiller moi aussi. Nous avons enlevé nos jeans mais gardé nos pulls et nos sous-vêtements. Keith a posé sa main sur ma hanche puis caressé mon ventre. C'était tellement doux. Il respirait plus vite que d'habitude. Subitement, je n'ai plus très bien su si je voulais encore, mais je ne voulais surtout pas avoir l'air d'un bébé et j'ai décidé de le faire. Il a enlevé très doucement ma petite culotte et m'a embrassée en bas, je veux dire entre les jambes. Je ne sais plus très bien ce que j'ai dit, quelque chose comme quoi j'aimerais bien dormir avec lui. Il n'avait plus de slip non plus, je ne m'en étais même pas rendu compte. Il m'a redemandé si je voulais vraiment, j'ai dit oui, bien sûr, alors il l'a fait. Ça a l'air complètement idiot que j'écrive ça comme ça, mais je ne sais pas comment je pourrais le dire autrement – il l'a fait, c'est tout. A vrai dire, je n'ai presque rien senti. Sauf que j'éprouvais un sentiment tellement fort, un sentiment d'amour, la certitude que je lui appartiendrai toujours, que j'étais faite pour lui et lui pour moi. Je crois que pour lui c'était super parce qu'il n'arrêtait pas de murmurer que c'était bon, que c'était merveilleux... « It's great, baby, it's so great... » Puis il s'est laissé glisser à côté de moi, il avait les yeux fermés, il respirait vite, puis de plus en plus lentement. Je me suis blottie contre lui, son corps était chaud et un peu humide de sueur et je pensais que mon cœur allait éclater tellement j'étais heureuse parce que je savais que quelque chose s'était produit qui ferait que plus jamais nous ne serions tout à fait séparés.

La première chose que Keith a dite en ouvrant les yeux, c'est :
« Mon Dieu, nous n'aurions pas dû faire ça !

— Je le voulais, ai-je dit, mais ma voix tremblait un peu parce que j'ai eu d'un coup très peur qu'il regrette et ait mauvaise conscience car alors cet instant merveilleux aurait perdu sa magie.

— Nous n'avons pas du tout fait attention, dit-il. Si jamais tu... »

J'ai compris ce qui l'inquiétait.

« Non, ça ne peut pas arriver. Je dois avoir mes règles demain ou après-demain, et juste avant, on ne peut pas tomber enceinte. »

Keith a eu l'air d'être un peu soulagé. Il a recommencé à caresser mon ventre.

« Pour toi, ce n'était pas terrible, n'est-ce pas ? a-t-il dit.

— Je n'ai jamais rien vécu d'aussi agréable, ai-je dit, et c'est exactement ce que je pensais.

— La prochaine fois, il faudra que nous fassions plus attention.

— Bien sûr. »

Je ne sais pas trop comment ça marche mais j'ai fait comme si j'étais parfaitement au courant.

« Mieux vaut que tu ne racontes rien chez toi, a dit Keith.

— Je n'ai personne à qui je pourrais le raconter », ai-je dit, et j'ai brusquement fondu en larmes parce qu'il y avait trop de tout : je l'aimais trop, cette nuit était trop belle, et c'était trop triste parce qu'il n'y avait vraiment personne à qui je pouvais parler. Il n'y a encore pas longtemps, je disais que je pouvais parler de tout avec papa, mais il s'est passé quelque chose qui fait que ce n'est plus possible.

Le pire, c'est que je ne sais pas ce qui s'est passé, ni quand, ni comment, ni pourquoi. Ça a peut-être un rapport avec J., ou avec les autres. Mais les autres ont toujours été là, il n'y a que J. qui est nouvelle. Ce sont tout de même les autres qui ont fait partir maman. C'était tellement déstabilisant, j'ai encore plus pleuré. Keith me serrait très fort dans ses bras, me caressait, murmurait des choses très douces et j'ai fini par arrêter de pleurer.

On a dû s'endormir à ce moment-là. Je me suis réveillée en entendant Keith dire assez fort « *Oh, shit !* ». Il a bondi du canapé et s'est rhabillé très vite. Je distinguais à peine sa silhouette. Il faisait complètement noir, les bougies étaient toutes éteintes.

Quand je lui ai demandé ce qui se passait, il m'a dit : « Regarde l'heure ! » Mais je ne voyais rien, alors il m'a dit qu'il était deux heures du matin.

« On a dormi trop longtemps ! Je te ramène tout de suite chez toi. Tu vas prendre un de ces savons ! Tu vas être obligée de tout leur dire ! »

J'étais un peu triste qu'il me fasse si peu confiance.

Je me suis levée et j'ai commencé à m'habiller.

« Je ne leur raconterai rien du tout. Tu crois que j'ai envie qu'ils m'enferment pour le reste des vacances ? Tu me prends vraiment pour une gamine », ai-je répliqué.

Il a dit que ce n'était pas vrai, mais il était subitement très différent, très nerveux. Sur le chemin pour aller à la voiture, on courait presque tellement il était pressé, il a allumé une cigarette et tiré dessus comme un fou, comme s'il fallait à tout prix qu'il trouve un moyen de se calmer.

Il faisait froid et il y avait toujours du vent, mais il n'y avait plus aucun nuage et on voyait la lune et les étoiles. J'ai commencé à me sentir à nouveau bien, quoique Keith ait été si bizarre. J'étais toute légère et heureuse. Quand on s'est arrêtés devant la grille du parc, Keith s'était calmé. Il y avait plein de tendresse dans ses yeux quand il m'a prise dans ses bras.

Il a insisté pour me conduire jusqu'à la maison, mais j'ai refusé parce que les autres auraient entendu le bruit du moteur, ils se seraient réveillés et ils me seraient tous tombés dessus. De toute façon, il ne pouvait rien m'arriver sur le petit bout de chemin. Nous nous sommes à nouveau embrassés. J'aurais voulu que ça ne s'arrête jamais, mais Keith préférait que je rentre vite.

« Ce n'est pas la peine de provoquer ton père outre mesure », a-t-il dit.

Je lui ai demandé si nous pouvions nous voir demain – en fait, aujourd'hui – et il a hésité.

« Je ne sais pas... Tu penses que tu auras le droit de sortir ?

— Je n'avais déjà pas le droit de sortir aujourd'hui et je l'ai fait quand même, ai-je répondu. Je me moque de ce qu'ils disent.

— Il ne faut pas pousser le bouchon trop loin.

— Keith ! »

Je n'aurais pas supporté de ne pas le voir. Pas après cette nuit.

141

« Je serai à la grange, a-t-il dit finalement. Viens si tu peux. »

J'ai ri et dit que s'il le fallait j'attacherais une corde à ma fenêtre pour m'enfuir. Je parlais très sérieusement. Je l'ai embrassé une fois de plus et ne suis partie que lorsqu'il a encore insisté pour que je m'en aille.

J'ai l'impression qu'il a peur parce que je ne suis pas encore majeure. Je ne connais pas bien les lois, et encore moins les lois anglaises, mais j'imagine qu'il pourrait avoir des problèmes. Comme si j'allais dire quelque chose ! Il devrait mieux me connaître.

Je me sentais toute légère en remontant le chemin, très libre et adulte. Je crois que j'ai beaucoup mûri ces derniers temps. Peut-être pas uniquement à cause de Keith. Sans doute aussi à cause du divorce de papa et maman, et parce que je suis la seule à voir à quel point les amis de papa sont nocifs. Et bien sûr aussi à cause de Keith. Quand je pense à Diane ! Elle n'a que trois ans de moins que moi, mais c'est comme s'il y avait une génération entre nous.

Au fait, il y a une chose qui me revient : c'est bizarre, mais tout à l'heure, quand je suis remontée, j'ai eu tout d'un coup l'impression qu'il y avait quelqu'un. Dans les fourrés au bord du chemin. J'ai appelé doucement : « Keith ? », parce que je me suis dit qu'il m'avait peut-être suivie pour me faire une surprise, mais le bruit ne s'est pas reproduit et je n'ai vu personne. C'était peut-être un renard. En tout cas, ça ne m'a pas semblé inquiétant et je n'ai pas du tout eu peur. Je crois que je n'aurai plus jamais peur. Je me sens tellement forte. Comme si rien ne pouvait m'arriver.

Maintenant je suis dans ma chambre, ma fenêtre est grande ouverte, j'ai enfilé mon peignoir tout douillet et je me sens merveilleusement bien.

Papa va être super en colère.

ÇA M'EST ÉGAL !!!

17

Jessica ouvrit les yeux avec l'impression d'avoir été réveillée par un étrange sentiment de malaise. Dehors, le jour commençait à poindre, mais il devait être encore très tôt. A côté d'elle, le lit était vide. Alexander n'était pas là.

Il avait eu un cauchemar vers quatre heures du matin. Ses cris l'avaient réveillée. Comme de coutume, il avait refusé son aide et disparu dans la salle de bains, livide et tremblant. Elle s'était rendormie, frustrée et à demi résignée, triste qu'il persiste à ne pas lui faire confiance.

Pourquoi ne s'était-il pas recouché ?

Il était sept heures cinq. Elle se leva, traversa la chambre et frappa doucement à la porte de la salle de bains.

— Alexander ?

Pas de réponse. La salle de bains était vide.

Elle poussa un soupir. Il y a peu, elle disait à tous ceux qui abordaient le sujet que son union avec Alexander était tout simplement formidable, bien mieux que tout ce qu'elle avait pu espérer de cette vieille institution qu'était le mariage.

« Il arrive, bien sûr, que nous nous disputions, avouait-elle à ses amies et à ses parents, mais notre couple repose sur quelque chose d'invulnérable. L'amour, la confiance, la compréhension, la proximité... Je crois que nous sommes armés pour affronter tous les pépins ! »

En quelques jours, les perspectives s'étaient inversées. Ce qui semblait inébranlable vacillait, les certitudes laissaient la place à l'inquiétude, la confiance se transformait en méfiance. Si l'on avait, à cet instant, interrogé Jessica sur son mariage, elle n'aurait pu taire ses doutes sans mentir. Il y avait beaucoup de choses que son mari lui cachait.

Brusquement, le visage que prenait l'avenir lui fit peur.

Elle enfila son peignoir et, pieds nus, sortit de la chambre. Aucun bruit ne parvenait des chambres voisines. Mais quand elle arriva à l'autre extrémité du palier, du côté de l'escalier, elle entendit la voix d'Alexander. Une voix étouffée, presque un murmure. Elle comprit tout de suite qu'il se trouvait en bas, dans le hall, au téléphone.

— Je ne sais plus quoi faire, disait-il d'un ton désespéré. Je pourrais aussi bien parler à un mur. Elle ne m'écoute pas. Ce que je peux dire lui est complètement égal.

Il demeura un moment silencieux, puis reprit :

— Non. Je crois qu'elle ne voit pas le problème. Ou alors ça n'a pas d'importance pour elle. Mais je ne peux pas le lui reprocher. Après tout, Ricarda n'est pas sa fille... Oui. Oui, je sais. Mais Ricarda ne l'accepte toujours pas. Non. Il est totalement exclu qu'elles se parlent.

En haut de l'escalier, Jessica avala sa salive avec difficulté et s'avança sur la première marche. Elle n'avait aucun doute sur l'identité de l'interlocuteur d'Alexander. C'était avec son ex-femme qu'il parlait. Avec Eléna.

Ce n'était pas comme s'ils ne s'étaient jamais téléphoné. Ne serait-ce que concernant Ricarda, ils avaient toujours une chose ou une autre à discuter. Jessica n'avait même jamais songé à en prendre ombrage. Mais cette fois, c'était différent : le côté « conspiration » donnait un tour menaçant à la conversation. L'heure matinale, la voix étouffée d'Alexander aurait déjà suffi à déstabiliser Jessica. Mais il s'y ajoutait le ton sur lequel il parlait, et ce qu'il disait. Il avait l'air perdu comme un petit garçon, il s'accrochait à Eléna comme à une bouée de sauvetage. Jamais elle ne lui avait entendu ce ton, jamais il n'avait eu ce comportement avec elle. Et jamais il n'avait parlé d'*elle* avec Eléna. C'était une chose qu'il ne faisait pas. Il ne parlait pas d'elle, il ne parlait pas de leur couple et il parlait encore moins de leurs éventuels problèmes.

Eléna devait beaucoup parler car Alexander ne dit plus que sporadiquement « oui » ou « non », puis une fois « Bien sûr que non ! ».

Quelques minutes s'écoulèrent, puis il chuchota :

— Eléna, tu n'imagines pas à quel point je me sens démuni. Avant, j'avais confiance en moi, j'étais convaincu de pouvoir maîtriser toutes les situations. Aujourd'hui j'ai l'impression de couler. Je m'enfonce. Je n'ai rien à quoi me raccrocher.

A nouveau il demeura silencieux.

— Non, dit-il alors. Non, pas à cause de Ricarda. Pas en premier lieu. Elle n'est pas si souvent que ça avec moi. C'est... tout. Ma vie. Tu sais bien...

Jessica ferma les yeux. Elle se sentit prise de vertige.

Quand le bourdonnement cessa dans ses oreilles, elle entendit Alexander :

— Presque toutes les nuits. Enfin, une nuit sur deux. Ça a empiré... Non, elle ne sait rien... Pardon ? Eh bien, je dis que j'ai fait un mauvais rêve... Il ne manquerait plus que ça, il ne faut pas qu'elle le sache... Tu crois ? Tu ne la connais pas !

Elle enfonça les ongles dans ses paumes. Ça faisait mal. Ça faisait affreusement mal.

— C'est non, tout de même... Je peux compter sur toi ? Pas un mot à personne. C'est *mon* problème... C'est moi que ça regarde, Eléna, *moi seul* ! Tim et Léon ne sont pas concernés de la même façon... Ah... Tu ne réussiras pas à m'en dissuader, Eléna. Et de toute façon, tu ne pourras rien changer. Tu le sais bien, du reste, tu as suffisamment essayé !

Il y avait de la tendresse dans sa voix. Ou, si ce n'était pas de la tendresse, c'était de la complicité. Une immense complicité. Elle était la femme qui le connaissait. Qui le connaissait par cœur. Qui connaissait ses côtés les plus obscurs, les plus secrets. Elle savait ce qui le réveillait la nuit, quelles images monstrueuses le poursuivaient, quels rêves le terrifiaient. Devant elle, il osait se montrer faible, il lui faisait pleine et entière confiance. Et elle était la personne auprès de laquelle il se réfugiait quand il allait mal.

Ils ont divorcé, se dit Jessica. Les gens ne divorcent pas quand ils s'aiment encore. Il fallait que la désunion soit grande pour en arriver à dissoudre un mariage, surtout lorsqu'un enfant mineur

145

devait souffrir de la séparation. Alexander était un père responsable et il aimait beaucoup Ricarda. De son côté, et en dépit de son comportement actuel, Ricarda vénérait son père. Alexander devait avoir été convaincu qu'il n'avait pas d'avenir avec Eléna pour se résoudre à se séparer de Ricarda.

— Si seulement tu pouvais m'aider, dit-il à cet instant. Si seulement tu pouvais m'aider...

C'était un cauchemar. Il n'y avait que dans les très mauvais rêves que l'on se retrouvait ainsi au petit matin à épier ce que son mari disait à une autre femme sur un ton qu'il n'avait que pour elle, que l'on grelottait de froid et de désespoir, pieds nus dans l'escalier d'une vieille maison de pierre soudain lugubre et glaciale, et que l'on avait cette horrible impression qu'une main de fer vous broyait le cœur...

Il lui apparut brutalement que leur proximité était un leurre : Alexander était très loin d'elle. Ce qu'elle s'était tant plu à croire indestructible était en réalité bien fragile.

A nouveau Alexander demeura silencieux, puis il reprit :

— Oui. Oui, entendu. Je crois aussi. Ce serait bien si tu pouvais. Tu auras peut-être plus de succès que moi... Oui. Au revoir, Eléna. Je t'embrasse.

Il raccrocha. Jessica recula jusqu'à la porte de leur chambre. Alexander gravit les marches, la vit, s'arrêta net.

— Jessica ! Tu es réveillée ?

Il fallait qu'elle sache. Elle fit comme si elle venait juste de sortir de la chambre.

— Tu étais au téléphone ? demanda-t-elle d'un air distrait avant d'étouffer un bâillement.

Les traits d'Alexander se détendirent. Le détachement de Jessica dut le conforter dans l'idée qu'elle n'avait pas pu l'entendre parler avec Eléna.

— Oui, avec la fac, répondit-il. Le secrétariat. A propos d'un cours que j'aimerais faire au deuxième semestre.

Ce qu'il lut dans ses yeux dut lui donner l'impression de devoir en dire plus.

— Je voulais savoir combien il y avait d'inscrits, ajouta-t-il. Il faut un minimum de participants pour que le cours ait lieu.

Il lui mentait. Il se tenait la main sur la rampe, dans la lumière grise du jour naissant, et il lui mentait effrontément.

Ce fut ce qu'il y eut de pire en ce début de journée.

Patricia devint hystérique quand à neuf heures Phillip se présenta à la porte de la maison et demanda à lui parler. Evelin lui avait ouvert. Quand Patricia, à son tour, gagna le hall et découvrit Phillip, elle perdit son sang-froid.

— Tu es complètement folle ou quoi ? hurla-t-elle à l'intention d'Evelin. Qu'est-ce que je vous ai dit, ces derniers jours ? Qu'est-ce que je vous ai dit et répété ? Je vous ai dit que l'individu ici présent ne mettrait pas un pied dans ma maison ! Qu'il ne mettrait pas un pied chez moi ! Que personne ne lui adresserait la parole ! Que quoi qu'il entreprenne, il se heurterait à un mur ! Je ne l'ai pas dit ?

— Je croyais que... commença Evelin, les yeux agrandis par la peur.

— Je l'ai dit ou pas ?

— Oui. Mais je ne pouvais tout de même pas...

— Qu'est-ce que tu ne pouvais pas ? Lui claquer la porte au nez ? Et pourquoi tu ne pouvais pas, pauvre idiote ? Pourquoi ?

Evelin fondit en larmes.

— Tu es vraiment impossible, dit-elle entre deux sanglots, puis elle se détourna et monta au premier en boitillant.

— Nous pourrions peut-être discuter entre personnes civilisées, suggéra Phillip.

Patricia bondit sur lui comme une harpie.

— Certainement pas ! Civilisées ou pas civilisées, il est hors de question que nous discutions ! Vous allez immédiatement quitter ma maison, quitter ma propriété et ne plus jamais remettre les pieds ici ! Vous avez compris ? Plus jamais ! Si jamais je vous revois chez moi, j'appelle la police ! Et maintenant, fichez le camp !

Elle le laissa au milieu du hall, retourna dans la salle à manger et claqua si fort la porte que, quelque part dans la maison, quelque chose tomba au sol et explosa dans un bruit de verre brisé.

Tim, qui avait assisté à la scène de l'escalier, poursuivit sa descente et rejoignit Phillip.

— Vous devriez respecter son souhait et ne plus revenir ici, dit-il. Vous avez vu... A votre place, je ne ferais rien qui risque d'envenimer la situation. Cessez donc de nous ennuyer, voulez-vous ?

Phillip haussa les épaules.

— J'ai le droit d'être ici.

— Vous ne nous en avez toujours pas apporté la moindre preuve.

— Je le ferai.

— Parfait. Nous pourrons alors éventuellement envisager de reprendre cette discussion. Mais tant que vous n'avez rien à nous soumettre que vos assertions fantaisistes... je répète : vos assertions fantaisistes, eh bien, personne ici ne désire vous voir.

— J'ai compris, dit Phillip en parcourant le hall du regard. Stanbury House est une partie de moi, une partie du passé que l'on m'a refusé. Je ne peux pas mettre de l'ordre dans ma vie tant que je ne pourrai pas affronter cette partie de mon passé, cette partie de moi-même. Et je ne laisserai personne m'en empêcher. C'est quelque chose que vous devriez comprendre.

— Mon cher monsieur Bowen, ce dont vous avez vraisemblablement besoin, c'est d'une bonne psychanalyse. A votre place, je commencerais par là. C'est sûrement plus simple, plus rapide et plus efficace qu'un parcours du combattant à travers les multiples instances juridiques de ce pays, sans compter que le résultat risque de ne pas être celui que vous escomptez.

— Les multiples instances juridiques de ce pays, comme vous le dites très justement, je vais les parcourir. Toutes. Ça durera peut-être des années, mais j'aurai gain de cause. Au revoir, et saluez, je vous prie, Mme Roth de ma part !

Il fit un signe de tête à Tim, sortit et partit à pied.

— Un cinglé, commenta Tim. Un vrai cinglé !

— De qui parles-tu ? demanda Jessica, qui sortait à cet instant de la cuisine en essuyant ses mains avec un torchon.

Elle s'était attelée au nettoyage et au rangement des placards. C'était le seul dérivatif au doute et à la tristesse.

Tim se tourna vers elle et grimaça un sourire.

— Jessica ! Quelle surprise ! Nous ne t'avons pas vue au petit déjeuner ?

— Effectivement.

Elle se demanda si, lors des vacances précédentes, les remarques sur les absences des uns ou des autres étaient déjà la règle. Peut-être n'y avait-elle pas prêté attention. Ou peut-être était-elle alors moins irritable. Et de meilleure humeur.

— Ce Phillip Bowen était encore là il y a une minute, avec ses invraisemblables histoires d'héritage. Il rêve complètement.

— Ce qu'il dit est peut-être vrai.

Pour la seconde fois, Tim grimaça un sourire. Ce matin-là, avec son pantalon bouffant bleu marine informe et son espèce de tunique ornée de broderies étranges confectionnée dans un lin brut qu'on aurait cru tissé à la main, il ressemblait à un gourou des années soixante-dix. Ou bien, quand on y ajoutait les pieds nus dans ses chères sandales anatomiques, la barbe crépue et les cheveux légèrement trop longs, à un adepte de Krishna sur le chemin de la connaissance intérieure.

Ou à un baba écolo, songea Jessica avec une brusque animosité, et une fois de plus elle se demanda sur quoi se fondait la réaction de rejet qu'il lui inspirait.

— Je te conseille de ne pas dire ça devant Patricia, lança-t-il en réponse à sa remarque. Elle vient de tomber à bras raccourcis sur Evelin qui n'avait rien fait de plus grave que d'oser lui ouvrir la porte. Tu vois dans quel état de nerfs cette histoire la met.

— Il possède quelques renseignements sur le vieux McGowan qui me paraissent de nature, je dirais... intime.

Tim la considéra en plissant les yeux.

— Tiens, tiens. Et d'où le sais-tu ?

Jessica avait décidé de cesser de se comporter comme une petite fille qui doit cacher qu'elle a désobéi.

— Je l'ai rencontré encore hier. Il m'a raconté beaucoup de choses.

— Patricia nous a expressément demandé de ne pas adresser la parole à ce type.

— Si Patricia est la propriétaire de Stanbury, ça ne lui donne pas pour autant le droit de décider des fréquentations des uns ou des autres. En tout cas, pas des miennes.

Tim l'observait à présent comme s'il avait devant lui un cas psychologique intéressant.

Ça y est ! se dit Jessica. C'est ça que je ne supporte pas chez lui ! Son regard de thérapeute. En même temps, elle savait qu'il n'y avait pas que cela. Quelque chose de plus profond lui échappait encore.

— Comme Eléna, murmura-t-il. Exactement comme Eléna !

S'il y avait un prénom qu'elle n'était pas disposée à entendre, c'était bien celui-là.

— Tu ne vas pas recommencer avec ça ! répliqua-t-elle avec humeur avant de tourner les talons pour regagner la cuisine.

— Ne t'en va pas comme ça ! l'arrêta Tim.

Il se planta devant elle et baissa la voix.

— Je t'encourage vivement à garder ces rencontres pour toi, Jessica. Personne ici n'a envie qu'on lui gâche ses vacances. Tu as compris ?

Elle ouvrit la bouche pour répliquer mais il ne lui en laissa pas le temps.

— Et ne te laisse pas baratiner par Bowen ! Kevin McGowan était quelqu'un de très connu dans ce pays. Il me semble qu'il a même reçu de très honorables prix et distinctions pour quelques-uns de ses essais politiques. Ce ne sont pas les archives sur lui qui manquent. Pour peu que Bowen se soit un peu fatigué, il a dû amasser une belle quantité d'informations. Ça ne prouve pas pour autant que ce qu'il dit soit vrai.

— Mais si c'est vrai ? S'il est réellement le fils de Kevin McGowan ?

— Eh bien, ma chère, en tout état de cause, ce n'est pas ton problème. C'est tout au plus lui que ça regarde, ainsi que Patricia.

Il avait raison, aussi s'abstint-elle de répondre. Elle avait l'impression qu'il avait essayé de l'intimider. Ajouté au reste, à tout ce qui s'était passé depuis qu'elle s'était levée, son désir de partir, de laisser derrière elle cette maison de vacances devint de plus en plus vif.

Keith Mallory était allongé sur son vieux canapé et fumait une cigarette en regardant dehors à travers la vitre, qu'une épaisse couche de poussière rendait presque opaque. Le ciel était d'un bleu plus froid que les jours précédents. La température avait également baissé. L'air était frais et transparent. Il s'en moquait. En règle générale, le climat l'intéressait peu. Etre là, à l'abri dans sa grange, son refuge secret, loin de son père, loin, très loin des exigences que la vie plaçait sur sa route et qu'il ne se sentait pas de taille à affronter, suffisait à son bonheur.

Il faudrait que je nettoie cette vitre, se dit-il en exhalant de petites volutes de fumée.

Il venait une fois de plus de se faire incendier par son père. Il s'y attendait presque. Il y avait longtemps que le vieux n'avait rien dit. Ça ne présageait jamais rien de bon. Il ne pouvait se retenir de dire ce qu'il pensait à son fils mal aimé que pendant un laps de temps limité. Ce matin, il avait intercepté Keith alors que celui-ci s'apprêtait à quitter la maison et avait ouvert le feu en lui demandant sans transition ce qu'il comptait faire de la semaine à venir.

« Je ne t'interroge pas sur ce que tu envisages de faire de ta vie, non, ce ne serait pas charitable de t'accabler avec une question aussi difficile, n'est-ce pas ? Procédons par étapes. Par petites étapes. Je te parlais donc de la semaine prochaine. Seulement de la semaine prochaine. Tu comptes la gaspiller comme toutes les semaines précédentes ou bien as-tu un projet un peu intelligent ? »

Son père savait qu'il n'avait ni projet ni idée. Keith l'avait regardé en se demandant quand son père avait commencé à le détester. Leurs rapports n'avaient jamais été faciles, mais ils n'avaient jamais été empreints de haine, du moins jusqu'à une date récente.

« Je n'ai pas de stage d'apprentissage, rétorqua Keith. Je ne peux rien faire. »

Greg Mallory avait hoché la tête d'un air pensif, comme s'il réfléchissait à ce que son fils avait répondu. C'était un bel homme, Keith, une fois de plus, l'avait constaté. Grand, bien charpenté, avec un front intelligent. La ferme avait appartenu à son père, et avant lui au père de celui-ci, et encore avant au père de son grand-père... Des générations de Mallory, une chaîne sans fin d'éleveurs de moutons. Les bêtes avaient toujours rapporté de quoi nourrir les familles successives, mais jamais assez pour le petit pécule qui aurait permis de s'offrir quelque extra comme un voyage ou une modernisation de la cuisine. Aucun Mallory n'avait jamais voyagé, et, si l'on exceptait le réfrigérateur et la cuisinière à gaz acquis entre-temps, la cuisine dans laquelle s'affairait la mère de Keith était identique à celle qu'avait connue son arrière-grand-mère. Désormais, la vieille maison de pierre possédait l'électricité et une salle de bains avec WC. Des travaux avaient été entrepris à la fin des années soixante. Avant, il y avait une petite cabane en planche de l'autre côté de la cour.

Keith s'était parfois demandé si son père n'aurait pas aimé rompre la chaîne familiale. Avec son allure et son intelligence, on l'aurait imaginé sans peine travaillant dans une grande ville, exerçant un autre métier. Homme d'affaires, directeur d'une succursale de banque, chef d'une petite entreprise... Greg Mallory en avait les capacités. Keith en était convaincu. Etait-ce uniquement le sens du devoir qui l'avait retenu de quitter Stanbury ? S'était-il senti dans l'incapacité de se soustraire à une responsabilité qu'une longue lignée de Mallory avait assumée avant lui ? Etait-ce pour cette raison que ce fils qui refusait de marcher dans ses pas et que rien ne semblait pouvoir distraire de son projet essuyait aussi souvent sa colère ?

« Tu n'as pas de stage d'apprentissage... Rappelle-moi donc ce que tu ambitionnes comme stage d'apprentissage ?

— Un stage de stucateur. »

Comme si le vieux ne le savait pas !

« J'aimerais être stucateur.

— Stucateur. Ça me revient. On pourrait dire aussi plâtrier, non ? Pour autant que je sache, ça consiste bien à touiller du plâtre et à le coller sur le plafond et les murs. Je me trompe ?

— Ce qui me plairait surtout, c'est la rénovation de bâtiments anciens », avait répondu Keith.

Il avait aperçu du coin de l'œil le visage anxieux et pâle de sa mère. Gloria Mallory vivait dans la crainte d'un ultime affrontement entre son fils et son mari, qu'elle imaginait s'achevant par un départ définitif de son fils et un infarctus de son mari. Alors qu'elle était une toute jeune fille, une gitane lui avait prédit que son futur mari mourrait longtemps avant elle, de mort brutale.

« De belles maisons anciennes, avait poursuivi Keith, avec de beaux plafonds moulurés. Ça m'amuserait de pouvoir... »

L'index droit du père avait jailli et s'était fiché dans la poitrine de Keith.

« Nous y voilà ! Tu viens de dire le mot que j'attendais ! *Ça t'amuserait*. Et sous prétexte que *ça t'amuserait*, tu traînes des journées entières, toi, un jeune homme dans la force de l'âge, tu attends, avachi dans un coin, que surgisse de je ne sais où l'occasion de t'adonner à ce grandiose amusement ! Attendre des années ne te fait pas peur ! Et gâcher ta vie non plus ! Parce que bien évidemment, faire un métier qui *ne t'amuserait pas* n'est même pas envisageable ! »

Il avait souligné exagérément le mot « amuserait » en traînant avec affectation sur les syllabes.

Keith avait failli lui dire d'aller se faire fiche, mais il s'était efforcé de rester calme pour que la discussion ne dégénère pas. De caractère inquiet, il détestait les situations conflictuelles. Et il n'était à la hauteur ni de l'agressivité ni du sens de la repartie de son père.

« Je me suis vraiment démené pour trouver un stage... »

Greg Mallory avait aussitôt interrompu son fils.

« Mais tu n'en as pas trouvé ! Ça ne te fait pas réfléchir ? Tu ne te demandes pas à quoi ça tient ? Je vais te le dire, moi, à quoi ça tient ! Ça tient d'une part, et naturellement, aux notes lamentables avec lesquelles tu as terminé ta scolarité, et d'autre part à la profession imbécile que tu as fourrée dans ton crâne d'abruti ! Stucateur ! Ça n'a pas l'air bien recherché, hein ? Et si en dépit de tous tes efforts, tu persistes à ne pas trouver de stage d'apprentissage, peut-être que plus tard tu ne trouveras pas de travail non plus. Qu'est-ce que tu en penses ? Peut-être que des vieilles maisons à rénover, il n'y en a pas tant que ça ! Peut-être que c'est une imbécillité de vouloir avant tout s'amuser dans la vie ! Une crétinerie, une débilité profonde, et il n'y a que *mon fils* pour tomber là-dessus ! »

Son ton avait dangereusement monté. Keith savait comment

son père fonctionnait. Dans un instant, il crierait, vociférerait, se déchaînerait. Encore quelques secondes et il l'agonirait d'injures.

« Je dois vivre ma vie, papa », avait-il dit.

C'était apparemment la phrase qu'il fallait dire pour que son père explose.

« *Tu dois vivre ta vie ? Tu dois vivre ta vie ?* »

Il hurlait. Mme Mallory avait battu en retraite dans la cuisine, un chat qui venait d'apparaître dans le vestibule avait détalé.

« J'ai bien entendu ? *Tu dois vivre ta vie ! Vivre ?* Tu as bien dit *vivre* ? Sais-tu seulement ce que *vivre* veut dire ? Vivre, c'est le mouvement ! Aller de l'avant ! Avoir un but et se donner les moyens de l'atteindre ! Je ne vois rien de tout ça chez toi ! Explique-moi un peu ce que tu entends par "vivre ta vie" ? Tu ne fais que traîner. Tu rêvasses, tu vas et tu viens comme si tu te croyais à l'hôtel ! Tu te mets tranquillement les pieds sous la table, ta mère a le privilège de laver ton linge sale et tu fais quoi en contrepartie ? Rien ! Absolument rien ! »

Une quinte de toux l'avait interrompu. C'est ce qu'il y avait de bien avec le vieux. A la différence d'autrefois, sa voix ne le suivait plus.

« J'en ai assez de nourrir un bon à rien ! » avait-il encore crié en s'étranglant à demi.

Sous l'effort qu'il faisait pour continuer sur le même ton, des veines violacées étaient apparues sur son front.

« J'en ai assez d'héberger un cossard ! J'en ai assez de me casser le cul du matin au soir pour un parasite ! Oui ! Pour un fichu petit con de *parasite* ! »

Keith avait fait un pas en arrière. Ses oreilles avaient commencé à bourdonner. Il ne voulait pas entendre. Il sentait qu'il ne fallait pas qu'il entende. Son père allait trop loin. Il n'avait pas à entendre ça.

« Eh bien, vis-la donc, ta vie ! Fiche le camp ! Fiche le camp, sacré nom de Dieu ! Fais-le ! Personne ne te retient ! »

Il avait rassemblé ses forces et, dans un dernier effort, éructé :

« *Fiche le camp une bonne fois pour toutes !* »

Keith avait tourné les talons et pris le large.

A présent, il fumait une cigarette, allongé sur son canapé défoncé, et ne savait plus quoi faire. Des scènes comme celle-là, son père lui en avait fait bien d'autres, mais il ne l'avait encore jamais traité de parasite. C'était la première fois qu'il le blessait vraiment. Il était allé trop loin.

Au surplus, il l'avait pour ainsi dire flanqué dehors.

Keith n'avait pas envie de rentrer. Il ne voulait plus se faufiler à travers la cour ou raser les murs de peur que son père ne l'attrape au passage et lui tombe dessus. Il ne voulait plus s'asseoir à la table familiale et sentir peser sur lui le regard courroucé de son père parce qu'il se faisait entretenir, parce qu'il mangeait de la nourriture qui ne lui coûtait rien. Il ne voulait plus être celui qu'on traitait plus mal qu'un chien.

Il voulait partir et ne pas revenir avant d'être un homme accompli.

Seul problème, mais de taille, il n'avait pratiquement pas d'argent.

Il avait trouvé deux billets d'une livre et quelques pièces dans ses poches. En cherchant bien, il avait réussi à dénicher trois livres dans la voiture. Ça lui faisait royalement cinq livres et quelques pence. Comment, avec ça, arriver jusqu'à Londres, payer un hébergement et faire le lien jusqu'à ce qu'il ait trouvé un travail ou un stage d'apprentissage ?

La poisse. La vraie poisse.

Il pensa à Ricarda. A la nuit dernière, quand elle était dans ses bras, pleine d'espoirs, très amoureuse, un peu inquiète. Elle était encore si jeune ! Il l'avait presque oublié jusqu'à ces instants, quelques heures auparavant, où il en avait réellement pris conscience. Quinze ans ! Mon Dieu !

En même temps, elle lui paraissait très forte. Très mature. Elle ne gloussait pas en permanence comme les autres filles de son âge, elle ne délirait pas sur un chanteur ou une chanteuse à la mode, elle ne s'affublait pas de fringues hideuses mais « trop cool ». Sa gravité et son calme lui plaisaient. Peut-être n'était-ce pas de la gravité, plutôt de la mélancolie, parfois aussi de la tristesse. Elle avait vécu des moments difficiles : la séparation de ses parents l'avait traumatisée et il y avait ce clan monstrueux avec lequel elle était obligée de passer ses vacances. Ce qu'elle avait raconté lui paraissait surréaliste, ces six personnes qui se forçaient à jouer la comédie, qui faisaient semblant de s'aimer... Pour lui,

155

ce n'était qu'une bande de détraqués. S'il fallait à tout prix en dire autre chose que du mal, le seul point en leur faveur restait que, sans eux, il n'aurait pas connu Ricarda.

Depuis le début, une idée sur laquelle il redoutait de s'arrêter lui trottait dans la tête. Il osa enfin la laisser s'imposer à son esprit.

Et s'il partait avec Ricarda ?

S'il lui en parlait, elle dirait oui tout de suite, il le savait. Elle n'aspirait à rien plus ardemment qu'à changer de vie. Elle l'aimait, et la seule idée de devoir le quitter à la fin des vacances et vivre plusieurs semaines sans le voir l'emplissait d'effroi. Que pouvait-il y avoir pour elle de plus beau que l'idée de vivre avec lui à Londres dans un petit appartement où ils construiraient ensemble, sans rien demander à personne, une vie à eux ?

Sauf qu'elle n'avait que quinze ans. Keith craignait de s'attirer de gros, de très gros ennuis en partant avec elle, puisque cela pouvait être interprété comme un enlèvement. D'un autre côté, elle devait avoir seize ans début juin, à peu près dans six semaines, donc, et à seize ans, ce n'était déjà plus tout à fait la même chose. Elle n'aurait alors aucune difficulté à trouver un job et elle pourrait ainsi participer aux frais du ménage. S'ils travaillaient tous les deux, ça devrait aller. Il était également possible qu'elle ait un livret de caisse d'épargne ou un compte similaire. Et surtout, il ne serait pas seul. Il aurait quelqu'un avec qui parler, rire et partager des moments de tendresse. Quelqu'un avec qui discuter de ses problèmes et réfléchir à des solutions. Seul à Londres, ça lui faisait un peu peur. Mais avec Ricarda, l'aventure prenait une autre saveur. Le rêve... Et son vieux serait sacrément bluffé.

Il écrasa sa cigarette, se leva et s'approcha de l'ouverture vitrée. Dehors, la cour était vide. Curieux que Ricarda ne soit pas encore là. Mais déjà, la nuit dernière, il avait craint que cette fois elle ne soit allée trop loin. Elle était rentrée extrêmement tard. Pourtant son père lui avait interdit de quitter la propriété. Elle avait dû prendre un super savon et être maintenant coincée dans la maison sans possibilité d'échapper à ses geôliers. Ça le rendait nerveux, surtout aujourd'hui. Mais il la connaissait, plutôt bien même. Il était persuadé que lorsqu'elle voulait réellement quelque chose, elle ne laissait rien se mettre en travers de ses projets. Elle était déterminée. Il ne put s'empêcher de sourire. « Déterminée » était l'adjectif qu'il citerait en premier si quelqu'un lui demandait de décrire Ricarda. Rien ne lui faisait peur. Il appréciait beaucoup ce trait de son caractère.

Il se demanda si « appréciait » était le mot juste. Peut-être était-ce déjà de l'amour qu'il éprouvait, mais il n'aurait pu le dire avec certitude. Ce n'était pas toujours facile de voir clair dans ses propres sentiments.

Il alluma une nouvelle cigarette et tira dessus avec nervosité.

Elle viendrait, il en était certain. Restait à savoir quand.

18

Journal de Ricarda

23 avril bis

Je ne peux pas le croire ! Je ne peux pas le croire ! Je ne peux pas le croire !

Je pourrais hurler, planter mes ongles dans le mur, ou plutôt dans SA figure ! Je voudrais l'entendre crier de douleur, je voudrais la voir se tordre par terre. Je voudrais qu'elle soit malade, qu'elle crève.

Oui : surtout qu'elle CRÈVE !

Je ne crois pas qu'il y ait quelqu'un sur terre que je déteste plus ou qu'un jour je détesterai plus que Patricia. A côté d'elle, J. est un ange tombé du ciel.

Tout à l'heure, je voulais partir. Je ne me suis pas pointée au petit déjeuner parce que je supporte chaque jour un peu moins de voir cette bande de visages glauques et répugnants. Curieusement, papa ne m'avait encore rien dit. J'étais pourtant persuadée que la première chose qu'il ferait en se levant serait de débouler dans ma chambre et de me baratiner sur ce que je dois faire et ne pas faire. Je me disais déjà qu'il avait enfin compris que je me fichais pas mal de ses salades. Je m'apprêtais donc à partir retrouver Keith. J'avais en moi tellement d'amour et de tendresse, et je n'aurais pas tenu plus longtemps sans lui.

J'étais en bas dans l'entrée quand, tout d'un coup, cet immonde insecte venimeux de Patricia a surgi de la salle à manger et planté ses petites griffes dans mon bras. Elle me serrait si fort que je sentais ses ongles à travers ma veste en jean.

Elle m'a tout de suite crié à la figure, d'un ton suraigu : « Où vas-tu ? » Elle était complètement hystérique.

J'ai essayé de me dégager. J'ai une bonne tête de plus qu'elle, mais elle a une force étonnante. J'aurais pu m'en débarrasser, mais je n'ai pas osé lui flanquer un coup de poing dans le ventre ou un coup de pied dans le tibia. Je n'ai rien fait, j'étais comme une coupable arrêtée par la police.

« Où vas-tu ? » Je crois qu'elle a répété ça trois fois tandis que je me tortillais comme un asticot pour dégager mon bras.

J'ai fini par lui dire que ça ne la regardait pas, qu'elle n'avait rien à me dire.

« Alors là, tu te trompes, tu te trompes lourdement ! »

Sa voix était plus aiguë que d'habitude, et ses joues étaient toutes rouges. Elle doit avoir trop de tension. Je me demande encore pourquoi elle s'est mise dans un état pareil pour moi. Mais peut-être qu'elle venait de s'engueuler avec son mec. Peut-être qu'elle voulait qu'il la baise et que comme d'habitude il lui a tourné le dos. C'est vrai que ça doit être merdique comme impression.

Bref. Elle criait toujours. « C'est ma maison, et tout ce qui se passe ici me regarde ! »

Ses ongles me faisaient vraiment mal. Et comme si ça ne suffisait pas, il a fallu que Tim débarque. Il me dégoûte, ce type, avec ses immondes chaussures orthopédiques et sa barbe répugnante.

« Que se passe-t-il ? » a-t-il demandé, dans le style : Faites donc confiance à ce brave vieux Tim ! C'est en tout cas toujours l'impression qu'il donne quand il radote. Il nous parle de haut, comme s'il comprenait toujours tout, et que nous étions tous de pauvres ignares incapables de s'en sortir. Dire qu'il se croit supérieur ! Lui ! ! !

En tout cas, Patricia a continué à crier que j'étais une petite traînée (elle l'a vraiment dit ! même si maintenant elle prétend le contraire, et bien sûr, c'est *elle* que papa croit !) et qu'il fallait maintenant que quelqu'un me reprenne en main, qu'elle ne continuerait pas à tolérer ça. Et ainsi de suite.

Tim a essayé de la calmer. Entre-temps, elle était devenue

carrément violette et il a dû avoir peur qu'elle fasse une attaque et clamse. Personnellement, je trouve que c'est ce qu'elle aurait pu faire de mieux !

Elle a consenti à me lâcher, mais elle a commencé à s'agiter dans tous les sens et naturellement, les autres ont fini par arriver à leur tour : Evelin et J., Léon et ses deux morveuses et finalement même papa, qui avait l'air d'un revenant et n'arrêtait pas de se passer la main sur la figure.

J. a voulu intervenir, elle a dit quelque chose du style qu'elle et papa voulaient me parler sans les autres, mais je lui ai presque sauté à la gorge. Je lui ai dit que moi, en tout cas, je ne voulais pas parler avec elle et que je voulais qu'elle me fiche la paix une bonne fois pour toutes. Peut-être que j'ai dit : « Je t'emmerde ! » Papa n'en démord pas. Je ne m'en souviens plus. Je crois que j'ai seulement dit qu'il fallait qu'elle me fiche la paix. De toute façon, ça ne change rien.

Là, Patricia a piqué sa deuxième crise (la première venait juste de se terminer). C'est à papa, comme d'hab, qu'elle s'en est prise, mais je n'ai quand même pas trop pitié parce que c'est bien lui qui depuis des années la laisse lui dicter ce qu'il doit faire. D'après elle, je suis une enfant complètement dévoyée, très mal partie et ça ne l'étonnerait pas que je tourne mal, du style que je devienne une criminelle. Il faudrait me mettre en pension, peut-être on pourrait encore sauver quelque chose et – et ça c'est quand même sacrément gonflé ! ! ! – *elle se sentait obligée vis-à-vis d'Eléna* de se mêler de cette affaire et d'empêcher que je traîne avec des racailles dont on ne savait pas d'où elles sortaient !

Ça m'a fichue en pétard.

« Mon ami n'est pas une racaille !

— Ah ! Tu avoues que tu as un ami ! a-t-elle dit avec sa voix de crécelle.

— Oui. Et je l'aime énormément !

— Allons, allons... » a fait Tim, cet enfoiré ambulant, et J. a dit doucement : « Mais c'est normal. »

J'ai dit que je voulais partir, mais papa a dit que non, que lui aussi trouvait que maintenant ça suffisait et que je devais rester aujourd'hui à la maison.

«Pas seulement aujourd'hui ! est aussitôt intervenue Patricia, mais cette fois papa l'a ignorée et a parlé seulement à moi.

— Je ne sais plus où tu vas ni ce que tu fais. Tu as un ami ? Très bien, parlons-en. Invite-le ici. J'aimerais faire sa connaissance. »

J'ai seulement réussi à dire que je voulais aller le retrouver et – horreur ! – j'ai senti que j'allais me mettre à pleurer. J'avais les yeux pleins de larmes et mon menton tremblait.

« Tu restes ici aujourd'hui », a répété papa.

Je ne peux pas dire à quel point ça a été horrible. J'étais là, au milieu d'eux, et tous me regardaient. Evelin et J. avaient l'air de compatir, Tim, lui, plutôt de se moquer de moi, et on aurait dit que Léon avait mal à la tête. Diane et Sophie me dévisageaient, trop contentes d'avoir de quoi se moquer de moi le reste de la journée. Papa avait l'air complètement accablé. Moi, j'avais la tête qui tournait et, tout d'un coup, j'ai vu une image. C'était une image très nette, la lumière était crue comme si un éclair avait éclairé une scène qui sinon était dans le noir. L'image, c'était moi avec un revolver, et je tirais dans ces visages. Leurs yeux étaient grands ouverts, du sang coulait de leurs bouches et l'un après l'autre ils tombaient par terre. Plus personne ne me regardait, plus personne n'avait de pouvoir sur moi.

Puis l'image a disparu. Ils étaient toujours là, exactement comme avant, vivants, forts, solides comme un mur.

Je suis passée au milieu d'eux et je suis montée ici, dans ma chambre. J'ai réussi à ne pas pleurer devant eux, mais après, j'ai trop pleuré, de rage et parce que je ne sais vraiment pas quoi faire. Je ne peux pas m'empêcher de penser à maman. Elle les détestait tellement qu'elle a divorcé de papa.

Je pense à Keith. Il doit m'attendre. Il doit sûrement se demander ce qui m'arrive. Je n'en peux plus.

Il faut que je sorte d'ici !

19

Comme elle ne parvenait pas à plier bagage pour rentrer à Londres – « Tu as vraiment cru que tu en serais capable ? » s'était gentiment moquée Lucy, auprès de qui elle s'était épanchée au téléphone –, elle décida de lui parler. Ça ne pouvait plus continuer comme ça. Le manque de clarté de leur situation menaçait de la détruire, ou du moins menaçait de détruire une part essentielle d'elle-même : sa joie de vivre, sa jeunesse, son équilibre. Lucy n'avait eu de cesse de la mettre en garde. Il lui avait fallu des années, mais à présent elle voulait bien croire que son amie avait raison.

Elle était en train de se perdre. La Géraldine d'antan était en train de se dissoudre quelque part entre l'espoir déçu, la vaine attente et un sentiment permanent d'humiliation. Elle se transformait en quelqu'un de triste et de déprimé qui un jour serait reconnaissant de la moindre attention.

« Tu es une femme si jolie, insistait Lucy, et par-dessus le marché, intelligente et sensible ! Il y a des dizaines d'hommes qui seraient prêts à décrocher la lune pour toi. Je t'en prie, Géraldine, renonce avant d'être trop déprimée pour pouvoir encore te secouer.

— Je ne peux pas, Lucy. Je ne peux pas le laisser tomber.

— Tu te démolis ! »

Elles avaient retourné le problème dans tous les sens. Géraldine avait finalement accepté de lui parler pour lui dire comment elle voyait les choses et ce qu'elle désirait.

« Je n'en attends pas de miracle, avait prévenu Lucy, mais on a une petite chance qu'il ne puisse pas faire autrement que de te donner une réponse claire. A condition que tu engages finement la conversation. Il faut qu'il dise comment il envisage votre avenir. Mais il faut aussi que tu sois prête, si ses ambitions ne collent pas avec les tiennes, à en tirer les conséquences. »

C'était ce dont elle avait peur. D'autant qu'elle savait que l'échéance était arrivée. Elle ne pouvait plus différer une explication. Et ce serait peut-être la fin de leur histoire.

Il était parti très tôt, comme presque tous les matins, en quittant la chambre sur la pointe des pieds. Elle était réveillée – ne se rendait-il pas compte qu'il y avait plusieurs nuits qu'elle ne dormait pas ? – mais elle était demeurée immobile et n'avait pas ouvert les yeux. Son indifférence et le naturel avec lequel il l'excluait de sa vie la blessaient. Il allait et venait à sa guise, il l'ignorait comme si elle n'avait pas été là.

La porte à peine refermée derrière lui, elle s'était levée, s'était mise en tenue de sport et était partie faire son jogging. A son retour, elle s'était sentie mieux. Courir lui redonnait toujours confiance en elle.

Elle prit une douche, s'habilla et descendit s'installer dans le modeste hall de réception de l'hôtel, où se trouvaient deux gros fauteuils de cuir marron et une pile de vieux numéros de *Hello*. Elle feuilleta distraitement les magazines. Il n'y avait guère de pages sans une photo de la reine, de ses enfants ou de ses petits-enfants. Les journaux étaient froissés, tachés de graisse, les pages cornées, les recettes de cuisine arrachées ou grossièrement déchirées. Pour une raison obscure, la vue de ces magazines la déprima un peu plus. Peut-être parce qu'ils étaient sales, abîmés et que plus personne ne s'y intéressait.

Exactement comme moi, se dit-elle.

Il revint vers dix heures. Elle comprit tout de suite que le moment ne pouvait pas être plus mal choisi pour entamer une discussion. Phillip n'était pas simplement de mauvaise humeur : il bouillait de colère. On le sentait prêt à tordre le cou à la première personne qui lui donnerait une raison pour cela.

Elle avait beau savoir qu'elle commettait une erreur et qu'elle jouait à un jeu où elle ne pouvait que perdre, elle avait décidé que c'était maintenant qu'elle devait lui parler. Elle s'y était préparée, elle avait répété dans sa tête toute une série de phrases décisives, elle avait rassemblé tout son courage. Si elle ne le faisait pas maintenant, il s'écoulerait des semaines, peut-être même des mois avant qu'elle se décide. Et la tension qui l'habitait la détruirait un peu plus.

— Bonjour, Phillip, dit-elle en se levant.

Il sursauta. Il ne l'avait pas remarquée.

— Ah, Géraldine, c'est toi !

Son désir de la voir se dissoudre dans l'air, disparaître ou au moins lui ficher la paix était presque palpable. Elle se dirigea vers lui.

— On dirait que nous n'arriverons jamais à prendre un petit déjeuner ensemble, continua-t-elle en se forçant à sourire.

— De quoi parles-tu ? Tu ne prends jamais de petit déjeuner !

A voir les plis qui barraient son front, il devait avoir mal à la tête.

— Je prendrai un thé, expliqua Géraldine, sourde à la petite voix qui lui disait de renoncer à son projet. J'aime bien te regarder quand tu manges. Et ce sera l'occasion de pouvoir parler.

— S'il te plaît, Géraldine, je...

Elle ne se laisserait pas repousser, cette fois.

— Nous devons parler, Phillip. C'est important.

— Je ne vois pas de quoi.

— Pourtant, il le faut...

Elle triturait nerveusement la fermeture Eclair de son sac à main.

— Je n'en peux plus. Il faut que je te parle.

— Ce n'est pas le moment.

— Ça ne peut pas attendre.

Il jura à mi-voix et balaya du regard le triste hall de réception.

— Bon. Où veux-tu que nous parlions ? Ici ?

— Plutôt dans la salle à manger. Peut-être y servent-ils encore le petit déjeuner.

— Je n'ai pas faim. Mais un alcool fort ne me ferait pas de mal... On peut dire que tu es douée pour en rajouter quand j'ai déjà des problèmes par-dessus la tête.

Ils se rendirent dans la salle à manger. Géraldine serrait son sac à main contre elle et avait le cœur qui battait comme une collégienne.

La salle à manger était vide. Phillip, dont l'agacement grandissait, dut appuyer trois fois sur la sonnette du comptoir avant qu'une jeune fille boutonneuse ne surgisse de l'arrière-salle.

— C'est trop tard pour le petit déjeuner, annonça-t-elle d'une voix morne et sans la moindre ébauche de sourire.

— Je ne veux pas de petit déjeuner, répondit Phillip. Je veux une bière. Et toi ? fit-il en se tournant vers Géraldine.

— Rien, merci.

Elle regretta aussitôt son refus, avoir une tasse ou un verre à la main lui aurait donné une contenance, mais elle préféra ne rien dire, de peur de passer pour versatile et d'irriter un peu plus Phillip. Elle s'installa à une table dans le coin le plus reculé de la salle et attendit qu'il la rejoigne, une grande chope à la main. Il s'assit en face d'elle et but une longue gorgée de bière.

— Bon, dit-il. Je t'écoute. Qu'est-ce qu'il y a ?

Elle avait mis au point une introduction longue et compliquée, mais elle fut subitement incapable de se souvenir d'un traître mot. Sa tête était vide. Elle ne voyait que Phillip, son visage sombre, le regard noir qu'il posait sur elle, Phillip qu'elle aimait en dépit de tout, et ce qui lui tenait le plus à cœur jaillit soudain.

— Je voudrais qu'on se marie, dit-elle d'un seul jet.

L'instant suivant, elle eut l'impression qu'un nuage noir s'abattait sur elle. Qu'est-ce qui lui était passé par la tête ? Avait-elle perdu la raison ? Phillip reculait devant toute forme d'engagement. Il n'aurait désormais de cesse d'échapper au piège que, grâce à ce qu'elle venait de dire, il voyait se profiler à l'horizon.

Puis à l'abattement du premier instant succéda un calme étrange. Ce n'était pas un sentiment heureux, mais un soulagement, une délivrance. Elle l'avait dit. En six petits mots, elle avait dit ce qu'elle avait prévu d'expliquer en une cinquantaine de phrases bien tournées. Elle avait baissé le masque. Le jeu de cache-cache était terminé.

Elle laissa passer quelques secondes avant d'oser le regarder. Il fixait sa bière, le visage fermé, l'air toujours aussi sombre. Pas le moindre frémissement de joie ou d'élan dans son expression.

Un frisson glacé la parcourut.

Tout ça pour rien. Elle perdait son temps.

Enfin, il leva les yeux.

— Non, dit-il, et j'aimerais que tu ne me parles plus jamais de ça.

Elle ne put s'empêcher d'insister.

— J'ai besoin de perspectives, dit-elle sur un ton suppliant pour lequel elle se détesta. Je ne sais pas comment tu peux vivre sans ; moi, je ne peux pas.

— Je ne peux pas non plus. Et j'aimerais savoir sur quoi tu te fondes pour dire que je n'ai pas de perspectives.

— Eh bien... je... je ne vois pas où te mène ce que tu fais.

— Et parce que tu ne vois rien, tu en conclus qu'il n'y a rien ?

Elle soupira. Elle savait ce qu'il voulait dire. Leurs relations auraient-elles été différentes si la vie de Phillip n'avait pas été dominée par cette obsession ?

— La maison... Pourquoi t'acharnes-tu sur cette maison ? Sur Stanbury ?

Un éclair de vie passa dans ses yeux.

— Tu ne peux pas comprendre.

— Ce que je ne peux pas comprendre, c'est ton entêtement. Qu'est-ce qui t'intéresse ? L'argent ? De toute façon, tant que cette Patricia ne sera pas d'accord, tu ne pourras pas vendre cette baraque. Tout ce que tu risques de gagner, c'est le droit de participer aux frais d'entretien, et vu l'âge de la maison, ça ne doit pas être rien. Et je ne te parle pas des frais de procédure, qui seront forcément énormes et...

Elle s'interrompit en voyant la colère se peindre sur son visage.

— Il ne s'agit pas d'argent, se reprit-elle à mi-voix.

— Non, en effet. Il ne s'agit pas d'argent. Il s'agit de bien plus que ça ! Et c'est parce qu'il s'agit de bien plus que ça que cette garce ne se débarrassera pas de moi ! Elle peut faire l'importante, crier, me flanquer dehors, un jour, je te le dis, un jour je franchirai officiellement le seuil de cette maison la tête haute, et avec le droit pour moi, et elle sera bien obligée de l'accepter !

Ses mains étaient crispées sur sa chope. Il transpirait.

Il est complètement obsédé, songea Géraldine.

— Ce n'est pas avec cette maison que tu vas te rapprocher de ton père, dit-elle à voix haute.

166

Il eut un rire à la fois amer et méprisant.

— Qu'est-ce que tu en sais ? Toi qui as grandi bien au chaud entre ton père et ta mère ? Tu ne sais pas ce que c'est de ne pas avoir de père. Et tout d'un coup tu en as un, et voilà que tu découvres que c'est un super salaud. Mais c'est quand même mon père ! Sacré bordel de merde !

Il donna un coup de poing sur la table.

— *C'est mon père ! Et je veux avoir mon père !*

Il avait parlé très fort. La jeune fille boutonneuse qui se curait les ongles derrière le comptoir sursauta. Géraldine lui fit signe.

— Je pourrais avoir également une bière, s'il vous plaît ? demanda-t-elle d'une voix trop aiguë qui la surprit.

Elle s'éclaircit la gorge.

— Il y a une chose que je ne comprends pas, Phillip, dit-elle, décidée à ne pas se laisser entraîner dans une vaine discussion sur l'utilité ou l'inutilité de s'accrocher à Stanbury. Je ne comprends pas pourquoi tu ne veux pas te marier. Je comprends que tu aies ce... ce projet. Mais ça n'exclut pas notre histoire pour autant. Je veux dire...

Elle cherchait désespérément des arguments susceptibles de le convaincre tout en sachant au fond d'elle-même qu'elle ne parviendrait pas à l'émouvoir.

— Je voudrais des enfants, termina-t-elle. Je voudrais une famille.

Il dessina un cœur de travers dans la buée de sa chope de bière.

— Et une maison avec un jardin, et un chien, et plein de nains de jardin, ajouta-t-il.

Il effaça le cœur qu'il venait de dessiner d'un geste presque rageur.

— Je ne suis pas l'homme qu'il te faut pour ça. Laisse tomber.

— Tu veux rester seul toute ta vie ?

— J'ai déjà été marié. Je n'ai pas trouvé ça drôle du tout.

— Tu étais marié avec une toxicomane ! Qu'est-ce que tu espérais ? Que ce serait la vie en rose tous les jours ?

— J'aimais Sheila et ça n'a tout de même pas marché. Alors avec toi...

Elle sentit le froid l'envahir. Elle devina ce qu'il pensait. Il n'avait jamais rien dit, pourtant, elle comprit à cet instant qu'elle l'avait toujours su.

Elle acheva la phrase qu'il avait commencée :

— Alors avec moi, que tu n'aimes même pas...

La serveuse apporta la bière. Quand elle la posa sur la table, la mousse déborda et glissa le long du verre. Géraldine l'arrêta avec un doigt. Sa main était devenue insensible. Elle ne percevait pas le contact de la mousse.

— C'est vrai, dit Phillip, toi, je ne t'aime même pas.

Elle fut étonnée de pouvoir encore parler alors que dans cette salle à manger d'hôtel sans charme, quelque part dans la campagne du Yorkshire, son rêve, sa vie venaient de se briser et qu'en une phrase elle avait compris que c'était en pure perte qu'elle avait passé toutes ces longues années à espérer. Une odeur de bière flottait dans l'air. Toute sa vie elle associerait cet instant à l'odeur de la bière et à l'image d'une jeune serveuse boutonneuse qui se curait les ongles avec application.

— Tu ne penses pas que tu aurais dû me le dire plus tôt ? demanda-t-elle.

— J'ai toujours cru qu'il n'y avait pas d'ambiguïté.

20

Jessica traversait le hall quand le téléphone sonna.

L'altercation entre Patricia et Ricarda terminée, chacun était retourné à ses occupations. Alexander avait disparu dans la chambre. Jessica avait hésité quelques minutes devant la porte fermée. Elle voulait lui parler, mais en même temps elle savait qu'elle n'aurait pas le courage de lui dire ce qu'elle avait sur le cœur.

Je t'ai entendu ce matin au téléphone avec Eléna. Pourquoi me mens-tu ? Et de quoi parles-tu avec elle dont tu ne peux pas parler avec moi ?

De quoi ai-je peur ? se demanda-t-elle. Qu'il invente un nouveau mensonge pour se justifier ? Qu'il me dise la vérité ? Ou bien les deux seraient-ils également insupportables ?

Comme elle ne parvenait pas à se décider à frapper, elle se dirigea vers l'échelle qui permettait d'accéder à l'étage des enfants et commença à gravir les barreaux. Elle éprouvait un réel besoin de prendre Ricarda dans ses bras, de lui dire qu'elle la soutenait, que le comportement de Patricia était inadmissible. Là aussi elle s'arrêta à mi-chemin. Elle n'osa pas aller au bout de son geste, de peur de la réaction de Ricarda.

Elle redescendit les premiers barreaux à reculons.

Nous sommes une merveilleuse petite famille ouverte et heureuse, se dit-elle sans que même un sourire cynique effleure ses lèvres.

Le téléphone sonna alors qu'elle venait de regagner le rez-de-chaussée. Elle décrocha et se présenta :

— Jessica Wahlberg à l'appareil.

— Eléna Wahlberg, répondit une voix à l'autre bout de la ligne. Bonjour, Jessica.

— Bonjour.

— J'aurais aimé parler à Ricarda. Vous savez, je me fais un peu de souci. D'habitude, elle m'appelle de temps en temps quand elle part pour plusieurs jours. Mais elle ne m'a pas encore téléphoné depuis le début des vacances. J'espère que tout va bien.

Elle ne veut pas me dire non plus qu'Alexander lui a téléphoné, comprit Jessica, et que c'est uniquement pour ça qu'elle appelle.

Elle décida de ne surtout pas accorder à Eléna la satisfaction de croire qu'elle et Alexander avaient des secrets l'un pour l'autre.

— Alexander vous a sûrement expliqué ce qui se passait quand vous vous êtes parlé ce matin au téléphone, dit-elle.

Elle enregistra le temps d'arrêt marqué par Eléna. Apparemment, elle ne s'attendait pas que Jessica soit au courant.

— Oui. Ricarda a un petit ami, c'est ça ? Et elle n'écoute plus rien ni personne.

— Mon Dieu, répondit Jessica avec humeur, je ferais la même chose à sa place ! Elle est amoureuse d'un garçon et a envie de passer le plus de temps possible avec lui. Je ne vois pas ce qu'il y a d'extraordinaire à ça. Mais il y a des gens ici chez qui ça déclenche de véritables crises d'hystérie, sans doute parce que...

Elle s'interrompit. Elle ne voulait pas critiquer les amis d'Alexander devant Eléna.

Mais Eléna avait compris. Elle rit.

— Parce que ce petit groupe combat toute manifestation d'individualisme, dit-elle. Ricarda n'a pas envie de passer des après-midi entiers à regarder les filles de Patricia tourner en rond sur leurs poneys et elle n'a aucun goût pour les longues soirées devant la cheminée au milieu de tous les autres. Ça la rend hautement suspecte !

— J'appelle Ricarda.

Elle remarqua Patricia, qui venait d'apparaître sur le palier du premier étage.

— Patricia ! Peux-tu demander à Ricarda de venir au téléphone ?

Patricia monta aux combles.

— Elle n'est pas dans sa chambre ! cria-t-elle presque aussitôt du deuxième étage.

Oh non, pourvu qu'elle ne soit pas partie, songea Jessica avec lassitude.

— Elle doit être sortie, expliqua-t-elle dans l'appareil. Mais je lui dirai de vous rappeler.

— Si elle en a envie. Je ne voudrais pas ajouter encore à la pression... Je suis heureuse que vous pensiez comme moi, Jessica, reprit-elle après une courte pause. Je sais ainsi qu'il y a au moins une personne censée auprès de Ricarda.

Puis elle prit congé et raccrocha avant que Jessica ait eu le temps de répondre.

Jessica reposa le combiné. Bizarre que Patricia ne soit pas déjà en train de mettre la maison sens dessus dessous parce que Ricarda n'était pas dans sa chambre.

Mais non, aucun bruit ne parvenait de l'étage.

Elle se rendit dans la salle à manger et regarda le jardin par la fenêtre. Diane et Sophie jouaient au badminton. Tim lisait, assis sur un petit mur. Elle découvrit Ricarda sur un banc un peu à l'écart, emmitouflée dans son pull-over trop grand. Son visage parut à Jessica anormalement pâle et amaigri. Il y avait plusieurs jours qu'elle ne partageait plus les repas de Stanbury House. Mangeait-elle chez son ami ? Sans doute était-ce le cadet de leurs soucis.

Elle aurait aimé la rejoindre, s'asseoir à côté d'elle sur le banc, lui parler. Mais cette fois non plus, elle n'osa pas.

Plus tard, il arriva souvent à Jessica de penser que le drame qui devait se jouer ce soir-là s'était noué tout au long de la journée. Il menaçait depuis le matin et avait enflé au fil des heures, inexorablement, comme un orage qui se rapproche.

Personne ne semblait en forme.

Elle avait découvert Evelin et Barney dans la cuisine. Evelin était assise à la table ; elle avait mangé la totalité des ingrédients prévus pour le repas de midi. Barney, qui se léchait les babines à côté d'elle, devait avoir eu sa part du festin. Elle eut une telle peur quand Jessica ouvrit la porte que le verre de vin blanc qu'elle portait à ses lèvres lui échappa. Elle fondit en larmes.

— J'ai tout mangé. J'ai tout mangé, répétait-elle entre deux sanglots. Je ne sais pas comment c'est arrivé. Je voulais prendre un petit morceau de fromage... Et... Mais qu'est-ce qu'on va faire, maintenant ?

— Nous allons vite au village pour faire quelques courses, dit Jessica, qui ramassa les morceaux de verre avec un balai et une pelle, puis épongea le vin avec une serpillière. Ce n'est pas bien compliqué.

Avant de partir, Jessica s'assura que Ricarda était toujours sur le banc. Elle pria intérieurement pour qu'elle ne tente pas de fuguer. Il y avait déjà une telle tension dans l'air... D'ailleurs, Alexander n'était pas réapparu. Cela faisait des heures qu'il était enfermé dans la chambre. Il s'était probablement allongé.

A la supérette du village, assez bien approvisionnée pour un dépannage de première nécessité, elles rencontrèrent Mme Collins, la femme de ménage, qui buvait un thé avec sa sœur en commentant les derniers potins du jour. Elle voulut aussitôt savoir comment tout le monde allait, puis sans reprendre son souffle elle se lança dans de longues excuses pour avoir laissé ce *sinistre individu*, comme elle l'appelait, entrer dans la maison.

— Mais comment aurais-je pu me douter qu'il me mentait avec un tel aplomb ? s'exclama-t-elle. Ça ne viendrait à l'esprit de personne !

— Rassure-toi, intervint sa sœur, je ne pense pas que quiconque ait l'intention de te reprocher quelque chose.

Jessica songea qu'il était heureux que les deux femmes n'aient pas eu vent de toutes les injures que Patricia avait pu déverser.

— Il ne s'est rien passé de bien méchant, coupa-t-elle. N'en parlons plus.

— Tout de même, j'aimerais bien savoir ce que ce bonhomme voulait, reprit Mme Collins. Au reste, il n'a toujours pas quitté le village. Il est au Fox and The Lamb. On l'aperçoit de temps en temps. Un type drôlement louche. Et vous avez vu dans quel état il est ?

Tu ne l'as pas trouvé aussi louche quand tu l'as laissé entrer dans la maison, songea Jessica. Elle n'avait pas l'intention de

172

satisfaire la curiosité de Mme Collins quant aux raisons du séjour de Phillip à Stanbury et, d'un regard, elle imposa le silence à Evelin, qui ouvrait déjà la bouche pour répondre. Les deux pipelettes découvriraient bien assez vite ce qu'elles voulaient savoir.

Elles achetèrent des pommes de terre, des petits oignons blancs et un concombre pour préparer une salade de pommes de terre, ainsi que vingt saucisses.

— Ce sera rapide à faire et personne ne se rendra compte de rien, assura Jessica.

En sortant du magasin, elles virent Phillip qui se dirigeait à grands pas vers la supérette. Son pull-over paraissait de jour en jour plus feutré et il semblait toujours ignorer à quoi servait un peigne. Jamais Jessica ne lui avait vu un air aussi sombre.

— Encore lui, observa Evelin en se précipitant vers la voiture pour l'éviter.

Jessica le héla.

— Phillip !

Il leva les yeux.

— Salut, répondit-il sans se départir de son air lugubre.

Jessica ébaucha un geste en direction du magasin.

— J'attendrais un peu avant d'y aller. Mme Collins est à l'intérieur... la femme de ménage que vous avez embobinée pour entrer dans la maison.

— Je n'ai embobiné personne, répliqua-t-il d'un ton brusque. Je n'en ai pas besoin, figurez-vous. Parce que je suis dans mon droit. Parce que Stanbury House m'appartient autant qu'à cette petite garce qui se donne de grands airs. Mais je lui conseille de faire attention à ne pas pousser ma patience à bout !

Il poursuivit son chemin et ouvrit la porte du magasin avec une telle violence que les deux sœurs durent croire à un hold-up.

— Je ne sais pas, mais... il me met vraiment mal à l'aise, dit Evelin quand elles furent dans la voiture. Il est si... exalté. On le sent prêt à tout.

— Il a du mal à mettre de l'ordre dans son existence, expliqua Jessica, et il s'est persuadé que c'était lié à ces longues années sans son père.

En quelques mots, elle raconta à Evelin l'enfance de Phillip.

— Il pense qu'accéder à l'héritage de Kevin McGowan sera

pour lui un moyen symbolique de retrouver son père et de pouvoir conclure une paix avec lui. Il espère que ses difficultés s'évanouiront et qu'il réussira enfin à faire quelque chose de sa vie.

— S'il croit que ça va marcher comme ça, il se fait des illusions.

— Ça nous arrive à tous de nous accrocher à des chimères quand on ne sait plus comment s'en sortir.

— C'est vrai. Ça nous arrive à tous. Mais nous sommes toujours conscients que nous nous racontons des histoires.

Jessica lui jeta un regard de côté. Evelin, les lèvres serrées, fixait la route à travers le pare-brise.

Ricarda participa au déjeuner. Elle ne mangea cependant presque rien et ne prononça pas un mot de tout le repas. Patricia ne cessait de la regarder. Jessica eut l'impression qu'elle guettait quelque chose, qu'elle l'épiait, mais elle se dit que ce devait être le fruit de son imagination. Cela tenait assurément à l'ambiance détestable qui régnait autour de la table. Chacun paraissait absorbé par ses pensées et, à en juger par la mine des uns et des autres, personne n'avait trouvé matière à se réjouir.

Après le déjeuner, Diane et Sophie, qui avaient apparemment décidé de se consoler de la perte de leurs chères heures d'équitation en s'adonnant à une autre activité sportive, reprirent leur tournoi de badminton dans le jardin. Ricarda regagna son banc, se ferma sur elle-même et, par son expression, donna à comprendre à tout un chacun qu'elle souhaitait être seule. Patricia s'installa sur la terrasse à côté de Léon et commença à discourir avec cette véhémence qui donnait l'impression qu'elle voulait à toute force faire entrer ses idées dans le cerveau de son interlocuteur.

Evelin proposa de laver la vaisselle et de ranger la cuisine. Jessica, qui se doutait qu'elle voulait finir les restes en cachette, la laissa seule.

Elle-même ne savait toujours pas quelle attitude adopter envers Alexander. Elle ne voulait pas s'abaisser à lui faire une scène de jalousie et depuis le matin elle s'efforçait de donner le change, mais elle savait qu'elle ne pourrait pas éternellement faire comme s'il ne s'était rien passé. Elle regrettait d'avoir joué son jeu. Au lieu de faire semblant de sortir de la chambre, avant de lui donner l'occasion de mentir, avant que l'incident prenne ces proportions, elle aurait dû descendre le rejoindre et lui demander le plus naturellement du monde s'il y avait un problème particulier pour qu'il téléphone si tôt à Eléna. Elle n'en serait pas à tourner ainsi autour du pot et à avoir des crampes d'estomac à force de se poser des questions.

Elle songea soudain que plus rien ne serait comme avant. Elle se raisonna, s'exhorta à ne pas dramatiser, mais au fond d'elle-même elle savait que c'était vrai.

Alexander jouait aux échecs avec Tim dans le salon, ce n'était donc pas maintenant qu'elle pourrait lui parler. Elle appela Barney et sortit. Elle marcha jusqu'à l'endroit où elle avait repêché le chien dans l'eau et fait la connaissance de Phillip, mais ce jour-là personne ne vint la rejoindre sur la colline. Elle fouilla la campagne du regard sans découvrir le moindre promeneur solitaire. Dans un premier temps, elle en conçut une légère déception, ou plutôt une sorte d'étonnement, parce qu'elle avait pensé que Phillip serait là, puis elle fut soulagée. Lors de leur brève rencontre devant la supérette du village, il était apparu d'humeur massacrante, à la fois en colère, agressif et sans doute aussi désemparé. Elle tenta de se mettre à sa place, d'imaginer ce qu'il vivait. Peut-être était-ce ce matin-là qu'il avait pris conscience qu'il ne parviendrait jamais à discuter avec Patricia et que tout espoir d'un accord à l'amiable s'était effondré. Maintenant que seule s'ouvrait devant lui la voie juridique, longue, complexe et onéreuse, il devait se demander comment il allait financer tout cela. En même temps, il avait trop investi dans ce rêve pour qu'il soit encore temps d'y renoncer, ce qui, de l'avis de Jessica, eût été, dans sa situation, la décision la plus raisonnable. Comment réagissait-on quand on avait si peu d'espoir ?

Elle eut un mauvais pressentiment.

Elle souhaita ardemment que ce séjour se termine, qu'ils rentrent tous chez eux, mais presque aussitôt elle songea que la fin des vacances ne résoudrait pas son problème avec Alexander.

Après une matinée fraîche, le temps beau et chaud de la

semaine précédente s'était réinstallé. Le ciel était désormais presque uniformément bleu et le vent froid avait cédé la place à une brise légère. Jessica enleva son pull-over. Son tee-shirt collait à son dos moite et elle avait le visage en sueur.

Elle reprit la direction de Stanbury House, où elle arriva épuisée. Une paix factice régnait sur la propriété. Hormis Tim et Alexander toujours plongés dans leur partie d'échecs, Léon, Evelin, Patricia, les enfants : tout le monde était dehors. Ils ne donnaient pas l'impression d'être heureux du soleil et des vacances, mais plutôt de respecter les instructions d'un metteur en scène invisible qui leur aurait demandé d'être gais, légers et détendus. Chacun, Ricarda exceptée, s'appliquait à faire de son mieux. Personne ne parvenait à être convaincant. Evelin encore moins que les autres. Elle avait opté pour l'arbitrage du match de badminton de Diane et Sophie, et clopinait lourdement de-ci de-là, incapable de suivre le volant. Ses efforts pour rire et pour prendre le ton passionné d'un commentateur sportif enthousiaste étaient pathétiques.

Jessica donna à boire à Barney dans la cuisine, remplit sa gamelle, puis se rendit dans la salle à manger, dont deux murs étaient couverts de livres. S'il existait tant de documents sur Kevin McGowan, ce serait bien le diable s'il n'y avait rien dans sa bibliothèque personnelle. Elle avait misé juste. Plusieurs dossiers reliés contenaient des articles qu'il avait publiés, la plupart concernant la question de l'Irlande du Nord. Un classeur réunissait des documents sur lui, des articles, des interviews, des portraits. Certains étaient assortis de photos. Jessica s'en empara avec avidité. Si Phillip était son fils, il devait un tant soit peu lui ressembler. Les traits de Kevin McGowan et ceux de Phillip avaient indéniablement quelque chose de commun. Toutefois, elle n'était pas certaine que la similitude lui serait apparue avec la même évidence si elle ne l'avait pas cherchée. C'était facile de s'illusionner.

Elle découvrit un livre de poche dont l'auteur était Kevin McGowan lui-même. Le titre était étonnamment poétique : *Tout est passé si vite...* Le sous-titre : *Ma vie,* indiquait le récit autobiographique. Voilà qui était intéressant. Phillip aurait pu puiser nombre d'informations dans un livre de ce genre.

Elle se prépara un thé, étala ce qu'elle avait trouvé sur la table de la salle à manger et s'installa. Elle but une gorgée de thé et ouvrit l'autobiographie. Ses yeux couraient le long des pages. Elle avait l'habitude de lire vite et d'aller à l'essentiel.

Kevin McGowan s'attachait à décrire son parcours professionnel, son ascension au sein de la BBC, ses grands reportages, ses voyages, ses interviews de personnalités politiques. Jessica fut surprise. Apparemment, les portes des plus grands de ce monde s'étaient ouvertes sans guère de difficultés devant lui. Il s'était entretenu avec le shah d'Iran, avec plusieurs présidents américains, avec le secrétaire général du syndicat polonais Solidarność, avec Fidel Castro... Certaines de ses contributions lui avaient valu les plus hautes distinctions journalistiques. Il avait joui outre-Manche d'une immense popularité. Quoiqu'il se fût aussi, ainsi qu'il le soulignait lui-même, attiré quelques solides inimitiés, en raison notamment de ses supposées sympathies pour l'IRA, dont il ne condamnait pas suffisamment les exactions. Nulle part dans son récit McGowan n'apportait sa propre version des faits ou ne se justifiait. Il était impossible de savoir quelle avait été sa position.

Il ne réservait à sa vie privée que deux chapitres, l'un intitulé « En France », l'autre « En Allemagne ». Il rapportait combien il avait souffert, jeune homme, de ne pouvoir se battre contre Hitler, et il évoquait les jours et les nuits passés à réfléchir à une autre façon d'agir. Il avait pris des risques insensés pour entrer en contact avec un réseau de résistants français via les îles Anglo-Normandes, puis pour entrer clandestinement en France, où il avait vécu sous un faux nom. Il relatait quelques épisodes rocambolesques, puis en arrivait à sa rencontre avec Patricia Kruse, une jeune Allemande. Son récit était pudique et empreint de retenue, mais on devinait à travers les lignes combien les deux jeunes gens avaient été épris. Ils s'étaient aimés au péril de leur vie, avaient défié tous les dangers pour passer ne serait-ce que quelques heures ensemble. Ils avaient failli se faire prendre plusieurs fois, ce qui se serait soldé pour elle par la déportation et pour lui par le poteau d'exécution.

177

A propos de la fin de la guerre, McGowan écrivait :

C'était terminé, enfin. L'enjeu, désormais, était de réussir le retour à la vie normale. Malheureusement, Patricia et moi ne parvînmes pas à sauver nos sentiments. Ce que nous avions pris pour de l'amour était sans doute plus une sorte d'exaltation romanesque liée au sentiment de vivre en permanence sur le fil du rasoir. Nous savions que chaque nuit que nous passions ensemble était un jeu avec la vie. Et jamais nous n'avons partagé une seule minute sans guetter des éclats de voix dans la rue, le crissement de pneus, ou le bruit de pas qui se rapprochaient. Nous n'avons jamais connu un seul moment d'insouciance. Il nous était arrivé de rêver au bonheur de vivre libres et en paix. A présent que la liberté et la paix nous étaient accordées, nous ne savions comment les faire vivre avec nous...

Dans un premier temps, nous nous sommes établis à Londres, où nous nous sommes mariés et où j'ai commencé à faire des reportages pour la télévision. Mon rôle actif au sein de la Résistance m'ouvrait toutes les portes. Malheureusement, Patricia ne parvenait pas à s'adapter. Dès qu'il fut connu qu'elle était d'origine allemande, son quotidien fut empoisonné par les manifestations d'hostilité. Londres avait beaucoup souffert de la guerre. Les bombes allemandes avaient détruit ou réduit en cendres des pans entiers de la ville. Une grande partie de la population vivait dans des conditions précaires. Les films tournés par les troupes britanniques dans les camps de concentration allemands commençaient à être rendus publics et ce que l'on découvrit alors dépassait en horreur tout ce que l'on avait pu imaginer. Au surplus, de nombreuses familles anglaises pleuraient la perte d'un ou plusieurs proches morts au combat. Non, dans l'Angleterre de l'après-guerre, Patricia ne pouvait se faire une place. Elle était malheureuse, son pays lui manquait. J'avais espéré que la naissance de notre fils Paul, fin 1946, l'aiderait à reprendre pied et à s'épanouir, mais il n'en fut rien. Sa tristesse et son isolement perdurèrent. Je compris que nous ne pouvions plus continuer ainsi.

En janvier 1949, nous partîmes nous installer en Allemagne, à Hambourg, dont Patricia était originaire. A cette époque, partout en Allemagne, de nouvelles villes émergeaient des ruines, et l'heure était à la dénazification. En d'autres termes, ceux qui étaient convaincus de nazisme étaient traduits en justice, et, pour le reste, chacun était très soucieux de nier toute implication personnelle ou de protester de son innocence. Mon engagement au sein de la Résistance s'avéra ici aussi un précieux sésame ; je trouvai rapidement à m'employer comme journaliste politique auprès d'une station de radio. Tout aurait pu s'arranger. Patricia avait retrouvé ses parents, ses frères et sœurs, ses amis d'enfance. Personne ne lui manifestait d'hostilité. Paul devenait un enfant superbe. Pour ma part, je m'acclimatai sans grandes difficultés à ma nouvelle vie et nouai des liens amicaux parmi nos ennemis d'hier.

Cependant, en Allemagne comme en Angleterre, notre malaise ne voulut pas cesser. Étaient-ce uniquement le drame quotidien de la guerre, la permanence du danger, les risques fous que nous prenions qui avaient enflammé notre amour, nourri la passion que nous éprouvions l'un pour l'autre ? Nous en discutions pendant des heures, jusqu'au jour où nous ne fîmes que répéter les mêmes phrases. Seul demeurait entre nous un vide que nous ne parvenions pas à combler. Nous étions encore jeunes, nous ne voulions pas entraver les sentiments que l'un de nous pourrait un jour éprouver pour quelqu'un d'autre. Nous divorçâmes en avril 1953, sans haine, très amicalement et très tristement. Je retournai en Angleterre, Patricia resta à Hambourg avec Paul.

Aucun de nous deux ne devait jamais se remarier.

Là s'achevait la partie intime des souvenirs de Kevin McGowan. Jessica eut beau chercher, avancer dans le récit, revenir en arrière, nulle part elle ne trouva mention d'une autre relation amoureuse, et a fortiori de la naissance tardive d'un second fils.

Les articles de presse étaient eux aussi muets sur le sujet. Si la mère de Phillip avait existé dans la vie de Kevin McGowan, elle avait été son secret le mieux gardé. Jessica dut reconnaître que Tim avait raison : toutes les informations que possédait Phillip sur son supposé père étaient publiques et ne pouvaient donc pas être considérées comme des preuves. Jessica n'avait rien appris de lui qu'elle n'eût trouvé elle-même dans les mémoires de McGowan ou la documentation le concernant.

Elle se sentait déprimée d'avoir passé des heures à chercher sans bien savoir ce qu'elle cherchait ni pourquoi elle cherchait. Voulait-elle trouver une preuve susceptible d'étayer les dires de

Phillip ? Voulait-elle l'aider ? En tout cas, une chose était sûre, elle ne pouvait lui être d'aucune aide.

Au fond, tout ça ne me regarde pas, se dit-elle.

Si son zèle de l'après-midi avait eu pour but de la distraire de ses propres problèmes, elle n'avait pas complètement échoué. L'entretien téléphonique entre Alexander et Eléna était passé au second plan. Il est vrai que le souvenir de la scène du matin ne la tourmentait qu'avec plus de vigueur. Bon petit soldat, elle s'efforça de se raisonner et de dédramatiser.

Alexander et Eléna étaient restés mariés quinze ans. C'était long, quinze ans.

Elle, il ne la connaissait que depuis deux ans, et il y avait juste un an qu'ils étaient mariés. Peut-être Alexander avait-il besoin de plus de temps pour se confier à elle. Peut-être ne s'était-il confié à Eléna qu'au bout de quatre, voire cinq années de vie commune. Peut-être ferait-il de même avec elle. Eléna avait un temps d'avance sur elle, le privilège de l'ancienneté, en somme. Objectivement, c'était bien la seule chose que Jessica n'eût pas.

Restait le mensonge. Il était possible qu'il ait cru s'attirer des ennuis en reconnaissant avoir téléphoné aussi tôt le matin à son ex-femme. Sans doute n'y avait-il rien derrière ce piteux mensonge que l'espoir ne pas avoir à fournir d'explication ou de s'épargner d'éventuels reproches. Il n'empêche qu'il n'aurait pas dû mentir. Les mensonges n'avaient pas leur place dans une relation harmonieuse.

Il faut que je lui parle, se dit-elle, si difficile et désagréable que ce soit. Si je ne lui parle pas, je porterai éternellement ce poids avec moi. Et je n'aurai jamais l'esprit tranquille.

Elle décida de favoriser un tête-à-tête avec lui après le dîner. Elle pourrait lui proposer une promenade dans le parc. Ainsi serait-elle assurée que personne ne saurait rien de leur conversation.

21

— Il y a une chose dont j'aimerais vous parler, commença Patricia lorsqu'ils eurent fini de dîner. Vous voulez bien venir au salon avec moi ?

Ils avaient tous participé au repas, mais presque aucun mot n'avait été échangé. Seuls le choc des couverts sur les assiettes, quelques raclements de gorge ou un glouglou discret quand quelqu'un se servait du vin avaient troublé le silence. Il avait flotté dans l'air une telle agressivité que n'importe quel visiteur impromptu serait parti en courant.

— Alexander et moi avions projeté de sortir marcher un peu, objecta Jessica.

Elle supposait que Patricia voulait encore leur édicter quelques ordres concernant la meilleure manière de traiter Phillip Bowen et elle n'avait aucune envie de consacrer ne serait-ce qu'une minute au sujet.

— Nous pourrons sortir après, observa Alexander.

— J'aurais parié que tu allais dire ça, soupira Jessica.

Patricia se leva.

— Diane et Sophie, vous allez jouer dans le jardin, ordonna-t-elle à l'adresse de ses filles. Vous autres, suivez-moi.

— Pas moi, dit Ricarda.

C'étaient les premiers mots qu'elle prononçait depuis des heures.

— *Toi*, tu fais comme tu veux, commenta Patricia en accentuant son intonation.

Ricarda haussa les épaules et resta assise tandis que les autres se levaient et suivaient Patricia au salon.

Dix minutes, se dit Jessica. Je lui accorde dix minutes. Et je fais de ma soirée ce que j'avais prévu.

Ils prirent place devant la cheminée, certains avec leur verre de vin à la main. Jessica se tenait en équilibre sur l'extrême bord de son fauteuil. Prête à partir. Elle sentait une menace diffuse se rapprocher.

— Il y a une chose dont j'aimerais vous parler, dit à nouveau Patricia. Il se trouve en effet que j'ai fait aujourd'hui une découverte qui m'inquiète au plus haut point. Je me suis demandé si je... Bref, j'en suis arrivée à la conclusion que cela nous concernait tous.

Accouche, s'impatienta Jessica.

— Ça concerne Ricarda, poursuivit Patricia.

Voyant Alexander qui ouvrait la bouche pour intervenir, elle l'arrêta d'un geste de la main.

— Non ! Ce n'est pas notre sujet habituel. Il s'agit d'autre chose. C'est... beaucoup plus grave. Et je le répète, ça m'inquiète au plus haut point.

Tim soupira.

— De quoi s'agit-il, Patricia ? Tu veux en venir au fait ? On a un temps magnifique, ce soir, et je crois que nous avons tous envie de sortir.

Patricia se dirigea vers le petit placard où étaient conservés les alcools. Elle l'ouvrit et, de derrière les bouteilles, elle tira un cahier. Un gros cahier d'écolier, vert, à la couverture un peu défraîchie.

— Voici ce que j'ai trouvé ce matin dans la chambre de Ricarda.

Tous regardaient Patricia. Jessica se redressa, prête cette fois à bondir.

— Ne me dis pas que... commença-t-elle.

Alexander l'interrompit en posant la main sur son bras.

— Laisse-la continuer.

Patricia s'assit parmi l'assemblée et ouvrit le cahier. Toutes les lignes des pages étaient couvertes d'écriture. Le cahier était presque plein.

— C'est un journal intime, expliqua-t-elle. Le journal intime de Ricarda.

— Comment as-tu pu fouiller dans ses affaires ? interrogea Jessica, atterrée.

— Je me suis trouvée ce matin par hasard dans sa chambre. Ne m'y avais-tu pas envoyée, Jessica ? Je crois qu'on demandait Ricarda au téléphone, je me trompe ? Eh bien, elle n'était pas dans sa chambre.

— Ce n'est pas une raison pour fouiller dans ses affaires !

— La question n'est plus là. Ce qui importe, c'est ce que j'ai découvert. Il faut que vous écoutiez ça. Alexander, je suis convaincue que ta fille a besoin de se faire soigner.

— Alexander !

Jessica se retint de prendre son mari par les épaules et de le secouer.

— Alexander ! Tu ne peux pas la laisser nous lire le journal de ta fille ! C'est une trahison ! Ça va tout détruire entre vous !

— J'aimerais savoir ce que Patricia trouve si préoccupant, dit Alexander, blême.

Patricia ouvrit une page tout à la fin du cahier.

— Rien que le dernier passage ! Ça date d'hier. Je vous en livre un petit extrait : « ... je voudrais les voir se tordre par terre. Je voudrais qu'ils soient malades, qu'ils crèvent. Oui : surtout qu'ils CRÈVENT[1] ! » C'est de nous qu'elle parle. De nous tous.

Jessica se leva.

— Et ça t'étonne ?

— Jessica !

La voix d'Alexander claqua comme un coup de fouet.

— Fais attention à ce que tu dis !

Patricia poursuivit sa lecture :

— « ... *cet immonde insecte venimeux...* » C'est moi qu'elle décrit comme ça. Et un peu plus loin : « Tim a essayé de la calmer [...] il a dû avoir peur qu'elle fasse une attaque et clamse. Personnellement, je trouve que c'est ce qu'elle aurait pu faire de mieux ! » C'est toujours de moi qu'il s'agit.

— Je refuse d'en entendre plus ! s'exclama Jessica.

---

1. En allemand, les pronoms et adjectifs personnels *elle*, *la* et *ils* sont identiques ; seul le contexte permet de les différencier. Patricia joue de cette ambiguïté pour servir son propos. *(N.d.T.)*

Elle se tenait debout devant la cheminée. Elle avait la tête qui tournait, et ça n'avait rien à voir avec sa grossesse.

— Attends, dit Patricia, il faut absolument que tu écoutes encore ça. Pour que toi aussi tu finisses par reconnaître qu'on a affaire à une psychopathe. A une *dangereuse* psychopathe ! « Moi, j'avais la tête qui tournait, lut-elle en s'appliquant à prendre un ton dégoûté, et tout d'un coup, j'ai vu une image. [...] L'image, c'était moi avec un revolver, et je tirais dans ces visages. Leurs yeux étaient grands ouverts, du sang coulait de leurs bouches et l'un après l'autre ils tombaient par terre... » Charmante, cette petite scène, non ? Au cas où vous n'auriez pas compris, c'est encore de nous qu'il s'agit.

— Mon Dieu, murmura Evelin, horrifiée.

— Gros potentiel agressif, observa Tim en affectant l'air pensif du praticien compétent.

Jessica explosa.

— Mais vous avez tous perdu la raison ou quoi ? Tim, au lieu d'analyser Ricarda, tu devrais d'urgence t'interroger sur l'état mental de tous les gens ici présents ! Ce que vous faites est inacceptable ! Il est inacceptable *qu'elle lise* et il est inacceptable que *vous l'écoutiez* ! D'ailleurs, beaucoup de ce qui se passe ici est inacceptable, et je commence à avoir l'impression de vivre au milieu d'une bande de névrosés !

— Jessica ! l'avertit Alexander une seconde fois.

Jamais il n'avait eu pour elle un ton aussi dur.

— Ah, au fait, reprit Patricia en tournant à nouveau les pages, juste pour que tu comprennes que mes craintes étaient fondées... Ecoute ça : «... j'ai dit oui, bien sûr, alors il l'a fait... » Juste une petite explication : c'est d'un jeune homme prénommé Keith qu'elle parle, et de ce qu'ils ont fricoté, récemment, une nuit, dans une grange abandonnée... « J'éprouvais un sentiment tellement fort, un sentiment d'amour, la certitude que je lui appartiendrai toujours, que j'étais faite pour lui et... »

Elle affectait cette fois de minauder.

Jessica bondit et lui arracha le cahier des mains.

— Ricarda a raison ! lui jeta-t-elle, livide de colère. Complètement raison ! Tu es un immonde petit insecte venimeux ! Tu es une...

— Jessica !

Cette fois, l'avertissement claqua comme un coup de pistolet. Jessica regarda son mari. Ses yeux étaient emplis de colère... Si cela ne lui avait paru absurde, elle aurait cru y lire de la haine.

— Ça suffit, maintenant !

— Mais...

— J'ai dit : ça suffit !

Il se tourna alors vers les autres.

— Excusez-la. Jessica est très chamboulée en ce moment. Nous aurions préféré vous l'annoncer à un autre moment, mais de toute façon vous l'auriez appris, et ça explique beaucoup de choses : Jessica est enceinte. Nous attendons un bébé pour octobre.

Nous attendons un bébé pour octobre.

La phrase resta en suspens dans le silence de mort qui s'était abattu sur l'assemblée.

Jessica, dans un état second, enregistra plusieurs choses à la fois : Evelin qui blêmit au point que même ses lèvres perdirent leur couleur et dont le verre de vin commença à trembler si fort qu'elle crut qu'il allait tomber.

Patricia, qui eut l'air surprise – pas bouleversée ni déstabilisée, mais très surprise.

Tim, qui pour une raison inexplicable souriait d'un air supérieur.

Léon, qui un instant auparavant avait l'air ailleurs et qui continuait à avoir l'air ailleurs.

Alexander, qui s'était levé et regardait ses amis en implorant leur compréhension et leurs excuses.

Et sur le seuil du salon, à son grand désarroi, Ricarda, plus maigre que jamais – *elle a réellement beaucoup maigri ces derniers temps*, pensa Jessica –, qui était au moins aussi livide qu'Evelin et dont on ne savait pas ce qui la choquait le plus, de la lecture publique de son journal intime ou de l'annonce de la grossesse de la femme de son père.

Jessica se dirigea vers elle et lui tendit le cahier.

— Tiens. C'est à toi. Crois-moi, j'aurais aimé qu'on n'en arrive jamais à cela.

185

Ricarda prit le cahier, pivota sur ses talons et disparut. Elle n'avait pas desserré les lèvres.

— Eh bien, fit Tim, il n'y a qu'une chose à dire : félicitations !

Jessica mit un temps à comprendre qu'il parlait du bébé.

Evelin se leva et quitta la pièce.

— Qu'est-ce qui lui arrive ? demanda Patricia.

Personne ne lui répondit.

— Je suis désolé, dit Alexander.

Jessica n'avait plus envie de lui parler. Elle était déçue, blessée, désemparée, furieuse. Dans ce tourbillon de sentiments contradictoires, elle ne voyait pas de possibilité de discuter. Il fallait d'abord qu'elle retrouve son calme. Qu'elle réfléchisse. Et qu'elle décide si ça valait encore la peine de discuter.

Elle avait peur. A son tour, elle quitta la pièce. Elle entendit derrière elle la voix hystérique de Patricia :

— Il fallait que je vous mette au courant ! Il fallait que je vous lise ce qu'elle a écrit. Ce sont des *pulsions meurtrières* qui agitent Ricarda. C'est grave. Vous, je ne sais pas, mais moi je ne me sens plus du tout à l'aise en sa présence. On ne peut pas savoir si...

Et ce que tu racontes, pesta Jessica, c'est du délire verbal. Du délire verbal, stupide, imbécile, dangereux !

Elle chercha Evelin et Ricarda mais ne les découvrit nulle part. Evelin devait se consoler dans la cuisine en vidant le réfrigérateur. Quant à Ricarda, interdiction de sortir ou pas, elle était probablement partie retrouver son ami. Et elle avait bien raison.

De toute façon, elles n'ont certainement aucune envie de me voir, songea Jessica en gravissant les marches vers le premier étage.

22

Qu'est-ce que ça lui apportait de traîner au milieu de la nuit devant cette grille en fer forgé au-delà de laquelle se trouvait ce qu'il imaginait être un paradis, mais qui n'en était peut-être même pas un ?

Rien, décida-t-il. En réalité, ça ne lui apportait rien. Pas même un début de réponse à la question qui le taraudait. Avait-il raison d'agir ainsi ? Ou bien, ainsi que le prétendait Géraldine, perdait-il son temps à poursuivre une chimère ?

Géraldine ! Il alluma une cigarette, sur laquelle il tira avec avidité. Son histoire avec Géraldine était en train de s'achever, il ne voyait pas comment arrêter le processus, au reste il ne le souhaitait pas. Il l'aimait bien, elle était très proche de lui. Et ces dernières années, il s'était habitué à ce qu'elle soit toujours là. Sa présence était devenue une évidence. Mais peut-être Géraldine était-elle précisément devenue trop évidente, trop asservie à lui. Elle le suivait comme une ombre où qu'il aille. Est-ce à cela que l'amour n'avait pas résisté ? Ou bien n'y avait-il jamais eu d'amour de son côté ? Après coup, il était presque impossible de faire la part des choses.

Il ne lui était pas possible de l'épouser. Jamais il ne le pourrait. En même temps, son désir de se marier, d'avoir des enfants, une famille était devenu trop fort pour qu'elle accepte encore longtemps ce qu'elle avait accepté jusque-là. Il l'avait blessée, ce matin, il en avait conscience. Pourtant – et cela prouvait combien elle était dépendante de lui – elle n'était pas rentrée à Londres, elle avait simplement demandé une autre chambre. Il avait erré sans but la moitié de la journée et n'était rentré à l'hôtel qu'en fin d'après-midi, déprimé d'avoir ruminé ses problèmes sans trouver de solution. Géraldine n'était pas dans la chambre et ses affaires avaient disparu. Comme elle ne se déplaçait jamais sans des monceaux de vêtements qu'elle étalait sur les fauteuils, le lit, les rebords de fenêtre, il s'en était rendu compte. Il était descendu à la réception, où il avait bien dû attendre dix minutes avant que la jeune fille boutonneuse réponde à ses coups de sonnette.

« Mlle Roselaugh est partie, n'est-ce pas ? » avait-il dit sur un ton mi-interrogatif, mi-affirmatif.

La jeune fille avait secoué la tête.

« Elle a seulement changé de chambre. Elle est maintenant chambre... »

Avec une lenteur infinie, elle avait tourné une par une les pages d'un classeur.

« ... Chambre 8 ! C'est juste à l'étage au-dessus. »

Un éclair d'intérêt, ou plutôt de curiosité avait brillé dans son regard obtus. Il n'y avait pas deux jours, une de ses collègues femme de chambre s'était apitoyée sur la belle jeune femme brune qui venait de Londres, parce que le type qui l'accompagnait ne s'occupait pas du tout d'elle...

Eh bien, elle avait quitté la chambre commune.

C'était drôlement bien joué.

Phillip avait marmonné quelque chose, puis s'était rendu au bar pour boire une bière. Il éprouvait du soulagement – et de la pitié. Du soulagement, parce que, en s'installant dans une autre chambre, Géraldine lui donnait de l'air. Et de la pitié, parce qu'elle ne parvenait pas à le plaquer et à rentrer à Londres, où elle pourrait se chercher un homme susceptible de lui donner ce dont elle avait besoin et ainsi de la rendre heureuse.

Il jeta sa cigarette dans l'herbe et l'écrasa. Il ne voulait pas penser à Géraldine. Ce qui lui importait, c'était de savoir s'il se lançait ou pas dans la bataille pour Stanbury House, s'il était réaliste de miser sur une victoire, et si celle-ci lui apporterait la sérénité qu'il en escomptait. Il ne parvenait à penser à rien d'autre, mais en même temps il était incapable de cerner le problème. Dès qu'il essayait de réfléchir, il déchaînait des sentiments contradictoires qui se télescopaient dans sa tête. Colère, haine, peur, regret, nostalgie, tristesse... Comment voir clair en lui ? Kevin McGowan était devenu une névrose. Sans doute était-ce pour cette raison qu'il subissait la situation au lieu de la maîtriser. Cette histoire commençait à lui coûter plus d'énergie qu'il ne l'aurait cru.

Il ne pouvait pas voir la maison de la grille, pas même un halo de lumière. Si tant est qu'à cette heure de la nuit une lumière brillât encore. La lune était blanche, le ciel presque sans nuages, si bien qu'il put lire l'heure sur sa montre. Presque minuit. Ils devaient tous dormir depuis longtemps.

La nuit était exceptionnellement douce. Même à Londres, au sud du pays, il était très rare que les nuits soient aussi douces en avril, du moins ne se souvenait-il pas d'en avoir connu de semblables à cette époque de l'année. La météo prévoyait pour le lendemain une journée très chaude, presque estivale.

Que vais-je faire demain ? se demanda-t-il. Encore traîner dans le coin ?

Il lui fallait un avocat. S'ils allaient jusqu'à l'exhumation, dont il lui faudrait obtenir l'autorisation contre l'opposition farouche de Patricia, il aurait besoin d'une assistance juridique. Un avocat pourrait en outre le renseigner sur ses chances. L'ennui, c'était que ce seul renseignement lui coûterait déjà un paquet de fric. Les avocats se faisaient payer juste pour décrocher leur téléphone. Ça tombait mal qu'il soit aussi fauché. Et après ce qui s'était passé, il pouvait difficilement demander à Géraldine de lui prêter de l'argent. Au reste, elle avait déjà bien assez payé pour lui comme ça – sans rien obtenir en retour. Ni son amour, ni un oui devant monsieur le maire. S'il y avait quelqu'un qu'il avait déçu, c'était elle.

Pour la deuxième fois, il refoula rageusement Géraldine dans un coin de sa tête et essaya de s'imaginer Kevin McGowan – son père – arrivant de Londres en voiture et franchissant la grille du parc. McGowan n'avait jamais réellement habité là, hormis les six derniers mois de sa vie. Il s'était plus ou moins retiré à Stanbury House pour mourir. Il souffrait d'un cancer, comme la mère de Phillip. D'ailleurs, Phillip finissait par croire que de nos jours tout le monde mourait d'un cancer et il se demandait parfois si le fait d'avoir perdu ses deux parents de cette maladie était pour lui une garantie génétique de finir sa vie de la même façon.

Kevin McGowan avait acheté Stanbury House à la fin des années soixante-dix, alors qu'il demeurait à Londres. Il y venait le week-end, pendant les vacances, à Noël. Dans une interview, il expliquait que la maison, son parc et les landes alentour étaient son havre de paix.

« C'est un endroit où tout mon stress s'évanouit, disait-il. Je franchis la grille du parc et je suis un autre homme. »

Kevin McGowan avait demandé à être enterré au cimetière de Stanbury. Phillip s'était rendu deux fois sur sa tombe. L'endroit n'avait rien éveillé en lui de particulier. La pierre déjà érodée et moussue portait l'inscription : *Kevin McGowan, 10 août 1922-2 décembre 1993.*

Il n'avait pas vécu très vieux. Soixante et onze ans.

La faute à ce fichu cancer, songea Phillip. Personne n'est jamais à l'abri.

A Stanbury House, il se sentait plus proche de son père qu'au cimetière. Il y percevait le lien avec la nature, la stabilité, le calme, le retour sur soi-même que le disparu avait appréciés, et à sa propre surprise découvrait que lui aussi y devenait sensible. Pourtant, il en avait été à des années-lumière. Toujours à vivre dans les plus grandes villes du monde, sur le devant de la scène, au milieu de gens toujours nouveaux, intéressants et excentriques, des comédiens, des photographes, des mannequins... des toxicos, avec Sheila... Si on lui avait dit qu'il s'enthousiasmerait un jour pour une vieille propriété perdue au fond d'une des campagnes les plus isolées du pays, il aurait éclaté de rire. Quelque chose dans sa tête était en train de changer. Ironie du sort, ce changement s'opérait dans le sens où Géraldine voulait l'entraîner. Sauf qu'elle était très en avance sur lui. Il ne savait pas s'il la rattraperait jamais.

Un bruit interrompit le cours de ses pensées. Cela paraissait provenir du parc, de l'autre côté de la grille. Il crut dans un premier temps qu'il s'agissait d'un chat ou d'un renard, puis il comprit que c'était quelqu'un qui descendait le chemin. D'un pas rapide. Presque en courant.

Phillip recula dans l'ombre épaisse d'un des fourrés du bas-côté. Il devait être à présent plus de minuit. Qui était dehors à une heure pareille ? Jessica, avec sa passion pour le grand air et les courses dans la campagne en solitaire ? Lui arrivait-il maintenant de se promener aussi la nuit ?

La grille s'entrebâilla en grinçant. Quelqu'un se faufila à l'extérieur.

Phillip n'avait pas eu l'intention de se montrer, mais le promeneur nocturne s'arrêta. Avait-il perçu un mouvement, avait-il entendu sa respiration, une branche craquer ? Il paraissait fouiller l'obscurité du regard.

— Keith ? appela doucement une voix de jeune femme.

Phillip n'avait pas de raison de dissimuler sa présence, d'autant que la jeune femme pouvait s'approcher du bas-côté et le découvrir. Il sortit de sa cachette. Dans la lumière de la lune, il vit une jeune fille qui le regardait, épouvantée. Elle était vêtue d'un jean et d'un pull-over, et portait un sac à dos avec une seule lanière glissée sur l'épaule. C'était une jeune fille ravissante, grande, très mince, avec de longs cheveux noirs. Elle lui rappelait un peu Géraldine.

— Salut, dit-il.

Elle écarquillait les yeux et paraissait paralysée.

Il leva les mains dans un geste pacifique.

— N'ayez pas peur ! Je ne suis pas un malfaiteur ! Je m'appelle Phillip Bowen... Ils vous ont sûrement parlé de moi, ajouta-t-il en faisant un signe vers la maison.

La jeune fille se détendit.

— Oui. Oui, alors je sais qui vous êtes. J'ai d'abord cru que c'était peut-être mon ami qui m'attendait... Qu'est-ce que vous faites ?

— Je réfléchis.

La réponse de Phillip dut la satisfaire car elle ne posa pas d'autre question.

— Bon, eh bien, alors... fit-elle en s'éloignant d'un pas indécis.

Elle lui paraissait bien jeune pour se promener seule au milieu de la nuit, et son sac à dos plein à craquer ne lui disait rien qui vaille. Elle n'était pas simplement sortie prendre l'air, et, vu l'heure qu'elle avait choisie pour son escapade, il n'y avait pas besoin d'être grand clerc pour deviner qu'elle s'enfuyait à l'insu de sa famille.

— Et vous, qu'est-ce que vous faites ? interrogea-t-il.

Aussitôt, elle devint hostile.

— Ça ne vous regarde pas !

C'était vrai. D'un coup, il se sentit vieux et borné.

— Bonne chance, dit-il.

Elle ne répondit pas et partit à grands pas rapides sans se retourner. Quelqu'un de très déterminé à quitter à Stanbury House. Quand lui ne désirait rien tant qu'y entrer.

Il s'assit sur un tronc d'arbre, arracha des brins d'herbe et commença à les nouer entre eux en fixant la grille comme si elle dissimulait les réponses à toutes ses questions.

Et si ce n'était qu'une gigantesque erreur ?

— Je savais que tu viendrais, dit Keith.

Il ne dormait pas. Il était assis sur le canapé, au milieu d'un océan lumineux de petites bougies, et écoutait les gargouillis de son estomac. Il y a des années, il avait lu que la faim pouvait empêcher de dormir, mais il n'était jamais parvenu à imaginer ce que l'on ressentait. Maintenant, il le savait. Il se sentait au bord de l'inanition. Il était parti sans prendre de petit déjeuner et n'avait rien mangé depuis. Plusieurs fois au cours de la journée, il avait été sur le point d'aller s'acheter un sandwich ou un beignet au village, puis il avait recompté ses cinq malheureuses livres et se l'était interdit. S'il allait à Londres, il aurait besoin de chaque penny. Rien que l'essence... il osait à peine y penser.

Il fut soulagé de voir Ricarda arriver enfin. Ils restèrent enlacés de longues minutes. Elle enfouit son visage dans le creux de son épaule, il embrassait et caressait ses cheveux. Elle tremblait de tout son corps.

Il l'éloigna de quelques centimètres.

— Qu'est-ce qu'il y a ? demanda-t-il d'une voix douce.

Elle lui raconta les événements de la journée, jusqu'à la traumatisante double scène finale de la soirée. Il lui raconta alors sa propre journée, la violente dispute avec son père, puis la longue attente, seul dans la grange avec le ventre creux.

— Tu n'aurais pas, par hasard, quelque chose à manger ? demanda-t-il.

Elle sourit. Pour la première fois depuis qu'elle était arrivée, son visage s'éclaira.

— J'ai fait une petite razzia dans la cuisine, annonça-t-elle en ouvrant son sac à dos. Je me suis servie comme chez moi.

Elle fit apparaître plusieurs sandwichs au fromage et à la mayonnaise, deux bananes, trois pommes, de la salade de pommes de terre dans une boîte en plastique hermétique, une demi-saucisse, et, pour arroser le tout, une bouteille d'eau minérale. Keith remarqua que le sac contenait également quelques vêtements : un pull-over chaud, un tee-shirt, des sous-vêtements.

— Tu n'y retournes pas, c'est ça ? interrogea-t-il.

Elle secoua énergiquement la tête.

— Plus jamais !

Ils s'assirent et dînèrent en silence, paisiblement, à la lumière des bougies, heureux d'être ensemble. Keith mangea comme un ogre, Ricarda prétendit qu'elle n'avait pas faim. Son extrême minceur, nouvelle, le frappa. La belle jeune fille sportive était devenue presque diaphane.

Lorsqu'il eut fini, lorsqu'il ne resta plus une miette à manger, Keith se laissa aller contre le dossier du canapé.

— Moi non plus, je ne reste pas, déclara-t-il.

Elle le regarda, prise d'une peur soudaine.

— Tu ne restes pas ? Qu'est-ce que tu veux dire ?

— Chez mes parents. Je ne reste pas chez eux. Ma mère, ça va, mais mon père... Je ne peux plus accepter qu'il me traite comme ça.

— Nous n'avons qu'à rester ici, dit Ricarda en englobant la grange d'un geste de la main. Nous pouvons l'aménager un peu plus et...

— Mais qu'est-ce que tu imagines ? D'une part, cette ferme ne nous appartient pas, théoriquement, nous n'avons pas le droit d'être ici. Et d'autre part... tu as quinze ans ! Ton père va te chercher, et...

— J'aurai seize ans le 4 juin.

— D'accord, mais tu ne seras majeure que dans deux ans... C'est vrai que seize ans c'est mieux que quinze, ajouta-t-il en se

193

souvenant d'avoir précisément suivi ce raisonnement quand il imaginait vivre avec elle à Londres. Mais ils te chercheront quand même, et ici, ils ne mettront pas deux jours à te trouver. Et puis... nous vivrions de quoi ?

Elle le regarda, découragée.

— Oui, mais alors...

— Tu imaginerais de...

Il fit une courte pause, puis se lança :

— Tu imaginerais de venir avec moi à Londres ?

— A Londres ?

— On pourrait travailler tous les deux. Se chercher un petit job, n'importe quoi. En même temps, j'essaierai de trouver un stage d'apprentissage. A Londres, c'est sûrement plus facile qu'ici. On louerait un appartement... Au début, un tout petit, par la suite...

Son visage s'illumina.

— Oh, Keith ! Bien sûr que je viens avec toi ! Tous les deux à Londres ! On commencera ensemble une nouvelle vie. Ce sera formidable !

— Tu as de l'argent ?

23

Dans son demi-sommeil, Jessica ne sut pas immédiatement où elle se trouvait. L'odeur de la chambre ne lui était pas familière, il faisait sombre, aucun rayon de soleil ne frappait la fenêtre derrière les rideaux ni ne baignait la pièce de chaude lumière rouge. D'ailleurs, les rideaux n'étaient pas rouges, ils étaient beiges, et l'aménagement de la chambre était très différent de ce dont elle avait l'habitude.

Elle comprit qu'elle n'était pas dans la chambre qu'elle partageait avec Alexander et se souvint que, la veille au soir, elle s'était installée dans la petite pièce contiguë à la cuisine, au rez-de-chaussée.

C'était une pièce tout en longueur dont la destination initiale devait avoir été de contenir des réserves, mais l'utilisation actuelle de la maison ne nécessitait plus guère de stocker d'importantes quantités de nourriture et les nombreux placards de la cuisine s'étaient avérés suffisants. Un jour, Patricia avait eu l'idée de la transformer en chambre d'amis, « au cas où quelqu'un se joindrait à nous ». Le cas ne s'était jamais produit, et il est probable que personne n'y tenait vraiment.

Et maintenant, c'est devenu une chambre de secours pour couple en crise, songea Jessica.

Ils ne s'étaient pas réellement disputés. Il y avait un mensonge entre eux et ce qui s'était passé après le dîner avait assommé Jessica.

Alexander avait trahi sa fille.

Sans doute, voilà quelques années, avait-il trahi Eléna de la même façon.

Et il la trahirait, elle, Jessica, pareillement.

Pour ses amis, il n'hésiterait pas à passer toute personne, aussi proche de lui soit-elle, par le fil de l'épée.

Comment vivre avec quelqu'un en qui l'on ne pouvait avoir confiance ?

Après la scène du salon, elle avait marché sans but dans le parc, Barney sur les talons, en prenant soin de ne rencontrer personne. A commencer par Alexander. Surtout Alexander. Il était le dernier qu'elle avait envie de voir.

Elle avait cueilli des jonquilles et s'était trouvée avec un bouquet dans les mains sans comprendre ce qui l'avait poussée à le cueillir. Peut-être y avait-elle puisé une sorte de réconfort.

Elle était montée dans sa chambre, pleine d'appréhension et cependant déterminée à parler à Alexander s'il s'était trouvé là. Mais il n'était pas là et son soulagement avait été immense. Elle avait mis les jonquilles dans un vase qu'elle avait posé sur le rebord de la fenêtre, puis elle avait pris sa chemise de nuit et sa brosse à dents, et était descendue s'installer dans la chambre d'amis, au rez-de-chaussée.

Elle avait mis longtemps à sombrer dans un demi-sommeil inquiet et ne s'était endormie qu'aux premières heures de l'aube.

Alexander n'était pas venu la voir. Ni le soir, ni au cours de la nuit. Subitement, ils ne trouvaient plus le chemin qui menait l'un à l'autre.

En dépit de ses quelques heures de sommeil, elle se sentait abattue. Elle se leva et, pieds nus, gagna les toilettes d'invités de l'autre côté du hall, où elle fit une toilette sommaire à l'eau froide. Remettre ses vêtements froissés et défraîchis de la veille la déprima un peu plus. Elle vit dans le miroir du lavabo qu'elle avait des cernes sous les yeux. Les longues promenades dans la campagne avaient hâlé son teint. Sinon, elle aurait eu l'impression qu'un cadavre la dévisageait.

Elle décida de faire l'impasse sur le petit déjeuner et de sortir sans attendre avec Barney. De toute façon, elle n'avait pas faim. Elle se sentait nauséeuse.

La journée promettait d'être particulièrement chaude, c'était déjà perceptible.

Et il y avait comme un mauvais présage dans l'air. Cela aussi était déjà perceptible.

Léon était attablé dans la cuisine devant une pleine cafetière de café et un muffin au cassis racorni qui avait dû échapper au sac du réfrigérateur par Evelin. Il le réduisait en miettes, qu'il mangeait distraitement, mais avalait une tasse de café après l'autre. Du café noir, fort et non sucré. Son cœur s'emballait quand il buvait trop de café et son médecin lui avait déconseillé d'en boire de grandes quantités. Mais ça lui était égal d'avoir des palpitations. Beaucoup de choses lui étaient devenues indifférentes.

Il ne faisait pas encore jour qu'il avait déjà téléphoné à Nadja, sa collaboratrice, une jeune avocate qui avait été assez naïve pour s'associer avec lui. Ils avaient couché plusieurs fois ensemble et en gardaient une certaine intimité qui lui permettait de l'appeler chez elle à six heures et demie du matin.

« Comment ça va ? » avait-il demandé.

La question l'avait surprise, puis elle avait compris qu'il ne l'interrogeait pas sur sa santé mais sur l'état de leurs affaires communes.

Elle avait soupiré.

« Léon, il n'y a plus rien à en tirer. Hormis quelques minables histoires de voisinage, nous n'avons rien en cours et rien à l'horizon. Je me tourne les pouces toute la journée. Ça ne peut plus durer. Il faut que je pense aussi un peu à moi. »

Cela faisait plusieurs mois qu'elle lui tenait ce discours, à vrai dire depuis la fin de l'année précédente. Voilà quelques semaines, elle lui avait parlé d'une offre qu'un cabinet réputé lui aurait faite. En précisant toutefois qu'elle ignorait comment l'affaire allait tourner.

« Il faut que tu penses aussi un peu à toi... Ça veut dire quoi, au juste ? » avait-il demandé.

A nouveau, elle avait soupiré.

« Ils me prennent, Léon. Et j'ai accepté. Je commence le 2 juin. Je suis désolée, mais c'est une opportunité et... »

Elle avait laissé sa phrase en suspens.

« C'est évident, avait-il dit. C'est évident. »

Mais il ne trouvait pas ça évident du tout et il était devenu agressif :

« Et m'aider à nous tirer de la mouise, ce n'est pas assez lucratif, c'est ça ? »

Elle avait soupiré une troisième fois. La discussion lui était extrêmement pénible, mais elle n'était pas fâchée de pouvoir s'en débarrasser.

« Ça fait une éternité qu'on essaye de se tirer de la mouise, comme tu dis, et qu'on n'y arrive pas. Et je ne comprends pas pourquoi tu me reproches de vouloir gagner de l'argent. Il faut bien que je vive de quelque chose !

— Et moi, alors ? Et en plus il faut que j'entretienne une famille !

— Exact. D'ailleurs, tu ne vas pas pouvoir continuer comme ça, Léon. Tu ne t'en sors que parce que tu empruntes chaque jour un peu plus d'argent – sans avoir l'air de beaucoup te soucier de la façon dont tu vas pouvoir rembourser. A ta place... »

Il avait raccroché. Il était resté quelque temps à côté de l'appareil, au cas où elle aurait rappelé, mais le téléphone était resté muet. Elle était trop soulagée d'avoir clarifié sa situation pour s'exposer à un flot de reproches ou de jérémiades. Elle était tournée vers l'avenir, elle allait de l'avant. Il s'était brutalement senti vieux et velléitaire.

A présent, dans la cuisine, il vidait la cafetière en réfléchissant à la suite des événements. Renoncer était exclu.

Pourquoi, au fait ?

Parce qu'on ne peut pas renoncer quand on vit avec une femme comme Patricia, sauf à se sentir encore plus petit, plus minable et plus mesquin.

N'était-il pas en train d'essayer de reporter la faute sur Patricia ? Ce n'était pas loyal. Néanmoins, Patricia n'était pas étrangère à son incapacité à reconnaître son échec pour recommencer de zéro.

D'accord. C'était une affaire entendue, n'empêche que l'urgence du jour était de parler avec son banquier. Prendre les choses les unes après les autres, sans paniquer, était plus que jamais impératif. S'il anticipait trop, son cœur s'emballait, il était pris de suées et il ne pouvait plus aligner deux idées censées.

La banque, donc. Avec un peu de chance, ils lui accorderaient un nouveau délai. Il connaissait bien le directeur, c'était un ami, il y a quelques années ils jouaient même au tennis ensemble. Depuis qu'il avait des difficultés à rembourser ses emprunts, leurs relations étaient sensiblement moins cordiales. Cependant... au nom de leur vieille amitié...

Ça y est. L'élancement dans sa poitrine était à nouveau là.

Ne t'énerve pas, Léon. Ne t'énerve pas !

Il ne téléphonerait pas de l'appareil situé dans le hall. Il ne voulait pas que quelqu'un puisse l'entendre et on ne savait jamais qui était derrière quelle porte. Téléphoner de son portable au fond du parc ne lui semblait pas assez sûr non plus. Le mieux serait encore de prendre la voiture et de rouler dans la campagne jusqu'à ce qu'il soit loin de tout. Oui, c'était ça, la solution. Il fallait seulement qu'il prenne le dossier dans lequel il avait tout noté, et...

Il sursauta quand la porte s'ouvrit. Il était si absorbé par ses pensées qu'il n'avait pas entendu que des pas s'approchaient.

C'était Evelin. Elle boitait fortement et lui qui ne remarquait plus grand-chose ces derniers temps fut frappé par sa mauvaise mine.

Elle aussi sursauta en le voyant.

— Oh... tu es déjà réveillé ? Je pensais que tout le monde dormait encore.

— Je me suis récemment métamorphosé en lève-tôt. Toi aussi, apparemment.

— Oui, je... J'ai très mal dormi, cette nuit.

— A cause de ça ? interrogea-t-il en désignant sa cheville bandée. Ça fait mal même quand tu ne bouges pas ?

— Ça fait mal en permanence.

— Tu devrais voir un médecin. Les ligaments doivent être distendus, peut-être déchirés ; il ne faut pas plaisanter avec ça.

— Ah, je ne sais pas...

Elle lui lança un drôle de regard et se laissa lourdement tomber sur une chaise. Léon se fit la réflexion qu'elle était de plus en plus informe.

— Tu sais, les médecins partent toujours du principe que je suis trop grosse et qu'il faut que je fasse quelque chose pour que ça change. J'y vais pour une cheville tordue ou un poignet foulé et j'en ressors avec l'angoisse d'avoir trop de tension, de l'ostéoporose ou des problèmes cardiaques, et une ordonnance de plus pour de la gymnastique et un programme d'amaigrissement en huit semaines… J'en ai assez de tout ça, tu comprends ? J'en ai assez.

Il la comprenait, mais il savait aussi qu'aucun médecin digne de ce nom ne pouvait ignorer son surpoids.

— Tu devrais tout de même consulter, dit-il, gêné d'insister.

— Je peux prendre du café ?

Il hocha la tête. Elle se hissa péniblement en position debout, clopina jusqu'au placard, prit une tasse et revint s'asseoir. Le sucrier était devant elle. Fasciné, il la regarda en transvaser une bonne part dans sa tasse. Puis il se rendit compte qu'elle louchait sur le muffin entamé et le lui tendit.

— Ça te tente ? J'en ai grignoté un bout, mais si ça ne te dérange pas…

Ça ne la dérangeait pas. Elle engloutit le petit pain rassis comme si elle n'avait rien mangé depuis plusieurs jours. Puis elle but de longues gorgées avides de café.

— Tu savais que… commença-t-elle sur un ton hésitant.

Elle s'interrompit, puis reprit comme s'il lui avait fallu rassembler tout son courage pour achever sa phrase :

— Tu savais que Jessica… attendait un bébé ?

Ça lui était tellement indifférent qu'il l'avait déjà oublié.

— Non… Non, je n'en avais pas la moindre idée.

— Moi non plus. Elle a bien caché son jeu. Et tout d'un coup, elle nous fait la grande scène de la surprise.

Il crut percevoir de l'animosité dans sa remarque et s'en étonna. Evelin paraissait apprécier Jessica.

— Ça ne s'est pas tout à fait passé comme ça, corrigea-t-il en se remémorant à contrecœur le déroulement de la soirée de la veille. Jessica n'a rien dit de sa grossesse. C'est Alexander qui tout d'un coup en a parlé. Et j'ai eu l'impression que ce n'était pas vraiment du goût de Jessica.

— En tout cas, c'était irresponsable. *Irresponsable !* On ne fait pas une chose pareille. Ne serait-ce que vis-à-vis de Ricarda. Quel choc ça a dû être pour elle !

— C'est possible.

Elle l'agaçait. Il regarda sa montre.

— Hum… Je crains de devoir te laisser seule. Je dois passer un coup de fil important… à mon cabinet, et j'ai quelques documents à parcourir.

Elle approuva d'un hochement de tête indifférent, soudain ailleurs. Quelques secondes plus tôt, elle s'énervait, haussait le ton ; elle était à présent repliée sur elle-même, dans un autre monde.

Au lieu de bricoler toute la sainte journée sa thèse de doctorat, notre fin psychologue ferait bien de s'occuper de sa femme, songea Léon en pensant à Tim.

Il se leva.

— Tu ne crains pas d'avoir trop chaud avec ça sur le dos ? demanda-t-il encore en se dirigeant vers la porte.

Il parlait du pull-over surdimensionné qu'elle portait par tous les temps. Il le trouvait épouvantable. Patricia lui avait dit un jour qu'Evelin devait croire que ce sac informe était ce qu'il y avait de mieux pour cacher ses kilos superflus.

— Il paraît qu'il va faire exceptionnellement chaud !

Elle ne répondit pas. L'avait-elle entendu ? Elle fixait sa tasse de café.

Il quitta la cuisine.

Lorsque Jessica regagna la maison par la terrasse, Tim se tenait sur le seuil de la porte-fenêtre qui donnait sur le parc. En short, il offrait à son entourage la vision de jambes solides et poilues. Pour une fois, il ne portait pas ses inévitables sandales orthopédiques mais était pieds nus. Sans doute pour se mettre au diapason du temps estival.

— Encore en balade ? demanda-t-il d'un ton hilare.

Jessica venait de se rendre compte qu'elle avait marché deux heures. Elle était en nage et se sentait peu en beauté.

— Oui, répondit-elle sèchement.

201

Il secoua la tête. Sa barbe embroussaillée suivait les mouvements de sa tête avec un temps de retard.

— Devant quoi fuis-tu ? Si seulement je le savais...

Elle fit un signe du menton vers Barney.

— C'est important qu'un jeune chien se dépense.

Mais pourquoi est-ce que je me justifie ? Pourquoi est-ce que je prête attention à ses discours imbéciles ?

— Le chien, fit-il pensivement. Bien sûr, le chien...

Elle passa devant lui pour entrer dans la maison.

— Sais-tu pourquoi personne ne petit-déjeune, ce matin ? l'arrêta-t-il. Personne n'a mis la table ou préparé quoi que ce soit.

— Eh bien, fais-le, répliqua-t-elle. Mets la table, prépare du café, des œufs brouillés, du pain... Personne ne t'en empêche.

— Agressive, observa-t-il. Tu es en pleine ébullition !

Il prit le temps de sourire puis demanda :

— Prendrais-tu le petit déjeuner avec moi si je préparais tout ?

— Non.

Ils se jaugèrent quelques instants. Chacun éprouvait une animosité quasi palpable pour l'autre.

Jessica découvrait avec étonnement qu'il la détestait depuis le début. L'antipathie qu'elle éprouvait à son égard avait toujours été réciproque. Ils ne se supportaient pas.

— N'aurais-tu pas vu un paquet de feuilles imprimées ? demanda-t-il sans transition. Je le cherche depuis ce matin. Il s'agit de notes très importantes pour ma thèse.

— Non, répondit Jessica, puis elle ajouta : Je veux dire que je n'ai pas vu tes notes. Mais tu dois bien avoir le document que tu as imprimé dans ton ordinateur. Tu n'as donc rien perdu.

Elle le laissa en plan et disparut dans la maison. Il fallait qu'elle monte prendre une douche. Même au risque de tomber sur Alexander.

Leur chambre était déserte. Jessica n'eut pas à affronter Alexander alors qu'elle se sentait aussi peu à son avantage. Elle prit une longue douche, vida le flacon de produit moussant, laissa l'eau chaude ruisseler sur son corps et peu à peu se sentit renaître à la vie. Elle sécha ses cheveux et enfila un pull-over en coton fin.

Elle paraissait plus fraîche et plus en forme qu'elle ne l'était en réalité. Elle observa les objets de toilette de son mari, sa mousse à raser, son blaireau et le petit bol en porcelaine qui l'accompagnait, sa lime à ongles, son peigne, sa brosse à dents. Des objets familiers qui l'attendrissaient, l'émouvaient. Elle se demanda ce que leur mariage allait devenir. Seraient-ils encore ensemble dans un an ?

Elle remit ses baskets, bien que ses pieds fussent encore endoloris de sa longue marche de la veille et de celle, plus courte, qu'elle venait de faire. Il fallait qu'elle reparte. Marcher l'aiderait peut-être à clarifier ses idées. Etait-ce normal d'éprouver à ce point le besoin de marcher dans la campagne ? Toujours seule, et toujours dans la crainte que quelqu'un veuille l'accompagner ? Toujours inquiète à l'idée qu'Alexander se joigne à elle ?

Il n'était pas nécessaire de réfléchir bien longtemps pour comprendre que son besoin de marcher était un besoin de s'évader.

Peut-être les choses s'arrangeraient-elles quand le bébé serait là.

L'idée lui était à peine venue à l'esprit qu'elle se demanda ce que le bébé pourrait bien changer.

Probablement rien.

Phillip se trouvait dans un état singulier. Il était à la fois fatigué et réveillé, épuisé et d'une nervosité extrême. Il gardait de la nuit qu'il avait passée devant le portail de Stanbury House le désir intense, le besoin physique de longues heures de sommeil réparateur. En même temps, il savait qu'il serait incapable de rester plus de cinq minutes dans son lit. Il fallait qu'il fasse quelque chose. Ça ne pouvait plus durer.

Il était rentré à quatre heures et demie du matin. La voiture de Géraldine était garée devant le Fox and The Lamb. Elle était donc toujours là. Elle serait toujours là, elle ne pouvait pas le quitter. Etonnamment, l'idée avait aussi quelque chose de réconfortant.

Il ne s'était pas déshabillé, il avait seulement ôté ses chaussures puis il s'était allongé sur le lit et avait fixé le plafond en écoutant les bruits de la vieille bâtisse. Parfois le parquet craquait, à un moment un objet était tombé et avait roulé par terre – peut-être un pot à lait renversé par un chat. Sinon, l'hôtel était silencieux. Il avait repensé à la jeune fille qu'il avait rencontrée à l'entrée du parc. Où allait-elle ? Avait-elle l'intention de faire du stop pour atteindre quelque lieu improbable où elle s'imaginait que la vie serait plus intéressante ou plus supportable qu'avec sa famille ? Aurait-il dû la retenir ? Elle lui avait parlé d'un ami, peut-être n'était-elle donc pas seule. Au surplus, cette affaire ne le concernait pas. Ce que faisaient les gens de Stanbury House ne le concernait que dans la mesure où cela favorisait ou contrecarrait ses plans. Il n'avait pas à s'occuper du reste.

A sept heures, il comprit qu'en dépit de sa fatigue, de la lassitude qu'il ressentait dans chacun de ses membres, il ne parviendrait pas à s'endormir. Il se leva, arpenta sa chambre, réfléchit, tenta d'analyser sa situation, s'assit dans un fauteuil, essaya de se concentrer sur un livre… en vain. Il alluma la radio, écouta les informations, puis un débat sur les films à l'affiche. Il brûlait d'envie d'avaler un double whisky mais il était trop tôt pour céder à la tentation. A neuf heures, il descendit prendre un petit déjeuner. Il n'avait pas dîné la veille au soir et il venait de se rendre compte que la faim le tenaillait. Il n'était pas encore au rez-de-chaussée que cela sentait déjà les œufs au bacon, le pain grillé, les champignons et les tomates sautés, mais, sur le seuil de la salle à manger, il découvrit Géraldine à l'une des tables, un unique et déprimant quart d'eau minérale devant elle. Elle n'était pas face à lui, mais de côté. Il vit aussitôt qu'elle avait une mine épouvantable, comme si elle était malade. D'une pâleur extrême, ses yeux étaient gonflés – d'avoir pleuré, supposa-t-il – et ses cheveux, d'ordinaire si soignés, paraissaient gras.

Il battit en retraite avant qu'elle ne remarque sa présence – il aurait été incapable de discuter avec elle – et décida de se mettre en quête d'un autre endroit où prendre un petit déjeuner. Ensuite, il appellerait un ami à Londres, un ami qui avait de bonnes relations. Avec un peu de chance, il pourrait lui recommander un avocat à Leeds, à lui ensuite d'obtenir un rendez-vous aussi vite que possible. Il faudrait qu'il trouve comment et avec quoi payer la consultation, mais il était temps qu'il s'entretienne avec une personne compétente.

Il avait en sa possession une clé de la voiture de Géraldine et il résolut de l'emprunter. Non seulement il serait plus mobile, mais il soulagerait Géraldine d'un grand poids. Elle devait être malade à l'idée d'être incapable de rentrer à Londres quand c'était la seule façon de ne pas perdre toute dignité. S'il subtilisait sa voiture, elle aurait une bonne raison de ne pas pouvoir partir.

Lui fournir une excuse était bien le moins qu'il pouvait faire pour elle.

— Je me suis dit : « Je fais un saut, au cas où il y aurait un peu de travail pour moi », déclara Steve en dansant d'un pied sur l'autre. Tondre la pelouse, faire un peu de taille...

— A vrai dire, quand nous sommes là, nous nous en chargeons nous-mêmes, répondit Patricia en enfilant ses gants de jardinage.

En jean et chemise à carreaux bleu et blanc, elle était dans le hall, sur le point de sortir, quand Steve s'était présenté.

— D'ailleurs, je m'apprête à planter des fleurs dans les jardinières.

Steve hocha la tête. Avec ses taches de rousseur et ses cheveux auburn, il ressemblait plus à un Irlandais qu'à un Anglais. Il avait vingt-deux ans mais paraissait beaucoup plus jeune.

C'est encore un gamin, songea Patricia, et il doit avoir besoin d'argent.

Elle changea d'avis.

— Vous pourriez tondre la pelouse sur l'arrière de la maison, proposa-t-elle. Ça commence à être urgent et je ne sais pas si l'un de nous aura le temps ou le courage de s'y mettre aujourd'hui.

Un sourire de soulagement éclaira le visage de Steve.

— Super. Je commence tout de suite !

Jessica sortit à cet instant de la salle à manger. Elle avait à nouveau consulté les archives de Kevin McGowan, mais n'avait rien trouvé de bien intéressant.

— Je vais marcher, annonça-t-elle.

— Quelle surprise ! observa Patricia d'un ton acide.

Alexander parut en haut de l'escalier. Il avait les traits tirés et paraissait plus soucieux que jamais.

— Ricarda n'est nulle part, leur apprit-il en descendant vers le hall.

Jessica le regarda. En dépit de tout, son évidente inquiétude et son désarroi lui firent de la peine.

— Ça t'étonne ? fit-elle.

— Je ne dirai rien de plus, remarqua sentencieusement Patricia.

— Jessica... dit Alexander sur un ton suppliant.

Elle ne voulait pas lui parler. Il s'était passé trop de choses.

— Je vais marcher, annonça-t-elle. Longtemps. Ne m'attendez pas pour déjeuner. Je ne sais pas dans combien de temps je serai de retour.

— Je peux t'accompagner ? demanda Alexander.

Jessica se raidit.

— Je préférerais être seule.

— Je ne dirai rien de plus, insista Patricia toujours sur le même ton sentencieux.

— Je t'en remercie, jeta Jessica. C'est extraordinairement gentil de ta part.

Patricia sortit sans répliquer. Steve était déjà parti en direction de l'appentis où était entreposée la tondeuse à gazon.

— Crois-tu qu'elle est en danger ? s'inquiéta Alexander.

Il parlait de Ricarda.

— Je ne pense pas, non, répondit Jessica. Mais elle a besoin de prendre du recul et qu'on la laisse tranquille. C'est abominable, ce qui s'est passé hier soir. Ce qu'a fait Patricia est odieux, mais on la connaît, on sait qu'elle est odieuse, Ricarda le sait aussi. Ce qui est grave, c'est que tu n'as pas soutenu ta fille, Alexander. Elle avait besoin que tu l'aides et que tu la défendes. Et c'est Patricia que tu as soutenue. Ce n'est pas le moment d'aller embêter Ricarda.

— Tu ne trouves pas effroyable ce qu'elle a écrit dans son journal ? Qu'elle nous déteste tous, qu'elle voudrait qu'on soit morts et...

— Il faut être Patricia pour en faire un tel drame. A l'âge de Ricarda, on se cherche, on hésite et on fait tout avec excès. On déteste au-delà du possible, on aime avec passion, un jour on est sur un nuage, le lendemain au fond du désespoir, on rit, on pleure. Tout cela à un rythme effréné, quand ce n'est pas en même temps. C'est ça, l'adolescence. Ce n'est pas une période facile. Mais un jour, on trouve sa voie et ça passe.

— Ou ça se termine dans la drogue.

— Pas Ricarda. Ce n'est pas son genre.

— Parce que tu crois qu'il existe un genre particulier ?

Elle ne releva pas. Elle en avait déjà trop dit, il l'entraînait dans une discussion qu'elle ne voulait pas avoir.

— Il faut que j'y aille, maintenant, dit-elle.

Elle ouvrit la porte et sortit, Barney dans les jambes.

Alexander allait-il maintenant décrocher le téléphone et appeler Eléna ?

Elle partit sans se retourner.

— Nous sommes presque à la hauteur de Nottingham, constata Keith. J'espérais qu'à cette heure on serait beaucoup plus loin.

Il était contrarié. Ils avaient dormi plus longtemps que prévu. Epuisés tous les deux, ils s'étaient blottis l'un contre l'autre sur le canapé et aussitôt endormis. Quand ils s'étaient réveillés, le soleil était déjà haut dans le ciel et Keith avait pressé le mouvement.

« Il faut qu'on parte, vite, dépêche-toi ! On ne peut pas se permettre d'arriver tard à Londres. »

Ils s'étaient habillés et avaient mis leurs maigres bagages dans la voiture. Keith voulait faire le plein d'essence au premier village. Ricarda avait pris tout son argent : quelques économies et ce que sa mère lui avait offert pour Pâques avant de partir. A eux deux, ils disposaient désormais d'un peu plus de deux cents livres. Cela ne leur laissait pas une grande marge de manœuvre, mais ça leur permettrait d'atteindre Londres et de se maintenir la tête hors de l'eau le temps qu'ils trouvent du travail et un logement. A la lumière du jour, l'aventure ne semblait plus aussi facile que dans l'euphorie de la nuit. L'un et l'autre se demandaient secrètement comment ils allaient réussir à mener leur affaire, mais ils se seraient plutôt coupé la langue que de reconnaître qu'ils avaient peur.

— Au début, le logement, ce ne sera peut-être pas un vrai logement, avertit Keith.

Cela faisait plusieurs fois, depuis qu'ils étaient partis, qu'il évoquait le problème et Ricarda se demanda s'il ne cherchait pas à se donner du courage plutôt qu'à la préparer à la situation.

— La seule chose importante, c'est que ce soit le moins cher possible. Faut qu'on s'en tienne à ça. D'accord ?

— D'accord.

— Quand nous aurons chacun un job, ça ira mieux. Tu gagneras plus d'argent que moi parce que tu pourras travailler à plein temps. Moi, il faudra que je fasse mon apprentissage. Si je trouve un stage.

— Mais tu as dit qu'à Londres il y en avait plein, protesta Ricarda, qui sentait la déception la gagner.

Keith eut un sourire encourageant.

— Bien sûr, mais ça peut tout de même prendre du temps pour trouver. On risque d'avoir un passage difficile. Mais on y arrivera, rassure-toi.

Elle s'absorba dans la contemplation du paysage. Il n'y avait pas beaucoup de circulation sur l'autoroute qui descendait vers le sud, ils roulaient bien. Villes, villages, champs cultivés, forêts, zones industrielles se succédaient à un rythme accéléré. Partout les arbres se paraient de feuilles ; la chaleur et le soleil des derniers jours avaient donné un coup de fouet à la végétation. Des petits nuages blancs filaient dans le ciel bleu. Un parfum d'été flottait dans l'air.

Pourtant Ricarda avait peur.

Elle était certaine de ne pas vouloir revenir en arrière. Mais laisser derrière elle sa famille, son collège, ses amis, son équipe de basket, rompre avec tout ce qui avait été sa vie jusque-là pour des lendemains incertains avec Keith lui semblait radical, trop radical peut-être. Il faudrait au moins qu'elle appelle sa mère, sinon elle serait folle d'inquiétude et, au fond, elle ne lui avait rien fait. Son père, en revanche, jamais elle ne l'appellerait !

Son père...

Son cœur se serra. Deux fois, hier soir, il l'avait mortifiée, trahie, mise au supplice : en n'intervenant pas lorsque Patricia avait lu son journal, puis en annonçant fièrement que J. était enceinte. Deux fois. Et d'une façon qu'il ne pourrait jamais réparer.

« Tu sais, il n'était pas vraiment de mon côté, lui avait dit Eléna, il n'y avait pas si longtemps, alors qu'elle exigeait, en larmes, qu'elle lui explique à nouveau pourquoi ils avaient divorcé. Jamais il ne me soutenait contre les autres. Patricia, Léon et toute la bande. Quand je n'étais pas d'accord avec eux, il me laissait tomber sans même un instant d'hésitation. J'en ai beaucoup souffert. Réellement. Et ça ne s'est pas produit qu'une fois... »

Ses larmes avaient redoublé. Elle ne cessait de poser des questions sur les raisons de la mésentente de ses parents, mais elle ne supportait pas d'entendre dire du mal de son père. Elle espérait toujours découvrir l'existence d'une intrigue extérieure dont le jeu malfaisant serait enfin démasqué. Le malentendu dissipé, ses parents vivraient à nouveau ensemble et tout serait comme avant.

Depuis la veille, et pour la première fois, elle comprenait ce qu'Eléna avait voulu dire. Elle voyait son père sous un nouveau jour. Désormais, il lui apparaissait comme un être faible, un jouet docile entre les mains de ses amis. Quelque chose lui disait qu'Eléna, la fière et honnête Eléna ne retournerait jamais vers un homme comme lui.

De toute façon, comme si une catastrophe ne suffisait pas, il y avait maintenant ce nouveau bébé...

— Ricarda ! l'interpella Keith pour la sortir de sa rêverie. Tu as l'air toute triste, qu'est-ce qu'il y a ?

— Rien.

Elle s'arracha à ses pensées et se força à sourire.

— Je crois que j'ai seulement faim. Et soif. On ne pourrait pas s'arrêter quelque part pour manger un peu ?

— Il y a une station-service dans quelques kilomètres. Eh ! ajouta-t-il dans un éclat de rire. A partir de maintenant, nous prendrons tous nos petits déjeuners ensemble ! Tous les matins ! Toute notre vie !

24

Léon avait posé son téléphone portable sur ses genoux. Il était assis très droit derrière le volant, le regard rivé sur l'extérieur. Devant lui s'ouvrait une merveilleuse vallée couronnée de forêts où pâturaient des moutons, mais il ne percevait ni la beauté du paysage ni la paix qui en émanait. Autour de lui, il ne sentait que du noir opaque. Il était dans un tunnel dont il ne voyait pas le bout.

Il était loin de Stanbury House. Absurdement loin, car il était inutile de mettre tant de kilomètres entre lui et la propriété pour être certain que personne ne surprendrait sa discussion avec son banquier. Mais il n'avait pas réussi à s'arrêter plus tôt. A un moment, il avait tourné dans un chemin empierré et cahoté sur plusieurs centaines de mètres entre des arbres de haute futaie jusqu'à ce que brutalement, à l'orée de cette vallée, loin de tout, loin du monde, le chemin s'arrête. Il avait coupé le contact, rejeté la tête en arrière et fermé les yeux. Dans sa poitrine, le tiraillement était là. Il lui arrivait de l'appeler de ses vœux, cet infarctus qui le délivrerait de ses problèmes.

Puis il avait composé le numéro de son banquier et partenaire de tennis sur son téléphone portable et rassemblé tout son courage. Il s'était lancé, sur le ton gai et optimiste du client serein, pensant que son interlocuteur serait plus enclin à la générosité s'il avait le sentiment qu'il était positif et confiant dans l'avenir.

Ça n'avait pas marché. A l'autre bout du fil, la froideur avait été inflexible, le ton professionnel et distant. Léon avait lancé plusieurs ballons d'essai sur le thème du bon vieux temps des tournois amicaux, des soirées au club de tennis. Sans succès. Ils auraient pu aussi bien n'avoir jamais échangé une balle. Pire, même avec la meilleure volonté du monde, la banque ne pouvait plus retenir les huissiers.

Léon avait cessé de feindre d'être gai, il avait imploré, mendié. Il devait bien exister une solution...

« Vous n'auriez jamais dû faire construire une maison aussi onéreuse, avait objecté le directeur. On ne peut pas se mettre à son compte, avec les risques que cela comporte, l'inévitable passe difficile du début, et se lancer en même temps dans des travaux pharaoniques dans le quartier le plus chic de Munich. Vous auriez dû le savoir.

— Mais c'est *votre* banque qui a presque intégralement financé cette construction ! » s'était défendu Léon.

Il avait été un temps, lointain et heureux, où lui et ce type à l'autre bout du fil se tutoyaient ; désormais, même le « tu » n'était plus de mise.

« A l'époque, personne ne m'a jamais dit que je prenais trop de risques ! Au contraire. Vous m'avez encouragé, vous...

— N'essayez pas de rendre les autres responsables de vos erreurs. Il n'entre pas dans mes attributions de dissuader mes clients de faire ce dont ils ont envie. Je soutiens leurs projets autant que faire se peut. Mais il y a des limites que je ne peux pas dépasser...

— Nous vous avons reçu deux fois chez nous. Vous avez...

— Monsieur Roth, je vous en prie. Cela n'a rien à voir. J'en suis désolé, mais je ne peux plus vous aider. Maintenant, veuillez m'excuser, mais j'ai d'autres affaires en cours. »

Il avait raccroché.

Léon avait joué avec l'idée de le rappeler, puis renoncé. Sa secrétaire avait certainement reçu sans délai des instructions pour ne plus transmettre ses appels.

A présent il fixait la vallée à travers le pare-brise, son téléphone sur les genoux. Lentement, très lentement, le paysage autour de lui commença à prendre forme. Il vit le soleil, les moutons qui broutaient, les agneaux qui gambadaient. Les prairies étaient d'un vert frais et lumineux, les arbres gorgés de sève, pleins de vigueur. Les bas-côtés du chemin étaient couverts de jonquilles et les prairies semées d'une profusion de fleurs blanches dont il ne connaissait pas le nom qui ressemblaient à des petites étoiles.

Comme c'est paisible, ici, songea-t-il.

Il avait des difficultés à respirer, comme si son cœur avait été pris dans un étau qui l'empêchait de battre. Au moins ne ressentait-il aucune douleur, pas même ce tiraillement qui ne lui laissait pas oublier qu'il vivait depuis un peu trop longtemps au-dessus de ses forces. Que ressentait-on quand on mourait d'un infarctus ? Combien de temps l'agonie durait-elle ? Etait-ce douloureux ?

Il ouvrit sa portière. Un flot d'air tiède et doux qui sentait l'herbe, les fleurs et la terre humide envahit l'habitacle. Il entendit un mouton bêler, reconnut le murmure d'un ruisseau invisible.

S'allonger dans l'herbe. Regarder le ciel. Respirer les odeurs de la nature, écouter les bruits de la campagne. Depuis combien de temps n'avait-il pas fait cela ? Au moins une éternité, peut-être même était-il alors un enfant. Il descendit de voiture et s'avança dans la prairie. Les moutons continuèrent à brouter sans lui accorder un regard.

Il se pencha, enleva ses chaussures et ses chaussettes. L'herbe était fraîche et douce sous ses pieds. Etait-ce la première fois qu'il y avait une telle odeur de fleurs dans l'air ? Ou bien n'y avait-il jamais prêté attention ?

Il s'assit face à la vallée, respira profondément, calmement. Il était en Angleterre. Dans une vallée au milieu de nulle part. Pour la première fois, l'idée de tout laisser tomber lui vint à l'esprit. Son métier, ses problèmes usants, son simulacre de mariage, tout. Dételer, repartir de zéro, commencer une nouvelle vie.

Il pourrait élever des moutons, ou faire de l'agriculture. Vivre dans une petite maison modeste. Avec une gentille femme. Le soir, il rentrerait avec le sentiment du devoir accompli. Ils vivraient simplement, se nourriraient des produits de leur potager, des fruits de son travail. En fin de journée, ils s'assiéraient face à une vallée comme celle-ci et ils regarderaient les moutons.

La naïveté de son fantasme le fit rire.

Il s'allongea dans l'herbe et regarda le ciel.

Ricarda avait espéré prendre un vrai petit déjeuner – pour autant qu'il fût possible de prendre un vrai petit déjeuner à la cafétéria d'une station-service d'autoroute – mais Keith, dont la nervosité grandissait, n'avait pas les mêmes envies.

— On n'a pas le temps ! La priorité, c'est Londres, et une fois là-bas, il faudra qu'on trouve un endroit où dormir. Et peut-être déjà commencer à se renseigner.

— Se renseigner sur quoi ?

— Mais sur le boulot, bien sûr ! Combien de temps crois-tu qu'on va tenir avec le peu d'argent que tu as ?

Sa brusquerie la déconcerta, et elle s'inquiéta de le deviner si soucieux, mais elle se consola avec l'idée que tout s'arrangerait. Forcément. Il fallait seulement qu'ils s'habituent à leur nouvelle vie.

— Je vais prendre de l'essence, annonça Keith. Pendant ce temps, va voir à l'intérieur ce que tu peux trouver à manger. Mais surtout, ne dépense pas trop, d'accord ?

Elle entra dans la cafétéria, se rendit aux toilettes, où elle se lava le visage à l'eau froide et se peigna. L'angoisse qu'elle lut dans ses yeux la surprit.

Dans la boutique, elle acheta deux grands gobelets de café et deux sandwichs aux œufs et aux tomates sous blister. Ce n'était pas le petit déjeuner dont elle avait rêvé, mais ce n'était pas cher. Keith serait content d'elle.

Quand elle sortit, elle le vit adossé à la pompe, son portable collé à l'oreille. Il remarqua sa présence au même instant et lui adressa de grands signes. Elle le rejoignit au moment où il achevait sa conversation et éteignait son téléphone. Le sang s'était retiré de son visage.

— Ma mère m'avait laissé un message. Je l'ai rappelée. Mon père est mal. Ça a l'air sérieux.

— Qu'est-ce qui s'est passé ?

— Je ne sais pas. Il est inconscient. Le médecin est là. C'est sans doute un accident vasculaire... Quelle poisse ! fit-il en passant ses doigts dans ses cheveux. Ça ne pouvait pas plus mal tomber. Il faut qu'on fasse demi-tour, Ricarda.

— Mais pour quoi faire ?

— Ma mère a besoin de moi. Elle est dans tous ses états. Elle pense qu'il est en train de mourir. Je ne peux pas la laisser seule dans un moment pareil.

Elle lui tendit un gobelet de café.

— Tiens, bois déjà ça.

Le café, trop chaud, lui arracha une grimace, puis il vit les sandwichs et secoua la tête.

— Je déteste les sandwichs aux œufs. Allez, monte. Faut qu'on parte !

— Il faut tout de même que tu payes l'essence, lui rappela-t-elle, et il s'éloigna en maugréant vers la caisse.

Elle le suivit des yeux. Elle avait froid, des larmes de déception lui brûlaient déjà les yeux. Autant elle avait eu peur de ce qui l'attendait à Londres, autant elle était certaine de ne pas vouloir revenir en arrière. Il n'y aurait pas de second départ, elle en avait l'intuition.

Elle jeta les deux sandwichs dans une poubelle. Brusquement, elle n'avait plus faim.

— Bon, eh bien, si tout est en ordre, j'y vais, déclara Steve en dansant d'un pied sur l'autre comme toujours lorsqu'il parlait. A moins qu'il y ait autre chose à faire ?

Patricia leva les yeux. Elle était en train de planter des géraniums, des fuchsias et des marguerites dans les jardinières qu'elle venait de nettoyer. Toujours soucieuse de perfection, elle procédait avec méthode et concentration.

— Non, Steve, le reste, je le ferai. Merci d'avoir tondu la pelouse. Ça donne tout de suite un aspect soigné, c'est extraordinaire !

— J'ai tondu pour la dernière fois le matin de votre arrivée, mais en cette saison, surtout quand il fait chaud, ça pousse à une telle vitesse qu'on a du mal à suivre !

Patricia se redressa, secoua la terre de son pantalon et entra dans la maison, suivie de Steve, pour lui payer ce qu'elle lui devait. Dans le salon, ils croisèrent un Tim courroucé qui les apostropha :

— Je n'arrive pas à retrouver mes notes ! Ça ne se perd tout de même pas comme ça ! Et je n'arrive pas à trouver Evelin non plus ; avec un peu de chance, elle sait où sont ces fichus papiers. Il y a quelque chose qui ne tourne pas rond !

— Tu as vérifié dans la cuisine ? interrogea Patricia.

Tim sourit, mais son sourire n'était ni amusé ni complice.

— Bien sûr. C'est même par là que j'ai commencé. Elle n'y est pas.

— Tu travailles sur ordinateur, il me semble.

— Oui, mais j'ai imprimé plusieurs chapitres. Je n'aimerais pas que ça tombe… entre de mauvaises mains.

— A part nous, dit Patricia, il n'y a personne dans cette maison. Mais peut-être nous considères-tu comme de *mauvaises mains* ?

Tim ignora la remarque.

— Qui est censé s'occuper du repas de midi ? demanda-t-il sans transition. Evelin est on ne sait où, Jessica, comme d'habitude, cavale dans la campagne, quant à toi, tu sembles très prise par tes plantations.

— Effectivement, auquel cas je propose que ce soit celui qui pose la question qui s'en charge, répliqua Patricia sans s'émouvoir. Mais il est à peine onze heures, ça te laisse du temps !

Elle fit signe à Steve de la suivre et planta là un Tim passablement déconcerté.

— Je ne vois pas pourquoi certaines tâches seraient réservées aux femmes, dit-elle à Steve en lui tendant son argent.

Steve, qui était issu d'une longue lignée de solides paysans du Yorkshire où le mot émancipation n'était pas encore familier, eut un haussement d'épaules impuissant.

— Chez nous, c'est maman qui fait la cuisine, commenta-t-il.

Le village s'appelait Bradham Heights et se trouvait sur une route dont Phillip avait cru qu'elle arrivait à la mer sans rencontrer la moindre trace de vie humaine. Situé derrière une colline, Bradham Heights comptait une poignée de maisons de poupée en granit gris, nichées au creux d'un paysage vallonné. L'église, imposante, était entourée d'un délicieux cimetière planté de pommiers en fleurs. Des moutons et quelques vaches paissaient sur les versants des collines alentour.

Difficile d'imaginer que les fléaux de la ville, la drogue, l'alcool, la violence, avaient pénétré jusque-là.

Phillip découvrit un pub, bien tenu et confortable, où on lui servit un somptueux petit déjeuner : café à volonté, jus d'orange, œufs brouillés, toasts beurrés et la meilleure omelette aux champignons qu'il eût jamais mangée. Repu, il ne résista pas au plaisir d'un verre de xérès. Tout l'étonnait, le paysage, le pub, l'addition, aussi modeste que l'accueil était chaleureux. Surtout, il s'étonnait lui-même. L'endroit avait sur lui un effet apaisant et sécurisant. Il s'y sentait bien, en paix avec lui-même. Il n'avait pas éprouvé pareille sensation depuis qu'autrefois il se blottissait dans les bras de sa mère. Que lui arrivait-il ?

Lui qui s'était toujours pris pour un citadin invétéré se réjouissait de la vue de moutons qui pâturaient, savourait le silence de la campagne, le calme d'un village assoupi, s'arrêtait, charmé, devant les pommiers en fleurs d'un cimetière. Un cimetière ! Le simple fait de choisir de s'y promener, de flâner entre les tombes en écoutant le bourdonnement des premières abeilles de l'année était pour lui une sorte d'exploit. Sa visite sur la tombe de Kevin McGowan mise à part, il n'était, de sa vie, entré qu'à deux occasions dans un cimetière : pour l'enterrement de sa mère, quelques mois auparavant, et pour celui de sa grand-mère, de nombreuses années plus tôt, alors qu'il avait quinze ans. A l'époque, il s'en souvenait encore, sa mère avait dû l'obliger à l'accompagner. Ils avaient pris le train pour se rendre dans le Devon, et il avait dû porter un costume noir et une cravate. Le cimetière, charmant et fleuri, ressemblait à celui de Bradham Heights. C'était en août, un parfum d'automne flottait déjà dans l'air et les fleurs avaient les couleurs plus soutenues de la fin de l'été, mais il faisait beau et chaud. Pourtant il avait eu froid, et il n'avait rien éprouvé que de la tristesse, de l'angoisse, le désir de fuir. Jamais il n'aurait imaginé s'attarder un jour dans un tel lieu et y ressentir un sentiment de paix aussi intense.

Je commence à aimer ce pays, songea-t-il, il y a quelque chose, ici, qui me touche. Je suis venu chercher un père, et c'est moi que je découvre. Chaque jour un peu plus.

Il s'arrêta devant une stèle sur laquelle un ange implorant le ciel était gravé. C'était la tombe d'un enfant mort à l'âge de six ans.

Il ne put s'empêcher de penser à Géraldine et à son désir d'enfant. Non qu'il imaginât un instant faire un jour partie de son rêve – il savait avec certitude qu'elle n'était pas la femme avec laquelle il voulait faire sa vie –, mais, pour la première fois, il eut le sentiment de comprendre ce qu'elle ressentait et pourquoi elle désirait tant fonder une famille. Il commençait même à redouter de succomber aux mêmes sirènes, d'aspirer soudain à une vie qu'il avait jusque-là rejetée, et dont il rêverait, sans jamais l'atteindre, comme Géraldine.

Il ne voulait pas poursuivre de vaines chimères.

Mais Stanbury House n'était-elle pas déjà un rêve inaccessible ?

Il eut du mal à s'arracher au charme bucolique du cimetière. De retour dans la rue principale, le désir de voir la maison de son père, le besoin quasi physique de marcher dans le parc, d'admirer de loin la beauté austère de la bâtisse de granit, de regarder le ciel se refléter dans les vitres des fenêtres effaça tout le reste.

Il monta en voiture et prit la direction de Stanbury House...

— Ricarda est réapparue ? questionna Patricia.

Après les jardinières de la terrasse, c'était à présent l'auge à moutons dans la cour de devant qu'elle préparait pour l'été. Des guirlandes de Noël défraîchies s'enroulaient encore autour des aiguilles desséchées des sapins nains. Elles atterrirent dans le grand sac en papier que Patricia avait préparé pour les détritus.

— Non, répondit d'un ton las Alexander, qui venait de sortir de la maison et s'était arrêté un instant à côté d'elle.

Elle se retint de répliquer qu'elle ne donnerait plus son avis et plongea avec détermination sa pelle à main dans la terre.

— Hum, hum, grommela-t-elle finalement sans desserrer les dents.

— J'ai pensé aller m'asseoir sur le banc où était Ricarda hier. J'ai besoin d'être un peu seul.

— Ça fait des jours que nous avons tous besoin d'être un peu seuls. Ça ne te frappe pas ?

— Hier soir...

— Les repas, ça va encore, on les prend en commun. Quoique, pour le petit déjeuner, ce ne soit plus tout à fait ça non plus. Mais sinon... dans la journée... nous ne faisons jamais rien ensemble. Chacun vit sa vie dans son coin. Personne ne semble avoir envie d'organiser quelque chose avec les autres.

— Tu penses que ça tient à quoi ?

— On a déjà eu une période comme ça.

— Je sais. L'année avant que...

— ... avant que tu te sépares d'Eléna. Du jour où elle a commencé à tout critiquer, plus personne n'a réussi à s'entendre.

— Mais Eléna n'est plus là.

Patricia se cantonna à un silence éloquent.

Alexander soupira.

— Non, dit-il, non, tu ne peux pas comparer. Jessica ne cherche jamais l'affrontement. Elle ne... elle ne rejette pas Stanbury. Elle peut parfois paraître vouloir garder ses distances, mais elle s'est bien intégrée et elle a le sentiment de faire partie du groupe.

— N'empêche que, depuis qu'elle est là, Ricarda n'a de cesse d'aller voir ailleurs. Et ça aussi est très déstabilisant.

— Elle grandit. Toutes les filles partent un jour ou l'autre.

— Si tu veux mon avis, c'est la période entre Eléna et Jessica qui a été la plus agréable.

— Je n'allais quand même pas rester seul toute ma vie.

Patricia s'abstint de tout commentaire et porta à nouveau son attention sur ses plantes.

— Tu as téléphoné à Eléna ? demanda-t-elle brusquement. Je veux dire ces jours-ci, à propos de Ricarda ?

Il se sentit comme un écolier pris en train de copier.

— Oui, avoua-t-il du bout des lèvres.

Elle se tourna à demi vers lui en relevant la tête. Avec ses gants maculés de terre sous lesquels on devinait des ongles longs et pointus comme des griffes, ses cheveux d'or pâle extraordinairement brillants et ses yeux réduits à deux fentes à cause du soleil, elle lui fit penser à un félin aux aguets, à un animal sauvage affamé, cruel et impitoyable.

Il tressaillit. Impitoyable ? Avait-on le droit de porter un tel jugement sur quelqu'un ? Et cependant, son absence totale d'humanité et de scrupules, sa dureté étaient évidentes. Eléna la détestait. Patricia était la raison pour laquelle Eléna avait un jour refusé de retourner à Stanbury. Dans un sens, Patricia était la cause de tout. La cause de son divorce.

— Bon, eh bien je suis là-bas, dans le parc, dit-il.

Elle lui répondit par un sourire hautain et se consacra à ses plantations.

La ferme, écrasée de soleil, paraissait morte. Keith s'arrêta dans un hurlement de freins. Il avait roulé comme un fou, bafouant le code de la route et au mépris des règles de sécurité les plus élémentaires. Ricarda avait cru ne jamais arriver vivante.

Deux fois, elle l'avait supplié de ralentir. La première fois, Keith n'avait pas réagi, à croire qu'il ne l'avait pas entendue. La deuxième fois, il avait aussitôt pris la mouche :

« Laisse-moi tranquille, à la fin, ce n'est pas ton père qui est en train de mourir !

— Mais il n'est peut-être pas du tout en train de mourir !

— C'est possible, mais il va sûrement très mal, sinon maman ne serait pas dans cet état ! »

La réaction de Keith disait combien, en réalité, il tenait à son père. Ricarda, à bout de fatigue et d'angoisse, songeait avec nostalgie à la douceur de leur solitude à deux dans la grange abandonnée, seulement Keith et elle, à la lueur des bougies, loin du monde, avec dehors la lune qui éclairait la cour déserte de la ferme. Tout cela semblait bien loin. Keith, assommé par la nouvelle de l'attaque de son père, prenait des risques insensés pour rentrer au plus vite, leur tentative de fuite avait échoué, elle n'avait plus pour perspective que l'humiliation d'un retour à Stanbury House. Car où aurait-elle pu aller, sinon ?

Elle aurait volontiers pleuré, mais elle avait peur de déclencher la colère de Keith. Elle avait ravalé ses larmes et, le visage fermé, regardé défiler le paysage par la vitre de sa portière.

Keith bondit hors de la voiture et se précipita vers la porte de la maison, qui s'ouvrit au même instant. On devait avoir guetté leur arrivée. Une femme apparut, pâle et maigre, qui semblait tenir à peine sur ses jambes. Elle s'effondra dans les bras de Keith.

— Mon Dieu, la totale... murmura Ricarda pour elle-même.

Elle descendit à son tour et demeura indécise à côté de la portière.

Keith disparut avec sa mère à l'intérieur de la maison. Plusieurs minutes s'écoulèrent avant qu'il ne ressorte. Il était très pâle.

— Mon père est vraiment mal, dit-il. C'est une attaque cérébrale. Il est à l'hôpital, à Leeds. Les médecins ne savent pas s'il va survivre, ni... ni, s'il s'en remet, s'il sera comme avant. C'est... terrible...

Ses cheveux, dans lesquels il ne cessait de passer les doigts, se dressaient en une masse hirsute autour de sa tête.

— Ça a été tellement violent, la dispute, hier, et maintenant... J'espère que...

Il n'acheva pas sa phrase, mais Ricarda devina le fond de sa pensée. Elle posa une main légère sur son bras, c'est à peine si elle l'effleura, pourtant il sursauta à ce contact inattendu.

— Ne te fais pas de reproches, dit-elle, ça n'a certainement aucun rapport avec votre dispute.

Il acquiesça sans conviction.

— Il faut que je m'occupe de maman. Elle est complètement désemparée.

— Ta sœur n'est pas là ?

— Il semble qu'elle soit partie tôt ce matin pour Bradford. Je ne sais pas pour quelle raison. Toujours est-il qu'on ne peut pas la joindre. Ecoute, je...

— C'est bon, Keith. Je comprends. On a besoin de toi ici. Ne t'inquiète pas pour moi.

Le désespoir menaçait de la submerger mais elle s'interdisait toujours de laisser couler ses larmes.

— Où penses-tu aller ?

— Aucune idée, reconnut-elle en prenant son sac à dos dans la voiture et en glissant les sangles sur ses épaules avec une détermination qu'elle n'éprouvait pas. Je vais voir...

Déjà il ne l'écoutait plus, il se hâtait vers la maison de son père, petite marionnette confrontée trop tôt à une situation qui le dépassait.

Ricarda partit le cœur lourd. Elle ne se sentait pas de taille à retourner à Stanbury. Revoir leurs têtes, devoir les supporter, revivre les perfidies de Patricia, la faiblesse de son père, la sournoiserie de Tim, la tristesse d'Evelin... Et savoir qu'un bébé grandissait dans le ventre de J., l'enfant de son père, son père tant aimé, son père exceptionnel, unique, adoré et haï, son père qui l'avait tant déçue...

Enfin ses larmes jaillirent. Elle se laissa glisser sur les genoux dans l'herbe haute au bord du chemin, se recroquevilla, et sanglota de toutes les larmes de son corps. Des larmes où se mêlaient du désespoir, du chagrin et une infinie colère.

Elle ne voyait plus d'issue.

Deuxième partie

En passant par l'arrière du parc pour ne pas prendre le risque de rencontrer quelqu'un, il avait réussi à s'approcher relativement près de la maison sans que personne remarque sa présence. Il était demeuré un long moment à l'abri du sous-bois, assis sur un tronc d'arbre, à observer de loin la maison, la terrasse et les marches qui descendaient vers la pelouse, les alignements de fenêtres, le pignon du toit. Machinalement, pour occuper ses mains, il avait arraché et tressé ensemble des dizaines de brins d'herbe qu'il avait semés autour de lui.

Une bonne heure s'était écoulée ainsi.

Finalement, ne voyant pas âme qui vive, il avait décidé d'oser s'approcher encore de quelques mètres. Il s'était demandé un instant si son comportement n'avait pas déjà quelque chose de pathologique. Etait-il normal de se cacher ainsi dans des fourrés pour observer une maison, puis de tourner autour et de venir à pas de loup, comme un prédateur ?

Comme il ne voulait pas se trouver à découvert sur la pelouse d'où il aurait été visible de toutes les fenêtres de la façade arrière, il avait longé la lisière du bois pour aborder la maison par le sud-ouest. Il se rendit compte trop tard, alors qu'il n'était qu'à quelques mètres, qu'une femme était assise sur une pierre plate au soleil. Trop tard car elle avait entendu un bruit et se tournait vers lui. Il reconnut l'amie de Jessica. Comment s'appelait-elle, déjà ? Dès leur première rencontre, il avait été impressionné, non par sa forte corpulence, mais par l'absolu désespoir que reflétaient ses yeux.

— Ah, c'est vous, dit-elle.

Elle ne paraissait pas effrayée.

Il la rejoignit.

— Je ne peux pas m'empêcher de venir, s'excusa-t-il dans un sourire. Il y a quelque chose, ici, qui m'attire, c'est plus fort que moi.

Elle sourit à son tour, mais sans que s'efface son expression de tristesse.

— Contre Patricia, vous n'avez aucune chance, prévint-elle.

— Oh, ça viendra. Je ne renonce pas aussi facilement, vous savez. Si ce que ma mère a dit est exact, la moitié de cette propriété m'appartient. Je le prouverai et je ferai valoir mes droits.

— C'est possible, dit-elle sans conviction.

Il désigna la pierre plate sur laquelle elle était assise.

— Je peux m'asseoir un instant ?

Elle recula de bonne grâce de quelques centimètres pour lui faire une place.

— Je vous en prie.

Il s'assit sur la pierre chauffée au soleil.

— Quel endroit agréable ! remarqua-t-il. Vous y venez souvent ?

— Non. En fait, je reste le plus souvent à l'intérieur. Dans la cuisine. Je...

Elle s'interrompit, un rictus étira ses lèvres.

— Ça se voit, non ? Je veux dire... que je suis souvent dans la cuisine.

— On voit que vous aimez bien manger. Mais je ne pense pas que ce soit mal. C'est plutôt positif de savoir apprécier ce qui est bon. Mon amie est mannequin, elle s'astreint à un tel régime que c'est tout juste si elle ne se nourrit pas d'eau minérale. Je pense qu'elle passe à côté de beaucoup de choses. Et quand on partage sa vie, ce n'est pas toujours drôle.

— Mais elle a sûrement une ligne de rêve.

— Elle est très mince. Je ne suis pas loin de penser qu'elle l'est trop. Mais c'est vrai qu'en photo ça rend bien.

Quelque chose comme de l'intérêt apparut dans les yeux d'Evelin.

— Elle est belle ?

— Mon amie ? Oui. Oui, je crois qu'on peut la qualifier de belle.

— Vous allez vous marier ?

Il rit.

— Vous êtes toujours aussi directe ?

Elle piqua un fard et, dans ses yeux, la petite lumière s'évanouit.

— Je vous en prie, excusez-moi. Je ne voulais pas...

— Il n'y a pas de mal. Votre question ne me choque pas du tout. Mais pour vous répondre, non, nous n'allons pas nous marier. Du moins, c'est peu probable. Géraldine en rêve, de même qu'elle rêve d'avoir des enfants, mais je... je crains de ne pas être doué pour ça.

— Elle doit être très malheureuse ?

— Géraldine ?

— Oui. Si elle souhaite tant se marier et... tant avoir des enf... (le mot ne voulait pas franchir ses lèvres) des enfants...

— Je pense aussi qu'elle n'est pas heureuse. Sans doute allons-nous nous séparer. C'est triste, mais ça n'a pas de sens d'aller contre ses désirs profonds.

— Là, vous avez bien raison.

Elle parlait d'un ton monocorde. Sa détresse le touchait mais il ne savait pas quoi lui dire. Elle était grosse, triste, probablement dépressive. Seul un spécialiste des plaies à l'âme devait pouvoir l'aider.

Il l'observa à la dérobée. Il fut frappé par la blancheur et la finesse de sa peau. Elle portait un parfum raffiné. Ses cheveux brillaient. Avec trente kilos de moins, et une autre expression sur son visage, elle aurait pu être jolie. Il se demanda comment elle faisait pour demeurer aussi stoïque sous son gros pull-over à col roulé noir.

— Vous n'avez pas trop chaud ? demanda-t-il. On dirait que c'est parti pour être la journée la plus étouffante de l'année !

— Non. Je n'ai pas trop chaud.

L'intérêt qu'il éprouvait pour cette femme l'étonna. Mais maintenant que les occupants de Stanbury House étaient entrés dans sa vie, il se sentait un lien avec eux. Ils ne lui étaient pas indifférents.

— J'aimerais savoir pourquoi Patricia me manifeste une telle opposition, dit-il. Nous sommes parents. Nos histoires familiales se recoupent à travers Kevin McGowan. Pour ma part, je trouve ça intéressant. Ça me surprend qu'elle ne voie pas les choses comme ça. Ou bien est-ce un problème d'argent ? Tout cela...

D'un geste, il désigna le parc et la maison qui avec sa pelouse fraîchement tondue et les potées fleuries sur la terrasse paraissait beaucoup plus cossue.

— ... cette propriété a une certaine valeur. L'idée de devoir partager lui reste peut-être en travers de la gorge.

— Je ne crois pas. Je crois qu'elle veut seulement être la seule à avoir son mot à dire. Elle est très… Elle est très avide de pouvoir.

— Vous l'aimez ?

— Elle a toujours été là.

— Ça ne répond pas à ma question.

— Si, répliqua-t-elle avec une agressivité tant dans la voix que dans le regard. C'est une réponse. Parce que chez nous la question d'aimer ou de ne pas aimer ne se pose pas. Ou plutôt : n'a pas le droit d'être posée. La dernière personne qui a osé déroger à ce principe a été exclue du groupe.

— Comment ça ?

— Je parle d'Eléna. L'ex-femme d'Alexander, le mari de Jessica. Il a divorcé parce qu'elle ne s'entendait pas avec Patricia.

Il la dévisagea, incrédule.

— Mais ce n'est pas possible !

Pour toute réponse, Evelin haussa les épaules.

— C'est tout de même… peu banal, reprit Phillip. Parce qu'elle ne s'entendait pas avec Patricia… Mais qui est donc Patricia ? Le centre de l'univers ? La personne qui décide de tout ? Dont tout dépend ? La seule, unique et infaillible représentante de l'autorité ? Mais qu'est-ce qui l'a catapultée sur ce piédestal ?

— Vous n'y êtes pas du tout. Ce n'est pas de Patricia qu'il s'agit. Patricia ne fait qu'exploiter la situation pour assouvir son besoin de tout régenter. En fait, c'est du côté des maris qu'il faut chercher. De nos trois maris.

Elle croisa les bras autour de son corps comme si elle avait froid.

— C'est toujours de ce côté-là qu'il faut chercher, vous n'êtes pas de mon avis ? Ce sont bien eux qui détiennent le pouvoir, non ?

Il ne comprit pas ce qu'elle voulait dire et il n'eut pas l'impression qu'il en saurait plus en la questionnant.

Il se tut et un silence paisible s'installa. Chacun suivait le cours de ses pensées. Phillip arrachait des brins d'herbe qu'il tressait ensemble, Evelin dessinait des arabesques avec ses ongles sur le tissu de son pantalon. Soudain, une secousse la parcourut et tout son corps se raidit comme celui d'un animal qui flaire un danger. Elle dressa la tête. Son visage reflétait une telle expression de crainte et d'angoisse que Phillip crut en sentir l'odeur – forte, mordante, repoussante. Il la regarda.

— Qu'y a-t-il ?

Elle se leva.

— *Mon mari, répondit-elle simplement.*

Il suivit son regard et vit le barbu, le type avec lequel il avait parlé la veille, qui venait vers eux. Il était encore au milieu de la pelouse, mais, en dépit de la distance, on distinguait déjà l'expression de son visage, et soudain il comprit. Il reprit sa respiration.

— *Evelin !*

Elle ne réagit pas. Elle était comme paralysée.

Tim dut deviner sa silhouette à travers les buissons. Il s'arrêta et plissa les yeux.

— *Evelin ? C'est toi ?*

Il parlait allemand, naturellement. Ses connaissances sommaires de la langue permettaient tout juste à Phillip de suivre les grandes lignes d'une conversation.

Evelin fit un pas en avant.

— *Je suis ici !*

Sa voix était mal assurée.

— *Mais bon sang ! Ça fait des heures que je te cherche !*

C'était dit entre les dents et sur un ton d'extrême colère.

— *Des notes que je viens d'imprimer ont disparu. Elles sont très importantes. J'ai tout retourné. Il y a un sacré bazar ici. Comme d'habitude. Ça devient n'importe quoi. Je veux que tu...*

— *Tim, dit Evelin à mi-voix.*

Il faisait déjà demi-tour. Apparemment, il n'avait pas vu Phillip, qui était resté assis.

— *Dans une minute, je veux que tu m'aies rejoint à la maison, conclut-il sans se retourner.*

Il ne paraissait pas douter qu'elle allait lui obéir.

Phillip se leva. Evelin sursauta quand il posa la main sur son bras.

— *Vous n'avez pas à accepter qu'il vous parle sur ce ton, dit-il. Personne n'a le droit de vous parler ainsi. Et surtout pas votre mari.*

Il ne fut pas certain qu'elle l'ait entendu. Elle partit sans prendre congé. Elle marchait lentement, en boitant et d'un pas saccadé, comme si elle avait été un robot ou une marionnette dépendant de la volonté d'une main invisible.

Il voulut ajouter quelque chose mais il devina qu'elle n'était plus en état de l'entendre.

Au reste, et il se le répéta pour ne pas l'oublier, tout cela ne le concernait pas.

Il n'y avait pas si longtemps, il ne voulait rien avoir à faire avec eux. Ne s'était-il pas dit qu'il les détestait tous ?

Du jeudi 24 avril au vendredi 25 avril

1

Le cerveau de Jessica refusait d'enregistrer ce qu'elle voyait. Ou plutôt, une partie de son cerveau refusait. Une autre lui disait sans ambiguïté que ce qu'elle voyait était bien réel et qu'elle devait le croire – Patricia gisait sans vie, la gorge tranchée, dans l'auge à moutons. Mais dans sa tête, quelque chose s'obstinait à nier l'évidence.

Ça ne pouvait pas être vrai. Jamais il n'arrivait des choses pareilles. Et en plus à Patricia ! Jamais Patricia ne laisserait quelqu'un la toucher !

Soudain un rire déchira le silence et la peur la cloua sur place. Puis elle comprit que c'était son propre rire qu'elle avait entendu. Que Patricia tolère qu'on la traite ainsi était tellement absurde...

Un instant passée au second plan, l'idée que la personne qui avait fait cela était peut-être toujours là occupa à nouveau toutes ses pensées.

Cet acte avait été commis par quelqu'un et rien ne permettait de penser que ce quelqu'un avait pris la fuite.

Mais pourquoi les oiseaux ne recommençaient-ils pas à gazouiller ? Ce silence était ce qu'il y avait de pire. Sans ce silence, tout était tellement plus facile à supporter.

Où tous les autres étaient-ils passés ? Alexander, Tim, Evelin, Léon, les filles... Ils devaient bien être quelque part. Pourquoi n'y avait-il personne ? Pourquoi la maison paraissait-elle désertée par ses habitants ?

Combien de temps avait-elle été absente ? C'était difficile à dire. Quand elle marchait, elle perdait vite la notion du temps. Il était toutefois très surprenant qu'ils soient tous partis dans l'intervalle. Quoique... Patricia, elle, était restée. Mais qui aurait pu imaginer que quelqu'un viendrait la tuer ?

Que quelqu'un viendrait...

Peut-être était-ce un effroyable, un tragique hasard ? Un cinglé, un fou pervers était passé par là, avait découvert cette femme seule et... Un frisson glacé parcourut Jessica.

Si le meurtrier rôdait encore dans les parages, il ne fallait pas qu'elle reste dans cette cour écrasée de soleil.

Elle remarqua qu'une des deux voitures manquait. Ils étaient donc partis. Forcément, ils allaient revenir, mais d'ici là elle devait se barricader dans la maison et appeler la police. Les oiseaux ne chantaient toujours pas. C'était le signe qu'*il* était là. Les animaux avaient l'instinct du danger.

Brusquement sa vessie se contracta sous l'effet de la peur. Elle se vit déjà incapable de se retenir.

Elle appela Barney, en élevant le moins possible la voix pour que personne ne risque de l'entendre. Le chien gronda puis se décida à la rejoindre.

— Allez viens, Barney, viens, murmurait-elle pour l'encourager. Tout va bien, viens vite me retrouver. Sois gentil, mon chien !

Elle se précipita vers la maison, qui lui parut soudain immense, sombre et hostile. A l'ombre de la façade, il faisait beaucoup moins chaud qu'en plein soleil, presque froid. Jessica était toujours parcourue de frissons glacés.

La porte n'était pas fermée. Barney s'arrêta sur le seuil et gronda une nouvelle fois. Les poils de sa nuque étaient humides et la peur affolait ses yeux.

Et si le type était à l'intérieur ?

— OK, murmura-t-elle. Attends-moi là, je vais chercher la clé.

La clé de la voiture qui était garée dans l'allée. Et elle ficherait le camp. Restait à savoir si elle réussirait à atteindre la voiture. Elle tenterait sa chance.

Le hall d'entrée était froid et sombre. Il lui fallut quelques secondes pour que ses yeux s'accoutument à la pénombre. Elle se déplaçait lentement et en s'efforçant de ne faire aucun bruit.

Peut-être aurait-elle mieux fait de partir en courant.

Les clés étaient accrochées à un tableau de bois dans la cuisine – clés de la porte d'entrée, de l'appentis, de la grille du parc (qui n'était jamais fermée). Jessica pria le ciel pour y avoir raccroché les clés de la voiture en revenant du village avec Evelin ; elle n'était pas certaine de l'avoir fait. Si elles n'étaient pas là, elles se trouvaient dans son sac et son sac était là-haut, dans sa chambre, où il n'était pas question qu'elle aille les chercher.

La porte de la cuisine était à demi ouverte. Elle se faufila à l'intérieur et faillit trébucher sur Tim, qui était allongé par terre, le visage tourné vers le sol. Il gisait dans une mare de sang. Ses jambes formaient un angle insolite. Une forte odeur d'urine imprégnait l'air.

Jessica, hypnotisée, le regardait fixement, à vrai dire plus surprise qu'effrayée, comme si ce qu'elle voyait était certes inhabituel, mais pas réellement inquiétant. Puis peu à peu son esprit se remit à fonctionner. Si Tim avait lui aussi été égorgé, il ne s'agissait pas du crime fortuit d'un rôdeur. Il s'agissait d'un massacre, du geste monstrueux d'un déséquilibré, d'un dangereux psychopathe. L'idée effroyable que le meurtrier ne s'était pas contenté de tuer Patricia et Tim prenait forme. L'étrange silence qui pesait sur la propriété s'expliquait peut-être par autre chose que par la simple absence de ses occupants. Peut-être était-ce le ou les meurtriers qui avaient emprunté la voiture manquante.

Dans ce cas, ils étaient tous morts. Tous sauf elle et Barney.

Elle avait entendu parler de sectes. De meurtres rituels. Précisément en Angleterre. Précisément à la campagne. Ce n'était même pas si exceptionnel que cela.

Elle pensa à Alexander et toute prudence l'abandonna. En dépit de tout, en dépit des déceptions, des mésententes, de l'incompréhension que les derniers jours avaient apportées, l'idée qu'il puisse ne plus être là était insupportable, inconcevable. Elle courut hors de la cuisine.

— Alexander !

Sa voix résonna dans le silence de la maison.

— Alexander ! C'est moi ! Jessica ! Je suis en bas !

Elle s'arrêta, écouta. Les murs du hall tournaient autour d'elle. Personne ne lui répondit.

Non, pas ça, mon Dieu, pas ça ! Un sanglot monta du fond de sa poitrine. Elle mit toute son énergie à le refouler, pleurer ne l'avancerait à rien, seulement à rendre les choses encore pires. Elle attendit quelques secondes que cesse son vertige, puis elle se dirigea vers l'escalier. Monter fut une épreuve, parfois les marches avançaient vers elle, parfois elles se dérobaient. Ses forces l'abandonnaient. Elle se sentait sur le point de s'effondrer, de s'évanouir. Après tout, peut-être serait-ce un soulagement. S'endormir, échapper à la réalité, puis se réveiller et constater qu'elle avait fait un mauvais rêve. Si seulement...

Arrivée sur le palier du premier étage, elle s'adossa un instant à la rambarde, le souffle court. Un point de côté l'élançait, elle était inondée de sueur.

— Alexander ! appela-t-elle d'une voix brisée.

Elle ouvrit la porte de leur chambre. La pièce était vide. La salle de bains contiguë également.

Elle regagna la galerie et ouvrit la porte suivante. Le sourire de Patricia s'étalait sur tous les murs. Patricia souriante avec ses filles, Patricia souriante avec Léon, Patricia souriante avec ses filles et Léon. Patricia ne sourirait plus jamais. Sa famille était brisée. Léon était-il vivant ? Et Diane et Sophie, où étaient-elles ?

Penser aux filles lui rendit un peu de son calme. L'hystérie dans laquelle l'avait précipitée l'idée qu'Alexander puisse être mort s'atténua. Elle devait trouver les filles. Si elles étaient vivantes, il fallait à tout prix éviter qu'elles voient leur mère dans cet état. Elles en seraient traumatisées à jamais.

Personne dans la chambre, personne dans la salle de bains. La chambre suivante. Le lit de Tim et Evelin n'était pas fait, le pyjama de Tim était en tapon par terre. Tim qui baignait dans son sang à la cuisine. Elle prit sur elle pour chasser l'image de son esprit. Ce n'était pas le moment de craquer.

Elle grimpa au grenier. Ce fut plus facile que de monter l'escalier. Ses forces qui l'avaient un instant abandonnée revenaient.

La chambre de Ricarda était vide. Elle avait disparu après la scène de la veille et, apparemment, n'était pas rentrée. Ce fut pour Jessica un soulagement. Ricarda avait vraisemblablement échappé au drame dont la maison avait été le théâtre. Avec un peu de chance, elle était en train de faire du stop à travers le pays avec son ami.

Elle ouvrit la porte de la chambre de Diane et Sophie. Diane était allongée sur son lit. L'espace d'un instant, elle crut que tout allait bien. Puis elle entra dans la pièce et sa première impression s'évanouit. Du sang imbibait les draps du lit, et le visage de Diane était enfoui dans les pages d'un livre ouvert. Elle prit le poignet glacé de la fillette, mais avant même de constater qu'elle ne respirait plus, elle sut qu'elle était morte. Diane devait être en train de lire allongée à plat ventre sur son lit quand quelqu'un était arrivé par-derrière et lui avait, à elle aussi, ouvert la gorge.

— Mon Dieu, murmura Jessica, puis avant que la panique ne la submerge, elle se tourna vers l'autre lit, s'attendant déjà à y découvrir le corps sans vie de Sophie, mais le lit était vide, et il n'y avait de trace de Sophie nulle part.

— Sophie ? appela-t-elle dans un murmure à peine audible. Sophie ? Tu es là ?

Elle crut entendre un bruit. Un gémissement. Très faible et plaintif, un miaulement de chaton. Cela provenait de la salle de bains aménagée entre les chambres de Ricarda d'un côté, et de Diane et Sophie de l'autre. Elle regagna le palier et ouvrit la porte derrière laquelle un esprit ingénieux avait logé des toilettes, une douche et une minuscule table de toilette. La pièce était en soupente et éclairée par une antique lucarne à tabatière qui ne s'ouvrait qu'avec difficulté, tout en ne fermant pas correctement. Deux posters étaient fixés sous la lucarne, dans la pente du toit. Le premier représentait des chevaux, le second, une photo des No Angels. Un des angles de celui des No Angels s'était décollé et flottait dans le vide. Il touchait presque les cheveux d'Evelin. Evelin, toujours emmitouflée dans son grand pull-over à col roulé noir, était assise sur le couvercle des toilettes. Elle avait du sang sur le visage, sur les mains, sur son pantalon. Probablement aussi sur son pull-over, mais cela ne se voyait pas. Ses yeux écarquillés étaient fixes. De temps à autre, la faible plainte que Jessica avait entendue de la pièce voisine s'échappait de ses lèvres.

Elle était peut-être blessée. Mais elle était en vie.

Rien ne semblait pouvoir faire bouger Evelin.

Jessica lui parla, l'exhorta à prendre la fuite, essaya de la soulever.

— Nous devons partir. Evelin, je t'en prie ! Celui ou ceux qui ont fait ça sont peut-être encore là !

Evelin ne répondait pas. La même faible plainte s'échappait toujours à intervalles réguliers de ses lèvres, mais elle semblait incapable de former un mot ou de composer une phrase entière. Et incapable de se lever.

Jessica l'avait rapidement examinée et constaté qu'elle n'avait pas de blessures apparentes. Cela signifiait qu'elle avait dû être en contact étroit avec un ou plusieurs des corps, sinon elle n'aurait pas été couverte de sang des pieds à la tête. Sans doute avait-elle voulu s'assurer que Patricia, Tim ou bien Diane était encore en vie. Tim ? Avait-elle trouvé Tim ? Savait-elle que son mari était mort ?

— Evelin, je vais maintenant redescendre et appeler la police.

Il était inutile d'essayer de la convaincre de prendre la fuite. Evelin était en état de choc et probablement à peine capable de comprendre de quoi on lui parlait. Jessica n'avait d'autre solution que de redescendre dans le hall pour téléphoner à la police puis de remonter aussi vite que possible se cacher dans les combles. Se trouver à nouveau seule en bas l'épouvantait, mais elle ne pouvait pas rester là à attendre qu'Evelin sorte de sa torpeur.

Elle quitta la salle de bains, évita de regarder dans la chambre où Diane gisait sur son lit. Le pied sur le premier barreau de l'échelle, elle retint sa respiration et tendit l'oreille vers les étages inférieurs. La maison était silencieuse.

Alexander. Si seulement Alexander pouvait être encore en vie !

Elle descendit sans bruit. Au rez-de-chaussée, la porte de la cuisine était toujours à demi ouverte, elle vit la main de Tim sur le carrelage. Un tremblement nerveux agitait tout son corps, ses jambes la portaient à peine, mais elle réussit à garder un calme relatif et à téléphoner. Peut-être son métier y était-il pour quelque chose. Elle avait l'habitude de voir du sang.

Quand à l'autre bout du fil l'officier de police se présenta, les sons qui sortirent de la bouche de Jessica étaient à peine audibles.

— S'il vous plaît, pourriez-vous venir ? Vite. A Stanbury House. Nous avons également besoin d'un médecin.

— Où ça ? Pourriez-vous parler plus fort ? Je vous entends très mal !

— A Stanbury House. C'est...

— Je sais où c'est. Pourquoi nous appelez-vous ?

Elle avait conscience que son histoire devait paraître folle.

— Trois personnes sont mortes. Peut-être plus, je ne sais pas. Et une femme est en état de choc. Le type qui a fait ça est peut-être encore là. Venez vite, je vous en prie !

A l'autre bout de la ligne, l'officier de police marqua un temps d'arrêt.

— Vous dites que trois personnes sont mortes ?

— Je n'ai aucune idée de ce qui s'est passé. Je n'étais pas là. Je les ai découvertes quand je suis revenue. Mon mari a disparu, sa fille aussi, et le mari d'une de mes amies...

Elle s'interrompit puis reprit dans un souffle :

— S'il vous plaît, venez vite. Je vous en prie !

— Nous arrivons, dit-il sans autre commentaire, puis il raccrocha.

Ils arrivent. Tout va s'arranger.

Non, rien n'allait s'arranger. Ils étaient morts ! Rien ne serait plus comme avant. Rien n'effacerait l'horreur de cette journée. Et elle ne savait toujours pas si Alexander était encore en vie.

Un bruit la fit sursauter. Elle se retourna, s'attendant à se trouver face au meurtrier. Au lieu de cela, elle vit la porte de la salle à manger s'ouvrir lentement. Elle espéra l'espace d'un bref instant que c'était l'effet d'un courant d'air, puis son regard tomba sur la petite silhouette qui rampait sur le sol. C'était Sophie, couverte de sang. Elle s'arrêta sur le seuil de la pièce et ne bougea plus.

Jessica s'agenouilla. Sophie respirait.

2

Phillip savait qu'il ne pourrait pas éviter Géraldine encore long-temps, mais il redoutait la confrontation et avait espéré pouvoir y échapper. Pourtant, il connaissait Géraldine : elle ne partirait pas sans avoir eu une explication avec lui. Sans compter qu'en lui empruntant sa voiture il lui avait offert la possibilité de rester à Stanbury la tête haute.

Il se gara, entra dans le hall de l'hôtel et la porte s'était à peine refermée derrière lui qu'il se trouva nez à nez avec elle. Impos-sible de faire demi-tour. Seuls quelques centimètres les séparaient.

Elle devait avoir beaucoup pleuré car ses yeux étaient gonflés. Elle était vêtue du collant noir qu'elle portait pour faire du jogging et d'un tee-shirt blanc qui aurait mérité de passer à la machine à laver. Aucun maquillage. Aucun bijou. Un simple élas-tique rouge pour retenir ses cheveux. Jamais, depuis qu'il la connaissait, elle n'avait aussi peu soigné son apparence. Elle semblait au fond de l'abîme.

— Ah, Géraldine !

C'était une façon idiote de lui dire bonjour, mais elle ne parut pas le remarquer.

— Je pensais que tu étais parti.

Il rit nerveusement.

— Avec ta voiture ? Tu n'as peut-être pas une très haute opinion de moi, mais tu devrais savoir que je ne suis pas un voleur. Je ne faucherai jamais ta voiture.

— Où étais-tu ?

Il eut un geste vague.

— Un peu partout. Ici et là. Je voulais voir un avocat à Leeds pour discuter de mon affaire, mais finalement j'ai fait demi-tour.

— Tu ne connais pas d'avocat à Leeds.

— Justement. Je voulais appeler un ami à Londres qui aurait été susceptible de me tuyauter, mais je n'ai pas réussi à le joindre. Là-dessus, je me suis dit que je pouvais bien me débrouiller tout seul... C'est une très mauvaise idée. Bref, j'ai perdu une demi-journée. Tant pis. Je trouverai une autre solution. Je consulterai peut-être un avocat à Londres. Je... au fond, tout ça n'était pas encore bien au point dans ma tête.

Elle sourit mais sans que la tristesse disparaisse de son visage.

— Tu es parti du principe que cette Patricia t'ouvrirait les bras et sa maison. Tu n'as jamais vraiment cru qu'il puisse en être autrement, et par conséquent jamais réfléchi à ce que tu ferais si c'était le cas. Pas étonnant que tu ne saches plus trop où tu en es.

— C'est possible. Mais je trouverai une solution.

— Certainement. De toute façon, tu ne renonceras pas avant.

— Oui, sans doute...

Ils demeurèrent silencieux, hésitants, se regardèrent un instant sans rien dire, unis par le souvenir des années passées ensemble.

— De ton côté, je suppose que tu n'as pas changé d'avis, dit finalement Géraldine.

Il comprit de quoi elle parlait et il secoua la tête.

— Non. Je suis désolé.

— Dans ce cas, je n'ai pas de raison de m'attarder plus longtemps ici.

Il se fit la réflexion qu'elle n'avait déjà eu aucune raison de venir, mais il garda ses pensées pour lui.

— Il y a effectivement des endroits plus enthousiasmants que cet hôtel, dit-il. Et à Londres, tu pourrais travailler.

— Oui...

Elle était au bord des larmes mais paraissait déterminée à ne pas pleurer devant Phillip, ce dont il lui fut reconnaissant.

— Je vais commencer à préparer mes bagages, reprit-elle. Je réussirai peut-être à être à Londres ce soir.

— Il fait jour tard, en ce moment. Tu ne devrais pas avoir de difficultés pour conduire.

Il lui tendit les clés de la voiture.

Il songea que leur séparation était réussie : ils étaient calmes, raisonnables, échangeaient des propos amicaux... Le couple modèle. Et rien n'était vrai. Tout au moins du côté de Géraldine. Elle subissait la situation. Il était rare, quand une relation s'achevait, qu'il n'y ait pas une victime. Il y avait celui qui voulait rompre et provoquait la rupture, et celui qui n'avait plus le choix, qui subissait. Phillip ne doutait pas que Géraldine eût préféré le gifler, pleurer, tempêter et lui jeter à la figure toutes ces années perdues à espérer. D'ailleurs, il était bien possible qu'elle le fasse un jour. Il avait du mal à croire qu'elle se laisse congédier aussi facilement. Elle n'était pas du genre à rendre les armes sans batailler ferme.

Elle prit les clés. Il remarqua qu'elle s'était rongé les ongles. Elle se rongeait les ongles, quand ils s'étaient connus, puis elle avait cessé. Elle avait eu quelques rechutes, mais passagères et sans gravité. Cette fois, certains ongles étaient rongés jusqu'au sang. Elle touchait le fond, mais il ne voulait à aucun prix céder à la pitié. Et il ne voulait surtout pas commencer à culpabiliser.

— Bon, eh bien... fit-il maladroitement.

Elle le regarda sans qu'il sache interpréter son regard, puis elle se détourna.

— Nous aurons peut-être l'occasion de nous revoir, dit-elle en se dirigeant vers l'escalier.

— Bien sûr, pourquoi pas ? répondit-il précipitamment. On pourrait de temps en temps prendre un verre ensemble...

Mais pas tout de suite, ajouta-t-il pour lui-même.

Elle ne répondit pas et commença à gravir les marches sans se retourner.

Elle pleurait.

3

Les deux jeunes officiers de police qui se présentèrent à Stanbury House ne devaient guère avoir plus de vingt-cinq ans. S'ils étaient sceptiques en arrivant, leur attitude changea du tout au tout quand ils tombèrent sur le corps ensanglanté de Patricia dans l'auge à moutons. Ils se répartirent les tâches. L'un s'assit sur une grosse pierre placée près de l'entrée à des fins décoratives et s'épongea plusieurs fois le visage avec son mouchoir en respirant bruyamment avant de brancher sa radio pour appeler du renfort.

Son collègue entra courageusement dans la maison. Il découvrit Jessica assise par terre dans l'encadrement de la porte de la salle à manger, Sophie inconsciente dans les bras. Elle n'avait osé ni la laisser seule, ni la déplacer, de peur d'aggraver ses blessures, et avait donc attendu sans bouger, au supplice, en priant pour que la police arrive vite.

— Mon Dieu, fit le policier, elle est encore en vie ?

— Oui. Mais grièvement blessée. Elle a des plaies ouvertes sur tout le haut du corps. Le médecin est avec vous ?

Le jeune homme se tourna vers la porte.

— Il faut que le médecin se dépêche ! cria-t-il à son collègue. Nous avons une enfant grièvement blessée !

— Il sera là d'une minute à l'autre ! répondit une voix forte.

Le policier se tourna à nouveau vers Jessica.

— Etes-vous la personne qui a téléphoné ?

— Oui.

— Bien. Bien...

Il était à l'évidence dépassé par la situation.

— Vous avez parlé de plusieurs morts ?

— Là, dans la cuisine, il y a un homme. Et là-haut, au deuxième étage, une enfant. Ils sont morts tous les deux. Au deuxième, dans la petite salle de bains, il y a aussi une femme. Elle est vivante mais très choquée. Elle a besoin de soins.

— Bien, répéta-t-il. Bien.

Il réfléchit.

— Je vais aller voir ça. Vous n'avez touché à rien ?

— J'ai soulevé Patricia. Je ne savais pas... Je voulais voir ce qu'elle avait. J'ai pris le poignet de Diane – c'est la petite fille qui est là-haut, sur son lit – pour chercher son pouls. Sinon, je n'ai touché à rien. Sauf aux poignées de porte, bien sûr...

— Bien. Le médecin ne devrait plus tarder. Pouvez-vous rester avec la petite d'ici qu'il arrive ? Il faut que je voie la maison. Vous avez des raisons de penser que l'auteur des faits est toujours là ?

— Je n'ai rien remarqué.

— Bon. Je vais d'abord dans la cuisine...

Il fit un geste en direction de la porte par laquelle on voyait toujours la main de Tim.

— Il faut que je me fasse une idée de la situation.

— Je n'ai pas trouvé mon mari, dit-elle d'une voix hésitante. J'espère que... J'espère qu'il n'est pas...

Le mot était indicible, elle laissa sa phrase inachevée.

Le jeune policier tenta un sourire encourageant.

— Allez, ne pensez pas tout de suite au pire.

Comment ne pas penser au pire ? La naïveté du jeune homme lui aurait presque arraché un sourire.

Ils trouvèrent Alexander dans le parc. Il était assis sur un banc, dans une petite clairière visible de l'arrière de la maison. Sa tête semblait posée sur une de ses épaules. Il avait eu la gorge tranchée d'un unique coup de couteau, exactement comme Patricia, Tim et Diane. Tout portait à croire qu'il avait été surpris par-derrière car il ne semblait pas avoir opposé une quelconque résistance. Sophie était la seule à avoir été agressée selon un autre mode : elle avait été frappée de multiples coups de couteau sur tout le haut du corps, son agresseur s'était acharné sur elle avec

242

une rare violence, mais elle avait été attaquée de face. Sans doute était-ce ce qui lui avait sauvé la vie, du moins momentanément. Elle avait été transportée en hélicoptère dans un hôpital de Leeds, où elle luttait contre la mort. Son état était critique. Le médecin légiste qui avait examiné les cadavres n'avait pu comparer leurs blessures avec celles de Sophie, et le fait qu'elle ait été agressée avec la même arme n'était pour le moment qu'une supposition. Le couteau qui avait servi à tuer Patricia, Tim, Diane et Alexander n'avait pas tardé à être retrouvé. C'était un couteau à découper. Il y en avait plusieurs du même type dans la cuisine, accrochés au-dessus de l'évier. L'un manquait, il y avait donc de fortes présomptions pour que l'arme du crime provînt de la maison. Le couteau se trouvait sur la terrasse, entre les jardinières dans lesquelles Patricia avait replanté des fleurs quelques heures auparavant. Il ne semblait pas que le ou les meurtriers aient cherché à le dissimuler. Les techniciens de la police criminelle chargés de relever les indices le placèrent dans un sac en plastique et l'envoyèrent au laboratoire afin qu'y soient recherchées d'éventuelles empreintes digitales.

Les premières investigations furent menées par le superintendant Norman, que l'on avait fait venir de Leeds quand on avait compris que l'affaire prenait une dimension qui dépassait le fait divers local. A Stanbury, la criminalité se limitait à des bagarres dans les pubs, du vol de bétail ou de la conduite en état d'ivresse. Personne n'avait souvenir de délits plus graves.

A présent, voilà que quatre personnes avaient été sauvagement assassinées et qu'une fillette était entre la vie et la mort. Pour couronner le tout, les victimes étaient des étrangers. Quant au mobile du crime, c'était un mystère.

Le superintendant Norman était petit et gros, avec des yeux sombres au regard vif et deux cicatrices sur la joue droite qui donnaient un peu de caractère à un visage sans relief. Il portait un costume foncé dans lequel il transpirait abondamment. Sa peau luisait de sueur et ses cheveux étaient plaqués en bouclettes sur son front. Il se tenait dans le salon avec Jessica. A côté, dans la salle à manger, un médecin s'occupait d'Evelin tandis qu'une auxiliaire de police essayait de l'interroger. Le médecin était parvenu à la faire descendre au rez-de-chaussée, toutefois c'est comme une automate, les yeux hagards et sans paraître avoir conscience de ce qui se passait autour d'elle, qu'elle s'était déplacée.

— C'est une affaire extraordinaire, dit Norman, tout à fait extraordinaire. Pensez-vous pouvoir reprendre le récit de la matinée avec moi, madame... euh (il consulta ses notes)... madame Wahlberg ? Vous en sentez-vous capable ?

Elle avait appris que son mari était mort vingt minutes auparavant. Une jeune femme blonde l'en avait informée avec tous les ménagements possibles. La nouvelle ne l'avait pas réellement surprise, elle était restée très calme. Elle avait l'impression que sa raison résidait dans l'incapacité à comprendre les événements. Le drame qui la touchait n'était pas parvenu jusqu'à sa conscience dans toute sa mesure.

— Oui. Ça va.

— Bien. Mais si vous souhaitez que nous interrompions cet entretien, n'hésitez pas à le dire. Je ne vous demande pas de vous torturer, me comprenez-vous ?

— Oui.

— Tout d'abord, si j'ai bien compris ce que vous avez dit au constable, vous étiez au total neuf personnes à passer vos vacances ici. Quatre sont... aujourd'hui décédées. Nous avons par ailleurs une enfant blessée, une femme en état de choc et vous. Qui sont les deux personnes qui manquent ?

— Ma... belle-fille. Ricarda. La fille de mon mari, d'un premier mariage. Et...

— Quel âge a votre belle-fille ?

— Quinze ans.

Il opina. Elle poursuivit :

— Et Léon. Léon est le mari de Patricia. Le mari de la femme que j'ai... découverte en premier.

— La femme qui a été tuée dans la cour devant la maison ?

— Oui.

— Savez-vous où se trouvent ces deux personnes ?

— Non. Une des deux voitures n'est pas là. Je suppose que Léon est parti avec. Mais je ne sais pas où il est allé.

— Est-il fréquent qu'il parte ainsi ? Sans dire où il va ?

— A vrai dire, non.

Jessica songea que le superintendant ne pouvait pas savoir qu'il avait mis le doigt sur le grand principe de fonctionnement de Stanbury House : jamais personne n'avait fait quelque chose sans en avoir discuté au préalable avec les autres.

— Mais, ajouta-t-elle, il en a peut-être parlé avec sa femme. Ou avec quelqu'un d'autre...

— Vous êtes partie bien tôt, ce matin ?

— Il devait être environ dix heures.

Il griffonna quelque chose dans son carnet.

— Votre belle-fille, Ricarda, quand l'avez-vous vue pour la dernière fois ?

— Hier soir.

Il haussa les sourcils.

— Pas ce matin ?

Faire un récit complet des événements au commissaire lui paraissait fastidieux ; en outre, elle n'ignorait pas combien l'histoire pouvait paraître absurde. En même temps, dissimuler des informations à la police n'avait guère de sens.

— Ricarda a dû partir tôt ce matin ou dans le courant de la nuit, expliqua-t-elle. Elle avait déjà disparu quand nous nous sommes réveillés.

Elle raconta en quelques mots l'incident du journal, en limitant toutefois son récit aux liens que Ricarda avait noués avec un jeune homme de la région et sans mentionner les sentiments de haine auxquels elle avait donné libre cours dans son journal intime.

— Elle est très amoureuse de ce jeune homme. Elle voulait simplement être le plus possible avec lui. Ça me semblait naturel. Mais Patricia n'était pas de cet avis.

— Patricia Roth, dit-il pensivement. C'était le maître à penser ?

— Eh bien, c'est... c'était sa maison et...

— Certes. Mais Ricarda n'était pas sa fille. Ce n'est pas un peu étrange qu'elle se soit impliquée à ce point dans cette affaire ?

— Elle était comme ça, dit Jessica, qui à cet instant se rendit compte avec effroi qu'ils parlaient déjà d'elle au passé.

— Qui est le jeune homme qu'elle fréquente ?

— Nous ne le connaissons pas.

Il haussa un sourcil surpris.

— Vraiment ?

— L'affaire avait pris de telles proportions que... qu'elle a finalement refusé de nous dire qui il était et comment il s'appelait.

Il l'observa de son regard pénétrant.

— Ce n'étaient pas des vacances très tranquilles, si je comprends bien ?

Jessica s'abstint de répondre. Il soupira.

— Vous pensez que cette jeune fille est en ce moment avec son ami ?

— Oui.

— Il faudrait que nous la trouvions. Elle doit être mise au courant de...

Il laissa sa phrase en suspens.

De la mort de son père, songea Jessica. Brusquement, tout se mit à tourner autour d'elle. Elle ferma les yeux et s'accrocha aux accoudoirs de son fauteuil.

Le visage du superintendant fut tout près du sien.

— Qu'y a-t-il ? Vous ne vous sentez pas bien ? Voulez-vous que j'appelle le médecin ?

La pièce cessa de tourner.

— Non, je vous remercie. Ça va déjà mieux.

— Vous êtes devenue toute pâle.

Elle passa la main sur son front. Il était moite de sueur.

— Je... C'est tout ce qui vient de se passer...

Il la regardait avec compassion.

— C'est épouvantable. Je vous comprends. Et j'admire votre courage.

Mais je ne vais pas tenir encore longtemps, songea-t-elle.

— Vous disiez que vous avez quitté la maison vers dix heures, reprit le superintendant Norman, et qu'à cette heure Ricarda avait déjà disparu. M. Roth – Léon – était-il encore là ?

Elle réfléchit.

— Je ne pourrais pas vous le dire. Je ne l'ai pas vu au moment où je suis partie. Et je ne pourrais pas vous dire non plus si la voiture était encore là ou pas. Je n'ai pas fait attention.

— Qui vous souvenez-vous avoir vu au moment où vous êtes partie ? interrogea Norman.

Elle s'était replongée dans les archives de Kevin McGowan, puis il lui était revenu à l'esprit qu'elle avait prévu de retourner marcher. Elle était sortie de la salle à manger...

— Patricia, dit-elle. Patricia était dans le hall d'entrée. Elle parlait avec Steve. C'est le jardinier. Il vient de temps à autre faire un peu d'entretien.

— Connaissez-vous le nom de famille de cette personne ?

Elle n'en avait pas la moindre idée. Steve était Steve. Norman ne parut pas en être contrarié.

— Nous trouverons bien. Ce Steve était donc venu pour travailler ?

— Je le suppose. Je...

Son regard s'arrêta sur la fenêtre et elle prit enfin conscience de ce qui avait changé.

— La pelouse, dit-elle. Elle vient d'être tondue. C'est certainement pour ça que Steve est venu.

— Nous vérifierons. Donc Mme Roth et Steve se tenaient dans le hall d'entrée. Y avait-il quelqu'un d'autre ?

Elle avala sa salive. C'était la dernière fois qu'elle l'avait vu vivant...

— Mon mari, dit-elle, il descendait les escaliers.

— Vous êtes-vous parlé ?

— Oui. Bien sûr.

Bien sûr ? Ce n'était pas si évident que cela. Ils n'avaient pas passé la nuit ensemble, pour la première fois depuis qu'ils étaient mariés. Elle s'était sentie trahie, bouleversée, déçue. Elle se demandait s'ils pourraient un jour renouer le dialogue. Il n'y aurait plus de dialogue...

Elle refoula les larmes qui lui brûlaient les yeux.

— Il était très soucieux à cause de Ricarda, il ne savait pas quoi faire. Je lui ai dit qu'elle était certainement chez son ami. Et je lui ai conseillé, après ce qui s'était passé, de la laisser tranquille quelque temps. De ne pas la chercher.

— Et ensuite ? insista Norman devant le silence de Jessica.

Il vit ses yeux s'emplir de désespoir.

— Ensuite, je suis partie.

247

Il avait des antennes.

— Vous étiez en colère contre lui à cause de cette histoire de journal, n'est-ce pas ?

— Je... je crois plutôt que j'étais désemparée. Quelque chose de l'image que j'avais de lui s'était brisé. J'avais du mal à encaisser le coup. Je voulais être seule.

— Vous ne vous êtes pas expliqués ?

— Non. Je suis partie, et quand je suis revenue...

Elle secoua la tête dans un geste d'impuissance.

— Vous avez marché très longtemps, observa Norman après un rapide calcul. Si vous dites qu'il s'est écoulé environ une demi-heure entre le moment où vous êtes revenue et celui où vous avez appelé la police, vous étiez de retour vers quatorze heures. Vous avez donc été absente quatre heures.

— Cela m'arrive fréquemment. Je fais tous les jours plusieurs kilomètres. Et puis ce matin... j'étais énervée. J'avais besoin de réfléchir, de me calmer. J'ai marché sans me rendre compte de l'heure.

— Je comprends. Et sinon, à qui avez-vous encore parlé aujourd'hui ? A tout le monde ?

— Non. Seulement à Tim. M. Burkhard. Tôt ce matin.

— Quelle heure était-il ?

— Je dirais... environ huit heures, huit heures et quart.

— Où était-ce ?

— Devant la porte-fenêtre de la salle à manger. Je revenais de promenade et...

— Vous êtes sortie une première fois avant dix heures ?

— Oui. Très tôt. Avec mon chien. Je n'arrivais pas à dormir.

Norman songea à son médecin qui lui recommandait de faire plus d'exercice. Il soupira. Il détestait marcher.

— Bien. Vous l'avez rencontré. Et que s'est-il passé ?

— Il était un peu... énervé. La table du petit déjeuner n'était pas mise. Personne n'avait rien préparé. Au surplus, ça me revient, il cherchait des notes. En fait de notes, il s'agissait d'un texte qu'il avait tapé sur son ordinateur puis imprimé. Il est psychothérapeute et prépare une thèse de doctorat. Il a passé toutes ses vacances à travailler.

— Il était préoccupé ?

— En tout cas, il rouspétait. Mais je l'ai laissé en plan.

Norman posa sur elle un regard perçant.

— Aimiez-vous M. Burkhard ?

Pourquoi mentir ?

— Non, répondit-elle.

— Pour quelle raison ?

— Je le trouvais indiscret. Peut-être était-ce une déformation professionnelle. Il m'analysait en permanence comme si j'avais été l'une de ses patientes ; ça m'était très désagréable. Je n'avais pas envie de parler de mes problèmes avec lui.

— Vous avez des problèmes ?

— Qui n'en a pas ?

— Diriez-vous que votre mariage était heureux ?

— Oui.

— Comment vous entendiez-vous avec les autres membres de votre petite communauté ?

Elle hésita.

— Nous étions amis. Mais je pense que nous étions parfois un peu trop les uns sur les autres. Cela créait des tensions. Pourtant, l'un dans l'autre, nous nous entendions plutôt bien.

— Etiez-vous très liée à Patricia Roth ?

— Non.

La sévérité du ton frappa Norman.

— Vous ne l'aimiez pas ?

— Je la trouvais difficile à vivre. Elle voulait toujours tout régenter et ne comprenait pas que l'on puisse avoir envie de s'isoler, d'oublier un peu le groupe. Ce n'était pas toujours facile. Mais je ne peux pas dire que je ne l'aimais pas.

— Hum...

Le superintendant paraissait perplexe. Jessica se fit la réflexion qu'on l'aurait été à moins.

— Avez-vous déjà une idée de qui aurait pu faire cela ? demanda-t-elle alors que le silence s'installait.

— Hum, fit-il à nouveau.

Elle sentait confusément qu'il ne lui dirait pas toute la vérité et en éprouvait un vague malaise.

— Pour le moment, j'avance dans le brouillard, reconnut-il enfin. Pour être honnête, c'est la première fois, de toute ma carrière, que je suis confronté à un crime semblable. C'est un tel massacre...

— Vous pensez aussi que c'est le geste d'un malade mental ? Il n'y avait aucune raison... Apparemment, rien n'a été volé. Ça n'a pas de sens. Et ces deux petites filles...

— Ce qui nous apparaît dénué de sens peut avoir un sens pour quelqu'un d'autre, répliqua Norman. Quel que soit l'auteur de cette tuerie, il, ou elle, avait une raison d'agir ainsi.

— Mon Dieu, mais quelle raison peut-on avoir de tuer quatre personnes ?

— Si je le savais, je connaîtrais le meurtrier.

— Y a-t-il dans la région un asile d'aliénés ? Ou une prison ? Quelqu'un s'est peut-être évadé ou...

— Madame Wahlberg, je ne veux pas vous inquiéter. Il est effectivement possible que dans le cas présent nous ayons affaire à un auteur étranger à vous. Cependant, des années d'expérience m'ont enseigné une chose : hormis dans les cas de crimes aléatoires classiques, comme ceux de femmes violées la nuit dans des lieux déserts, d'agressions dans des parkings souterrains ou autres, il s'avère, la plupart du temps, que c'est parmi les proches, parents ou amis, que l'on doit rechercher l'auteur d'un crime. Il est rare qu'une victime soit choisie au hasard. Habituellement, il y a une histoire, des antécédents – dont on ignore tout, du moins au départ – qui mènent au drame.

La gorge de Jessica se serra. Elle voulut parler normalement mais seul un filet de voix franchit ses lèvres :

— Vous pensez que... c'est l'un d'entre nous ?

— Je m'efforce de ne me laisser influencer par aucune idée toute faite. C'est la raison pour laquelle, à ce stade de l'enquête, je ne pense encore rien. Mais je n'exclus rien non plus.

A nouveau, elle eut l'impression qu'il ne lui disait pas tout, mais elle était trop anéantie et trop épuisée pour insister. Au surplus, il était peu probable qu'il lui réponde en toute franchise. Elle avait soif, elle s'en rendait compte, et elle se sentait nauséeuse. Elle aurait voulu être seule, pouvoir fermer la porte derrière elle, se glisser dans des draps frais. Elle aurait voulu comprendre ce qui s'était passé. Elle aurait voulu pleurer.

— Vous ne pouvez pas rester ici, je veux dire : dans la maison, poursuivit Norman. Ça va durer encore quelque temps d'ici que nos techniciens aient fini de relever les indices. Nous allons vous trouver un hôtel.

— Je voudrais rentrer en Allemagne. Mon... mon mari doit être enterré et...

— Je crains que, dans l'immédiat, ce ne soit pas possible.

Elle se pencha vers lui. Sa bouche était tellement sèche qu'elle avait l'impression de ne plus avoir de salive.

— Je suis enceinte. De trois mois. Je dois voir mon gynécologue. J'ai des examens de contrôle à faire régulièrement. Je ne peux pas rester ici.

Les yeux du superintendant Norman s'emplirent de compassion.

— Je m'en voudrais de vous faire courir le moindre risque. Et vous avez raison de prendre soin de vous. Cependant, vous pouvez probablement rester jusqu'au jour où vous pensiez repartir ?

— Jusqu'à la fin de cette semaine. Oui. Nous devions rentrer dimanche.

— Je vous en remercie. Et maintenant... C'est la routine, expliqua-t-il après un temps d'hésitation, mais nous devons relever vos empreintes digitales. Celles des autres également. Cela fait partie de l'ensemble.

Elle acquiesça. Ça lui était égal. Quand allait-il enfin la laisser seule ?

On frappa à la porte et la jeune femme blonde qui avait annoncé la mort d'Alexander apparut sur le seuil de la pièce.

— Mme Burkhard va mieux, annonça-t-elle. Vous devriez pouvoir l'interroger.

Norman se leva aussitôt.

— J'arrive.

A cet instant, l'écho d'une altercation leur provint du hall d'entrée. Des éclats de voix courroucés.

— Monsieur, je vous en prie ! Vous ne pouvez pas entrer comme ça ! Vous devez d'abord décliner votre identité ! protestait un policier.

— Vous n'allez tout de même pas m'interdire de rentrer chez moi ! s'exclama la voix de Léon.

Il poussa la jeune femme sur le côté et entra dans la salle à manger. Il dévisagea Jessica.

— Je peux savoir ce qui se passe ? interrogea-t-il en allemand. C'est quoi, tous ces flics qui grouillent partout ?

Jessica enfouit son visage dans ses mains et se détourna.

Ce fut le superintendant Norman qui parla.

4

La nouvelle du bain de sang de Stanbury House se répandit dans le village comme une traînée de poudre sans que personne sache précisément d'où était partie l'information. Les rumeurs allaient bon train. Certains disaient qu'il n'y avait aucun survivant, d'autres parlaient de tortures monstrueuses, d'orgies sexuelles auxquelles se seraient livrés ces gens venus d'Allemagne. On se racontait des histoires terrifiantes et les premiers curieux se pressèrent sur les lieux du crime, sans toutefois apercevoir autre chose que la vieille grille du parc car la police avait sécurisé les accès. L'atmosphère jusque-là paisible, sans histoires et, il fallait bien le dire, vaguement ennuyeuse de Stanbury changea du tout au tout. Le mal y avait pris forme. Personne n'aurait pu le définir, il n'avait pas encore de visage. Mais il avait déversé toute l'horreur qu'il recelait sur le village avec une violence et une cruauté que personne dans le comté n'aurait osé imaginer.

Tous avaient peur. En ce bel après-midi d'avril, pas un enfant ne jouait dans les rues du village.

Géraldine apprit la nouvelle à l'épicerie. Après des heures passées dans sa chambre à se demander si elle devait rentrer à Londres, elle en était arrivée à la conclusion qu'il ne lui restait guère d'autre choix si elle voulait continuer à se regarder dans une glace d'une part, et ne pas sembler ridicule aux yeux de Phillip d'autre part. Elle avait fait ses bagages en pleurant et déclaré à la réception qu'elle devait d'urgence regagner Londres. Bien que ses yeux rouges et gonflés fussent cachés derrière des lunettes de soleil, la serveuse boutonneuse la dévisageait avec la curiosité insistante de celle qui a compris ce qui se passe et brûle d'en savoir plus.

Lorsqu'elle se rendit à la supérette afin d'acheter quelques bouteilles d'eau minérale pour le voyage, il était seize heures trente. Elle n'avait encore rien mangé de la journée mais n'avait pas faim. Il faisait frais dans l'hôtel, la chaleur qui régnait dehors la surprit. Elle s'était beaucoup trop chaudement vêtue d'un épais sweat-shirt noir et d'un pantalon de jogging, et n'avait pas fait vingt mètres que la sueur ruisselait dans son dos. Puis sa tension lui joua des tours, des points noirs commencèrent à danser devant ses yeux tandis qu'autour d'elle le paysage tremblotait.

Ça n'avait pas d'importance. Plus rien n'avait désormais d'importance.

Il y avait tellement de monde dans le magasin qu'elle faillit faire demi-tour, affolée. Elle n'avait pas séjourné bien longtemps à Stanbury, mais elle n'avait pas été longue à découvrir que la supérette était un haut lieu de la vie locale, doublé d'un rendez-vous apprécié de toutes les commères du village. Il n'était pas rare d'y assister à des débats passionnés. Cette fois, cependant, l'endroit était bondé et le niveau sonore des conversations inhabituellement élevé.

Quand Géraldine poussa la porte, les conversations cessèrent et toutes les têtes se tournèrent vers elle. Elle crut un instant que c'était d'elle que l'on parlait et aussitôt elle se tint sur la défensive, déstabilisée de se trouver confrontée au village réuni, dans une tenue aussi peu flatteuse, en nage, les cheveux gras et son visage bouffi mal dissimulé derrière des lunettes de soleil.

Il s'avéra que sa tenue et ses soucis personnels n'intéressaient personne.

— Vous connaissez la nouvelle ? l'interpella Mme Collins, qui ne souhaitait rien tant que trouver quelqu'un à qui raconter toute l'histoire depuis le début. Vous êtes au courant du crime épouvantable qui a eu lieu à Stanbury House ?

Non, Géraldine n'était pas au courant. Comment aurait-elle pu être au courant quand elle avait passé la journée à pleurer dans sa chambre ? Plus tard, elle devait se souvenir que dès qu'elle avait appris qu'un crime avait eu lieu à Stanbury House, une petite lumière rouge avait clignoté dans sa tête. Elle avait écouté, tous les sens en alerte.

En étant la première à l'interpeller, Mme Collins avait remporté haut la main le droit de raconter l'affaire à Géraldine, ce qu'elle fit avec enthousiasme et force détails et sans que la troublent les multiples interruptions visant tantôt à apporter une précision, tantôt à enjoliver son récit. Le nombre exact de victimes faisait débat. Mme Collins tenait pour certaine la version selon laquelle il y avait au moins deux survivants, sa sœur revendiquait celle selon laquelle l'intégralité des membres du petit groupe de vacanciers avait péri égorgée.

— On dit qu'un enfant a été hospitalisé ! s'interposa quelqu'un.

— Et il paraît qu'un des gars est en fuite. Vous pensez s'il est suspect ! renchérit un autre.

— En tout cas, conclut Mme Collins, je vais m'enfermer à double, et même triple tour, et je ne sortirai plus la nuit tant que ce monstre ne sera pas sous les verrous !

— Eh bien, moi, je plains les malheureux qui vivent dans des fermes isolées, dit une vieille dame armée d'un déambulateur qui avait sué sang et eau pour accéder à la supérette où s'écrivait la petite histoire de Stanbury. Etre seuls comme ça au milieu des champs et des prairies, sans aucun voisin à portée de voix... Mon Dieu...

Un murmure d'approbation salua sa déclaration.

Géraldine se tenait d'une main à une étagère chargée de farine, sucre, levure et autres préparations pour entremets.

— A-t-on déjà une idée de qui a fait cela, et pour quelle raison ? demanda-t-elle timidement.

La question suscitait un bel éventail d'hypothèses et de rumeurs parmi lesquelles la théorie du crime passionnel tenait la corde. « Tout le monde couchait avec tout le monde, prétendait Mme Collins, et ce genre d'histoires, ça ne se termine jamais bien ! » Certains croyaient au geste d'un fou échappé d'un asile, d'autres à un meurtre rituel perpétré par des membres d'une secte satanique. Jamais cependant le nom de Phillip Bowen ne fut prononcé et personne n'évoqua l'existence d'un suspect dont la description lui aurait correspondu. Géraldine n'eut pas non plus le sentiment de susciter la moindre gêne et, comme tout le village savait certainement qu'elle était la compagne, ou tout au moins une amie, du séduisant Londonien qui séjournait au Fox and The Lamb, si Phillip avait été suspecté, on l'aurait très probablement regardée d'un autre œil. Elle avait néanmoins les jambes en coton et ses mains tremblaient quand elle paya ses trois bouteilles d'eau minérale. Mais les conversations avaient repris de plus belle et personne ne songea à le remarquer.

Ses bouteilles d'eau serrées contre elle, elle se hâta vers l'hôtel, en proie aux pensées les plus insensées. N'avait-elle pas maintes fois qualifié Phillip de fou ? N'avait-elle pas déjà eu presque peur de lui quand il s'emportait parce que personne ne voulait le comprendre ni l'aider ? Il imputait ses débordements au fait qu'il venait de découvrir qu'il était le fils naturel de Kevin McGowan. Il croyait que son avenir dépendait de cette fichue maison, que le jour où il y serait accepté, sa vie changerait. Il détestait Patricia Roth non seulement parce qu'elle ne le croyait pas et refusait d'envisager de partager l'héritage de son grand-père avec lui, mais parce qu'elle le méprisait. Elle le traitait comme s'il avait été un vulgaire imposteur. Il la détestait – mais de là à la tuer…

Et à tuer les autres, tous les autres. Non, ce n'était pas possible. Jamais il ne ferait une chose pareille, songea Géraldine. Il était fou, névrosé, obsessionnel, irréaliste, instable… mais il n'était pas violent. Et elle l'aimait, au-delà de toute raison. Jamais elle ne cesserait de l'aimer, elle en était persuadée.

La tension, la peur, l'inanité de ses espoirs… Ses larmes jaillirent. Comment avait-elle pu en arriver là ? Comment pouvait-elle aimer à ce point un homme qui ne lui donnait rien en retour ?

La vue brouillée par les larmes, elle entra en trébuchant dans le hall de l'hôtel et se trouva nez à nez avec lui. Ils sursautèrent autant l'un que l'autre. Exactement comme quelques heures auparavant. Il était pâle, tendu ; même dans la lumière avare de la réception, elle put s'en rendre compte. Derrière son comptoir, la jeune fille boutonneuse ne perdait pas une miette de la scène.

— Ah, Géraldine, te voilà enfin, dit-il d'une voix inquiète. Je t'attendais. Je peux te parler ?

Il voulut poser une main sur son bras mais elle fit un pas de côté pour l'éviter.

— En réalité, je suis en train de partir. J'ai juste fait un saut à l'épicerie pour acheter des provisions pour la route.

Il sourit en regardant les bouteilles qu'elle serrait contre elle.

— Tu ne te nourris plus que d'eau minérale ?

Elle n'avait pas envie de le suivre sur ce mode léger.

— Mon corps est mon capital. Je n'avais pas l'intention de laisser mon métier prendre ainsi toute la place, mais comme il ne m'est pas donné de pouvoir m'épanouir dans ma vie privée...

Il fit comme s'il n'avait pas entendu. Son sourire s'était déjà effacé.

— Géraldine, c'est important. Si tu pouvais m'accorder dix minutes... ?

Elle fit un geste en direction des fauteuils disposés dans un coin du hall ; il secoua la tête.

— Non, sans témoins, s'il te plaît. On va chez toi ou chez moi ?

La question rituelle qu'ils s'étaient si souvent posée ne l'amusa pas.

— Chez moi, dit-elle sèchement.

Ils gravirent l'un derrière l'autre l'étroit escalier de bois qui menait aux chambres.

— Géraldine, j'ai un gros problème, dit Phillip à peine avait-elle refermé la porte derrière lui. Tu as entendu parler de ce qui s'est passé à Stanbury House ?

Ce fut comme une décharge électrique, brutal et douloureux. Elle le savait.

Mais était-ce possible ? L'homme qu'elle aimait était-il un fou dangereux ? Un tueur ?

Lorsqu'il quitta sa chambre, trois quarts d'heure plus tard, les questions de Géraldine n'avaient toujours pas trouvé de réponse. Bien sûr, Phillip avait protesté de son innocence avec la dernière véhémence.

« Mon Dieu, Géraldine, mais quelle idée as-tu donc de moi ? Tu me crois capable d'une barbarie pareille ? » s'était-il exclamé sans cesser de marcher de long en large dans la chambre. Elle n'avait rien dit, elle l'avait seulement regardé. Mais le doute et la

257

peur devaient se lire dans ses yeux car il avait aussitôt deviné ce qui lui tournait dans la tête.

« Je ne pensais rien de bien de Patricia Roth, que je n'ai jamais perçue autrement que comme une espèce de harpie, une bonne femme détestable, égocentrique et imbue d'elle-même, mais je n'allais pas la tuer pour autant ! Au reste, je serais bien incapable de tuer qui que ce soit. Tu le sais, tout de même. Je ramasse des limaces sur la route pour les poser dans l'herbe. Je ne vais pas aller massacrer je ne sais combien de personnes !

— Est-ce que Patricia est parmi les victimes ?

— Aucune idée. Comment veux-tu que je le sache ? Le village ne parle que de ça mais personne ne raconte la même chose. Certains disent qu'ils sont tous morts, d'autres qu'il y a des survivants. En fait, personne ne sait qui a été tué et qui ne l'a pas été.

— S'ils n'ont pas tous été tués, quelqu'un parlera à la police de tes visites. »

Géraldine se tenait au milieu de la pièce, ses bouteilles serrées contre elle comme un bouclier.

« Ils comprendront que tu avais un mobile...

— Un mobile ! Mais ça m'avancerait à quoi que Patricia soit morte ? Ou que son mari et ses enfants soient morts ? Ça ne me ferait pas progresser d'un iota. Ce qui m'importe, c'est de prouver que je suis le fils de Kevin McGowan. Patricia n'a rien à voir là-dedans ! »

Géraldine avait fermé les yeux. Il se moquait de Patricia ? Il n'y avait pas trois jours, il forçait sa porte et misait tout sur une aide qu'elle ne pouvait pas ou ne voulait pas lui apporter.

« Tout le monde a pu constater que tu étais obsédé par cette histoire, avait-elle observé. De là à imaginer que tu aurais agi par dépit ou par désir de te venger, il n'y a qu'un pas. C'est un mobile parfaitement plausible. »

Il s'était immobilisé devant elle.

« C'est pour cela que je suis ici, dit-il. J'ai besoin de ton aide. »

Elle l'avait regardé, attendant la suite.

« Peux-tu enlever tes lunettes de soleil ? avait-il demandé d'une voix tendue. C'est gênant de ne pas voir tes yeux.

— Non. »

Il avait soupiré.

« OK, j'ai compris. Ecoute, Géraldine, je suis encore plus mal parti que tu ne le penses. Le fait est que j'y suis allé, aujourd'hui. J'étais dans le parc. »

Elle ne fut pas réellement alarmée. Etant donné qu'il rôdait quasi en permanence autour de la propriété, il eût même été plutôt curieux qu'il déroge à ses habitudes ce jour-là.

« Tu n'en as pas parlé, tout à l'heure, avait-elle néanmoins remarqué. Tu m'as dit que tu avais l'intention d'aller à Leeds pour... »

Il l'avait interrompue avec impatience.

« Oui. Après. Mais avant j'étais là-bas.

— Quelqu'un t'a vu ?

— Je suis entré dans la propriété par l'arrière du parc. C'est là que je suis tombé sur une des femmes. La grosse, celle qui a toujours l'air triste. »

Géraldine avait secoué la tête.

« Je ne connais aucune de ces personnes.

— Peu importe. Je me suis assis à côté d'elle et nous avons discuté quelques minutes. Elle avait l'air... un peu ailleurs, absente. Puis son mari est arrivé et l'a appelée.

— Il t'a vu ?

— Je ne pense pas. Mais il est possible qu'elle lui ait parlé de moi. Il est possible qu'elle ait dit à tout le monde que j'étais là. Si bien que même si elle fait partie des victimes, ou son mari, je ne peux pas être sûr que quelqu'un n'est pas au courant. Il n'y a que s'ils sont tous morts que je pourrais être relativement tranquille.

— Si la police t'interroge, à ta place, je dirais tout de suite que j'étais là-bas. Si tu le caches et qu'ils l'apprennent d'une façon ou d'une autre, tu deviendras suspect pour de bon. »

Il avait hoché la tête, l'air accablé.

« Tu as sans doute raison.

— Et qu'attends-tu de moi, au juste ? » avait-elle alors demandé en s'efforçant de prendre un ton détaché.

Il avait recommencé à parcourir la pièce.

« Eh bien, d'après mes calculs, il devait être environ midi quand j'ai rencontré cette femme dans le parc. Enfin, un peu plus de midi. Et il n'était pas tout à fait midi et demi quand je suis reparti. C'est après que... que le drame a dû avoir lieu.

— Tu le supposes. En réalité, ça s'est peut-être produit quand tu étais là. Cette femme et son mari sont peut-être les seuls survivants. Ou bien ils ont été tués après.

— C'est possible, mais ça m'étonnerait. La maison paraissait paisible. Je ne crois pas que l'on ne remarque rien quand un dément se met à tuer tous les occupants d'une maison. Je suppose que ça s'est passé après que je suis parti.

— Tu supposes ! Tu supposes ! Ce n'est pas avec des suppositions que tu vas te... »

Il l'avait interrompue, hors de lui.

« Je le sais ! Bon Dieu, ça suffit ! Je le sais que je tourne en rond et que je suis sans doute encore plus mal barré que je ne l'imagine ! Mais il faut bien que je commence par quelque part, et faute de mieux, j'opte pour ce qui est le plus plausible. Quand je suis parti, il y avait deux personnes bien vivantes à Stanbury House : la grosse femme et son mari. Et rien, absolument rien ne permettait de penser qu'un crime était en train d'être commis ou venait d'avoir lieu. J'en déduis que le ou les criminels sont intervenus plus tard. A un moment quelconque après midi et demi. »

C'est à cet instant qu'elle avait compris ce qu'il attendait d'elle.

« Tu as besoin d'un alibi, c'est ça ?

— Oui. Pour après midi et demi. »

Elle s'était efforcée de reconstruire le fil des événements.

« Quelle heure était-il quand nous nous sommes rencontrés dans le hall ? »

Il avait dû déjà réfléchir à la question, car il avait répondu sans hésiter.

« Trois heures moins le quart. Je le sais parce que j'ai regardé l'heure dans la voiture quand j'ai coupé le contact.

— Où étais-tu entre midi et demi et trois heures moins le quart ? Ça fait tout de même plus de deux heures.

— Je te l'ai dit. Je voulais aller à Leeds. Pour prendre contact avec un avocat.

— Tu ne connais pas d'avocat à Leeds. Tu n'avais pas de rendez-vous. Ce n'est pas très... crédible.

— Je sais. Mais c'est la vérité. J'étais perturbé. Je suis tout

260

simplement parti, j'ai roulé, entre-temps j'ai essayé à plusieurs reprises de joindre cet ami, à Londres, qui m'aurait donné l'adresse d'un avocat. Je n'ai pas réussi à l'avoir.

— Même si tu l'avais eu, je doute qu'il ait pu t'organiser un rendez-vous pour le jour même. C'était vraiment une idée qui ne tenait pas debout.

— Je te l'accorde. Tu sais, je suis sûr qu'il est déjà arrivé à tout le monde de se lancer un jour tête baissée dans une entreprise absurde, puis de s'en rendre compte – comme moi ce midi – et de décider de s'accorder une pause pour essayer de retrouver des idées claires. Mais s'il faut tout d'un coup raconter à la police ce que l'on a fait et pourquoi, à une heure donnée, une histoire somme toute banale comme celle-là devient suspecte. »

Ce qu'il disait était plausible, pourtant elle n'était pas parvenue à se départir d'un désagréable sentiment de doute. Il était à cet instant certes nerveux, mais également sensé et réfléchi. Elle le connaissait aussi sous un autre jour, moins rassurant celui-là. Quand il s'obstinait, s'emportait pour un rien, se fermait à toute logique, quand il perdait pied avec la réalité, pouvait-il devenir violent ?

« Où étais-tu, ce matin ? avait-elle demandé.

— Je suis allé assez loin. J'ai atterri dans un village complètement paumé où j'ai pris un brunch dans un pub. Ensuite, je suis allé à Stanbury House.

— Nous ne pouvons pas faire croire que nous avons passé toute la matinée ensemble. Si on te demande le nom du pub et qu'ils se renseignent, ils apprendront que tu étais seul. La femme que tu as rencontrée à Stanbury House – si elle est encore vivante – dira elle aussi que tu étais seul.

— J'ai imaginé une explication, et je prie pour que ça colle : en revenant du pub, je suis passé te prendre ici, à l'hôtel. Environ à midi et quart. J'espère qu'à cette heure tu n'étais pas en train de déjeuner au milieu de la salle à manger sous les yeux de tout l'hôtel ? »

Elle avait eu un pâle sourire.

« Tu sais que je ne déjeune pratiquement jamais. Je n'ai pas quitté ma chambre.

— Super. Je suis donc passé te prendre. Nous... nous voulions discuter une dernière fois. De notre séparation... »

Il s'était tu quelques secondes et avait cherché à lire sur son visage comment elle acceptait qu'il se serve de la fin de leur histoire pour construire son alibi. Elle n'avait pas réagi et ses lunettes de soleil masquaient ce que ses yeux auraient pu révéler.

« Je voulais retourner encore une fois à Stanbury House, avait-il poursuivi. Ça t'a agacée. Ça t'énerve que je veuille y aller tous les jours. Tu penses que je devrais laisser tomber et oublier ce McGowan, ce n'est un mystère pour personne. Je me suis garé assez loin de l'entrée, près d'un endroit où le mur est en ruine. S'ils vont voir, ils trouveront des traces de pneus. Tu es restée dans la voiture, tu ne voulais pas être mêlée à tout ça. Je suis entré dans le parc, j'ai rencontré cette femme. Environ une demi-heure plus tard, je suis revenu à la voiture, d'où tu n'avais pas bougé. Nous avons roulé au hasard dans la campagne, puis nous nous sommes arrêtés quelque part au milieu des moutons, et nous avons parlé. De nous, de notre relation, de tout ce qui n'a pas marché.

— C'était où, exactement ? »

Il avait réfléchi.

« Je ne pense pas que ce soit important. Dans ce genre de situation, on ne regarde pas à quoi ressemble la prairie au bord de laquelle on s'arrête. Je dirai que j'ai roulé en direction de Leeds, ce qui correspond à la vérité, et qu'à mi-chemin j'ai tourné dans un chemin de terre. A peu près à la hauteur de Sandy Lane. Puis on s'est arrêtés et on a discuté. Voilà.

— Et ensuite on est revenus à l'hôtel ?

— Ensuite on est rentrés et nous étions là vers trois heures moins le quart. C'est l'heure à laquelle je suis effectivement revenu. A partir de là, ta voiture était devant l'hôtel, nous devons nous en tenir aux faits.

— Si quelqu'un t'a vu descendre de voiture, il pourra témoigner que moi, je n'en suis pas descendue.

— Disons que tu en es sortie deux ou trois minutes après moi. Notre conversation avait été houleuse. Tu avais pleuré, tu ne voulais pas qu'on te voie... »

Il s'était à nouveau interrompu.

Géraldine avait été partagée entre le chagrin et une admiration teintée de réticence. Le sang-froid de Phillip l'impressionnait. Tout s'enchaînait tellement bien. Tout sonnait tellement vrai...

« Mais dis-moi, avait repris Phillip. Quand je t'ai rencontrée en bas, devant la réception, tu venais d'où ? Quelqu'un t'a vue ? »

Elle avait secoué la tête.

« Je ne crois pas. Je voulais prévenir la réception que je partais. J'ai sonné plusieurs fois mais personne n'est venu. Quand tu es entré dans le hall, je m'apprêtais à remonter dans ma chambre pour faire mes bagages. Je pensais redescendre plus tard.

— Bon. Nous sommes donc allés tous les deux dans ta chambre. Nous avons repris notre discussion... »

Comme si tu avais jamais été disposé à me parler autant !

« Où étais-tu, en réalité ? avait-elle questionné.

— Dans ma chambre. J'ai essayé de dormir un peu. Sans succès. Il y a à peu près une heure, je suis sorti faire un tour dans le village ; c'est là que j'ai entendu parler du crime. Je suis tout de suite revenu ici et je t'ai attendue. Ta voiture était là, je savais que tu n'étais pas partie.

— Moi aussi, j'étais dans ma chambre. A un moment, je suis descendue régler ma note. Puis je suis sortie pour acheter de l'eau et... tu connais la suite.

— Oui, je connais la suite. »

Ils étaient demeurés un instant silencieux.

« Tu veux bien m'aider ? avait enfin interrogé Phillip.

— En fait, je voulais rentrer à Londres.

— S'il te plaît.

— Je n'ai plus de chambre.

— Reviens dans la mienne. Tu peux invoquer une dernière tentative de réconciliation pour expliquer que tu ne pars plus. Je t'en prie, ne me laisse pas tomber maintenant.

— Te rends-tu compte de ce que tu me demandes ?

— Oui. »

Elle avait enfin posé ses bouteilles d'eau. Le geste ressemblait à une capitulation.

« Je t'aiderai. Je sais que c'est une erreur, mais je vais le faire. »

Brusquement, elle avait ôté ses lunettes de soleil et il avait vu ses yeux gonflés, son regard brisé.

« Saloperie de merde, avait-elle dit, cédant à une grossièreté inhabituelle chez elle. Au bout du compte, c'est encore moi qui vais souffrir. »

5

Géraldine n'eut d'autre choix que de se réinstaller dans la chambre qu'elle avait partagée avec Phillip. Toutes les chambres disponibles du petit hôtel avaient été réservées par la police pour loger les survivants du massacre de Stanbury House, si bien que celle qu'elle avait libérée en milieu de journée avait aussitôt été attribuée.

Jessica se vit proposer la chambre occupée par Géraldine. Elle rangea dans le placard les affaires qu'elle avait fourrées en hâte dans un sac de voyage avant de quitter la maison : quelques sous-vêtements, chaussettes et tee-shirts, un pantalon, un pull-over. Elle irait chercher le reste avant de quitter l'Angleterre. Dans deux ou trois jours. Le plus tôt serait le mieux. Elle aspirait de tout son être à rentrer en Allemagne.

Barney, épuisé, s'était roulé en boule sur la couverture qu'elle avait prise pour lui et aussitôt endormi. La menace qui depuis le matin avait plané dans l'air, la tension accumulée au fil de la journée, cette foule qui brusquement avait envahi la maison, tout cela avait été trop pour lui. Il avait senti que son monde était en train de basculer. Dormir devait être son meilleur remède à l'angoisse.

Jessica aurait voulu, elle aussi, pouvoir se réfugier dans le sommeil.

Elle était morte de fatigue, mais dans un tel état de tension nerveuse qu'elle aurait été incapable de fermer les yeux. Sa bouche était sèche. Tout l'après-midi, elle avait dû parler, d'abord avec le superintendant Norman, puis avec une auxiliaire de police, enfin avec une psychologue. Elle leur avait répété

265

à tous la même chose, comme un disque que l'on remet depuis le début. La psychologue était essentiellement intéressée par les relations qu'entretenaient les trois couples et les enfants, mais à chacune de ses questions incisives, le mal de tête de Jessica augmentait d'un cran. Elle avait pris une aspirine, sans résultat, et demandé à cesser tout entretien.

« Je suis désolée. J'ai terriblement mal à la tête et je commence à ne plus pouvoir fixer mon regard. Je ne comprends plus vos questions. Je n'y arrive plus, excusez-moi. »

La psychologue s'était montrée très compréhensive.

« Je vous en prie. C'est tout à fait normal. Vous vivez quelque chose de particulièrement éprouvant. Et sans doute n'avez-vous pas encore pris la pleine mesure de l'événement. Vous avez besoin de calme, d'être un peu seule. »

Jessica l'avait remerciée, mais avait refusé le sédatif qu'elle lui proposait. Elle était persuadée qu'avant de lui être d'une quelconque utilité, il risquait de nuire au bébé qu'elle portait.

Elle n'avait pas eu l'occasion de voir Evelin ou Léon, pourtant c'était avec eux qu'elle aurait aimé parler. Evelin avait été conduite à un hôpital où il était prévu qu'elle passe la nuit. Elle allait mieux, mais les médecins préféraient la garder en observation quelques heures. Léon se trouvait toujours avec le superintendant Norman. Ainsi que l'avait expliqué la psychologue à Jessica, lorsque celui-ci aurait fini de l'interroger, il serait dans un premier temps conduit auprès de sa fille, à l'hôpital de Leeds, puis raccompagné à Stanbury, où une chambre lui avait été réservée dans le même hôtel.

Elle se demandait comment il allait. Elle avait quitté le salon avant qu'on lui apprenne ce qui s'était passé. Elle voyait encore l'incompréhension sur son visage, elle entendait encore sa voix.

« Eh, Jessica, attends, ne t'en va pas ! Mais qu'est-ce qui se passe ici ? Peut-on enfin me dire ce qui se passe ? »

Vers six heures du soir, deux policiers les avaient conduits, elle et Barney, au village. Le bruit avait dû se répandre qu'ils seraient logés au Fox and The Lamb – sans doute les gérants de l'hôtel n'avaient-ils pas tenu leur langue – car un nombre conséquent de badauds étaient massés devant l'entrée de l'établissement. Quand le véhicule de police s'était arrêté le long du trottoir, ils avaient amorcé un mouvement de recul. Lorsqu'elle était descendue, le silence était total. Puis des flashs avaient crépité et un des policiers s'était placé devant elle pour la protéger tandis que son collègue repoussait les photographes.

« Sacré nom, la presse est drôlement rapide, sur ce coup », avait marmonné le policier.

Seule dans sa chambre, elle avait pu enfin respirer. Elle s'était allongée un quart d'heure sur le lit dans l'espoir de se détendre suffisamment pour vaincre son mal de tête. En vain. C'est alors qu'elle avait entrepris de ranger ses quelques affaires dans le placard, comme si empiler avec un soin maniaque trois tee-shirts et un pull-over pouvait l'aider à trouver la paix.

Une photo encadrée d'Alexander se trouvait tout au fond du sac, sous ses vêtements. En Allemagne, elle était posée sur le bureau de son cabinet. Elle l'avait prise avant de partir en vacances pour mettre une touche d'intimité dans leur chambre de Stanbury House. Tout ça pour atterrir dans le petit hôtel miteux où elle avait été assignée à résidence parce que sa vie avait basculé dans le drame.

L'homme qui souriait sur la photo était mort.

Au cours de cet interminable après-midi, elle avait maintes fois souhaité être seule afin de pouvoir laisser libre cours à ses larmes. Le chagrin l'assommait, l'écrasait, c'était une pierre énorme, beaucoup trop grosse pour elle, beaucoup trop lourde à porter. Elle avait beau être seule, les larmes dont elle espérait qu'elles allégeraient sa peine refusaient de couler. Elle ne parvenait pas à laisser la douleur la submerger, l'atteindre dans le moindre recoin de son être. La souffrance restait là, bloquée au fond d'elle-même. L'espace d'un bref instant, elle eut l'impression que tout en elle s'arrêtait, que dans une seconde elle ne pourrait plus respirer, plus parler, que son cœur allait cesser de battre.

— Tu peux parler, murmura-t-elle pour se rappeler à la raison. Tu peux respirer. Ton cœur va parfaitement bien.

L'exhortation lui redonna un peu de sa sérénité. Elle posa la photo sur une petite table proche du lit.

Mais pourquoi ne puis-je pas enfin pleurer ?

On frappa à la porte. Elle répondit sur un ton mal assuré, plus très sûre de désirer voir quelqu'un, fût-ce Léon ou Evelin, mais ce n'était qu'une jeune fille au visage criblé d'acné qui travaillait pour l'hôtel.

— Je voulais vous demander si vous désiriez que l'on vous monte à dîner dans votre chambre, marmonna-t-elle entre ses dents.

Ses yeux reflétaient une franche curiosité. Nul doute que sa prévenance était motivée par son désir d'approcher un des acteurs du drame.

— Nous servons un buffet dans la salle à manger, comme tous les soirs, reprit-elle, mais en ce moment, il y a plein de journalistes… et j'ai pensé que vous n'auriez peut-être pas envie de les voir.

— Mon Dieu, soupira Jessica. Merci de me prévenir. Je ne bougerai pas de ma chambre. Mais je ne désire rien manger.

— Rien du tout ?

— Non, vraiment rien, je vous remercie.

La jeune fille disparut, déçue. Elle avait certainement espéré remonter avec un plateau et avoir ainsi une nouvelle chance de poser des questions. Jessica s'allongea sur son lit dans l'espoir de chasser son mal de tête. Quand on frappa de nouveau à la porte quelques minutes plus tard, elle réagit avec animosité.

— J'ai dit que je ne voulais rien ! s'exclama-t-elle d'un ton excédé.

La porte s'entrouvrit et la tête de Léon apparut dans l'entrebâillement.

— Jessica ?

Elle s'assit sur son lit.

— Ah, Léon, c'est toi. Entre… Comment va Sophie ?

Il entra dans la chambre et referma précautionneusement la porte derrière lui. C'était un homme grand et bien bâti qui parut emplir toute la pièce. Mais plus encore que ces derniers jours il semblait tassé sur lui-même, accablé, comme s'il portait le poids du monde sur ses épaules. Rarement l'expression « vieillir en l'espace de quelques heures » n'avait paru aussi juste à Jessica.

— Je t'en prie, assieds-toi, dit-elle en désignant l'unique fauteuil de la pièce.

Elle-même demeura sur le bord du lit et le regarda se diriger d'un pas lourd vers le fauteuil, où il se laissa tomber.

— Elle est en réanimation, dit-il en réponse à sa question, avec partout des tuyaux et des fils branchés à des machines. Elle est si petite, si fragile…

Sa voix se brisa, il détourna la tête.

— Que disent les médecins ?

Léon haussa les épaules.

— Elle a une chance. Mais infime. Elle a perdu énormément de sang… sa rate était en lambeaux, ils la lui ont enlevée…

— On peut très bien vivre sans rate.

— Je sais…

Il prit un instant son visage dans ses mains, puis releva la tête.

— Mon Dieu… Quand je me suis réveillé ce matin, j'avais une famille. Une femme, deux filles. Ce soir, je suis veuf, ma femme est morte, une de mes filles est morte, l'autre lutte désespérément contre la mort… Tout a basculé… Et si brutalement… C'est… c'est inconcevable…

— Oui, c'est inconcevable. Irréel. Un mauvais rêve. Un cauchemar…

— Je me demande qui a pu faire une chose pareille. Comment peut-on égorger de but en blanc une demi-douzaine de personnes ? Comment, dans quel monde est-ce possible ?

Il la regarda. Elle fut surprise de constater que sa pâleur, ses traits affaissés ne lui ôtaient rien de sa beauté. Avec son sourire désarmant, sa voix chaude, des trois amis, Léon avait été le plus séduisant, celui que le regard des femmes ne lâchait pas. Et aujourd'hui, c'était l'unique survivant.

— J'ai passé des heures allongé dans une prairie, dit-il sans transition. Au milieu des moutons. A ne rien faire que regarder le ciel et les minuscules nuages qui passaient de temps à autre. J'avais des douleurs cardiaques, mais au bout d'un moment elles se sont calmées. J'imaginais ce que ce serait de recommencer de zéro, libre de toute contrainte. Comme lorsqu'on est jeune, que l'on commence sa vie et que tout est encore possible. Je me disais…

Il hésita, s'interrompit. Sans doute se revoyait-il dans l'herbe, les yeux tournés vers le ciel, attendant que s'apaise la douleur angoissante qui lui étreignait le cœur, laissant vagabonder ses pensées. Ce qui lui était alors passé par la tête devait l'effrayer.

269

— Je pensais à ce que ce serait si seulement je n'avais pas une famille à charge... Patricia, les filles, avec tout ce qu'elles attendaient de moi, qui comptaient sur moi, tous les devoirs que j'avais envers elles... Tu comprends ? J'imaginais ce que ce serait si d'un coup elles n'étaient plus là. C'était un sentiment de grand soulagement, comme si on me rendait des années perdues depuis longtemps, que j'avais le droit de recommencer depuis le début... Et... Mon Dieu, pendant que je pensais ça, quelqu'un entrait dans la maison, les tuait et...

Il la regarda, anéanti, désespéré, son visage gris de fatigue.

— Je ne voulais pas ça. Jamais je n'aurais imaginé une chose pareille, même dans mes pires cauchemars. Dieu sait que notre mariage ne ressemblait plus à grand-chose, mais je n'aurais jamais souhaité que Patricia meure. Je n'aurais jamais souhaité qu'elle soit... qu'elle meure dans des conditions aussi... abominables. Et les filles...

Il s'interrompit à nouveau, assailli par le remords et la culpabilité.

— J'aimais mes enfants. Je les ai toujours aimées. Depuis le jour de leur naissance. J'étais seulement débordé ces derniers temps. Je me suis laissé dépasser par les événements. Je ne pouvais plus satisfaire leurs désirs, elles avaient une image de moi qui ne me correspondait plus. *Papa sait tout, papa arrange toujours tout, papa sur son piédestal !* En réalité, papa a des ennuis jusqu'au cou...

— Je sais. Evelin m'en a parlé.

Il eut un sourire amer.

— Evidemment. Tout le monde devait être au courant. J'avais demandé à Tim de le garder pour lui, mais comment espérer qu'il ne dirait rien à sa femme ?

— Je ne sais pas si quelqu'un d'autre était au courant. Je trouvais seulement étonnant que Patricia continue à faire comme s'il n'y avait pas le moindre problème. Je veux dire... au milieu de vous, je faisais toujours un peu figure de « nouvelle », mais vous autres êtes amis depuis longtemps. Ce sont des choses dont vous auriez pu parler.

— Elle était comme ça. Pas question de montrer le moindre point faible. Et elle ne l'acceptait pas non plus chez les autres. Il y a des années que j'ai de très sérieux problèmes financiers. Sais-tu quand j'ai osé en parler à ma femme ? Il y a trois jours. Trois petits jours ! Le soir du lundi de Pâques, j'ai pris mon courage à deux mains et j'ai avoué à Patricia que je n'avais plus un centime, que mon cabinet ne marchait pas du tout, que notre maison était hypothéquée jusqu'au toit, que je ne pouvais plus rembourser mes crédits, que tous nos comptes étaient dans le rouge et que j'avais emprunté cinquante mille euros à Tim. Et si je l'ai fait, c'est uniquement parce que je ne pouvais plus agir autrement, parce que je ne pouvais même plus payer les leçons d'équitation de mes filles et que je ne voyais plus aucun moyen de réussir à leur cacher la vérité. C'est une des pires soirées que j'aie jamais passées.

Il la regarda, mais comme s'il voyait à travers elle, d'un regard presque halluciné.

— Pourvu que Sophie s'en sorte ! dit-il. Mon Dieu, faites qu'elle s'en sorte !

Il se leva, se dirigea vers la fenêtre.

— Qui a pu faire une chose pareille ? Mais qui ? As-tu eu le sentiment que la police s'orientait dans une direction quelconque ?

Le mal de tête de Jessica reprit de plus belle.

— Ce commissaire Norman qui nous a interrogés a l'air de penser qu'il pourrait s'agir d'une histoire personnelle.

Léon la dévisagea, stupéfait.

— Une histoire personnelle ? Il pense que le... meurtrier serait l'un de nous ?

— Il ne l'a pas dit aussi directement. Mais c'est une possibilité qu'il semble retenir.

— Il ne manquait plus que ça. L'un de nous ? Je ne peux pas le croire. Parce que si je n'ai pas complètement perdu la tête, c'est toi, moi ou Evelin ! Ça ne tient pas debout !

— Et Ricarda. Ricarda n'a pas été tuée. De plus, elle a disparu.

— Ricarda a quinze ans !

— Mais la soupçonner n'est pas plus absurde que nous soupçonner, toi, moi ou Evelin.

— Effectivement. Eh bien, c'est super. C'est moi qui tiens la corde, je me trompe ? Je suis le seul homme encore en vie. Et d'ordinaire, c'est plutôt aux hommes qu'on prête ces crimes violents. Pour tout arranger, je devais de l'argent à Tim, mon mariage n'était qu'une... façade, mes filles... c'est tout juste si je pouvais encore subvenir à leurs besoins... Que des bonnes raisons de faire disparaître ma famille et, dans la foulée, également l'homme qui depuis des semaines me mettait le couteau sous la gorge pour récupérer son fric !

— Tu oublies... Alexander, observa-t-elle en prenant sur elle pour prononcer à voix haute son prénom. Alexander aussi est mort.

— Je ne pouvais pas me permettre de laisser des témoins derrière moi. Evelin a réussi à m'échapper, Ricarda et toi n'étiez pas là... Tout colle à la perfection !

Il se laissa tomber dans le fauteuil et partit d'un rire hystérique.

— M. Norman va se frotter les mains. Résoudre une affaire aussi vite, ça ne doit pas lui arriver tous les jours !

— Tu n'as rien fait d'autre que rester allongé dans ta prairie ?

Il se redressa et la transperça du regard.

— Tu vois, toi-même tu y viens !

Elle sentit la colère l'envahir.

— Arrête ! Tu dis des bêtises et tu le sais ! Mais tu as raison sur un point, le superintendant pourrait penser que tu avais des raisons de tuer ta famille. Il risque de te pousser dans tes retranchements, tu devrais t'y préparer. Je présume qu'il t'a déjà demandé où tu étais, mais s'il a l'ombre d'un doute, j'imagine que ses questions vont devenir autrement plus désagréables.

— L'ombre d'un doute ! Tu es naïve. S'il pense que l'assassin est parmi nous, il y a beau temps qu'il a l'ombre d'un doute. Et nous sommes tous suspects ! T'a-t-il demandé où tu étais, ce que tu faisais à l'heure du crime ? Bien sûr que oui. A moi aussi, il l'a demandé. J'ai discuté au téléphone avec le directeur de ma banque, c'est facile à vérifier. En revanche, le fait que je me trouvais à ce moment-là à des kilomètres de Stanbury est déjà plus difficile à prouver. Sinon ? Sinon, rien. Je suis effectivement resté des heures allongé dans l'herbe à ne rien faire. De temps en temps, je me suis levé et je suis allé patauger pieds nus dans un ruisseau. J'ai caressé deux ou trois moutons. C'était la première fois depuis des mois que je m'autorisais à oublier un peu mes problèmes. J'ai fait comme si j'étais seul au monde, comme s'il n'y avait plus que moi, les moutons, la prairie et le ciel. Mes douleurs cardiaques se sont miraculeusement évanouies. Mais pour tout ça, je n'ai bien évidemment pas le moindre fichu témoin !

— Léon...

Il ne la laissa pas continuer.

— Et toi ? Que lui as-tu raconté ? Tu as dû encore cavaler dans la campagne pendant des heures. Et sans rencontrer âme qui vive !

— Oui. Et c'est ce que j'ai dit. J'aurais eu du mal à inventer autre chose.

— Sauf que tu ne t'inquiètes pas parce que tu n'avais aucune raison de tuer qui que ce soit, n'est-ce pas ? Pourquoi aurais-tu commis une telle atrocité ? Hein ? Dis-moi pourquoi... La charmante, la toute gentille Jessica qui attend dans la joie la naissance de son bébé, qui ne ferait pas de mal à une mouche et qui...

— Ça suffit maintenant ! explosa Jessica, à la fois en colère et blessée. Arrête de me parler comme ça ! Mon mari est mort. Le père de mon bébé est mort. Ne m'agresse pas sous prétexte que tu craques !

Ce fut comme si l'éclat l'avait dégrisé.

— Excuse-moi, Jessica. Je suis désolé. Excuse-moi.

— C'est bon, marmonna Jessica.

Il se leva une nouvelle fois.

— C'est Phillip Bowen, dit-il. Pendant tout le temps où je parlais à Norman, l'idée tournait dans ma tête sans que je parvienne à me fixer dessus. J'étais sous le choc, je n'avais pas tous mes esprits, mais je sentais qu'il y avait quelque chose. Phillip Bowen s'est déjà introduit chez nous. Il a plusieurs fois menacé Patricia. Ce type n'est pas clair. C'est une tête brûlée, un dingue. J'appelle Norman tout de suite. Il faut le mettre au courant.

— Ne t'emballe pas, Léon. Pourquoi Phillip Bowen aurait-il voulu tuer cinq personnes ?

— Parce qu'il est détraqué ! Ecoute, Jessica, tu conviendras avec moi qu'il n'y a qu'un cinglé qui puisse commettre un... un geste pareil. Et Bowen *est* cinglé. On a tous pu le constater. Déjà cette histoire délirante de filiation qu'il s'invente, ensuite l'acharnement quasi obsessionnel qu'il met à s'immiscer dans notre famille, c'est pathologique !

Il sortit son téléphone portable.

— Tu as sûrement le numéro de Norman. Il faut qu'il coffre Bowen tout de suite.

— Léon...

— Le numéro, Jessica !

Elle lui dicta le numéro du superintendant. Tandis qu'il lui parlait, elle enfouit sa tête dans son oreiller. La taie sentait la lessive. La banalité du fait avait quelque chose de réconfortant.

6

Keith fut très déconcerté par la façon dont Ricarda réagit à la nouvelle du massacre de Stanbury House. Il n'avait pas pu lui dire qui avait été tué et qui ne l'avait pas été, mais il savait qu'il y avait un grand nombre de victimes, tout le village et les environs ne parlaient que de cela. L'information était même arrivée jusque dans une ferme aussi isolée que celle de la famille Mallory. C'était la sœur de Keith, tout excitée, qui en avait parlé. Keith, sceptique, avait téléphoné à des amis qui lui avaient confirmé l'information. Sa mère, Gloria Mallory, n'avait montré aucun intérêt pour l'affaire. Elle restait assise, hébétée, à la table de la cuisine où le matin même elle prenait encore le petit déjeuner avec son mari, et elle essayait de se faire à l'idée de devoir vivre le reste de ses jours avec un handicapé. Au cours de l'après-midi, l'infirmière du district était passée proposer son aide pour les soins à apporter à Greg Mallory lorsqu'il quitterait l'hôpital. Keith lui avait offert de s'asseoir quelques minutes au salon. Elle avait bu deux verres d'eau-de-vie et ils avaient parlé de l'effroyable bain de sang qui avait plongé la vallée de Stanbury dans l'horreur.

« C'est incroyable, répétait sans se lasser la dynamique infirmière. Une abomination pareille ! Chez nous ! Et d'après mes informations, la police n'a encore arrêté personne ! Il y a des gens, au village, qui ne se hasardent plus qu'en groupe dans la rue ! »

Keith, qui pensait que Ricarda était malgré tout retournée à Stanbury House, était malade d'inquiétude. Finalement, il n'y tint plus : il fallait qu'il sache s'il lui était arrivé quelque chose.

Sa sœur avait pris un air offensé quand il avait déclaré en fin de journée qu'il devait s'absenter.

« Tu es donc d'avis que tu peux laisser maman toute seule », avait-elle observé de son ton de donneuse de leçons. Ce à quoi il avait répliqué, avant de tourner les talons, que leur mère n'était pas seule puisqu'elle était là pour s'en occuper. Au reste, Gloria Mallory ne se souciait guère de qui était là ou non, elle était toujours dans sa cuisine à tenter de mettre de l'ordre dans ses idées.

Keith s'était d'abord rendu à Stanbury House. Il s'était garé à bonne distance de la propriété puis avait continué à pied. Il faisait encore jour, l'air était tiède, la campagne si paisible qu'il était impensable d'imaginer qu'un drame avait eu lieu.

A une centaine de mètres de l'entrée du parc, il avait vu l'attroupement sur la route, au bas de l'allée qui menait à la maison, et les rubans orange de la police qui délimitaient le périmètre de sécurité. L'endroit grouillait de véhicules de police, de ce qu'il prit pour des enquêteurs, et il avait même repéré quelques chiens en laisse qui longeaient le mur d'enceinte, ou ce qu'il en restait, la truffe au sol. Keith avait compris qu'il ne pourrait pas accéder à la maison et il n'avait pas osé se renseigner sur le sort de Ricarda auprès des policiers, qui lui paraissaient nerveux et irritables. De plus en plus inquiet, ne sachant quoi faire, il avait pris le chemin de la ferme abandonnée, son refuge et le seul endroit où il pensait pouvoir encore trouver Ricarda. Il avait failli crier de soulagement lorsqu'il l'avait découverte, pelotonnée sous une couverture sur le vieux canapé, des traces de larmes sur le visage. Il s'était assis à côté d'elle, l'avait prise dans ses bras, serrée très fort contre lui, il l'avait bercée, lui avait parlé de sa mère, très choquée par l'attaque de son père, et il lui avait dit combien il était désolé que leur projet de vivre à Londres ait tourné court.

« Mais ça ne veut pas dire que nous ne vivrons pas ensemble un jour. Ce n'est seulement pas possible en ce moment, tu comprends ? Je ne peux pas laisser ma mère seule. Du reste, nous devons réfléchir à ce que la ferme va devenir. Je ne vois pas ma sœur réussir à s'en occuper toute seule. Tout ça est... si soudain. »

Elle avait approuvé d'un hochement de tête. Il lui avait demandé si elle avait mangé quelque chose depuis qu'ils s'étaient arrêtés sur l'autoroute pour prendre de l'essence et, cette fois, elle avait secoué négativement la tête. Ainsi qu'il s'y attendait, il ne dénicha pas le moindre paquet de biscuits dans la grange et s'en voulut de n'avoir pas pensé à prendre quelques fruits avant de partir. Il est vrai qu'il n'était même pas certain qu'elle fût encore en vie. Toutefois, un repas pouvait toujours se rattraper. Il lui paraissait beaucoup plus difficile de lui annoncer ce qui s'était passé à Stanbury House.

Il avait pris de tels détours pour aborder le sujet que, pendant plusieurs minutes, elle l'avait écouté sans réussir à deviner où il voulait en venir, puis quand enfin elle avait compris, c'est à peine si son visage triste et buté avait frémi.

« Tu dis qu'un fou s'est déchaîné dans la maison. Sais-tu si Patricia a été tuée ? »

Ça ne sonnait pas comme si elle le redoutait. Il secoua la tête.

« Je n'en ai pas la moindre idée. La police n'a encore fait aucune déclaration officielle, et comme d'habitude, chacun, dans le patelin, y va de sa version. Si ça se trouve, les gens en rajoutent beaucoup et, en réalité, une seule personne a été tuée. »

Une seule personne a été tuée... Même à ses propres oreilles, ça sonnait faux.

« Eh bien, j'espère que c'est Patricia », avait conclu Ricarda.

Keith l'avait dévisagée en écarquillant les yeux. Avait-elle conscience de ce qu'elle venait de dire ? Avait-elle compris ce qui s'était passé ?

Elle refuse d'intégrer l'information, songea-t-il. Elle ne veut pas connaître la vérité.

La réaction de Ricarda lui semblait préoccupante, mais il ne savait pas comment y remédier.

— Tu sais, dit-il alors, tu ne devrais pas rester ici. Personne, actuellement, n'est autorisé à entrer chez vous, dans la maison, mais je pourrais essayer de savoir où ta famille a été logée. Tu pourrais les retrouver.

Elle secoua la tête.

— Ton père doit être extrêmement inquiet, insista Keith pour tenter de la convaincre.

— Tu ne sais même pas s'il est encore en vie, répliqua Ricarda.

Apparemment, elle avait compris ce qu'il lui avait dit, mais elle ne se laissait pas atteindre par ce que cela pouvait impliquer de dramatique. Aucune émotion ne transparaissait sur son visage, pas même quand elle parlait de son père.

— Il est certainement en vie, affirma Keith bien qu'il n'en fût nullement convaincu, et c'est pour cela que je pense que tu devrais...

— Non, dit-elle avec une détermination qu'il ne lui connaissait pas. Je n'irai pas. Je ne veux plus les voir.

— Ecoute, Ricarda, il s'est passé quelque chose de vraiment grave. Je ne sais pas quoi exactement, mais plusieurs personnes de Stanbury House ont été sauvagement assassinées. Je sais ce que tu as contre eux, néanmoins ta place est là-bas !

— Je ne veux plus les voir.

— Tu ne peux tout de même pas rester dans cette grange !

Elle ne répondit pas.

— Je ne peux pas t'amener à la maison. Ma mère n'est pas en état de recevoir quelqu'un. Je ne peux pas lui faire ça. Tu le comprends, n'est-ce pas ?

Un sourire railleur étira ses lèvres.

— Je comprends. Je comprends même très bien. Il y a un bout de temps que tu as tiré un trait sur notre histoire.

— Ce n'est pas vrai ! Franchement, Ricarda ! Mon père est dans le coma, personne ne sait quand il va en sortir ni dans quel état. Je ne peux tout de même pas faire comme s'il ne s'était rien passé !

Il la regarda et eut le sentiment qu'elle pensait, au contraire, qu'il le pouvait très bien. Il comprit qu'elle était beaucoup plus radicale que lui. Elle s'était imposé une rupture lourde de conséquences avec sa famille, tout au moins avec son père et sa belle-mère, et avec un tel sens du définitif qu'il lui était impossible de revenir en arrière, même dans une circonstance aussi dramatique. Pour sa part, pas une seconde il n'avait douté de l'endroit où se trouvait sa place dans un moment de crise.

— Il faut que tu manges quelque chose, dit-il avec autant de douceur que possible, et que tu boives. Que tu prennes une douche, que tu te changes... Qu'est-ce que tu veux faire, dans cette grange ?

— Je ne retournerai pas là-bas.

— Je ne peux pas rester.

— Je sais.

Il soupira. Ce qu'il disait ne l'atteignait pas. Elle s'était repliée sur elle-même.

Il devait être neuf heures du soir. Keith pouvait rester encore une demi-heure, puis il devrait se dépêcher de rentrer. Sa sœur devait le maudire. Coincée à la ferme avec leur mère qui à peu de chose près était aussi peu coopérative que Ricarda, elle devait penser qu'il traînait avec des amis et se défilait. Il aimait beaucoup Ricarda, mais à cet instant il aurait préféré ne pas avoir à s'occuper d'elle. Cette journée n'avait apporté que des catastrophes.

Il la tint serrée contre lui tandis que dehors les dernières lueurs du jour s'éteignaient.

La nuit vint, noire et limpide.

7

Deux officiers de police déposèrent Evelin au Fox and The Lamb au cours de la matinée suivante. Auparavant, le superintendant Norman avait prié Jessica de répondre à quelques questions concernant Phillip Bowen.

« M. Roth nous a fait part hier soir d'une information intéressante, dit Norman. C'est curieux qu'au cours de notre entretien vous ne vous soyez souvenue ni de M. Bowen ni de ses irruptions plutôt mouvementées à Stanbury House. »

Jessica, qui n'avait pas dormi de la nuit, souffrait de maux de tête toujours aussi intenses. Elle avait avalé deux antalgiques en guise de petit déjeuner et se sentait nauséeuse. A l'inverse de la veille, Norman lui parut agressif et désagréablement insistant.

« Léon ne s'en est souvenu qu'après votre entretien », observa-t-elle.

Norman acquiesça, sans toutefois paraître convaincu, comme s'il était pour lui différent que ce soit Jessica ou Léon qui ne se soit pas souvenu tout de suite de Phillip Bowen.

« Il se trouve que M. Bowen séjourne dans cet hôtel, dit-il. Je me suis déjà présenté chez lui, mais il n'était pas encore levé. Il se prépare. J'ai beaucoup de questions à lui poser.

— Je crains qu'il ne vous soit pas d'un grand secours », remarqua Jessica.

Norman l'observa avec intérêt.

« Vraiment ? Qu'est-ce qui vous permet de penser cela ?

— Il n'a rien à voir avec notre groupe et les liens qui nous unissaient ; or, si je vous ai bien compris, c'est dans cette direction qu'il faut chercher. En outre, je ne vois pas quelle raison il aurait eue de vouloir tuer l'un d'entre nous, et encore moins de tuer cinq personnes. Quant à l'éventualité du geste d'un fou, elle ne tient pas non plus. Phillip Bowen n'est absolument pas fou.

— C'est étonnant comme les avis peuvent diverger. M. Roth pense le contraire. Il décrit M. Bowen comme un déséquilibré obsédé par l'idée d'être le fils naturel de Kevin McGowan. Il aurait importuné Mme Roth de façon répétée, de même que certains de vos amis. J'ai également appris qu'il se serait introduit dans la maison par effraction quelques jours avant votre arrivée et aurait eu ainsi l'opportunité de se familiariser avec les lieux.

— Il ne s'est pas *introduit par effraction*. C'est la femme de ménage, qui se trouvait sur place, qui l'a laissé entrer.

— Sans doute n'y a-t-elle consenti qu'après qu'il lui a servi un gros mensonge. Je me trompe ? »

Jessica demeura silencieuse. Norman hocha la tête.

« Ce M. Bowen me semble exalté. Mais cela ne veut pas dire que je le considère d'ores et déjà comme notre criminel. Ainsi que le fait M. Roth non sans une certaine fougue. Nous n'en sommes qu'au tout début de nos investigations. »

L'entretien avait eu lieu dans la chambre de Jessica. Alors qu'il quittait la pièce, Norman s'était arrêté dans l'encadrement de la porte.

« Je me suis rendu tard hier soir à l'hôpital de Leeds pour m'entretenir avec Mme Burkhard. Mme Evelin Burkhard. Un élément nouveau est apparu. »

Jessica l'avait regardé, attendant la suite.

« Mme Burkhard a rencontré M. Bowen en fin de matinée dans le parc, poursuivit Norman. Apparemment, il rôdait une fois de plus dans la propriété. D'après elle, ce devait être aux alentours de midi. Environ vingt minutes plus tard, son mari l'a appelée et elle a regagné la maison. Bowen est resté là où ils s'étaient rencontrés. D'après un premier rapport des médecins légistes, les meurtres ont vraisemblablement été commis entre douze heures trente et quatorze heures trente. Si M. Bowen ne peut justifier d'un solide alibi pour ces deux heures, il risque de se trouver dans une mauvaise passe… Il est possible que j'aie encore quelques questions à vous poser, ajouta-t-il après l'avoir saluée d'un signe de tête. Vous restez à l'hôtel ? »

Il était parti depuis plusieurs minutes qu'elle se demandait encore si sa dernière phrase était une question ou un ordre.

Une petite heure plus tard, Evelin frappait à sa porte.

Elles burent du thé. Comme dans toute chambre d'hôte anglaise, chaque pièce du Fox and The Lamb disposait d'une bouilloire et d'une corbeille garnie de sachets de thé de diverses sortes ainsi que de sachets de sucre et de lait en poudre. Jessica avait toujours apprécié cet usage, mais jamais autant que ce matin-là, où elle n'eut pas besoin de quitter sa chambre, au risque de tomber sur un journaliste, pour boire quelque chose.

Evelin portait l'un de ses vêtements sans forme qu'elle affectionnait et une longue écharpe nouée théâtralement autour du cou. Elle était très pâle, paraissait comme à son habitude triste et apeurée, mais elle n'avait plus le regard vide qui avait effrayé Jessica quand elle l'avait découverte dans la salle de bains. Elle se tenait sur le bord du fauteuil, les mains nouées autour de sa tasse comme si elle cherchait à se réchauffer alors qu'il ne faisait pas froid.

— Les policiers ont tous été très gentils avec moi. La psychologue qui m'a parlé aussi. Et le médecin, à l'hôpital, aussi. Ça m'est très difficile de répondre à leurs questions. C'est comme s'il me manquait un morceau de mémoire. Je vois du sang... plein de morts, puis il y a un grand vide. Ensuite, je suis dans la salle à manger de Stanbury House, il y a un médecin et une auxiliaire de police, puis la psychologue. Ils sont tous très gentils avec moi... ça a été très long jusqu'à ce que je comprenne ce qui s'est passé.

— Avant que la police arrive, tu étais dans la salle de bains des filles, au deuxième étage. C'est là que je t'ai trouvée après que...

Elle n'acheva pas sa phrase, Evelin la regardait intensément.

— Après quoi ? fit-elle.

— Après que j'ai trouvé Patricia. Et... et Tim. Et Diane...

Elles demeurèrent un instant silencieuses. Jessica but une longue gorgée de thé. Il était chaud, sucré, réconfortant.

Evelin plissa le front, ferma les yeux puis les rouvrit.

— As-tu toi aussi l'impression que c'est un mauvais rêve et que forcément tu vas finir par te réveiller ?

282

— Oui. C'est tellement... irréel. Je n'arrive pas à croire que c'est vraiment arrivé.

— J'ai d'abord trouvé Patricia, déclara Evelin sans transition. Je l'ai appelée de loin. Elle se tenait penchée en avant de façon un peu étrange, mais je n'y ai pas vraiment fait attention. Je lui ai demandé si elle n'avait pas trop chaud à jardiner ainsi en plein soleil. Comme elle ne répondait pas, j'ai pensé qu'elle ne m'avait pas entendue. Je me suis approchée et j'ai reposé ma question : toujours pas de réponse. Là, brusquement, j'ai trouvé qu'elle se tenait bizarrement, et je me suis rendu compte qu'elle ne bougeait pas... Et puis, j'ai vu que son visage était dans la terre et que... Enfin, tu sais bien. Tu l'as vue.

— Oui, dit Jessica, qui réprima un brusque haut-le-cœur en se forçant à déglutir. Oui, je l'ai vue.

— J'ai couru à la maison. Je crois que je n'ai même pas pensé à appeler la police ou une ambulance. Je voulais seulement m'éloigner. Ne plus la voir. Je suis allée dans la cuisine...

Elle s'interrompit, eut un sourire amer.

— C'est terrible, n'est-ce pas ? Quoi qu'il arrive, c'est toujours dans la cuisine qu'il faut que j'atterrisse...

Son sourire s'éteignit aussi vite qu'il était apparu.

— Dans la cuisine, il y avait Tim. Cette fois, j'ai compris tout de suite qu'il était mort. Il était au milieu d'une flaque de sang. Je suis tombée à genoux. Je l'ai pris dans mes bras. Je ne sais pas combien de temps je suis restée ainsi avec lui, une heure, ou peut-être une minute. Je me suis relevée et je suis sortie de la cuisine. Je suis montée au premier... Je voulais voir si les filles étaient là. J'avais brusquement une peur affreuse pour les filles... Oui, je crois que c'était ça, une peur affreuse. Diane était là-haut. C'est la dernière image que je vois. Diane sur son lit, morte. C'était sûrement un livre sur les chevaux qu'elle était en train de lire, elle ne lisait que ça... pauvre chérie... A partir de là... A partir de là, tout est noir, répéta-t-elle en secouant la tête dans un geste d'impuissance.

— Tu t'es repliée sur toi-même. C'est une réaction tout à fait normale.

— Le superintendant Norman m'a posé je ne sais combien de questions. Il est vrai que je suis la seule à avoir été là et... et à être encore en vie. Il espère que j'ai vu quelqu'un, que j'ai remarqué quelque chose dont je vais me souvenir... Mais j'ai beau me creuser la tête... c'est le vide.

— Tu t'es souvenue de quelque chose. Du moins Norman le raconte-t-il. Tu t'es souvenue d'avoir rencontré Phillip Bowen dans le parc peu avant l'heure présumée du crime.

Le visage d'Evelin parut se ratatiner.

— Oui. J'espère que ça ne va pas lui créer de difficultés.

Jessica prit le parti de ne pas lui ôter ses illusions. Au reste, elle avait eu raison de ne pas garder cette information pour elle.

— Tu sais, poursuivit Evelin, je ne crois pas qu'il ait quelque chose à voir avec... avec ce qui s'est passé. Je l'ai toujours trouvé un peu bizarre, c'est vrai, mais quand je l'ai rencontré, hier, et que nous avons parlé, il était tellement... oui, tellement compréhensif, tellement gentil. Je ne peux pas imaginer qu'il puisse faire du mal à quelqu'un.

— C'est également mon avis, et au fond je ne pense pas qu'il ait quelque chose à craindre.

Elle n'en était nullement convaincue mais elle ne voulait pas ajouter à la tristesse qui les accablait toutes les deux.

— Où étais-tu avant de trouver Patricia ? demanda-t-elle. Je veux dire : après que tu as quitté Phillip ? Norman dit que Tim t'aurait appelée.

Evelin déglutit. Sa pâleur s'accentua.

— Tim était... très en colère. Il cherchait ce paquet de feuilles qu'il avait imprimées. Il était convaincu que j'étais pour quelque chose dans le fait qu'elles aient disparu.

— Mais pourquoi ?

— Il devait avoir besoin d'un bouc émissaire. Il les cherchait depuis le matin, et, pour une raison que j'ignore, il craignait que quelqu'un ne les trouve avant lui. Il disait qu'il les avait posées sur la table de notre chambre et que c'était forcément moi qui les avais déplacées en rangeant. Il était hors de lui. Nous nous sommes violemment disputés. Je lui disais que je n'avais pas touché à ses papiers, mais il ne m'écoutait même pas. Finalement, j'ai fondu en larmes et je suis partie en courant...

Elle fit un geste de la tête en direction de son pied.

— Enfin... aussi vite que j'ai pu. Mon pied me fait toujours mal. Je devais avoir l'air ridicule, à clopiner comme ça dans le parc... une grosse larve bancale !

— Ne te dénigre pas comme ça. Sans doute avais-tu simplement l'air d'une femme qui s'est blessé la cheville.

— Si tu veux. Bref. Je ne pouvais plus arrêter de pleurer et j'ai avancé comme ça un bon moment avant de faire demi-tour. Je me suis dit brusquement qu'il fallait que je rentre et que je l'aide à chercher. Que c'était plus raisonnable que de se disputer. C'est là que... que j'ai trouvé Patricia, et...

Elle ferma un instant les yeux.

— Tu connais la suite.

— As-tu revu Phillip quelque part quand tu es ressortie ?

— C'est ce que m'a tout de suite demandé Norman. Non, je ne l'ai pas vu. Mais je ne suis pas allée pas non plus vers l'endroit où je l'avais rencontré.

— As-tu vu Alexander ?

— Non.

— Alors ça a dû se passer dans un laps de temps très court, observa Jessica. En fait, précisément entre le moment où vous vous êtes disputés et celui où tu es retournée vers la maison.

— Oui, mais je suis restée un bon moment à pleurer assise par terre. Trois quarts d'heure, peut-être. Je ne sais pas... Crois-tu que le superintendant Norman va arrêter Phillip Bowen ?

— En tout cas, s'il y a un jour où Phillip aurait mieux fait de ne pas venir se balader dans le parc de Stanbury House, c'était bien hier, soupira Jessica.

Elle se leva, s'approcha de la fenêtre et regarda dehors la campagne baignée de soleil.

— Quel idiot ! murmura-t-elle d'un ton soucieux.

Et c'était à cause de ce jeune homme que Patricia avait fait de telles histoires ! Loin de Léon le désir de dire du mal de sa femme aujourd'hui disparue, mais force lui était de constater qu'elle avait eu un talent certain pour semer la discorde. Un jeune homme charmant, sympathique, immense et très mince l'attendait dans le hall. Léon, méfiant, était descendu en se tenant prêt à faire demi-tour. La jeune fille de la réception avait frappé à sa porte pour l'informer que quelqu'un souhaitait lui parler. Aussitôt, il avait pensé qu'il s'agissait d'un journaliste et refusé de descendre.

« Non, je ne crois pas que ce soit un journaliste, avait-elle insisté. Il dit que c'est important. Ça concerne quelqu'un de votre famille. »

Sa famille ? Quelle famille ? La seule personne de sa famille qui lui restât luttait contre la mort sur un lit d'hôpital.

Il était néanmoins descendu et le grand jeune homme s'était présenté comme étant Keith Mallory, l'ami de Ricarda Wahlberg.

Aussitôt, Léon avait expliqué que Ricarda n'était pas parmi les victimes, car il n'imaginait pas que le jeune homme puisse être venu pour une autre raison que pour avoir des nouvelles de Ricarda. Il s'avéra que Keith le savait déjà.

— Je sais où elle est, expliqua-t-il. Je suis venu parce que je pense qu'il faudrait que quelqu'un s'occupe d'elle. Elle ne m'écoute pas. Je ne peux rien lui dire...

— Ce serait le rôle de Jessica, remarqua Léon.

Keith le dévisagea.

— Jessica n'a pas été tuée ? Et...

Léon devina ce qu'il n'osait demander. Il secoua la tête.

— Non. Alexander Wahlberg est mort.

— Oh non, balbutia Keith en s'accrochant au regard de Léon. Elle... Ricarda est dans la grange d'une vieille ferme abandonnée, et elle ne parle quasiment pas. Elle n'a rien mangé depuis hier matin, rien bu. Elle ne réagit presque pas. Je ne sais pas quoi faire. Mon... mon père vient juste d'avoir une attaque, nous ne savons pas comment il va s'en sortir, ma mère est sous le choc, ma sœur ne veut pas que tout retombe sur ses épaules... Ça m'est très difficile de ne pas être à la maison en ce moment.

— Je comprends, le rassura Léon, qui trouvait Keith réellement sympathique. Je vais prévenir Jessica. Pouvez-vous m'expliquer comment nous rendre à cette grange ?

Deux minutes plus tard, Léon savait où se trouvait Ricarda. Une Ricarda décrite par son ami comme mutique, qui refusait de s'alimenter, de boire, qui ne réagissait pour ainsi dire à rien... Tout en gravissant les marches qui montaient aux chambres pour prévenir Jessica, il se souvint des extraits du journal que Patricia leur avait lus la veille de sa mort. Patricia pouvait avoir souvent dramatisé, en l'occurrence elle s'en était tenue à ce que Ricarda avait écrit. Et ce que Ricarda avait écrit avait de quoi faire frémir – et plus encore à la lumière de ce qui s'était passé depuis. Il se demanda s'il devait en parler au superintendant Norman. Serait-ce trahir son ami Alexander ? Ou bien était-ce, eu égard à la situation, la seule attitude à adopter ?

Quand il frappa à la porte de Jessica, il n'était toujours pas arrivé à une réponse. Il décida que ce serait à elle, en tant que belle-mère, de trancher la question.

8

Ce jour-là, les événements se précipitèrent.

Le superintendant ne mena pas l'interrogatoire de Phillip Bowen au Fox and The Lamb, ainsi qu'il l'avait prévu ; il le pria, ainsi que Géraldine, de l'accompagner au commissariat principal de Leeds. Entre-temps, une armée de journalistes faisait le siège de la petite auberge de Stanbury. Quand Phillip et Géraldine sortirent de l'hôtel pour gagner le véhicule de police qui les attendait, les flashs crépitèrent. Les enquêteurs les plus entreprenants s'étaient depuis longtemps entretenus avec Mme Collins, dont l'orgueil enflait de minute en minute. Le nom de Phillip circulait de bouche en bouche et plus personne n'ignorait que, quinze jours auparavant, il avait abusé de la crédulité de la brave femme pour s'introduire dans la maison où il avait eu tout loisir de fouiner. La presse ne semblait pas douter de sa culpabilité, quoique la raison de son geste restât mystérieuse, et l'identité de la très jolie jeune femme qui l'accompagnait fut bientôt aussi connue que la sienne.

Le lendemain, Norman écuma de rage en lisant les journaux. Les fuites ne pouvaient provenir que du personnel du Fox and The Lamb, mais que faire contre l'appétit de sensationnel des gens ? Les grands titres présentaient Géraldine Roselaugh comme un *célèbre mannequin*, sans que quiconque paraisse s'étonner que personne jusque-là n'ait jamais entendu parler d'elle. Ses relations conflictuelles avec Phillip Bowen – les journalistes pris de court n'avaient pu explorer tous les méandres de sa vie privée et professionnelle – s'étalaient sur de pleines pages. Mlle Roselaugh avait même été jusqu'à prendre sa propre chambre et elle s'apprêtait à abréger ses vacances pour rentrer à Londres. Une réconciliation de dernière minute semblait être intervenue.

« Un crime monstrueux a-t-il réuni les amants terribles ? » demandait le *Sun* ; « Complice par amour ? » s'interrogeait le *Daily Mirror* – sans se douter combien il était proche de la vérité des relations de Phillip et Géraldine en évoquant une éventuelle soumission de Géraldine (« Une femme d'une beauté exceptionnelle perpétuellement malheureuse en amour »). Toutefois, les événements prirent un tour tel que tous ces titres étaient déjà obsolètes que les rotatives tournaient encore.

Tandis que Phillip et Géraldine se rendaient à Leeds à fin d'interrogatoire, Jessica et un officier de police partirent pour la ferme abandonnée où Keith avait expliqué que se trouvait Ricarda. Ils parvinrent à quitter l'hôtel par une porte dérobée, car au même instant toute l'attention des journalistes était concentrée sur l'entrée principale de l'hôtel, où venaient d'apparaître Phillip et Géraldine.

Les mains glacées, agitée de tremblements, autant de faim et de soif que de désespoir, et refusant farouchement de parler, Ricarda faisait peine à voir. Ils la conduisirent à l'hôtel, où ils eurent la chance de pouvoir entrer à l'insu des journalistes. Un médecin fut appelé, qui hésita, puis environ deux heures plus tard accepta qu'elle soit interrogée par une jeune auxiliaire de police. Jessica proposa d'assister à l'entretien, mais pour la première fois Ricarda leva la tête et ouvrit la bouche.

— Non !

La haine qu'elle portait à sa belle-mère n'avait pas faibli. Jessica eut le sentiment d'être la dernière personne auprès de laquelle Ricarda irait jamais chercher aide et consolation.

Après tout, quelle importance ?

Léon alla rendre visite à Sophie, à l'hôpital de Leeds. A sa grande satisfaction, il avait assisté de loin à l'« arrestation », comme il disait, de Phillip Bowen et de son amie. Il ne doutait pas une seconde de sa culpabilité.

Les heures s'écoulaient avec une lenteur paralysante. Rien de bougeait. Une journée de plomb qui paraissait à Jessica encore pire que celle de la veille. Peut-être cela tenait-il au fait qu'en même temps que le choc s'estompait la réalité se frayait un chemin jusqu'à sa conscience. Le sentiment d'être enfermée lui devenait de plus en plus pesant. Dehors, le ciel était d'un bleu immaculé et l'air qui pénétrait dans la chambre quand elle ouvrait la fenêtre avait un avant-goût d'été. Marcher, bouger, s'allonger dans l'herbe et humer l'odeur des pommiers en fleurs lui manquait. Mais elle n'aurait pu quitter l'hôtel sans une meute de journalistes à ses basques. Elle était déjà heureuse d'avoir réussi à faire sortir Barney quelques minutes dans le jardin à l'arrière du bâtiment sans que personne s'en rende compte.

Evelin était retournée dans sa chambre et s'était couchée. La femme qui avait interrogé Ricarda souhaita s'entretenir quelques minutes avec Jessica. Elle l'informa du peu d'informations qu'elle avait obtenues de la jeune fille.

— Je n'ai cependant pas l'impression qu'elle est en état de choc, comme pouvait l'être Mme Burkhard hier, précisa-t-elle. Il semblerait plutôt qu'elle ne veuille ni parler ni entendre parler de quoi que ce soit ayant un rapport avec Stanbury House. Comme si... oui, comme si elle voulait couper les ponts avec toute cette partie de sa vie. Serait-ce possible ?

Elle consulta une nouvelle fois ses notes en fronçant les sourcils.

— Vous n'êtes pas sa mère, n'est-ce pas ? demanda-t-elle en relevant la tête.

— En effet. Son père et moi nous sommes mariés il y a environ un an. Elle vit avec sa mère, mais passe la plupart des vacances avec nous.

— Vous entendez-vous bien ?

Jessica hésita.

— Je l'aime beaucoup, dit-elle alors, et je ne désespère pas qu'elle comprenne un jour que je ne veux que son bien. Elle me rejette. Je ne suis en rien responsable du divorce de ses parents, mais, en épousant son père, j'ai vraisemblablement anéanti ses espoirs de voir un jour ses parents revivre ensemble.

— Et le fait que Mme Roth lise publiquement des extraits de son journal a été la goutte d'eau qui a fait déborder le vase ?

— Oui. Mais pas en ce qui me concerne. Son père...

Sa voix se brisa. Elle parlait de son défunt mari et devoir en dire du mal la mettait au supplice, mais son attitude, ce dernier soir, lui paraissait aujourd'hui encore inqualifiable.

— ... son père n'a pas pris sa défense. Il s'est mis du côté des... des autres, comprenez-vous ? Il a soutenu Patricia. Contre sa propre fille. En dépit de toutes les frictions de ces derniers temps, Ricarda n'a cessé de porter un amour sans faille à son père. J'imagine qu'elle se demande encore comment il a pu la trahir ainsi.

— Et selon Ricarda, qu'aurait-il dû faire ?

— Selon Ricarda et selon moi, il aurait dû arracher le journal de sa fille aux mains de Patricia. Il aurait dû bondir, lui expliquer dans des termes sans ambiguïté que ce qu'elle faisait était inadmissible, honteux... Qu'il était déjà intolérable qu'elle se soit autorisée à fouiller dans les affaires de Ricarda, qu'elle se soit autorisée à prendre son journal, à l'ouvrir. Et, pire que tout, à en lire publiquement des extraits. Au lieu de ça, il a laissé Patricia continuer, ce qui dans un sens revenait à lui donner le droit de la juger publiquement. Ça ne m'étonne pas qu'à la suite de ça Ricarda ait disparu.

— Vous avez déclaré au superintendant qu'il s'agissait, en ce qui concerne les extraits que Mme Roth a lus à voix haute, de passages dans lesquels Mlle Ricarda Wahlberg décrit l'histoire qu'elle vit avec M. Keith Mallory. Est-ce exact ?

— Oui.

Elle s'était opposée à ce que Léon fasse part à la police des nombreux passages dans lesquels Ricarda laissait libre cours à son désir de voir sa belle-mère et tous les amis de son père disparaître de la surface de la terre. Elle-même l'avait tu lors de son entretien avec Norman.

« Ça ne fera que semer le trouble, avait-elle objecté. Nous sommes toi et moi d'accord pour penser qu'il est exclu que Ricarda soit une... ait pu commettre un tel geste, et que l'agressivité qu'elle manifeste dans son journal n'a rien d'extraordinaire chez une adolescente de son âge. Ne mettons pas ça sur la place publique, Léon. Ça n'apportera rien. »

Léon, qui de toute façon était persuadé de la culpabilité de Phillip Bowen, avait aussitôt approuvé. Evelin, également présente, n'avait émis aucune objection ; perdue dans ses pensées, elle regardait droit devant elle.

La policière nota quelque chose dans son carnet puis hocha la tête.

— Bien. Ce sera tout pour le moment. Je vais à présent interroger M. Mallory. Peut-être pourra-t-il nous en dire plus.

Elle salua et partit.

Je vais devenir folle entre ces quatre murs, songea Jessica.

Elle s'allongea sur le lit. Elle apercevait le ciel par la fenêtre. Un petit carré de ciel. Elle pensa à Alexander et attendit que les larmes la délivrent de son incapacité à réagir.

Les larmes ne vinrent pas.

Léon rentra en début de soirée. Le policier qui l'accompagnait lui fraya un chemin jusqu'à l'entrée de l'hôtel. Il était blême et paraissait épuisé. Jessica le rencontra dans l'escalier.

— Comment va Sophie ?

Il se passa le dos de la main sur les yeux.

— Pas bien. Les médecins refusent toujours de se prononcer… Un des types de Norman fait le pied de grue devant la porte des soins intensifs. Il se moque pas mal de savoir comment elle va, il est là à épier, au cas où elle se réveillerait et pourrait lui dire qui a fait ça. Elle est un témoin. Leur principal témoin.

— Léon, ils ne font que leur travail, objecta Jessica avec douceur. Et nous souhaitons tous que l'assassin soit arrêté.

— L'assassin s'appelle Phillip Bowen et je me demande pourquoi il y en a qui en doutent encore ! répliqua-t-il avec agressivité.

Elle posa la main sur son bras dans un geste d'apaisement.

— Il y a certains éléments en faveur de cette thèse, c'est vrai, mais aucune preuve. Tu sais combien il est difficile d'obtenir la condamnation de quelqu'un sur la seule base d'indices. Les déclarations de l'unique survivante, quand bien même ce serait une petite fille, auront un poids autrement plus important.

Il acquiesça puis il se laissa tomber sur l'une des marches de l'escalier. Il enfouit son visage dans ses mains, se tassa sur lui-même, et ses larges épaules furent secouées de sanglots. Il pleura, pleura encore, sans dire un mot. Jessica s'assit à côté de lui et l'enveloppa de ses bras. Elle ne tenta pas d'apaiser son chagrin par des mots – d'ailleurs, quels mots n'auraient pas semblé vains au regard d'un tel drame ? –, elle chercha seulement à lui transmettre de l'amitié et de la compassion. Elle le laissa pleurer, non sans envier ces torrents de larmes qu'elle-même était incapable de verser.

— Excuse-moi, finit-il par dire sans la regarder. C'est... je n'ai pas pu me retenir...

— Il ne faut pas que tu te retiennes. Ce que tu gardes au fond de toi ne fait que te tourmenter.

— Qu'est-ce qui va se passer, maintenant ? Qu'est-ce que nous allons devenir ?

— Veux-tu un thé ?

Un thé ne résoudrait pas les questions que posait l'avenir, mais ce fut la seule chose qui lui vint à l'esprit.

Léon se leva péniblement.

— Oui, je veux bien un thé.

Léon avait bu quatre tasses de thé avec beaucoup de lait et beaucoup de sucre, puis il s'était endormi quelques minutes dans le fauteuil. Quand il s'était réveillé, il paraissait avoir recouvré son équilibre. Ses yeux étaient encore irrités, mais toutes traces de larmes avaient disparu de son visage, et, bien qu'il donnât toujours une grande impression de tristesse, il semblait plus serein, plus confiant. Pendant qu'il dormait, Jessica avait fait une nouvelle tentative pour entrer en communication avec Ricarda, mais celle-ci s'était enfermée à clé dans sa chambre et n'avait réagi ni à l'appel de son nom ni aux coups frappés à sa porte. Elle s'était alors rendue chez Evelin, qu'elle avait trouvée endormie sur son lit. Quand elle avait regagné sa chambre, Léon se réveillait. Pour la première fois de la journée, un sourire timide éclaira son visage.

— J'ai faim, dit-il.

— Je vais voir s'il est possible qu'ils nous servent quelque chose dans nos chambres, répondit Jessica. En bas, je crains que ce ne soit pas vivable.

Léon se leva, s'étira, marcha jusqu'à la fenêtre et regarda dehors. Brusquement, son corps se raidit.

— Non mais je rêve ! s'exclama-t-il.

— Que se passe-t-il ?

— Ils le ramènent ! Bowen ! Et la fille aussi !

Elle le rejoignit et regarda la rue en contrebas. Phillip et Géraldine, qui à l'évidence venaient de descendre d'une voiture de police, se dirigeaient au milieu d'une escorte de policiers vers l'entrée de l'hôtel. Le superintendant Norman ainsi qu'un homme que Jessica n'avait encore jamais vu les suivaient. Les questions devaient fuser de toutes parts. Norman regardait droit devant lui, ne cessait de secouer la tête et serrait ostensiblement les lèvres. Son compagnon paraissait aussi peu disposé que lui à lâcher une information.

— Sans doute n'y avait-il pas de preuves suffisantes pour le mettre en garde à vue, conclut Jessica.

Léon donna un coup de poing sur le rebord de la fenêtre.

— Pas de preuves suffisantes ! Tu crois vraiment qu'il n'y avait pas de preuves suffisantes ? Mais qu'est-ce que ce demeuré de Norman veut de plus comme preuves ?

Il fit volte-face, traversa la chambre en trois enjambées et ouvrit brutalement la porte.

— Non, Léon ! Attends ! tenta Jessica. Tu ne sais même pas ce qui se passe !

Mais Léon dévalait déjà les marches. Et Jessica le suivit.

La police ayant pris des dispositions pour que pas un journaliste n'entre à quelque moment que ce soit dans l'hôtel, seuls Phillip, Géraldine, le superintendant Norman et son mystérieux compagnon se trouvaient dans le petit hall de réception. Léon se rua sur Norman comme un taureau furieux.

— Pourquoi le ramenez-vous ? Pourquoi laissez-vous ce type en liberté ? Ce qu'il a fait ne vous suffit pas ? Faut-il qu'il massacre d'autres innocents pour que vous l'enfermiez ?

— Monsieur Roth, je peux comprendre que vous... commença Norman d'une voix apaisante.

Léon ne le laissa pas achever :

— Ma femme est morte ! Ma fille aînée est morte ! Ma deuxième fille est entre la vie et la mort, ses chances de survie sont infimes ! Et vous laissez tranquillement se balader dans cet hôtel le type qui a ça sur la conscience, probablement parce qu'un avocat habile a réussi à le tirer d'affaire ! Mais je vais vous dire une chose : moi aussi, je suis avocat ! Et je ne reculerai devant aucune démarche pour que cet acte de grave négligence de votre part soit...

— Monsieur Roth, quelle que soit la douleur que vous éprouvez, je vous prierai de modérer votre ton.

L'intervention venait de l'homme qui était descendu du même véhicule de police que Norman et les deux suspects. Il regardait Léon et Jessica.

— Permettez que je me présente : inspecteur Lewis, de Scotland Yard. Le dossier a été transmis à nos services.

— Et votre première intervention consiste à relâcher un homme qui a quatre, peut-être bientôt cinq morts sur la conscience ? continua Léon sur le même ton.

— Léon ! s'écria Jessica.

Elle évitait le regard de Phillip. Elle ne voulait pas donner à Léon l'impression qu'ils partageaient une certaine intimité.

— Monsieur Roth, des aspects nouveaux sont apparus, se justifia Norman.

Rien dans sa voix ou son expression ne révélait qu'il fût contrarié d'avoir été évincé par Scotland Yard.

— Il n'existe pas d'indices dans le sens d'une culpabilité de M. Bowen.

— Vous plaisantez ! s'exclama Léon. Ce type a menacé ma femme à plusieurs reprises ! Il s'est introduit illégalement chez nous. Il passait son temps à rôder devant la propriété ou dans le parc ! C'est un détraqué, un cinglé, un affabulateur ! Il est...

— Si vous n'y voyez pas d'inconvénient, Mlle Roselaugh et moi-même allons maintenant regagner notre chambre, dit poliment Phillip au superintendant. Notre présence n'apportera rien au débat.

— Je vous en prie, répondit Norman, soulagé que la situation se détende un peu.

Jessica, qui se tenait sur la dernière marche de l'escalier, s'écarta pour laisser passer Phillip et Géraldine. Elle continua à faire en sorte de ne pas croiser le regard de Phillip, mais observa Géraldine à la dérobée, une Géraldine pâle et infiniment triste.

Quelle jolie femme ! songea-t-elle.

— J'aimerais à présent m'entretenir avec Mme Burkhard, déclara l'inspecteur Lewis.

Jessica fut surprise. Avec Evelin ?

— Elle est dans sa chambre, dit-elle. Je crois qu'elle dort, mais...

— Auriez-vous l'amabilité de la réveiller ? demanda Lewis.

Il était plus sec et plus distant que Norman, son visage ne trahissait aucune émotion. Un homme qui veillait à ne pas laisser ses sentiments interférer avec son travail.

— Doit-elle descendre, ou bien préférez-vous la rencontrer dans sa chambre... ?

— Comme elle voudra, répondit Lewis. Ce serait très aimable à vous de lui poser la question et de nous informer de sa décision.

— J'aimerais tout de même bien savoir... recommença Léon sur le même mode agressif.

Lewis ne le laissa pas poursuivre :

— Ce que vous aimeriez savoir, monsieur Roth, n'intéresse personne pour le moment. Veuillez à présent nous laisser seuls, et restez, je vous prie, à notre disposition pour d'éventuelles questions.

Le ton parut convaincre Léon car il ne répliqua pas. Jessica se hâta de monter réveiller Evelin. Elle était inquiète. Quelque chose, dans l'attitude des deux hommes, l'avait troublée, une fermeté, presque une pointe de triomphe dans l'assurance. Si c'était le comportement usuel de cet inspecteur Lewis, l'attitude de Norman, elle, avait nettement changé.

Ils savaient quelque chose, ou ils supposaient quelque chose... Quelque chose dont ils n'avaient encore rien dit. Quelque chose de nouveau...

Un frisson la parcourut. Elle entra dans la chambre d'Evelin. Bien que réveillée, elle était toujours en chemise de nuit et couchée. L'écharpe qu'elle portait autour du cou lui donnait l'air d'avoir pris froid.

— Evelin, je suis désolée, mais le superintendant Norman voudrait à nouveau te parler. Un... inspecteur l'accompagne.

Elle ne précisa pas qu'il venait de Scotland Yard. Elle était déjà suffisamment mal à l'aise sans devoir en plus inquiéter Evelin.

Evelin se redressa.

— J'arrive, dit-elle.

Une heure plus tard, elle était arrêtée pour meurtre.

9

— C'est simple, expliqua le superintendant, nous n'avons aucun élément contre M. Bowen. En revanche, de nombreux indices désignent Mme Burkhard.

Ils étaient dans la chambre de Jessica : Norman, Léon et Jessica, celle-ci encore abasourdie par le tour nouveau qu'avaient pris les événements. L'inspecteur Lewis avait emmené Evelin au commissariat principal de Leeds pour l'interroger, et, comme il lui avait conseillé de prendre « de quoi se changer », à l'évidence, il n'envisageait pas qu'elle revienne le soir même. S'il avait jusque-là paru hermétique, il affichait désormais une grande détermination.

En descendant l'escalier derrière lui, Evelin était livide.

« Jessica, ce n'est pas moi, avait-elle dit d'un ton suppliant en passant à côté d'elle. Tu dois me croire !

— Je te crois, Evelin, avait-elle répondu, et la police va très vite se rendre compte de son erreur. »

Elle était tellement convaincue que la police se trompait qu'elle n'était pas inquiète. Du moins consciemment. Parce qu'un sentiment diffus la rendait nerveuse, son cœur battait à se rompre. Ce n'était pas l'innocence d'Evelin, qui pour elle était un fait acquis, qui la préoccupait. Mais l'attitude de l'inspecteur Lewis lui faisait peur. Et le superintendant Norman ne faisait rien pour dissiper cette peur, au contraire.

Dehors, la nuit était tombée, la pièce était éclairée par la seule lampe placée à côté du lit. L'unique ampoule du plafonnier avait rendu l'âme et personne n'était encore venu la remplacer. Léon était pâle et tendu, Norman paraissait exténué. Barney s'était un instant agité. Les longues promenades dans la campagne lui manquaient, il n'avait pas assez d'espace, pas assez d'air, pas assez de soleil. Puis il avait compris et s'était résigné à ne pas sortir avec les deux hommes qui venaient d'arriver avec Jessica et il s'était roulé en boule sur sa couverture en soupirant bruyamment.

— Vous n'avez aucun élément contre Phillip Bowen ? répéta Léon sur un ton dubitatif. Ça ne vous suffit pas qu'il ait...

Norman l'interrompit d'un geste de la main.

— Monsieur Roth, je comprends la façon dont vous voyez les choses. A tel point que nous nous sommes longuement et abondamment entretenus avec M. Bowen. Il est convaincu d'une chose concernant ses origines et les droits qui en découlent, j'en conviens, cependant... il n'est pas fou, dit-il après un temps d'hésitation. Ce sont tout simplement mon expérience et ma connaissance de l'âme humaine qui me le disent. Il a toute sa raison, je vous assure. Il veut être reconnu. Il veut que l'on reconnaisse qu'il est le fils de Kevin McGowan. Il est prêt à se battre pour obtenir cette reconnaissance, mais certainement pas en tuant une demi-douzaine de personnes, ne serait-ce que parce ça ne lui apporterait rien. Il envisage de demander une exhumation de McGowan afin que...

— Et vous ne trouvez pas que c'est bien la preuve qu'il est détraqué ? s'exclama Léon, indigné. A partir de quand est-on fou pour vous ?

— Il s'est mis une idée en tête dont il ne démord pas, j'en conviens. Cela dénote une certaine rigidité d'esprit. Néanmoins, il sait parfaitement ce qu'il veut obtenir et les démarches qu'il envisage d'entreprendre pour atteindre son but sont très sensées. Elles peuvent nous paraître radicales, mais si l'on se place de son point de vue, il apparaît qu'il n'a pas d'autre solution. Il a beaucoup souffert de ne pas avoir été reconnu par son père ; aujourd'hui, il essaye de dénouer ce qu'il vit comme un problème. Que je sache, ça n'en fait pas un psychopathe.

— Je ne savais pas que vous exerciez la profession de psychologue, superintendant Norman, ironisa Léon. Ce doit être le cas, car je ne vois pas, sinon, ce qui vous permettrait d'être aussi sûr de votre analyse de la personnalité de Phillip Bowen.

— J'ai résolu un grand nombre d'affaires criminelles, monsieur Roth.

— Mais aucune de cette envergure.

— C'est exact. Alors laissez-nous en venir aux faits, car c'est sur les faits que nous devons nous fonder, n'est-ce pas ? Premièrement : lorsque aujourd'hui nous sommes allés chercher M. Bowen pour l'emmener à Leeds, il portait les mêmes vêtements qu'hier lorsqu'il se promenait dans le parc de Stanbury House. Cela nous a été confirmé par Mme Burkhard. Nous l'avons prié de se changer et de nous confier ces vêtements. Outre le fait que c'était déjà visible à l'œil nu, l'analyse scientifique a mis en évidence qu'il n'y avait aucune trace de sang sur le pantalon ou le pull-over. Et il est exclu que quelqu'un tue quatre personnes avec un couteau et en blesse grièvement une cinquième sans que la moindre goutte de sang l'éclabousse. Je pense que vous en conviendrez.

— Mais comment Evelin peut-elle être sûre que c'étaient exactement les mêmes fringues ? Il n'y a rien qui ressemble plus à un jean qu'un autre jean et des pull-overs foncés, moi aussi j'en ai plusieurs ! Il a mis ses vêtements sales à la poubelle ou je ne sais où, enfilé un pull et un pantalon identiques et vous êtes assez naïf pour tomber dans le panneau !

— Je continue : aucune de ses empreintes ne figure sur l'arme du crime et...

— Il les a effacées. Il est dingue mais pas stupide !

— ... et il a un alibi pour l'heure du crime.

Les épaules de Léon s'affaissèrent.

— Un alibi ?

— Il n'a pas quitté Mlle Géraldine Roselaugh de l'après-midi.

— Ben voyons ! Sa chère amie ! Dites-moi un peu ce que vaut un alibi de ce genre. Cette fille décrocherait la lune pour lui !

— Nous sommes fonctionnaires de police, monsieur Roth. Nous ne pouvons pas jouer avec ce genre de supposition. Dans un premier temps, nous devons accepter le fait qu'une adulte – et je vous rappelle qu'elle n'est pas son épouse – affirme s'être trouvée en compagnie de M. Bowen à l'heure du crime, de surcroît à de nombreux kilomètres de Stanbury House. De plus, en réponse à notre question, Mlle Roselaugh s'est déclarée prête à en témoigner sous serment.

— Mais vous n'avez donc pas vu qu'elle était en adoration devant lui ? Elle lui mange dans la main. S'il lui demande de lui fournir un alibi, elle le fera. Et s'il lui demande de le jurer sous serment, elle le jurera sous serment. Je connais ce genre de femme ! Monsieur Norman, quoi que puisse raconter Mlle Roselaugh, *ça n'a aucune valeur* !

— Monsieur Roth, répliqua Norman avec une pointe d'exaspération dans la voix, je ne peux pas arrêter un homme contre lequel je n'ai aucune preuve pour la seule raison que vous êtes convaincu de sa culpabilité.

— Il était dans le parc juste avant que le crime ait lieu ! Il s'est introduit chez nous comme un voleur ! Il n'a cessé de nous importuner ! Il...

— Léon, intervint doucement Jessica, tu déformes la vérité et tu le sais. Phillip Bowen nous a peut-être énervés, mais il n'a rien fait ou dit qui aurait pu nous laisser imaginer un crime aussi épouvantable.

Léon pivota vers elle et la dévisagea.

— Tu le défends ! Mais comment peux-tu ? Il a ton mari sur la conscience, ne l'oublie pas !

— Nous n'en savons rien, Léon. Monsieur Norman...

Elle força le ton car ce qu'elle voulait demander était si effrayant qu'elle craignait que sa voix ne se brise.

— Monsieur Norman, reprit-elle, quels éléments avez-vous contre Evelin Burkhard ?

Norman parut soulagé d'être momentanément libéré de Léon.

— Je ne dirais pas que nous sommes sûrs à cent pour cent de la culpabilité de Mme Burkhard. Nous disposons cependant d'un faisceau de preuves qui la rendent très suspecte. Tout d'abord : ses empreintes digitales – et seulement les siennes – se trouvent sur l'arme du crime. Deuxièmement : notre laboratoire a examiné ses vêtements. Elle a été en contact étroit avec le sang de toutes les victimes, de même qu'avec celui de la fillette blessée. Et comme...

— Mais... commença Jessica.

Norman l'interrompit d'un geste.

301

— Je sais ce que vous allez dire. Mme Burkhard a déclaré avoir découvert Mme Roth, son mari Tim Burkhard, ainsi que la petite Diane, et les avoir touchés et manipulés pour vérifier s'ils étaient encore en vie. Elle a déclaré n'avoir eu de contact ni avec M. Wahlberg, ni avec Sophie Roth. Or leur sang a été identifié sur ses vêtements. Autre chose : nos techniques d'investigation nous permettent de déterminer dans quel ordre le sang des différentes victimes a été déposé sur un textile. Il apparaît sans aucun doute possible que le premier est celui de son mari. Celui de Mme Roth vient après. Mme Burkhard a cependant déclaré exactement le contraire.

Tout le mépris dans lequel il tenait la police se peignit sur le visage de Léon.

— Comment pouvez-vous donner cette importance à ce qu'a dit une femme traumatisée comme pouvait l'être Evelin lors de sa première audition ? Elle a elle-même reconnu que la mémoire lui faisait défaut, qu'il y avait tout un laps de temps dont elle ne pouvait se souvenir. Comment voulez-vous qu'elle sache dans quel ordre elle a trébuché sur les cadavres ? Peut-être ne se souvient-elle pas d'avoir ensuite erré dans le parc, hébétée, désespérée, et d'être tombée sur le cadavre d'Alexander. Puis d'être rentrée dans la maison et d'avoir alors découvert ma petite Sophie à demi morte... Ce scénario ne vous semble pas plausible ?

Norman s'apprêtait à répondre, mais Jessica s'interposa.

— Superintendant Norman, vous savez que j'ai trouvé Evelin dans la petite salle de bains des combles. Elle n'était réellement pas bien. Toute communication avec elle était impossible. Elle geignait comme un bébé, elle ne pouvait pas bouger. Elle était sous le choc et je suis certaine, quoi qu'elle puisse raconter, que pendant un temps assez long elle n'avait plus tous ses esprits.

— Et l'arme du crime, elle l'a sans doute également trouvée, renchérit Léon. Peut-être à côté d'une des victimes. Elle l'a ramassée sans réfléchir et ensuite jetée. Si elle s'en était servie, elle aurait essuyé ses empreintes.

— En admettant qu'elle ait eu, à cet instant, toute sa raison, objecta Norman. Si elle se trouvait en état de démence, elle n'a

pas songé à effacer ses empreintes ou à faire disparaître ses vêtements maculés de sang.

— Pensez-vous qu'il soit possible qu'une femme ait commis
ce crime ? demanda Jessica. Je veux dire... déjà physiquement...
Parmi les victimes, il y a deux hommes grands et forts. Ça n'a pas
dû être si facile de les tuer.

Norman secoua la tête.

— La force physique n'a guère joué. Toutes les victimes ont
été attaquées par surprise, et toutes l'ont été par-derrière. Tim
Burkhard devait chercher quelque chose dans le bas d'un placard
de la cuisine, du moins gisait-il devant un placard ouvert.
Mme Roth était agenouillée devant une jardinière. M. Wahlberg
était assis sur un banc, peut-être somnolait-il au soleil. La jeune
Diane Roth lisait allongée sur le ventre, sur son lit. Seule la petite
Sophie a vraisemblablement remarqué quelque chose et tenté de
se défendre et de s'enfuir. Sinon, personne n'a craint quoi que ce
soit de désagréable de Mme Burkhard.

— Votre théorie est absurde, dit Léon. Je veux dire que même
si égorger quelqu'un par-derrière ne nécessite pas une grande
force physique, il existe un seuil psychique difficilement franchis-
sable. Plonger un couteau dans de la chair vivante, trancher la
carotide... c'est... c'est...

Il cherchait comment exprimer sa conviction qu'il était impossible qu'Evelin ait pu commettre un tel geste, mais il ne trouva
aucun mot susceptible de traduire toute la mesure de son
indignation.

— C'est absurde, répéta-t-il faute de mieux.

Norman ne se montra nullement impressionné.

— Si vous exerciez mon métier, monsieur Roth, vous en arri-
veriez vous aussi à ne rien juger absurde de ce que font les gens.
L'expérience m'a enseigné une chose : il n'y a rien que nous ne
serions capables de faire dans des circonstances particulières. J'en
suis intimement convaincu.

— Et quelles étaient ces circonstances particulières pour
Evelin ? s'enquit Jessica.

Le superintendant émit un profond soupir.

— M. Bowen nous a fourni un renseignement intéressant,
commença-t-il. Il...

303

— Tant qu'il s'agira d'orienter les soupçons sur quelqu'un d'autre, je suis sûr qu'il aura des dizaines de renseignements intéressants à vous fournir, coupa Léon.

Norman se tourna vers lui. Jessica lut sur son visage une dureté qui révélait que cet homme toujours si conciliant pouvait être un ennemi qu'il ne fallait pas sous-estimer.

— Mme Burkhard est une grande dépressive, dit-il. Il ne viendrait à l'idée de personne de le contester et vous le savez depuis longtemps, n'est-ce pas ?

Cette dernière question était en réalité une constatation qui n'appelait pas de réponse, aussi poursuivit-il sans s'interrompre :

— Lorsque M. Bowen lui a parlé, hier midi, dans le parc, elle lui a paru ailleurs, coupée de la réalité, perdue dans ses pensées. M. Bowen avait l'impression de ne pas pouvoir établir de contact avec elle, comme si elle s'était réfugiée dans un monde où personne n'aurait pu la suivre. M. Bowen a déclaré textuellement : « Son désespoir était palpable. C'était un mur infranchissable. » Ça devait être inquiétant.

Jessica se fit la réflexion qu'elle aussi avait souvent perçu le désespoir d'Evelin comme un mur très haut et infranchissable.

— Puis son mari est arrivé. Mais avant même que Phillip Bowen ne le voie et avant qu'il appelle sa femme ou manifeste qu'il arrivait, Evelin a paru percevoir sa présence. Bowen dit qu'elle avait peur. Qu'il sentait cette peur. Elle lui faisait penser à un animal qui a flairé la présence de son pire ennemi. Bowen ne comprend qu'imparfaitement l'allemand, mais il dit que le ton sur lequel il l'a ensuite interpellée ne permettait pas d'en douter.

Il fit une pause.

— Ne permettait pas de douter de quoi ? demanda Jessica, qui ne comprenait pas où Norman voulait en venir.

Puis elle vit l'expression de Léon et elle comprit que lui savait.

— Léon... ? interrogea-t-elle, désemparée.

Le regard de Norman se fit incisif.

— C'est exact, n'est-ce pas, monsieur Roth ? Mme Burkhard avait une peur panique de son mari. Probablement depuis des années. Oui, il la maltraitait et la tourmentait depuis des années, de toutes les façons possibles, physiquement et mentalement. Et il est possible qu'elle n'ait plus vu qu'un moyen d'échapper à son bourreau.

Les oreilles de Jessica bourdonnèrent. Ce n'était pas pensable. Il était invraisemblable qu'une situation pareille ait existé au sein même de leur petit groupe *et que personne n'ait rien remarqué*.

— Mais... dit-elle, la bouche soudain sèche, mais... les autres... Mon... mon mari, Patricia et... Pourquoi ?

Elle crut voir un éclair de mépris briller dans les yeux de Norman.

— Peut-être que savoir est une forme de complicité. Savoir mais fermer les yeux, savoir mais ne rien dire. Monsieur Roth ? Vous le saviez. Vos amis le savaient aussi. Aucun de vous n'a jamais rien dit. Et je ne parle même pas d'intervenir.

Léon paraissait très mal à l'aise.

— Eh bien... commença-t-il.

— Léon ! C'est vrai ? supplia Jessica. Vous le saviez ? Alexander le savait ?

Léon évita son regard. Il observait Barney avec autant d'insistance que s'il n'avait jamais vu un chien dormir.

— Mais enfin ! s'exclama-t-il soudain, dans un éclat de colère et d'impuissance. Oui, on le savait ! Parce que toi, tu ne le savais pas ?

Elle avala sa salive et secoua lentement la tête.

Léon haussa les épaules, écarta les bras.

— Mais qu'est-ce qu'on aurait pu faire ?

Ni le superintendant ni Jessica ne lui répondirent.

10

Sophie mourut le 25 avril en fin de soirée.
Elle n'avait pas repris connaissance.
Il n'avait pas été possible de l'interroger.

Troisième partie

Jessica – Document V
par
Timotheus Burkhard

Qu'est-ce qui a incité une femme comme Jessica à épouser un homme comme Alexander ?

Cette question précise m'a déjà intéressé une fois dans un autre contexte : qu'est-ce qui a incité une femme comme Eléna à épouser un homme comme Alexander ?

Jessica et Eléna sont physiquement très différentes mais leurs personnalités présentent un nombre remarquable de points communs. Toutes deux sont indépendantes, autonomes, volontaires et sûres d'elles. Des femmes qui vivent volontiers en couple, mais qui n'ont pas besoin d'être en couple pour vivre. Ceci les différencie nettement de Patricia et d'Evelin. Pour Patricia, le mariage est le symbole d'un statut social auquel elle s'accroche de toutes ses forces, même si plus rien au sein de ce mariage ne correspond à l'image donnée à l'extérieur. Quant à Evelin, seule, elle ne peut exister. Sans un homme à ses côtés pour lui dire ce qu'elle doit faire, elle serait une feuille portée par le vent.

Jessica. J'ai fait sa connaissance lorsqu'elle est venue chez nous piquer notre vieux chien. C'était au milieu de la nuit et Evelin n'avait pu joindre d'autre vétérinaire. L'état du chien était critique, il n'était pas certain qu'il supporte d'être transporté à la clinique vétérinaire. En outre, cela aurait ajouté à l'angoisse et au stress de l'animal. Evelin s'était souvenue de la jeune vétérinaire qui habitait à quelques maisons de la nôtre et l'amour qu'elle portait à son chien l'avait décidée à prendre sur elle pour lui téléphoner à cette heure indue, ce qui dans son esprit était extrêmement impoli, d'autant qu'elle n'avait jamais consulté Jessica à son cabinet.

Toujours est-il que Jessica se déplaça, endormit le chien et endossa pour finir le rôle de consolatrice auprès d'Evelin, qui une fois de plus accusait le sort. Quand je me suis rendu dans le salon vers trois heures du matin, j'ai trouvé les deux femmes devant une bouteille de champagne. Evelin racontait des anecdotes de la vie du chien qui gisait sur une couverture à côté du canapé. J'avais déjà vu Jessica dans son jardin en passant devant chez elle, mais je ne lui avais encore jamais adressé la parole. Je l'avais remarquée et, à présent qu'elle se trouvait à quelques pas de moi, j'essayais de déterminer ce qui chez elle avait attiré mon attention.

Elle est séduisante, mais pas dans le sens où l'on se retournerait sur elle dans la rue. Elle a des cheveux bruns mi-longs, un visage étroit et pâle, de beaux yeux verts légèrement mouchetés de brun. Sa silhouette est exceptionnellement jolie, ses jambes sont longues, parfaitement galbées, et elle est très mince. La plupart du temps, elle porte un jean, des chaussures de sport, un sweat-shirt. Elle n'est pas mondaine et n'a pas beaucoup d'allure, elle ne commence pas, comme le font la plupart des femmes, à glousser, à prendre des poses ou à faire du charme quand un homme s'approche d'elle. Elle donne plutôt le sentiment d'être quelqu'un de pratique et d'avoir les deux pieds sur terre. On l'imagine sans peine plongeant la main dans la gueule d'un rottweiler pour examiner ses dents ou aidant une vache à mettre bas. Il n'y a rien chez elle d'affecté ou de mièvre. Mais rien non plus de viril. Elle m'apparaît au contraire comme une femme très féminine.

En quoi réside donc son charme ? C'est difficile à décrire avec des mots. Cela tient peut-être aux traits de sa personnalité que j'ai décrits en ouverture de ce document. Rien qu'en marchant dans la rue, tout en elle respire déjà son indépendance et sa volonté. Dans la façon dont elle tient sa tête. Dont elle parle, dont elle rit. Ce n'est pas que j'aimerais vivre avec une femme comme elle. Loin de moi cette idée. Mais elle est le genre de femme que j'aime observer. J'aimais également observer Eléna. Non parce qu'elle est en premier lieu aussi belle. Mais parce qu'elle est intéressante.

Jusqu'à aujourd'hui, Evelin croit qu'elle est à l'origine du mariage d'Alexander et de Jessica ; en réalité, c'est moi qui ai tiré les fils. Evelin a proposé que nous invitions Jessica à dîner pour la remercier de s'être déplacée en pleine nuit. J'ai approuvé son initiative, en faisant simplement observer que nous devrions inviter quelqu'un d'autre car ce serait ennuyeux d'être seulement nous trois à table. J'ai travaillé Evelin jusqu'à ce qu'elle pense à Alexander, qui se trouvait à l'époque en plein divorce et n'était que trop heureux de toutes les occasions de se changer un peu les idées. Eléna s'était installée à la campagne avec Ricarda et il se retrouvait seul soir après soir à regarder le mur en face de lui et à réfléchir à tout ce qu'il avait raté. Evelin considéra que lui proposer une alternative à ses samedis soir sinistres était une bonne action, et j'étais très impatient de voir se vérifier ou s'infirmer ma théorie selon laquelle Jessica était une seconde Eléna : quelque chose devait se passer entre elle et Alexander.

Je ne m'étais pas trompé, même si je dois à la vérité de dire que je ne croyais pas qu'ils se trouveraient aussi rapidement. Ce fut comme si Alexander n'avait attendu qu'elle. De son côté, elle paraissait amoureuse de lui. A tel point qu'ils se sont mariés peu après que le divorce d'Alexander a été prononcé. Ce qui me ramène à la question que je posais en préliminaire : pourquoi des femmes comme Jessica et Eléna épousent-elles des hommes comme Alexander ?

Alexander est mou, faible, conformiste jusqu'au suicide moral, c'est un caméléon prêt à changer de couleur à toute vitesse pour ne surtout pas détonner dans son environnement. Avant de donner son avis, il s'assure de l'avis de la majorité de son entourage puis l'adopte. On ne peut pas discuter avec lui, on ne peut pas se mesurer à lui. On ne peut pas se disputer avec lui. C'est un morceau de caoutchouc extensible. On peut taper dessus, on ne rencontre aucune résistance. Le caoutchouc absorbe tous les mouvements.

Il est beau, c'est incontestable. Grand, mince, les tempes grisonnantes, de grands yeux clairs au regard toujours las, toujours mélancolique. Un visage très sensible. Oui, c'est peut-être ça, il faut un certain temps pour se rendre compte que c'est un faible. On a tendance à lui attribuer spontanément les qualificatifs de « sensible » et « mélancolique ». La sensibilité et la mélancolie sont autre chose que de la faiblesse, mais, la plupart du temps, il n'est pas aisé de les en différencier. Des femmes fortes – et Jessica comme Eléna sont sans aucun doute des femmes fortes – peuvent, face à un tel homme, développer un sentiment protecteur, sentir une fibre maternelle s'éveiller. Elles veulent découvrir les raisons de sa mélancolie, elles pressentent un mystère derrière son regard las, elles se sentent attirées par l'impression de profondeur et de compréhension qui émane de lui. Un jour, elles se

311

rendent compte qu'elles creusent dans une masse molle qui leur glisse entre les doigts. Elles luttent quelque temps, puis elles se résignent. Comme Eléna. Elle l'a très certainement aimé. Mais elle ne l'a plus supporté.

Il sera intéressant de voir combien de temps Jessica va tenir le coup. Jusque-là, mes pronostics se sont plutôt vérifiés. Elle est tombée amoureuse de lui. Elle l'a épousé. Elle a accepté son mode de vie de bon gré, ce qui revient à dire qu'elle nous a, nous tous et Stanbury, acceptés de bon gré. Elle est curieuse d'esprit et ouverte, elle trouve notre petite bande intéressante, elle aspire à mieux comprendre Alexander. Jusque-là, elle s'est à peine opposée à des choix qui n'étaient déterminés ni par elle ni par son mari mais par les amis de son mari. Ce qui se passe ici n'est pas encore bien clair dans sa tête ; elle n'a pas encore compris que le morceau de caoutchouc qu'elle a épousé ne peut vivre qu'en symbiose avec nous. Dès qu'elle l'aura compris, elle essaiera de détacher Alexander de nous. Elle échouera. Elle partira.

Quelque chose commence à faire son chemin dans sa tête. Ça se sent. Elle n'est pas heureuse. Elle est déstabilisée, elle a du mal. Elle s'éloigne de plus en plus du groupe. Comme c'était à prévoir, cela provoque d'inévitables heurts avec Patricia, qui l'agresse, et elle doit se justifier. Elle perd l'envie de fournir des explications à ses faits et gestes. Le ton monte entre elle et Alexander. Alexander souffre mille morts parce que son épouse rechigne de plus en plus à se laisser dicter le programme de ses journées par Patricia. De son côté, Jessica a la désagréable surprise de constater que, lors de discussions, son mari ne prend nullement son parti mais celui des autres. Elle est blessée. Elle ne veut pas encore s'avouer qu'elle est blessée, elle cherche à expliquer les choses.

Mais elle est trop intelligente pour fermer éternellement les yeux sur la vérité. Elle est trop droite pour se mentir à elle-même. Elle va peu à peu comprendre quel jeu se joue et ce que cela implique de conséquences douloureuses pour elle.

Parfois, j'ai l'impression de les voir s'agiter sous un microscope. Je les observe, je prévois ce qu'ils vont faire, et je vis de grands moments de triomphe quand mes suppositions se vérifient. Tout est prévisible. L'homme s'en tient à son propre schéma. Et c'est toujours le même. Par exemple, je savais que Léon allait s'intéresser à Jessica. Léon s'intéresse à toutes les femmes qui ne sont pas affreuses ou trop dépressives comme Evelin. Chez lui, c'est sa femme qui porte la culotte et son seul moyen

312

de maintenir son amour-propre un tant soit peu en équilibre consiste à se rassurer auprès d'autres femmes. S'il réussit à mettre une jolie fille dans son lit, il supporte à nouveau quelque temps d'être mené à la baguette par Patricia. Il aimerait énormément coucher avec Jessica, je le vois très bien. Il la dévore des yeux. Elle s'en rendrait sans doute compte si elle n'était pas occupée à ce point par ses problèmes.

Jessica. Elle ne me supporte pas. Elle se montre distante avec moi, arrogante, impolie. Je la mets mal à l'aise ; sans qu'elle en soit complètement consciente, elle sent que je la dissèque. Elle évite ma présence. Elle s'est probablement déjà avoué qu'elle me déteste et cela lui pose un cas de conscience. En effet, comment peut-elle détester l'un des meilleurs amis d'Alexander ? Elle a l'intuition que cela va créer de gros problèmes avec son mari. Elle ne sait pas quoi faire. Elle déteste aussi Patricia. Mais elle n'a pas le droit de détester Patricia. Elle est un joli scarabée doré qui s'est pris dans une toile d'araignée. Les fils de la toile sont en train de se resserrer. Son espace se rétrécit, l'air commence à lui manquer. Elle sait qu'elle va devoir se libérer. Elle sait même qu'elle peut se libérer. Au prix de la destruction de la toile.

Sauf qu'Alexander est une partie de la toile. Il en est l'un des fils. Si elle veut se libérer, elle doit se débarrasser d'Alexander comme elle doit se débarrasser de nous. Elle ne peut pas arracher tous les fils en gardant intact le fil Alexander ; la structure de la toile ne le permet pas. Si elle se libère, elle le perdra – elle espère toujours trouver un moyen d'éviter cela. C'est amusant de la regarder chercher.

C'est amusant car on sait qu'elle n'y arrivera pas.

Du mercredi 14 mai au vendredi 23 mai

1

Jessica était déjà attablée quand Léon poussa la porte du restaurant. Un serveur le conduisit à sa table. Il avait presque vingt minutes de retard et était dans un état épouvantable. Il ne s'était pas rasé depuis au moins deux jours, la chemise qu'il portait sous sa veste n'était pas propre et il devait bien avoir perdu cinq kilos. Le serveur lui jeta un regard réprobateur. Le restaurant que Jessica avait choisi n'était pas particulièrement élégant, mais Léon y paraissait déplacé.

Il se passa la main dans les cheveux pour les aplanir mais ne réussit qu'à les embroussailler un peu plus.

— Tu m'attends sûrement depuis longtemps, dit-il en guise de bonjour. Je suis désolé. Je... j'ai... hésita-t-il, puis comme si inventer une excuse lui demandait un trop gros effort, il ajouta simplement : J'ai oublié l'heure.

Il avait l'air trop misérable pour qu'elle puisse lui en vouloir.

— Ce n'est pas grave, j'ai regardé les gens. Veux-tu un verre de vin ?

— Oui, dit-il en s'asseyant.

Elle commanda un verre pour lui.

— As-tu des nouvelles d'Evelin ? demanda-t-elle. Tu pensais appeler son avocat.

Il se prit la tête dans les mains.

— J'ai oublié, dit-il. J'ai complètement oublié.

315

— Ça fait plus de deux semaines qu'elle est en détention préventive. Nous ne pouvons pas la laisser tomber.

— Bien sûr que non. L'avocat anglais que je lui ai trouvé est vraiment bien. Ne t'inquiète pas, ça ira.

— N'empêche qu'il n'a toujours pas obtenu sa libération conditionnelle. C'est incompréhensible.

— Je suppose qu'ils arguent du fait qu'elle pourrait s'enfuir pour refuser, expliqua Léon de cette voix étrangement neutre et distante dont il ne se défaisait pas depuis le drame. Elle pourrait tenter de rentrer en Allemagne.

— Mais nous avons nous-mêmes réfléchi aux possibilités de la faire transférer en Allemagne. Elle est allemande, toutes les victimes sont allemandes. N'est-ce pas plutôt une affaire qui concerne la justice allemande ?

— Le crime a été commis en Angleterre. Il y a un Anglais parmi les premières personnes à avoir été suspectées – qui, par parenthèse, ne s'en est tiré que grâce à un alibi douteux. Ça m'étonnerait que Scotland Yard lâche l'affaire.

— Mais tu voulais tout de même voir ce qu'il était possible d'entreprendre pour obtenir un transfert en Allemagne...

— Jessica !

Son ton était presque suppliant. Ses yeux étaient irrités par la fatigue.

— Jessica, je ne peux pas. Je t'en prie. Je ne sais pas où tu trouves l'énergie de te battre pour Evelin. Je suis admiratif. De nous deux, c'est certainement toi qui es dans le vrai, mais... je n'y arrive pas. Je n'en ai pas le courage. Mes dernières forces, je m'en sers pour tenir un jour, puis un autre jour et ainsi de suite, sans m'effondrer complètement. Je suis désolé.

Elle savait qu'il était en train de vider la maison en vue de la vendre. Elle se demanda comment on supportait une telle épreuve. Il passait le plus clair de ses journées à trier et empaqueter les grandes et petites choses que la famille avait accumulées au fil des années : les bulletins scolaires et les brevets sportifs des filles, leurs dessins, les petits bonshommes qu'elles avaient fabriqués avec des marrons, leurs premières dents, leurs livres d'images, leurs poupées à découper avec leur garde-robe.

Les tasses dans lesquelles elles buvaient leur cacao le matin. Leurs cartables. Leurs vêtements.

Et les affaires de Patricia, ses pantalons, ses pull-overs et ses vestes, ses tenues de jogging, ses chaussures de sport. Ses produits de maquillage. Ses albums de photos, auxquels elle avait dévolu le rôle de manifeste de la vie heureuse. Les lettres d'amour qu'elle avait écrites à Léon des années auparavant. Celles qu'il lui avait écrites et qu'elle avait conservées dans un tiroir. Le déshabillé qu'elle aimait porter. Le calendrier sur lequel elle inscrivait les rendez-vous importants, les visites chez le médecin, les anniversaires. Ses disques, ses livres. Ses chaussures et ses sacs à main. Tous les tableaux, sculptures, vases et bibelots précieux dont elle avait si généreusement – et de façon si dispendieuse – décoré la maison. Tout ce qui passait entre les mains de Léon était porteur de souvenirs. Rien ne pouvait le laisser indifférent. C'était son passé. Sa vie. Sa famille.

— En fait, je jette tout, dit-il comme s'il devinait à quoi pensait Jessica. De quoi ai-je encore besoin ? Au début, je voulais faire venir une entreprise de débarras. Je leur aurais collé la clé dans la main, je serais parti et ensuite la maison aurait été vide. Ça aurait été le plus simple...

Le serveur apporta le vin et deux cartes. Léon porta son verre à ses lèvres.

— Je n'en ai pas eu le courage. Je n'ai pas eu le courage de donner à des étrangers tout ce qui me restait d'elles. J'avais le sentiment de leur devoir de... de tout regarder moi-même, de toucher moi-même. En manière d'adieu.

— Je comprends.

Il lui parut vain d'insister sur le problème d'Evelin. Léon était beaucoup trop affecté. Elle avait cru qu'il serait encore plein de colère contre Phillip Bowen, qu'il suspectait toujours, et que rien que pour cela il mettrait tout en œuvre pour aider Evelin. Mais depuis que Sophie était morte, il avait changé. Il se moquait que justice soit faite ; arrêter le meurtrier, savoir derrière des barreaux l'homme qui avait anéanti sa famille ne l'intéressait plus. Sans doute était-ce ainsi qu'il le disait : il avait besoin de toutes ses forces pour ne pas s'effondrer. Le coup avait été trop dur. Il ne pouvait pas voir plus loin qu'un jour, ne pouvait pas s'occuper de quelqu'un d'autre que de lui-même. Il essayait de survivre à un cauchemar. D'eux tous, c'était lui qui avait été le plus durement touché.

— As-tu déjà un acquéreur pour la maison ? questionna-t-elle pour donner un tour plus concret à la conversation.

— Plusieurs bons contacts. Il ne devrait pas y avoir de problèmes.

— N'as-tu jamais pensé à vendre Stanbury, plutôt ?

— Non, pas dans un premier temps. La maison de Munich, de toute façon, je ne veux pas y rester, alors autant me débarrasser de mes plus gros soucis financiers en la vendant. Stanbury est un soutien.

— Stanbury coûte aussi de l'argent.

Il faisait tourner son verre entre ses mains. Il portait toujours son alliance à l'annulaire de la main droite.

— Je sais. Mais je ne peux pas aller si vite. Stanbury représente trop. C'est une part de Patricia, une part de nous tous. Je veux peut-être simplement m'y accrocher encore quelque temps.

Ils demeurèrent silencieux, chacun suivant le cours de ses pensées. Dehors, la nuit tombait sur une chaude journée de mai. L'été était presque là. Ce ne serait pas un été comme les autres, il n'y aurait plus d'étés comme ceux qu'ils avaient connus.

Le serveur s'approcha de leur table.

— Avez-vous choisi ? demanda-t-il.

Léon sursauta.

— Non... Je ne souhaite rien, merci, dit-il.

Jessica n'avait pas faim non plus mais elle ne voulait pas achever d'irriter le serveur, aussi commanda-t-elle une salade et un crostini. Le serveur haussa les sourcils, nota la commande et disparut.

— Je suis désolé de ne pas être venu à l'enterrement d'Alexander, reprit Léon. Ça fait longtemps que je voulais te le dire. Je n'en ai pas eu le courage.

— Mes parents étaient là. Ricarda n'est pas venue, mais Eléna m'avait téléphoné pour me prévenir. Ricarda ne parle toujours pratiquement pas, elle reste toute la journée couchée. Elle est extrêmement choquée.

Léon eut un sourire amer.

— Je préférerais une enfant choquée à pas d'enfant du tout. Dieu sait que tout n'était pas rose chez nous, mais en dépit de tout, nous étions une famille...

Il se tut un instant, puis enchaîna :

— C'est fou, non ? Après un événement pareil, on est malade de culpabilité. Penses-tu que c'est parce qu'on a survécu ? Parce qu'on ne s'est pas toujours comporté très bien avec ceux qui ont été touchés et qu'on ne pourra plus jamais réparer les vexations, les petites blessures et ce qu'on n'a pas fait de bien ? Ressens-tu la même chose ? Je ne voulais pas me faire de reproches, poursuivit-il sans attendre sa réponse. Je voulais au moins m'épargner ces tortures morales qui ne mènent à rien, mais... il me revient sans cesse des images d'avant... Quand Patricia est tombée enceinte de Diane. Mon Dieu, quand j'y pense... Elle avait dix-huit ans. J'en avais vingt-sept et j'étais en train de faire mon stage. On a dû se marier...

— Vous vous seriez de toute façon mariés. Un peu plus tard, c'est tout.

Il secoua la tête sans la regarder.

— Non. Je ne me serais jamais marié avec Patricia. A l'époque, elle était très... jolie. Très jeune. Elle était ravissante, elle rayonnait de vie, d'énergie. Mais elle était aussi épuisante. Elle me harcelait en permanence. C'était constamment : tu dois faire ceci, tu dois faire cela. Tu peux faire ceci, tu peux faire cela. Tu dois croire en toi, tu dois te secouer, va de l'avant, sois fort, aie confiance en toi ! Il fallait qu'elle me fourre son credo personnel dans le crâne. Moi, je tirais la langue, j'essayais de suivre le rythme. Et j'avais toujours l'impression de retomber en arrière. De ne jamais pouvoir satisfaire ses exigences. Quand bien même il s'agissait seulement de somnoler le dimanche matin au lit quand elle se levait aux aurores pour démarrer une cure de gymnastique intensive. Quand je voulais maigrir, je me bagarrais avec de vagues tentatives de régime et, avec un peu de chance, au bout de trois ou quatre semaines, je réussissais péniblement à perdre cinq cents grammes. Quand *elle* voulait maigrir, elle établissait un régime draconien et s'y tenait à la virgule près jusqu'à ce qu'elle ait perdu les trois kilos qu'elle voulait éliminer dans le temps qu'elle s'était imparti. Elle était extraordinairement

319

disciplinée. Forte. Certainement aussi dure avec elle-même qu'avec les autres, mais moi...

Il leva les mains dans un geste d'impuissance.

— ... moi, ça me tuait. Elle était toujours meilleure que moi. Toujours devant. Toujours.

Le serveur apporta la salade et le crostini. Léon commanda un second verre de vin. Jessica jouait avec sa fourchette sans se décider à manger.

— J'aurais aimé qu'elle avorte, à l'époque, avoua-t-il. Je ne le lui ai pas expressément demandé, je n'ai pas insisté pour qu'elle le fasse, cependant j'en ai plusieurs fois évoqué la possibilité. Patricia n'avait nulle envie d'être mère aussi tôt, mais elle avait prévu d'avoir des enfants un jour et elle craignait qu'un avortement la rende stérile ou compromette ses chances d'être enceinte quand elle le souhaiterait. J'ai discuté avec Tim et Alexander. Tous deux étaient d'avis que je devais me marier. Par respect des convenances. Alors on s'est mariés. Le matin du mariage, je me suis saoulé. Quand Tim et Alexander sont passés me prendre à mon appartement, j'étais ivre. Ils m'ont mis sous la douche et ont ouvert à fond l'eau froide, ils m'ont fait avaler de l'aspirine, ils ont fait mon nœud de cravate et ils ont fourré une réserve de pastilles à la menthe dans mes poches pour que je ne pue pas trop l'alcool. J'ai finalement réussi à dire oui sans bafouiller. Patricia s'est bien évidemment rendu compte que je tenais une sacrée cuite. Elle a donné le change toute la journée, souri, joué à la perfection son rôle de mariée heureuse, mais je savais qu'elle était furieuse. Le soir, on a eu une dispute épouvantable. Elle m'a jeté à la figure tout ce qu'elle pouvait trouver de plus blessant. Une exécution en règle. Moi, j'avais un mal de tête carabiné et toujours beaucoup trop d'alcool dans le sang pour rivaliser avec elle. Au bout d'un moment, j'en ai eu assez, j'ai claqué la porte, je suis monté dans un taxi et je suis allé chez Tim. Il vivait encore seul à l'époque. Alexander était là. Ils discutaient en buvant un dernier verre. Eléna et Ricarda, qui était encore bébé, étaient déjà rentrées. J'ai trinqué avec eux. Je crois que je... que j'ai chialé. J'étais absolument désespéré. Oui...

Il prit une longue inspiration et poursuivit toujours sans regarder Jessica :

— ... c'est comme ça que s'est passée notre nuit de noces. Patricia seule à la maison et moi, pour commencer, en train de chialer avec mes meilleurs amis et finalement fin saoul parce que bien sûr on a repris de concert là où je m'étais arrêté le matin. On a bu comme des trous, et ensuite... on a raconté des tas de bêtises...

Enfin il leva la tête. Elle ne vit que de la tristesse dans ses yeux, du vide, la conviction que rien ne s'arrangerait jamais.

— J'étais paniqué. Je venais de me marier, j'étais sur le point d'être père – et en même temps à un moment de ma vie où je n'aspirais qu'à être libre. A jouir d'une liberté absolue et infinie. J'avais l'impression d'être tombé dans un piège dont je ne pourrais plus sortir. C'est là que les autres ont commencé avec Stanbury.

— Avec Stanbury ?

Le sourire amer que Jessica ne lui connaissait que depuis ce soir-là réapparut sur son visage.

— Comme je te le disais, on était saouls et on racontait n'importe quoi. Ils voulaient me consoler. Tim a proposé de faire la liste de tout ce que mon sort avait de bien. Rien ne me venait à l'esprit et les autres n'avaient pas beaucoup d'inspiration non plus, puis Alexander a mentionné Stanbury, et Tim et lui se sont jetés sur l'idée. A l'époque, Kevin McGowan se bagarrait déjà contre le cancer et il était acquis qu'à terme la maison appartiendrait à Patricia. Ils ont alors décrété que, d'une certaine façon, j'avais épousé une aristocrate anglaise, une aristocrate qui possédait une propriété à la campagne. Que j'appartenais désormais à la haute société anglaise, que la reine m'inviterait très prochainement dans sa loge à Ascot... bref, ce genre de délire. C'était idiot, mais on a fini par s'emballer pour Stanbury. C'est à ce moment qu'est née l'idée d'y passer nos vacances ensemble, de faire de Stanbury *notre* Stanbury, à Tim, Alexander et moi. D'en faire le lieu où nous pourrions toujours nous retrouver, où nous laisserions nos soucis derrière nous, où nous pourrions être nous-mêmes. Stanbury serait l'endroit où notre amitié pourrait toujours s'exprimer. On était euphoriques, et saoul comme je l'étais, je pensais que tout s'arrangerait. Je suis rentré au petit matin, persuadé de pouvoir tout supporter parce que Stanbury existait. Parce que j'avais mes amis et parce que notre amitié avait désormais un toit. Mais je n'aimais pas Patricia. Je ne l'aimais pas quand je l'ai épousée, et ensuite non plus. Je n'aimais que Stanbury. C'est ce qui m'a aidé à tenir.

— Alexander ne m'a jamais parlé de ça.

Léon ne prêta pas attention à sa remarque.

— Et aujourd'hui, Stanbury est devenu la tombe de Patricia. Et la tombe de mes enfants. C'est... effroyable. Il y a là comme une punition. Je suis puni. Parce que je ne voulais pas de Patricia, parce que je ne voulais pas d'enfants. Parce que, ces dernières années, ma vie n'a été qu'un mensonge.

Jessica comprit qu'il était inutile d'essayer de lui parler de la raison pour laquelle elle lui avait proposé ce dîner : au-delà du problème de l'aide à apporter à Evelin, elle avait eu l'intention de revenir avec lui sur cette déclaration ahurissante du superintendant Norman qui prétendait que Tim battait Evelin depuis des années. Quoique Léon eût indirectement convenu que Norman disait vrai (« Parce que toi, tu ne le savais pas ? »), elle ne parvenait pas à le croire, et, quelque part dans un coin de sa tête, elle espérait qu'il s'agissait d'un malentendu. Mais il n'était pas possible de discuter avec l'homme brisé qui était en face d'elle, du moins pas maintenant, peut-être plus tard, dans des semaines ou des mois. Elle effleura tendrement son bras.

— Ne regarde pas en arrière, dit-elle, ça ne sert à rien. Essaye à présent de ne regarder que devant toi.

— Tu y arrives, toi ? A ne regarder que devant toi ?

— J'essaye. Je voudrais aider Evelin. Quelque chose me dit que je vais m'effondrer quand ce sera derrière moi, mais pour le moment ça m'occupe l'esprit. Je suis convaincue de son innocence. Il faut que je l'aide.

— Tu travailles, en ce moment ?

— Je n'ai pas encore rouvert le cabinet. La clientèle que j'ai patiemment constituée risque au bout du compte de s'évanouir dans la nature, mais...

Elle prit une longue inspiration.

— ... je recommencerai, voilà tout. De toute façon, ce ne sera plus comme avant.

— Non, renchérit-il, rien ne sera plus comme avant.

Ils se turent. Le serveur débarrassa d'un air offensé l'assiette presque intacte de Jessica. Dehors, la nuit était tombée, les bruits de la ville s'estompaient. Des tables voisines provenaient l'écho de conversations, çà et là des éclats de rire discrets. Des verres tintaient.

— Et que fais-tu, toute la journée ? demanda Léon.

Elle réfléchit. Que faisait-elle de ses journées ? Que faisait-elle depuis que son mari avait été assassiné ?

— Je médite, dit-elle. Je rumine. J'essaye de comprendre l'incompréhensible. J'essaye de me faire une idée.

— Une idée de quoi ?

Elle fouilla dans son sac. Il était temps de payer. Temps de se réfugier dans sa maison sombre et vide, temps d'être seule avec Barney. Et de réfléchir, d'élaborer des plans, des stratégies. De se réfugier dans tout ce qui mettait encore une distance entre elle et la réalité, et évitait que le chagrin l'assaille.

— Une idée d'Alexander. Et de vous tous. Quelque chose reste très énigmatique.

Elle fit signe au serveur.

— Pour commencer, je vais aller voir le père d'Alexander. Je pourrais dire *mon beau-père*, mais ça fait bizarre en parlant d'un homme que je ne connais pas.

— Tu ne le connais pas ?

— Il n'a pas assisté à notre mariage. Et il n'a pas assisté à l'enterrement. Alexander disait que les relations avec son père étaient difficiles et qu'il y avait déjà longtemps qu'ils n'avaient plus aucun contact. J'ai envie de savoir ce que ça cache.

Le sourire qui apparut sur les lèvres de Léon n'était toujours pas gai, mais pour la première fois il parut moins crispé.

— Tu te jettes dans la gueule du loup. Le père d'Alexander. Le vieux Wilhelm Wahlberg. On l'appelait Will, simplement Will. Alexander en a toujours eu une trouille bleue.

— Pourquoi ?

— Parce qu'il est ce qu'il est. Irascible, intolérant, coléreux, ergoteur. Exigeant. Sadique quand il s'agit de démolir quelqu'un. Un homme capable de pousser quelqu'un au suicide rien qu'avec des mots et de jouir de ce talent. Crois-moi, Jessica, tu ne perds rien à ne pas le connaître.

— Alexander faisait des cauchemars terribles, dit-elle sans transition. Sais-tu quelle pouvait en être la cause ?

Le visage de Léon se ferma, son regard s'esquiva.

— Je n'en ai aucune idée, dit-il.

Barney l'attendait avec impatience. Elle céda à son insistance, lui mit son collier et sa laisse, et ressortit dans la nuit tiède avec lui. Ils croisèrent un joggeur solitaire, mais à part lui le quartier semblait déjà dormir. Finalement, elle détacha la laisse de Barney et il se mit à courir comme un fou d'un buisson à l'autre, levant la patte tous les trois mètres et furetant avec son museau dans l'herbe tendre. La nuit était pleine de parfums et de promesses.

Pour les autres. Plus pour elle.

Il était presque minuit lorsqu'ils regagnèrent la maison. La maison d'Alexander, celle dans laquelle il avait vécu avec Eléna et Ricarda, puis seul après leur départ. Elle avait emménagé chez lui, avant même qu'ils se marient, mais ils avaient toujours parlé de chercher autre chose.

« Je veux recommencer de zéro avec toi », disait Alexander.

Pourquoi n'avaient-il jamais déménagé ?

Située en bordure ouest de Munich, la maison présentait l'avantage de se trouver à proximité de son cabinet, cependant cette seule raison ne justifiait pas leur immobilité. Peut-être avaient-ils tous deux été trop pris par leur travail pour se consacrer à un projet qui demandait autant de temps et d'énergie que la recherche d'une maison. Alexander avait souvent parlé de déménager, mais jamais il n'avait entrepris la moindre démarche dans ce sens. Préférait-il, en réalité, ne pas s'en aller ? Etait-il plus attaché à son passé qu'il ne voulait le reconnaître ?

Il ne faut pas que j'interprète les faits après coup, se dit-elle tout en déverrouillant la porte, je ne fais que me tourmenter pour rien. Je n'ai moi non plus rien fait d'autre que parler de déménager. Au bout du compte, on était tous les deux trop paresseux, voilà tout.

Elle s'interdit d'imaginer combien il serait agréable qu'il soit là à l'attendre dans le salon. Ils boiraient un verre de vin ensemble, il lui parlerait de ses cours à la fac, elle lui raconterait sa journée au cabinet. Il poserait la main sur son ventre, lui demanderait comment allait le bébé.

— Non ! dit-elle à voix haute. N'y pense pas ! C'est une interdiction absolue !

Elle se rendit dans la salle de bains, ouvrit les robinets de la baignoire et versa une dose généreuse de sels de bains au romarin dans l'eau qui commençait à monter. Il était presque minuit et demi quand elle se laissa glisser dans le liquide délicieusement chaud et parfumé. Un verre de vin était posé sur le rebord de la baignoire. Elle savait qu'elle n'aurait pas dû boire d'alcool, mais depuis le 24 avril, depuis qu'elle était rentrée de promenade et avait trouvé sa vie en miettes, elle ne pouvait plus connaître le sommeil sans boire un verre de vin ou deux. Elle priait intérieurement pour que son bébé n'en souffre pas trop.

Elle ne voulait pas penser à Stanbury, mais c'est vers Stanbury que toutes ses pensées glissèrent tandis qu'elle regardait le plafond ou les carreaux de faïence des murs sur lesquels étaient encore collées les décalcomanies que Ricarda, enfant, avait plaquées ici et là : des Bambi aux grands yeux, de gros champignons rouges à pois blancs, des sorcières au nez crochu, des princesses aux cheveux dorés, des étoiles, des soleils, des croissants de lune aux visages souriants. Un monde merveilleux. Si éloigné de l'adolescente rebelle et rétive qu'ils avaient aujourd'hui en face d'eux.

Ricarda. Léon. Evelin. Elle-même.

Les soupçons s'étaient portés sur Evelin. Jessica était persuadée que cela aurait aussi bien pu être n'importe lequel d'entre eux. Evelin avait eu la malchance de faire des déclarations contradictoires. N'était-ce pas naturel d'être contradictoire après l'épreuve qu'elle avait traversée ?

Le superintendant Norman et l'inspecteur Lewis ne considéraient nullement que c'était naturel.

Le mobile, ils le voyaient dans le fait que des années durant Evelin, apparemment, avait eu à subir les mauvais traitements de son mari. Etait-ce un mobile suffisant pour le tuer ? Etait-ce un mobile suffisant pour tuer, dans une sorte de folie homicide, tous ceux qui par hasard se trouvaient à portée de son couteau ? Evelin ? La bonne grosse et dépressive Evelin ? Toujours douce, toujours gentille ? Ça ne collait pas. Avec la meilleure volonté du monde, Jessica ne parvenait pas à le croire.

Ricarda. Elle repensa au délire de haine auquel elle avait donné libre cours dans son journal. Elle rendait Patricia, mais aussi les autres responsables de l'échec du mariage de ses parents. A l'évidence, elle n'acceptait toujours pas qu'ils aient divorcé. Mais aurait-elle pu pour autant tuer cinq personnes ?

Léon. Il s'était trouvé acculé. Ses problèmes financiers étaient beaucoup plus sérieux que ce qu'il avait bien voulu dire – sauf peut-être à Tim. S'ajoutaient à cela deux enfants habituées à un mode de vie luxueux, normal à leurs yeux, qui ne cessaient de le solliciter, et une femme tellement inflexible et épuisante dans son désir de le voir réussir qu'il n'avait jamais voulu l'épouser. Lui avouer sa déchéance avait dû être un supplice. Il n'était pas rare que dans ce type de situation des époux, des pères ne voient d'autre issue que d'anéantir leur famille entière. Pour enfin être libéré des attentes des uns et des autres, de leurs exigences, de leurs critiques ou même de leur méchanceté. Il est vrai qu'habituellement ils mettaient également fin à leurs jours ou du moins essayaient. Mais pourquoi Léon aurait-il voulu tuer Tim et Alexander ?

Ses deux meilleurs amis. Ils se connaissaient et ne se quittaient pas depuis le jardin d'enfants. Il était aujourd'hui celui qui avait matériellement fait naufrage. Avait-il vis-à-vis d'eux le sentiment d'être un raté ? Ses amis lui étaient-ils devenus aussi insupportables que sa famille ?

Et moi ? se demanda-t-elle. Quelles raisons aurais-je pu avoir de tuer ?

Elle secoua la tête, se leva, attrapa le drap de bain et s'enveloppa dedans. Elle se regarda dans le miroir de la table de toilette. Elle était pâle, ses cheveux humides frisottaient autour de son visage.

Je n'ai pas de mobile.

Elle se brossa les dents en pensant à Phillip. Léon était convaincu de sa culpabilité – ou plutôt en avait été convaincu jusqu'à ce qu'il cesse de se préoccuper de tout ce qui n'était pas sa survie immédiate. Phillip avait-il brusquement perdu la raison ? Etait-il devenu fou de rage parce que personne ne voulait

326

le croire, parce qu'on le prenait pour un affabulateur, pour un déséquilibré ? Comment acceptait-on d'être convaincu de son bon droit et de ne pas pouvoir se faire écouter ? Etait-ce suffisant pour pousser un homme à la folie ?

Bien sûr que oui. Les journaux étaient pleins d'histoires de ce genre.

Bien qu'il fût une heure du matin, elle savait qu'elle ne pourrait pas s'endormir. Toujours vêtue de son seul drap de bain, elle regagna le rez-de-chaussée. Barney dormait sur le canapé du séjour, il ouvrit un œil endormi quand elle s'assit à côté de lui et plongea la main dans la fourrure de son cou. Elle alluma la télévision et fit défiler les programmes avec la télécommande. Elle en mourait d'envie mais elle s'interdit un deuxième verre de vin. Il fallait qu'elle pense au bébé.

Et il fallait qu'elle pense sérieusement à Evelin. Peut-être devait-elle fouiller un peu dans la vie de son amie. Peut-être découvrirait-elle quelque chose qui la disculperait, ou au moins placerait la question du mobile sous un nouvel éclairage. Malheureusement, elle ne pouvait rien demander à Léon. Or l'affaire avait un lien avec leur petit cercle, avec cet étrange assemblage de personnalités qui à première vue paraissait harmonieux et heureux, mais à y regarder de plus près se révélait contraignant, exigeant, et destructeur dès qu'on ne se pliait pas aux règles communes.

Pourquoi une structure amicale devenait-elle à ce point intolérante ? La réponse s'imposa à Jessica avant même qu'elle ait fini de se poser la question : parce qu'elle était en péril. Parce qu'elle était fragile, instable. Ou parce qu'elle n'était qu'un mensonge.

Jessica regardait la télévision sans la voir. Elle savait qui pouvait l'aider, elle savait qui elle pouvait interroger. Il y avait une personne qui, pour avoir longtemps fait partie du groupe, connaissait les réponses à ses questions.

Sauf que s'il y avait quelqu'un qu'elle n'avait pas envie de voir, c'était l'ex-femme de son mari.

2

Il pleuvait sur Londres, une pluie de mai tiède et drue. Phillip, qui avait quitté son appartement sans manteau ni parapluie, fut en un instant trempé jusqu'aux os et sa mauvaise humeur monta d'un cran. A vrai dire, il ne possédait pas de parapluie, il n'avait jamais voulu en avoir car il trouvait que ça faisait petit-bourgeois, mais un manteau aurait été le bienvenu. Le sien était si vieux et si élimé qu'en réalité il n'osait plus se montrer avec. Et ce n'était pas aujourd'hui, où il rendait visite à un avocat de l'élégant quartier de Westminster, qu'il aurait risqué de le mettre. Quand il s'était retrouvé à attendre dans l'antichambre lambrissée où il avait eu tout loisir d'admirer les croûtes – sans aucun doute authentiques – qui ornaient les murs, il s'était félicité d'avoir au moins mis une cravate.

C'est par le biais d'un ami qu'il était entré en contact avec cet avocat, mais il n'en faudrait pas moins qu'il paye la consultation et cela promettait de creuser un trou conséquent dans ses finances. Il faisait actuellement de la synchronisation d'émissions pour la BBC, malheureusement les contrats ne se bousculaient pas. Il parvenait tout juste à payer le loyer de son misérable logement de Stepney et à aller de temps en temps au pub. Le reste, les repas quotidiens, c'est Géraldine qui les assumait, ce qu'il ne supportait plus.

Pour tout arranger, l'avocat ne lui avait laissé que peu d'espoirs et ne l'avait guère encouragé non plus. Il avait écouté son histoire avec scepticisme, puis déclaré que les arguments sur lesquels il pensait fonder sa demande d'exhumation étaient bien minces.

« Pour être tout à fait honnête, monsieur Bowen, vos chances sont quasi inexistantes. Nous disposons de la seule déclaration de votre mère, et elle est aujourd'hui décédée. De surcroît, à l'époque où elle vous a parlé de cette... hum... affaire, elle était déjà très affaiblie par la maladie et sous médicaments. Ce qui ne plaide pas vraiment en faveur de... de sa crédibilité. »

Phillip avait senti sa vieille colère l'envahir. C'était toujours la même prévention contre sa mère : le cancer, la morphine qui lui brouillait l'esprit, l'invention soudaine d'amants mythiques. Parfois, il avait honte de l'exposer à cette humiliation alors qu'elle ne pouvait plus se défendre.

L'avocat avait dû lire ce qu'il pensait sur son visage, car il s'était empressé d'ajouter :

« Je ne dis pas que c'est ainsi que je vois personnellement les choses. Mais vous sollicitez mon conseil et vous souhaitez une estimation objective de la situation. Je ne vous rendrais pas service en vous donnant de faux espoirs. »

Avant de prendre congé, Phillip avait évoqué le crime qui avait eu lieu à Stanbury House en précisant qu'il avait lui-même été longuement entendu par la police dans le cadre de l'enquête. S'il ne faisait plus la une, le « crime du Yorkshire » était toujours d'actualité dans la presse anglaise. L'avocat n'avait pas fait le lien avec son client, mais il n'ignorait rien de l'affaire.

« Mon Dieu ! s'était-il exclamé. Kevin McGowan ! Les articles mentionnaient son nom à propos de la maison ! A votre place, avait-il alors déclaré en se penchant vers lui, je laisserais reposer tout ça un bon moment. Vous avez été soupçonné, certes brièvement, mais soupçonné quand même. Si les soupçons qui pèsent sur cette femme qui a été interpellée ne se confirment pas, vous risquez de vous trouver à nouveau en première ligne. Vous avez assez attiré l'attention sur vous. Faites-vous donc un peu oublier !

— J'ai seulement essayé de faire valoir ce que je considérais comme les droits que... »

L'avocat ne l'avait pas laissé achever son explication.

« Vos droits, ou ce que vous pensez être vos droits, n'intéressent présentement personne. Stanbury est le lieu d'un crime sanglant et la police se jettera sur tout ce qui lui paraîtra un tant soit peu équivoque. Ne vous mettez pas inutilement sur la sellette. »

Il s'était levé, signifiant ainsi qu'il souhaitait conclure l'entretien.

« Ce n'est qu'un conseil, avait-il ajouté. Et vous n'êtes pas obligé de le suivre. »

Phillip savait que les avocats étaient souvent de bon conseil, mais cela revenait à lui demander de ne plus rien entreprendre, de rentrer la tête dans les épaules et de laisser le temps faire son œuvre. Si Evelin était reconnue coupable et condamnée, il pourrait refaire surface et remettre le problème de ses droits sur le tapis. S'il n'était pas trop tard. Qui pouvait dire ce qu'il allait advenir de Stanbury House ? La moitié de la bande qui y passait ses vacances était morte. Il fallait s'attendre que le veuf mette la propriété en vente. S'il finissait dans un avenir incertain par obtenir l'exhumation de McGowan, il était possible qu'il n'y ait plus que le produit d'une vente à partager. Et ce n'était pas l'argent qui intéressait Phillip dans ce contexte.

Il eut le sentiment que l'affaire, dans un sens, lui échappait. Comme d'habitude.

Le métro était bondé. L'air était moite et étouffant. Ça sentait la pluie et le chien mouillé, et, pour une raison inexplicable, la rame non seulement ne désemplissait pas, mais se remplissait un peu plus au fil des stations. Phillip était compressé contre une grosse dame beaucoup plus petite que lui dont la permanente ébouriffée par l'humidité frisait à hauteur de sa bouche ; à chaque inspiration, il avait l'impression d'avaler des cheveux gris.

Pourquoi fallait-il qu'il vive à Londres ? Il songea aux landes solitaires et aux vastes prairies qui s'étendaient autour de Stanbury, il se vit par un soir comme celui-ci parcourant les champs à grands pas, en bottes de caoutchouc, veste Barbour et chapeau de pluie à carreaux sur la tête. Autour de lui, la campagne serait calme, paisible, silencieuse. L'air sentirait l'herbe mouillée, la terre et les fleurs. A la maison l'attendraient une bonne flambée dans la cheminée et un whisky.

Qui aurait cru que la vie à la campagne le ferait un jour rêver ? Il faillit éclater de rire mais se retint, de peur d'avaler une touffe de cheveux gris. Au reste, il n'y avait pas de quoi rire, coincé dans ce wagon qui l'emportait vers les tristes faubourgs de l'est londonien.

Quand il put enfin descendre du métro et regagner la surface, il eut l'impression de pouvoir à nouveau respirer, malgré la pluie, et il prit une longue inspiration. Les rues étaient grises et ternes. Des lotissements ouvriers, des alignements sans fin de maisons délabrées avec, devant la porte, leurs petits jardins à l'abandon, sur l'arrière des cours sombres encombrées de plaques de tôle ondulée, de vieux pneus et de machines à laver hors d'usage qui rouillaient lentement. Sous la pluie, du linge était accroché aux cordes à linge. Une poussette vide, trempée, avait été oubliée devant une maison. On apercevait l'écran allumé d'un téléviseur derrière le rideau de la fenêtre du séjour. Des cris d'enfants se mêlaient aux éclats de voix d'adultes qui se disputaient. Quelque part, un chien aboyait. Une odeur d'oignons frits saturait l'air. Une rame de métro aérien passa à pleine vitesse dans un bruit assourdissant, en faisant trembler les vitres de quelques maisons.

Phillip laissa le lotissement ouvrier derrière lui et s'engagea dans une rue bordée de sortes de casernes à plusieurs étages construites après-guerre. Ici, il n'y avait même plus les minuscules carrés d'herbe qui mettaient au moins une touche de vert dans les autres quartiers. Les loyers étaient ridiculement bas, mais personne n'emménageait dans la rue de gaieté de cœur. Le crépi des façades s'effritait, la plupart des réverbères étaient hors d'usage et presque chaque mur, chaque porte étaient couverts de graffiti, obscènes pour la plupart et aussi crus que mal orthographiés. Phillip regarda la lucarne de son appartement, ou plutôt de son studio. Il avait espéré qu'elle serait dans l'obscurité, mais elle était éclairée. A vrai dire, il n'était pas surpris. Elle était là. Elle était désormais toujours là. Hormis quand elle travaillait.

Géraldine n'avait pas officiellement emménagé chez lui, ils n'avaient même jamais abordé le sujet. Depuis qu'ils étaient revenus du Yorkshire, ils n'avaient parlé ni de leur relation, ni de leur avenir. Mais Géraldine se comportait aussi comme s'ils n'avaient pas non plus parlé à Stanbury. Il lui avait dit qu'il voulait rompre, mais elle affectait de l'ignorer. Elle avait repris leurs habitudes d'*avant* Stanbury et en avait même créé de nouvelles. Jamais elle n'avait rendu à Phillip les clés de son appartement, si bien qu'elle y passait dès qu'elle se trouvait à Londres. Elle faisait les courses, le ménage, mettait des fleurs dans un vase, apportait un tapis, deux tableaux. Elle avait tiré le meilleur parti possible de ces quelques mètres carrés sans charme, mais ce n'était pas ce que voulait Phillip. Surtout, elle jouait à l'épouse attentionnée, toujours là pour son mari, ce qu'il voulait encore moins mais à quoi il se résignait avec rage.

Il savait bien pourquoi il acceptait cette situation et pourquoi *elle* se comportait ainsi. C'était ce satané alibi qui avait rétabli les liens entre eux. Jamais ils n'en avaient reparlé, pourtant cela avait tout changé : *elle* faisait son trou dans sa vie, et *lui* ne se sentait plus la liberté de l'envoyer au diable.

La porte de son immeuble ballait depuis longtemps dans ses charnières et ne fermait plus correctement. Il la poussa et plongea dans l'obscurité de l'étroite cage d'escalier où des relents de cuisine se mêlaient à l'odeur agressive d'un détergent puissant. Les marches grinçaient. Certains paliers étaient tapissés de morceaux de moquette aux couleurs et aux motifs hideux, mal découpés, sales et mités. Des caisses de bière étaient entre-posées sur d'autres, des chaussures ou de vieux journaux en jonchaient d'autres encore. L'éclairage – pour l'essentiel de simples ampoules nues – était réduit à sa plus simple expres-sion. La quantité notable d'ampoules cassées imposait d'avancer prudemment. Phillip y était habitué et jamais jusque-là il n'avait prêté attention à la laideur et à la désespérance absolue des lieux. Depuis quelque temps, quand il rentrait de la BBC ou d'une simple balade en ville, un poids s'abattait sur lui. Ce n'était pas tant la tristesse de l'endroit qui lui pesait que l'absence d'espace qui dans la pénombre du soir lui donnait l'impression d'étouffer. Tout était étriqué. Son appartement. Son immeuble. Mais peut-être aussi Londres, les rues, les maisons, les gens. Tellement de gens.

Je n'étais pas comme ça, avant, songea-t-il. Je n'étais pas du tout comme ça avant Stanbury.

Géraldine ouvrit la porte avant qu'il ait eu le temps de sortir sa clé. Elle avait dû reconnaître son pas dans l'escalier.

— Ah, c'est toi ! Tu en as mis, du temps. Figure-toi que Lucy est là !

Il eut l'impression qu'elle avait cherché à l'intercepter pour l'avertir de la présence de Lucy avant qu'il ait eu le temps de commencer à raconter son rendez-vous chez l'avocat. Sans doute n'avait-elle pour une fois rien confié à sa grande amie. Peut-être avait-elle eu honte. (« Après tout ce qui s'est passé, il ne trouve rien de mieux que de courir chez un avocat pour se faire expliquer ses chances d'obtenir une exhumation ! Il faut vraiment qu'il soit obsédé ! »)

Il entra dans la modeste pièce en soupente qui cumulait les fonctions de cuisine, séjour et chambre à coucher. Le toit de l'immeuble fuyait en de nombreux endroits, si bien qu'il n'y avait pas un mur où le papier peint humide ne se décollait pas. Phillip s'en moquait, il avait toujours détesté ce papier coquille d'œuf et ses arabesques vertes et dorées.

Lucy Corley était assise à la petite table de bistrot nichée dans le coin cuisine entre des étagères de bois et les deux plaques électriques de la table de cuisson. Elle fumait une cigarette et, à en juger par les mégots qui débordaient du cendrier posé devant elle, elle devait être là depuis un bon moment. Lucy était une des femmes les moins attrayantes que Phillip ait jamais vues : petite, trapue, elle était dénuée de poitrine mais dotée en revanche de mains grandes comme des battoirs et de pieds immenses qui détonnaient avec le reste de sa silhouette. Alors que sa couleur naturelle était un châtain très clair, elle se teignait les cheveux en un noir de jais qui heurtait à côté de son teint éternellement pâle. Elle s'investissait beaucoup dans l'agence de mannequins qu'elle dirigeait d'une main de maître et, bien qu'elle fût encore jeune, les traits de son visage reflétaient déjà la dureté qu'imposait ce marché impitoyable. Elle n'avait jamais fait mystère de son antipathie pour Phillip. Il savait qu'elle le considérait comme un raté qui n'avait pas de scrupules à se servir des sentiments de Géraldine. Puisqu'il se souciait comme d'une guigne de Lucy Corley, ce qu'elle pouvait penser le laissait de marbre, mais que Géraldine la ramène chez lui et qu'il doive la supporter le mettait en rage.

— Salut, Phillip, dit Lucy de sa voix grave et rauque de fumeuse. Tu travailles, à ce qu'on m'a dit ?

Elle dit cela comme si c'était un phénomène extraordinaire. Il prit le parti de ne pas réagir.

— Salut, Lucy. Qu'est-ce qui t'amène ?

— On a bu une tasse de café et complètement oublié l'heure, intervint Géraldine. Ce qui explique que je n'ai encore rien préparé pour le dîner. Mais je vais tout de suite...

— Ne fais surtout rien pour moi... bougonna Phillip.

Il enleva sa veste mouillée, ses chaussures qui avaient pris l'eau et dénoua sa cravate.

— ... Je ne rentre pas pour me mettre les pieds sous la table !

Et pas non plus pour te retrouver chez moi, ajouta-t-il en pensée.

Lucy écrasa sa cigarette et se leva.

— Bon, eh bien, il est temps que j'y aille, déclara-t-elle.

— Tu ne veux pas dîner avec nous ? proposa Géraldine.

Lucy secoua la tête.

— Non, non, je me sauve !

Il était clair qu'elle partait à cause de Phillip et qu'elle estimait indigne de sa personne de rester plus d'une minute dans la même pièce que lui. Elle prit son manteau. Phillip ne fit pas un geste pour l'aider à l'enfiler, il la regarda d'un œil froid se contorsionner pour entrer dans les manches trop étroites.

— Pense à ce dont nous avons discuté, dit-elle à Géraldine en lui plaquant un baiser sur la joue.

Elle fit un signe de tête à l'intention de Phillip et quitta l'appartement. On entendit le vieil escalier fatigué gémir sur tous les tons quand elle descendit.

— Désolée qu'elle ait été là, dit Géraldine. Mais je ne pouvais pas la mettre dehors.

— Bien sûr.

Phillip s'effondra sur le canapé pliant qui la nuit lui servait de lit. Avant que Géraldine se colle à lui comme une sangsue, il était rare qu'il le referme pendant la journée ; la plupart du temps, il restait ouvert avec les draps et les couvertures en bataille.

— Quoique, si je me souviens bien, tu disposes d'un appartement personnel dans lequel tu pourrais tout aussi bien l'inviter !

Géraldine tressaillit, puis commença à débarrasser les tasses et le cendrier avec des gestes brusques.

— Je ne m'y plais pas beaucoup. Je veux dire... dans... mon appartement. Je m'y sens trop seule.

— Tu pourrais accepter plus de contrats. Tu serais ainsi moins chez toi et, quand tu y serais, tu apprécierais sûrement d'y être seule et tranquille... Je parie que c'est ce dont cette brave Lucy t'a entretenue. Elle pense que tu devrais t'investir davantage dans ton travail, non ?

— Lucy a sa propre vision des choses. Ce n'est pas forcément la mienne.

— Mais il lui arrive parfois d'avoir raison. Et tu sais que ce n'est pas quelque chose que je dis volontiers de cette chère Lucy. Tu es mannequin, tu es très jolie, tu as la chance d'être demandée, de pouvoir faire ce job à plein temps. Au lieu de ça, tu tournes en rond dans mon appartement (il souligna lourdement le *mon*) et tu gaspilles ton temps à faire les courses, la cuisine et je ne sais quels travaux d'embellissement...

Il désigna les tableaux et les fleurs.

— Pas étonnant que Lucy me regarde un peu plus de travers que d'habitude ! Au bout du compte, c'est pour elle un sacré manque à gagner !

— Je ne suis pas là pour faire plaisir à Lucy. Je ne suis là pour faire plaisir à personne ! C'est ma vie et ce que j'en fais me regarde !

Elle était d'une agressivité peu fréquente chez elle. Se disputer avec elle était la dernière chose dont il avait envie.

— Bien sûr que c'est ta vie et tu reconnaîtras que, pour ma part, je ne t'ai jamais demandé de me sacrifier ta vie, ta carrière, ton temps ou que sais-je encore !

— Si je peux être avec toi, ce n'est pas un sacrifice pour moi, répliqua faiblement Géraldine.

Des plaques rouges étaient apparues sur ses joues. A l'évidence, la conversation la déstabilisait. Elle avait empilé les tasses et le cendrier vide dans l'évier. Elle sortit une laitue et quelques tomates du réfrigérateur. Elle allait préparer une salade, peut-être réchauffer une baguette dans le four, et elle avait certainement acheté du fromage et du raisin. S'il avait été seul, il n'y aurait rien eu à manger dans l'appartement. Il serait ressorti et aurait fait un saut au supermarché pour s'acheter une soupe en sachet. Il se demanda pourquoi sa sollicitude lui était aussi insupportable.

Et qu'en espérait-elle ? Il la regarda éplucher la salade, couper les tomates et les oignons. Qu'est-ce que ça lui apportait ? Elle avait un pied dans sa porte, d'accord, peut-être même plus. Mais elle savait bien qu'elle ne devait cette situation qu'à l'alibi qu'elle lui avait fourni, qu'il la tolérait chez lui uniquement parce qu'il ne pouvait faire autrement. Comment cette situation pouvait-elle la rendre heureuse ?

L'idée de l'alibi le fit soudain se redresser.

— J'espère que tu n'as rien raconté à Lucy ? dit-il sur le ton accusateur de celui qui savait par expérience que les femmes avaient tendance à confier leurs secrets les plus compromettants à leurs meilleures amies. Tu comprends de quoi je veux parler... de l'alibi ?

— Bien sûr que non.

Elle n'avait pas l'air indignée. Si elle n'avait rien dit, elle avait assurément joué avec l'idée de le faire.

— Tu sais que ça doit rester entre nous, insista-t-il. Lucy ne trouverait sûrement rien de mieux que de se dépêcher de tout raconter aux flics. Trop contente de tout casser entre nous pour pouvoir te faire bosser à plein temps.

— Je ne suis pas idiote, Phillip.

Elle était plus détendue que tout à l'heure. Il comprit que sa peur que leur secret soit éventé lui donnait de l'assurance. Tant qu'il se ferait du souci, il ne la mettrait pas dehors. Il lui avait néanmoins glissé une autre information : si elle ne tenait pas sa langue, elle prendrait la porte. Il n'aurait en effet aucune raison de rester lié à elle. L'échafaudage était fragile.

Une situation bien pourrie, songea-t-il.

Il se leva, fit quelques pas dans la pièce, s'arrêta devant la lucarne. Le toit gris foncé de l'immeuble d'en face luisait sous la pluie.

Cette exiguïté. Cette absence d'espace qui soudain l'empêchait de respirer.

— L'avocat m'a conseillé de laisser momentanément tomber Stanbury, dit-il. Après ce qui s'est passé là-bas, il pense que je risquerais de m'attirer des ennuis. Cela mis à part, il ne m'a pas laissé grand espoir...

Il releva ses cheveux mouillés d'un geste de la main. Il était si déprimé qu'il n'aspirait qu'à une chose : boire du whisky, boire jusqu'à plus soif. C'était peut-être ce qu'il finirait par faire.

Il se dirigea vers l'étagère où se trouvait le dossier qu'il avait constitué sur Kevin McGowan, en caressa la couverture plastifiée. L'espace d'un instant, le contact remplaça presque le whisky.

Géraldine commença à faire frire des oignons et du bacon dans une poêle, y ajouta des œufs battus. Une délicieuse odeur emplit le triste logement.

— Nous devrions déménager, dit-elle soudain.

Il n'y a pas de *nous* ici !

— C'est si petit... et si minable.

Quelqu'un t'a obligée à venir ?

— Je ne pense pas non plus que ce serait une bonne idée de nous installer chez moi. En fait, on devrait se lancer dans quelque chose de nouveau pour tous les deux.

Mon Dieu !

— Un peu au vert. Une petite maison avec un jardin.

Elle se tourna vers lui.

— Qu'est-ce que tu en dis ?

— S'il te plaît, Géraldine : non.

— Je trouve que ce serait une super idée, insista-t-elle en se consacrant à nouveau à ses préparatifs.

— Je trouve que ce serait une idée nullissime, rétorqua Phillip, et il ajouta, l'air buté : Je veux Stanbury.

— Tu ne l'auras pas.

Il y avait comme une pointe de satisfaction dans sa voix.

Plus tard, il sut que c'était à cet instant qu'il avait commencé à la haïr.

3

Le samedi matin, Jessica fut tirée de son sommeil par la sonnerie du téléphone. Elle crut dans un premier temps que c'était la nuit, puis elle vit qu'il était déjà dix heures. Elle se souvint que, la veille, elle avait pris un somnifère parce qu'elle s'était mise à penser à Alexander ; le sentiment de son absence avait déclenché une telle souffrance qu'elle n'avait pu trouver le sommeil. Le comprimé l'avait engourdie et libérée de ses tourments. Quand elle se leva pour décrocher le téléphone, elle tenait à peine debout.

— Oui, allô ?

Il arrivait encore que des journalistes cherchent à la contacter, mais moins souvent qu'au début. L'affaire avait suscité un vif intérêt en Allemagne, mais Jessica n'avait eu et n'avait toujours envie d'en parler avec personne.

— Madame Wahlberg ? demanda une voix féminine avec un fort accent étranger.

— Qui est à l'appareil ?

— Alicia Alvarez. Je suis la femme de ménage de Mme Burkhard.

— Oh, madame Alvarez !

Jessica connaissait la jeune Portugaise pour l'avoir vue lors de soirées chez Tim et Evelin. La plupart du temps, Evelin faisait appel aux services d'un traiteur, mais Alicia apportait son aide et rangeait ensuite la cuisine.

— J'espère que je ne vous ai pas réveillée ?

— Non. Non, il n'y a pas de problème. Que puis-je pour vous ?

338

Alicia Alvarez ne savait plus que faire. Fin avril, Evelin l'avait appelée d'Angleterre pour lui demander de bien vouloir s'occuper de la maison et du jardin jusqu'à ce que « les choses se clarifient ». Depuis, elle n'avait pas été payée et devait commencer à craindre de ne jamais l'être. Elle avait par ailleurs l'intention de prendre deux semaines de congé, aussi souhaitait-elle s'assurer qu'elle pouvait laisser la maison.

— Vous êtes une amie de Mme Burkhard, expliqua-t-elle. Je me suis souvenue de votre nom, alors j'ai cherché votre numéro de téléphone. Peut-être pouvez-vous m'aider ?

— Il est probable qu'Evelin ne va pas rentrer avant quelque temps.

— C'est une histoire affreuse, tellement affreuse !

— Ecoutez, Alicia, prenez tranquillement vos semaines de vacances, et si ça ne vous ennuie pas, avant de partir, déposez les clés de la maison d'Evelin chez moi. Je m'occuperai de tout pendant votre absence. Et je vous paierai les heures que l'on vous doit. Je m'arrangerai plus tard avec Evelin.

Le soulagement d'Alicia fut perceptible même au téléphone. Elle devait avoir besoin de l'argent pour partir.

— Oui, ce serait bien, ce serait très bien ! Mme Burkhard sera d'accord, n'est-ce pas ? Vous êtes très amies !

— Mme Burkhard sera certainement d'accord, assura Jessica.

Elles convinrent qu'Alicia passerait déposer les clés vers midi.

Jessica raccrocha et réfléchit à ce qu'il valait mieux qu'elle fasse en premier. Elle s'était fixé deux objectifs : d'une part rencontrer le père d'Alexander, d'autre part voir Eléna. Elle redoutait autant les deux démarches, mais il ne servait à rien de les remettre sans cesse à plus tard.

Elle ouvrit le petit répertoire de cuir à côté du téléphone. *Wahlberg Wilhelm*, le père d'Alexander. Il habitait sur les rives du Chiemsee, ce n'était pas très loin.

Le cœur battant, elle composa le numéro et attendit.

Au téléphone, Will Wahlberg ne s'était pas montré désagréable, si bien que Jessica, encouragée, avait osé proposer de lui rendre visite.

« Venez donc. Quand vous voulez. Par exemple demain. Nous sommes dimanche, demain, n'est-ce pas ? C'est le jour où l'on rend visite à la famille ! »

Il avait eu un rire bref, mi-moqueur, mi-sarcastique.

« Ma belle-fille. Ma seconde belle-fille. Je dois dire que je suis curieux de voir qui, cette fois, il a épousé. »

Il n'eut pas un mot pour évoquer la disparition tragique de son fils et il ne paraissait guère accablé de chagrin. Jessica, qui savait que la mère d'Alexander était morte depuis de nombreuses années, fut étonnée qu'il ne paraisse pas affecté par la perte de son dernier et unique parent proche. Il y avait bien Ricarda, mais, ainsi qu'Alexander le lui avait dit, jamais il n'avait manifesté le moindre intérêt pour sa petite-fille.

« Eléna lui a envoyé quelques photos après la naissance de Ricarda. Il n'a pas répondu. »

Il ne savait rien de l'enfant que portait Jessica et il était probable qu'il s'y intéresserait aussi peu.

Elle proposa de venir vers quatre heures.

« Pas besoin de fixer une heure. Je vis seul. Peu importe quand vous venez. Mais ne vous attendez pas à du café et des gâteaux ! Je ne suis pas du genre à servir les autres. Je n'invite pas à dîner et je ne fais pas la cuisine, ça vous va ? »

Elle avait assuré qu'elle n'attendait rien de la sorte et prit congé. Drôle de bonhomme, mais moins cassant que ce qu'elle avait craint. En fait, elle ne savait rien de lui. Alexander ne lui en avait pratiquement jamais parlé.

Alicia vint déposer les clés et prendre son argent à midi. Elle demanda à Jessica si elle pensait qu'il était possible qu'Evelin ait commis l'horrible meurtre dont on la soupçonnait.

— Non, répondit Jessica. Je ne peux pas le croire. Evelin a des difficultés et ne va pas très bien, mais elle est tout à fait incapable d'égorger quatre personnes et de larder une petite fille de sang-froid. Je crois que nos amis enquêteurs anglais sont surtout contents d'avoir arrêté quelqu'un parce que c'est ce qu'attend l'opinion publique. Quand ils auront mis la main sur le véritable meurtrier, ils relâcheront Evelin.

— J'ai tellement de peine pour Mme Burkhard ! Ce doit être

terrible d'être en prison dans un pays étranger et de ne pas avoir d'espoir...

— Je ne pense pas qu'elle ait abandonné tout espoir. Elle a un bon avocat et, s'il y a des indices contre elle, il n'y a pas de preuves. On ne met pas aussi facilement quelqu'un derrière des barreaux.

Il lui vint alors une idée.

— Sauriez-vous quelque chose sur le mariage d'Evelin et Tim... je veux dire M. Burkhard ? demanda-t-elle prudemment. Il paraît qu'ils auraient eu des difficultés ?

Alicia parut soudain moins bavarde.

— Que pourrais-je dire ? Lui est... était... très soupe au lait...

— Evelin disait qu'elle jouait au tennis, qu'elle faisait du jogging, poursuivit Jessica, mais elle n'avait pas de chance parce qu'elle se blessait souvent. Elle se faisait des entorses, elle avait toujours des douleurs ici ou là, des contusions, des ecchymoses... Vous l'avez, vous aussi, certainement remarqué, ajouta-t-elle en scrutant la réaction d'Alicia.

— Elle n'est pas très... sportive. Cela explique peut-être ses blessures...

— Vous le croyez ?

— C'est ce qu'elle disait.

— Oui. C'est ce qu'elle me disait aussi. C'est ce qu'elle disait à tout le monde. Mais il y aurait une autre explication. On dit que son mari n'aurait pas été étranger à ses très nombreuses blessures.

— Je ne sais pas.

Bien sûr que tu sais, pensa Jessica, les employés de maison savent toujours beaucoup de choses. Mais tu ne veux surtout pas être mêlée à quoi que ce soit !

Elles se dirent au revoir plutôt froidement.

Jessica mit une pizza à dégeler dans le four à micro-ondes, remplit la gamelle de Barney, puis s'installa sur la terrasse pour manger.

Il faisait beau et chaud. Dans le jardin, l'herbe était haute.

Il faut que je tonde la pelouse, se dit-elle, que je plante des fleurs. Je dois continuer à entretenir cet endroit.

Elle se demandait toujours si elle devait conserver la maison et

341

continuer à y habiter. Elle ne parvenait pas à se décider, la question l'effrayait. Comment aurait-elle pu savoir ce qu'elle devait faire ? Comment aurait-elle pu savoir ce qu'elle éprouverait dans un an ?

Rien ne m'oblige à décider maintenant, se dit-elle. Je peux attendre jusqu'à ce que le bébé soit là.

Elle mangea une moitié de pizza puis laissa le reste, écœurée. L'après-midi s'ouvrait devant elle, ensoleillé et vide. Personne avec qui aller se promener, personne avec qui boire un café, discuter ou simplement rester assis au soleil. Avec Alexander, elle n'avait pas connu de week-ends vides. Ils avaient toujours fait quelque chose ensemble, écouté de la musique, lu, regardé un film. Souvent aussi, ils avaient rencontré les autres.

En fait, presque chaque week-end, récapitula Jessica dans sa tête. Ils se retrouvaient dans un *biergarten*, partaient ensemble aux lacs, faisaient des randonnées en forêt ou bien dînaient le soir chez les uns ou les autres. Elle avait suivi le mouvement sans émettre d'objection. Ce samedi-là, trois semaines après la mort d'Alexander, elle se demandait pour la première fois si elle avait aimé ces week-ends entre amis.

Patricia – naturellement – s'était attribué le monopole des décisions et de la parole. En réalité, personne hormis elle n'avait jamais la possibilité de s'exprimer. Evelin, pâle et triste, restait dans son coin. Tim jetait son dévolu sur l'un des membres du groupe, l'entraînait loin de l'agitation organisée par Patricia et, sous les dehors d'une simple conversation, le soumettait à son expertise psychologique. Alexander était tendu et, bien qu'il en donnât l'impression, niait toujours avoir mal à la tête. Léon arrivait souvent après la bataille, s'excusait, prétextait avoir eu des monceaux de travail à terminer. A le croire, il n'y avait presque aucun week-end où il ne travaillait pas. Etant donné, ainsi qu'il s'avéra par la suite, que son cabinet avait été tout ce temps au bord de la faillite, peut-être tentait-il désespérément de trouver une solution pour éviter le pire. Peut-être aussi ses absences avaient-elles une autre raison. Le beau, le séduisant Léon... Léon qui n'avait jamais voulu épouser Patricia, qui souffrait de la pression qu'elle exerçait sur lui. Aurait-il été extraordinaire qu'il ait cherché à compenser ailleurs ? Et était-ce pour cette raison que

Patricia défendait avec une telle constance son image de famille parfaite ?

Et moi ? s'interrogea Jessica.

Elle ne s'était pas sentie à l'aise au sein du groupe. Elle y avait perçu trop de tensions, trop de contraintes. Au surplus, il y avait eu, dans le groupe, deux personnes qu'elle n'avait pas supportées. Jamais elle n'aurait d'elle-même passé autant de temps avec Patricia ou Tim. Pourquoi, alors, l'avait-elle fait ?

Parce que je n'aurais pas pu détacher Alexander du groupe. Jamais. Il aurait préféré rompre avec moi.

Elle sentit la migraine la gagner. Elle se leva et s'interdit de continuer à ruminer. A quoi bon ? Alexander était mort. Tim et Patricia également. Léon et Evelin avaient besoin d'aide.

Ne pas penser, ne pas penser, ne pas penser !

Faute de trouver une meilleure idée pour occuper son samedi, elle décida de se rendre chez Evelin et de visiter la maison solitaire à la recherche de quelque indice.

Puis de faire une longue et belle promenade avec Barney.

Alicia s'était remarquablement acquittée de son travail. Personne n'aurait cru que la maison était inoccupée depuis cinq semaines. Aucune fleur fanée nulle part, pas de poussière, pas de boîte à lettres gorgée de courrier. Même l'air ne sentait pas le renfermé ; Alicia avait dû aérer avant de se séparer des clés. On aurait pu croire que Tim et Evelin venaient de s'absenter et allaient rentrer d'un instant à l'autre. Rien n'indiquait que le propriétaire de la maison était mort ni que sa femme était incarcérée dans une prison anglaise sous une quintuple inculpation de meurtre.

Barney, excité, galopait dans la maison en reniflant partout. Jessica prit peur pour les vases précieux posés à même le sol et le fit sortir dans le jardin. Elle constata alors que la pelouse était parfaitement tondue. Alicia avait mieux entretenu cette maison qui lui était étrangère que Jessica la sienne.

Elle ne voulait pas entrer dans le cabinet de Tim, qui se trouvait en sous-sol, aussi resta-t-elle dans la partie privée de la maison. Elle erra sans but précis de pièce en pièce, simplement réceptive à l'atmosphère des lieux.

La maison d'Evelin.

Evelin. Elle l'avait aimée dès qu'elle avait fait sa connaissance. Avant même qu'elle puisse se douter que c'était elle qui lui présenterait son futur mari. La première fois qu'elle l'avait vue, quand elle l'avait appelée en pleine nuit.

« Je vous en prie, venez vite. Mon chien est très mal. Je crois qu'il n'est pas transportable. »

Elle n'habitait qu'à une centaine de mètres. Elle s'était habillée en hâte et cinq minutes plus tard elle sonnait chez Evelin, sa trousse d'urgence à la main. Evelin était en chemise de nuit. Sa main gauche était bandée.

Une chute malencontreuse en jouant au tennis, avait-elle expliqué plus tard. Pourquoi aurait-on dû mettre ses déclarations en doute ?

Jessica se fit la réflexion qu'elle ne l'avait jamais connue autrement que blessée. Evelin avait toujours quelque chose.

Aurait-elle dû se poser des questions ? Mais le tableau lui paraissait crédible : pour des raisons obscures d'orgueil, Evelin voulait à tout prix faire ce que faisait sa très mince, très sportive et très dynamique amie Patricia ; malheureusement, son embonpoint et son manque d'entraînement la précipitaient de naufrage en naufrage. Elle s'essayait à des exercices dont son surpoids démultipliait la difficulté. Il n'était pas surprenant qu'elle se blesse continuellement. Les autres ne cessaient de la taquiner à ce sujet. Au petit déjeuner, à Stanbury, Evelin était accueillie par des phrases du genre : « Ah, Evelin, tu t'es essayée au double saut périlleux ? » ou : « Est-ce qu'au moins la barre fixe est aussi mal en point que toi ? » Evelin avait un petit sourire contraint et, du moins en apparence, s'accommodait du rôle de la lourdaude malchanceuse. Laurel et Hardy en une seule personne, l'empotée qui faisait rire les autres.

Ils n'auraient pas dû jouer à ce jeu, à présent Jessica s'en rendait compte. Evelin ne protestait pas, mais cela ne voulait pas dire que les humiliations glissaient sur elle. Elles nourrissaient sa dépression, l'enrichissaient, l'intensifiaient. Mais s'il y avait vraiment eu autre chose derrière ses blessures et si les autres l'avaient su, alors c'était beaucoup plus grave. Et surtout incompréhensible. Pourquoi ce refoulement ? Cette dénégation du gros problème qui affectait deux d'entre eux ? Quelqu'un avait-il au moins essayé d'en parler avec Tim ? Essayé d'en savoir plus, de comprendre ?

Elle résolut de poser la question à Léon quand il irait mieux. Et peut-être savait-il si Alexander avait tenté d'intervenir.

La cuisine était ouverte sur le séjour, dont un comptoir la séparait. Le tic-tac d'une pendule résonnait dans le silence. Les portes vitrées des placards supérieurs offraient au regard le service en porcelaine et les coupes à champagne Modern Style que Jessica avait toujours admirées. La nuit où Jessica avait endormi le vieux chien de berger, avant de la laisser repartir, Evelin lui avait offert une coupe de champagne.

« Ça nous fera du bien », avait-elle dit. Ses yeux étaient irrités, mais c'est dans la journée qu'elle avait dû pleurer. Quand son chien était mort, elle était restée très digne, elle l'avait tenu dans ses bras, lui avait parlé doucement. L'animal avait des difficultés à respirer. Jessica avait tout de suite compris qu'il était perdu. Il avait quinze ans, et était soigné depuis un an pour des problèmes cardiaques et pulmonaires, lui avait expliqué Evelin. Jamais, cependant, il n'avait été aussi mal que ces derniers jours, puis son état s'était brusquement aggravé dans la soirée et il paraissait désormais inutile de prolonger ses souffrances.

« Vous devriez lui dire au revoir », avait doucement suggéré Jessica. Evelin n'avait pas protesté, elle avait acquiescé, sans doute avait-elle déjà compris qu'il n'y avait pas d'autre solution. Le chien s'était paisiblement endormi. Jessica se souvint qu'elle s'attendait que le mari d'Evelin se joigne à elles, mais les deux femmes étaient restées seules avec le chien. Ce n'est que vers trois heures du matin, alors qu'elles buvaient une coupe de champagne, qu'il avait surgi dans la salle de séjour. Il portait un peignoir bleu foncé imprimé de caractères chinois, ses cheveux étaient hirsutes, sa barbe en broussaille. Il avait un peu l'air d'un gourou ou d'un militant pacifiste et détonnait dans l'environnement luxueux de la maison. Il ne semblait guère plus accordé avec la grosse femme en déshabillé de soie. Jessica pensait qu'il serrerait Evelin dans ses bras pour la consoler, qu'il caresserait une dernière fois la tête de son chien, mais il ignora autant le chien que sa femme, pour consacrer toute son attention à la visiteuse.

« Ah, notre jeune vétérinaire ! Vous habitez au bout de la rue, n'est-ce pas ? Je vous ai aperçue plusieurs fois dans votre jardin. Vous vivez seule ? »

Jessica l'avait trouvé indiscret, déplaisant et très dur avec sa femme. Ignorant sa dernière question, elle avait rétorqué :

« Votre femme a bien fait de m'appeler. Le pauvre chien souffrait beaucoup. Je n'ai malheureusement rien pu faire que le délivrer de ses souffrances. »

Tim avait souri.

« Ça fait un an qu'il souffrait. J'ai dit je ne sais combien de fois à ma femme qu'il fallait le faire piquer, mais elle n'arrivait pas à se décider. Ce chien était pour elle un substitut d'enfant. »

Evelin avait tressailli et baissé la tête. Jessica n'avait pu s'empêcher de se demander pourquoi, dès qu'il ouvrait la bouche, cet homme allait trop loin.

« C'est une décision très difficile à prendre pour la plupart des gens, avait-elle dit, mal à l'aise.

— Certes. Surtout lorsque le chien est un ersatz de famille. Je rencontre très souvent ce genre de cas. Je dois vous dire que je suis psychothérapeute. Quand il n'y a pas de cellule familiale traditionnelle, beaucoup de femmes craquent. »

Jessica avait reposé son verre.

« Je pense qu'il est temps que je rentre, à présent. La nuit n'est pas tout à fait finie, nous devrions tous essayer de dormir un peu.

— Ma femme ne peut pas avoir d'enfants, expliqua alors Tim. Elle en a fait un drame personnel. D'où cet amour démesuré pour son chien. Il faut voir maintenant comment elle va s'en sortir. »

Repliée sur elle-même, Evelin n'avait plus dit un mot, même pour prendre congé de Jessica. Tim avait accompagné Jessica jusqu'à la porte et l'avait à nouveau remerciée de s'être déplacée. Jessica se souvint d'être rentrée chez elle en se disant que c'était un homme antipathique.

Le lendemain, Evelin l'avait appelée et avait discuté très naturellement avec elle. Puis il y avait eu ce dîner où elle avait fait la connaissance d'Alexander et en était tombée amoureuse. Elle était heureuse, elle n'avait plus prêté attention à Tim. A cette époque, quand elle repensait aux circonstances dans lesquelles elle avait rencontré ce couple, elle avait le souvenir d'une nuit étrange et compliquée, mais déjà le comportement de Tim s'était estompé de sa mémoire et était devenu très relatif. Aujourd'hui, elle avait conscience d'avoir fait comme les autres : elle était entrée dans le processus de dénégation. Elle aimait Alexander et elle n'avait pas eu envie de lui dire de but en blanc qu'elle tenait l'un de ses meilleurs amis pour un goujat. Elle n'avait pas voulu être celle qui semait la discorde. Elle n'avait pas voulu se sentir mal à l'aise. Elle s'était adaptée.

Elle monta au premier étage. Evelin lui avait fait visiter la maison, si bien qu'elle connaissait déjà l'agencement des pièces. La grande chambre à coucher qu'Evelin avait décorée tout en blanc, la salle de bains attenante, luxueuse. La petite pièce personnelle d'Evelin. Enfin, la vaste pièce orientée au sud qu'Evelin avait préparée pour le bébé pendant sa grossesse, six ans auparavant. Rien n'y avait changé. Le berceau et son mobile aux canards multicolores étaient toujours près de la fenêtre. La table à langer, la petite armoire dont les portes étaient décorées de chatons poursuivant des papillons ou plongeant le museau dans des roses joufflues étaient toujours là. Partout des animaux en peluche. Le même motif de farandoles d'oursons ornait les rideaux et le papier peint. Jessica ouvrit l'armoire. Des piles de couches, des grenouillères soigneusement pliées, des petites chaussures, des chaussettes, des bonnets tricotés. Des biberons, des tétines, des hochets. L'arrivée de ce nouveau citoyen du monde avait été préparée avec amour et enthousiasme. Mais la pièce était ensuite restée intacte six ans durant.

Pourquoi Evelin s'était-elle infligé cela ? Pourquoi s'était-elle infligé de préserver cette chambre d'enfant, de l'avoir chaque jour sous les yeux, de l'entretenir ? Parce que la pièce était entretenue. A l'évidence, le ménage y était fait régulièrement, les carreaux étaient nettoyés, les fleurs, dans les jardinières des fenêtres, arrosées. Etait-ce un signe qu'Evelin n'avait jamais abandonné l'espoir d'être à nouveau enceinte ? Ou bien était-ce l'expression de son incapacité à accepter la perte subie et ainsi à faire le deuil de ce bébé qui n'avait jamais vu le jour ?

Jessica eut soudain la conviction que c'était ici, dans cette pièce, que se trouvait le cœur du drame d'Evelin et qu'elle avait sans doute beaucoup plus souffert que quiconque pouvait l'imaginer. Elle avait dû tourner des heures, des jours autour de ce berceau vide. Elle avait dû réajuster mille fois les piles de grenouillères et de couches dans l'armoire. Et combien de fois avait-elle caressé les animaux en peluche, effleuré du bout des doigts le petit matelas à fleurs de la table à langer ? Combien de fois avait-elle joué à imaginer ce qui aurait pu être avant que la réalité impitoyable ne l'arrache à son rêve ?

Et aujourd'hui elle était en prison, inculpée de meurtre.

Ça ne collait pas. Qu'elle tente de se suicider eût été, à la rigueur, admissible, mais un quintuple meurtre... Ce n'était pas concevable.

Elle referma la porte de la chambre d'enfant et entra dans la pièce d'Evelin. Un canapé, un téléviseur, des cassettes vidéo et des CD sur des étagères. C'était un lieu où elle avait dû passer beaucoup de temps, certainement plus que dans le grand séjour aseptisé du rez-de-chaussée. Sans doute était-ce là qu'elle se réfugiait le soir pour regarder ses films préférés, pelotonnée sur le canapé. C'était une femme solitaire. Une femme solitaire, grosse et dépressive.

Jessica se permit de regarder ce qui se trouvait sur le bureau : quelques cartes postales envoyées par des personnes qu'elle ne connaissait pas, un livre sur la pensée positive, une recette découpée dans un journal, des photos d'un Noël à Stanbury. Et un bristol blanc, un peu plus grand qu'une carte de visite, sur lequel elle lut : *Dr Edmund Wilbert, Médecine générale – Psychothérapie*, puis une adresse et un numéro de téléphone. Dessous figurait un petit tableau avec les jours de la semaine sur lequel le patient pouvait inscrire les dates et heures de ses rendez-vous. Evelin avait coché le lundi 28 avril, le lendemain du jour où ils avaient prévu de rentrer en Allemagne. Elle devait être pressée de revoir son thérapeute.

Jessica s'étonna qu'elle n'ait dit à personne qu'elle suivait une psychothérapie.

Tout au moins ne lui en avait-elle rien dit. Mais, comme personne n'en avait jamais soufflé mot, peut-être était-ce un secret qu'elle ne tenait pas à divulguer. Toutefois, il ne semblait pas qu'elle ait caché à son mari qu'elle suivait une cure, sinon elle n'aurait pas laissé la carte en évidence sur son bureau. Tim en avait-il été contrarié ? Il s'était toujours considéré comme le pape de la psychothérapie. Il n'aurait certes pas pu entendre Evelin en consultation, mais, vu son caractère, il aurait pu juger infamant que sa femme ait besoin d'une aide thérapeutique. Et ce qu'elle pouvait raconter à ce docteur Wilbert avait de bonnes raisons de l'inquiéter. S'il lui faisait subir des maltraitances, il devait peu goûter le fait que son confrère en soit informé par le menu.

Jessica glissa la carte dans son sac. Elle appellerait le docteur Wilbert pour lui demander un entretien. Il était tenu au secret professionnel, mais, eu égard aux circonstances, peut-être pourrait-il tout de même lui donner quelques informations qui lui permettraient d'avancer. Par ailleurs, peut-être ignorait-il que sa patiente était en prison et s'interrogeait-il vainement sur les raisons de son absence.

Elle n'était pas venue pour rien. Il y avait désormais quelqu'un à qui elle pouvait s'adresser, de surcroît quelqu'un qui n'était pas impliqué dans le drame. Elle redescendit et laissa Barney, qui grattait avec impatience à la porte, entrer dans la maison. Elle allait maintenant se consacrer à son chien et faire une longue promenade avec lui dans la campagne ; demain, elle entreprendrait son beau-père.

C'était étrange de ne faire sa connaissance qu'à présent qu'elle était veuve, mais cela s'inscrivait dans la lignée des étrangetés de son mariage avec Alexandre.

4

Journal de Ricarda

17 mai

Aujourd'hui, je me suis levée pour la première fois. C'est le mois de mai, il fait très beau. Je suis tout le temps restée au lit, je me suis seulement levée de temps en temps pour prendre un bain. Maman m'apportait à manger au lit. Elle avait souvent l'air d'avoir pleuré. Je ne sais pas si c'est parce qu'elle se fait du souci pour moi ou parce que papa est mort. Peut-être les deux. Plusieurs fois, elle a dit : « Je n'arrive pas à le croire, je n'arrive pas à le croire. » Et ce matin, elle a dit : « Je crois que je commence tout juste à réaliser. »

Je ne me suis pas vraiment habillée. J'ai mis un collant, des chaussettes de sport et un sweat. J'ai du mal à me tenir debout. Je ne serais bonne à rien, en ce moment, au basket. Je m'en fiche. L'équipe s'en sort très bien sans moi. De toute façon, je ne me sens plus concernée par tout ça.

Je me suis mise au lit dès que je suis revenue d'Angleterre. J. m'a conduite en voiture à la maison. Je ne voulais pas qu'elle entre avec moi. Elle a attendu dans la voiture jusqu'à ce qu'elle voie que maman m'ouvrait la porte, puis elle est partie. Maman était au courant de tout car J. l'avait appelée d'Angleterre. Elle était décomposée, très pâle, elle avait l'air complètement bouleversée.

Elle a demandé pourquoi J. était partie aussi vite. J'ai dit que c'est ce que je voulais.

Maman a soupiré et m'a demandé pourquoi je la détestais autant. « La pauvre femme va certainement très mal, elle aussi. »

Si elle savait comme je m'en fiche. C'est même pire : si J. allait plus mal, j'irais mieux.

Quand j'étais couchée, j'ai eu de la fièvre. Vraiment beaucoup de fièvre. J'avais en permanence des images devant les yeux. De papa. Surtout de papa. Papa avec la gorge ouverte. Il était plein de sang. Tout était plein de sang, la maison, le parc, et il y avait des morts partout. J'ai crié. J'ai vu plusieurs fois quelqu'un à côté de mon lit, je ne reconnaissais pas son visage. Maman m'a dit après que c'était un médecin qui me faisait des piqûres contre la fièvre et pour me calmer.

Quand la fièvre est retombée, une semaine était passée. Papa avait été enterré et je n'ai pas pu y aller. Maman n'y est pas allée non plus. Elle dit qu'elle ne voulait pas déranger J. Qu'est-ce qu'ils ont tous avec J. ? Comme si elle était en sucre ! Je ne suis pas triste de ne pas avoir été à l'enterrement. Je n'aurais pas voulu rencontrer J., et de toute façon, papa est complètement avec moi.

Pendant tout le temps, maman n'a pas arrêté de me dire que je devrais me lever et aller au lycée, mais je ne me suis pas levée. Elle pouvait raconter ce qu'elle voulait. Naturellement, elle a commencé à dire que je devrais voir quelqu'un pour parler, que j'avais subi un choc, un traumatisme et que j'avais besoin d'être aidée. Non, merci bien ! J'ai eu le plaisir de connaître Tim. Rien que l'idée qu'un type visqueux comme lui s'asseye en face de moi, me déshabille du regard et me demande comment je m'entendais avec mon père, si j'avais un problème avec J. et si j'aimais Patricia me donne envie de vomir ! J'ai dit à maman qu'elle pourrait faire des pieds et des mains, elle ne réussirait pas à me faire aller chez un psy. Je sais qu'Evelin en voyait un. Elle l'a plusieurs fois appelé de Stanbury. Et ça lui a servi à quoi ? Elle est devenue encore plus grosse, plus grasse et plus dépressive. Et maintenant, pour couronner le tout, elle se retrouve en prison. Que ça tombe sur elle me fait vraiment de la peine. Mais le malheur attire le malheur. C'est toujours comme ça. Quand on est dans le caca, à tous les coups on en reprend une dose. C'est le destin d'Evelin. Avec ou sans psychiatre.

Maman était super soulagée que je me lève ce matin. Je n'ai pas fait grand-chose, je suis restée dans ma chambre, j'ai écouté de la musique et j'ai pensé à Keith. Pourquoi n'écrit-il pas ? Pourquoi ne téléphone-t-il pas ? Il a peut-être beaucoup de travail avec la ferme. Je me demande s'il va devenir éleveur de moutons, ce qu'il ne voulait surtout pas. Mais je vivrais aussi dans une ferme avec lui. Je vivrais partout avec lui. *For better, for worse, for richer, for poorer, in sickness and in health.* Je lui ai déjà juré ça mille fois dans ma tête. Quand on se mariera, ce ne sera plus qu'une formalité. J'aimerais quand même que ce soit très bientôt, quand j'aurai seize ans. J'aimerais être Mrs Keith Mallory. Ma vie ne sera plus la même. Mon ancienne vie n'existera plus.

Tout à l'heure, j'ai pris le thé avec maman. C'est samedi, elle est allée à un cours de formation continue, mais elle est rentrée à la maison plus tôt que pendant la semaine. Elle a recommencé avec son psychiatre, mais je l'ai tout de suite arrêtée. Elle m'a alors demandé quand je voulais retourner au lycée. J'ai dit que je ne le savais pas. Ce n'est pas vrai. Je le sais très bien. Je n'y retournerai pas du tout. J'attends d'avoir seize ans, dans quelques semaines, puis je pars retrouver Keith. En Angleterre, on peut se marier à seize ans. J'écrirai à maman d'Angleterre pour tout lui expliquer.

Pendant qu'on buvait notre thé, elle n'arrêtait pas de soupirer, et une fois de plus elle avait les yeux rouges. J'ai toujours su qu'elle aimait encore papa et que lui aussi l'aimait. Ils n'auraient jamais dû divorcer, et si J. n'était pas arrivée, il y a longtemps qu'ils auraient fait machine arrière. Je voulais dire à maman que J. a une petite pourriture dans le ventre, qu'elle avait embobiné papa, mais je n'ai pas eu le courage de lui faire de la peine.

Ou plutôt je n'ai pas eu le courage de le dire. Je peux l'écrire, mais je ne peux pas en parler. C'est... il y a tellement d'images qui me viennent quand j'y pense. Si j'en parle, les images m'étoufferont. Ces mêmes images de sang que je voyais quand j'avais de la fièvre. Au milieu de tout ce sang, il y a J. Elle est morte. Sa gorge est béante et, dans son agonie, la petite pourriture a glissé entre ses jambes, une sorte de paquet gluant qui ne ressemble pas du tout à un bébé. C'est parfait. Un bel avortement réussi auquel personne ne survit.

Pourquoi, mais pourquoi n'est-ce pas tombé sur J. ? Pourquoi n'était-elle pas là ?

Je pourrais hurler !!!

5

Après s'être arrêtée deux fois pour demander son chemin à des passants, Jessica trouva la maison de son beau-père. C'était une vieille demeure isolée, une ancienne ferme nichée dans un ravissant décor champêtre de moyenne montagne, à près de sept kilomètres du village le plus proche. En cette saison, les vastes prairies de cette région des Préalpes étaient saturées de vert. Partout, des vaches pie broutaient l'herbe grasse, et derrière elles s'élevait le grandiose panorama de sommets enneigés. C'était donc ici qu'Alexander avait grandi, du moins avant d'être envoyé en internat. Loin de tout, dans un monde que les turpitudes de la civilisation semblaient avoir épargné. Ce qui bien sûr ne voulait pas dire que ce monde n'était pas capable de produire ses propres drames. Pourquoi un adolescent devait-il passer toute sa jeunesse en pension ? Pourquoi un père n'assistait-il ni au mariage ni à l'enterrement de son fils ? Pourquoi un grand-père refusait-il de faire la connaissance de son unique petite-fille ?

Soudain elle souhaita ne jamais être venue. En ce qui concernait Evelin, le père d'Alexander ne pourrait guère l'aider, et elle n'était plus très sûre d'avoir envie d'en savoir plus sur Alexander et son passé. Il était mort. Il fallait laisser les morts reposer en paix. Quoi que son père ait à dire sur lui, Alexander ne pourrait plus répondre, il ne pourrait rien expliquer, il ne pourrait pas tenter d'exposer son point de vue. Peut-être allait-elle seulement au-devant de nouvelles questions, de nouveaux problèmes, de nouvelles incompréhensions.

Elle coupa le contact et descendit de voiture. La propriété était bien entretenue, lumineuse, accueillante. Des jardinières de géraniums étaient accrochées au long balcon de bois de la façade. Deux marronniers en fleurs ombrageaient la cour pavée. Il y avait quelques bâtiments annexes, mais ils semblaient vides. La maison était ocre clair, les fenêtres peintes en blanc étaient encadrées de volets verts. Une maison de carte postale dans un paysage de carte postale.

Après tout, peut-être s'inquiétait-elle à tort. Au reste, elle sentait au fond d'elle-même qu'elle n'avait pas le choix, qu'il lui faudrait d'une façon ou d'une autre aller jusqu'au bout du chemin.

Il n'y avait pas de sonnette, aussi dut-elle frapper avec force à la porte. Pendant un temps, rien ne bougea, puis elle perçut un pas traînant qui se rapprochait et la porte s'ouvrit sur un homme âgé, aux cheveux blancs et au dos voûté. Dans le visage buriné, le regard était perçant, les yeux remarquablement vifs. Mais il n'était pas comme Alexander, il ne présentait pas la moindre ressemblance avec son fils, du moins au premier regard. Jessica se sentit rassurée.

— Bonjour, dit-elle en tendant la main. Je suis Jessica.

Il prit la main tendue mais ne la serra que brièvement et comme s'il pensait à autre chose. Il la détaillait. Un sourire étira ses lèvres. Un sourire glacial.

— Vous êtes Jessica. La seconde tentative d'Alexander. Je dois avouer qu'après votre appel un peu de curiosité m'a tout de même saisi. Je me suis demandé quelle femme, cette fois, il s'était trouvée. Il avait une femme de rêve. Eléna. La connaissez-vous ?

— Un peu, répondit Jessica.

Il recula d'un pas. Elle remarqua alors qu'il avait une jambe raide.

— Entrez. Je ne sais pas ce que vous voulez de moi, mais entrez donc.

Il la précéda dans un couloir sombre. La grande pièce à vivre dans laquelle ils arrivèrent était étonnamment claire et agréable. De confortables canapés et des fauteuils recouverts d'un tissu à fleurs, des étagères blanches, une armoire vitrée dans laquelle étaient rangés des verres et de la vaisselle à bord doré. Les fenêtres donnaient sur un jardin où elle aperçut une profusion de fleurs et de nombreux arbres fruitiers. Le décor ne ressemblait pas au maître des lieux, du moins à l'impression qu'il donnait.

Comme s'il devinait ses pensées, il dit :

— J'ai une fantastique employée de maison. Dans le temps, on appelait ça une perle. Maison, jardin, cuisine : elle s'occupe de tout. Pour ma part, je ne ferais pas tant de chichis, mais... au fond, ça m'est égal. Qu'elle fasse à sa façon.

Il se laissa tomber dans un fauteuil en laissant échapper un léger soupir.

— Fichue jambe. Un accident de chasse. Il y a presque trente ans. Ça vous bousille l'existence...

Il désigna un canapé.

— Asseyez-vous. Et dites-moi pourquoi vous êtes venue.

Elle s'assit. Elle ne l'aimait pas et n'avait pas l'impression qu'elle changerait d'avis. Il était aigri, il se complaisait dans son aigreur, il en jouait, il se moquait éperdument des autres. Peut-être était-ce dû à cette histoire de jambe, peut-être à autre chose. Il était en révolte contre la vie, il se considérait comme victime d'un sort injuste et n'admettait pas que d'autres soient mieux lotis que lui. Il émanait de lui une méchanceté presque palpable. Mais aussi une indépendance fascinante. Il n'avait besoin de personne et l'opinion des autres lui était indifférente.

— J'ai vécu un peu plus d'un an avec Alexander, dit-elle, et je ne le connaissais pas depuis très longtemps lorsque nous nous sommes mariés. Il a été... il est mort avant que je ne le connaisse vraiment bien. Beaucoup de choses restent aujourd'hui une énigme pour moi. J'ai pensé que vous pourriez peut-être m'aider à mieux comprendre...

Il balaya l'air d'un geste de la main. Une expression de mépris apparut sur son visage.

— C'est bien ce que je pensais. Mais savez-vous quand j'ai vu Alexander pour la dernière fois ? Le jour de son premier mariage. Il y a... eh bien, ça doit faire quelque chose comme dix-sept ans. Il devait avoir vingt, vingt-cinq ans, je ne sais plus très bien. Il épousait cette Espagnole extraordinairement belle. Eléna. Je ne voulais pas assister au mariage, mais Eléna a débarqué un jour et m'a baratiné jusqu'à ce que je dise oui. Une erreur, je m'en suis d'ailleurs mordu les doigts. Elle m'avait complètement embobiné. Je n'aurais jamais cru que ça puisse m'arriver. Mais elle était... mon Dieu, qu'elle était belle ! Et intelligente. Je me suis dit : « Si Alexander a réussi à se dégoter une femme pareille, alors il a peut-être changé. Il n'est plus la serpillière pleurnicharde que j'ai connue. » J'ai sorti mon meilleur costume et je me suis propulsé jusqu'à la mairie. Eléna portait un tailleur blanc, très court, très ajusté, très sexy. En la voyant, l'officier d'état civil a failli s'étrangler. Savez-vous ce que je me suis dit ?

Il se pencha en avant, planta son regard dans celui de Jessica sans dissimuler une certaine joie, et avant même qu'il poursuive, elle sut qu'il allait la blesser et qu'il en jouissait à l'avance.

— Je me suis dit qu'il était la chiffe molle qu'il avait toujours été. A ceci près qu'il était désormais une chiffe molle avec une femme magnifique. Il était en admiration devant elle. Probable qu'il n'en revenait pas lui-même qu'elle se soit intéressée à lui.

Ses mots étaient des flèches empoisonnées. Ils étaient douloureux parce qu'il était terrible d'entendre un père parler en ces termes de son fils disparu. Et plus douloureux encore pour Jessica, qui ne comprenait que trop ce qu'il voulait dire. Quelques jours avant la mort d'Alexander, elle avait pensé la même chose que le vieil homme. Elle n'aurait pas choisi les mêmes expressions fielleuses et méprisantes, mais Alexander lui était apparu comme un être faible et influençable qui laissait les autres décider à sa place. Sa défaillance avait culminé le soir où il n'avait pas été capable de prendre la défense de sa fille. Le soir où, vivante image de l'inconsistance, il avait assisté, impuissant, malheureux, à l'humiliation de Ricarda.

— Votre fils n'est plus en vie, dit-elle.

— Et alors ? Cela change-t-il quelque chose à la réalité objective ? Vous êtes sa veuve, vous pensez devoir respecter religieusement sa mémoire. Mais voulez-vous que je vous dise une chose ? Dans quelques années, vous l'auriez quitté comme Eléna l'a quitté. Vous me semblez avoir les pieds sur terre. Vous avez nettement plus de volonté et de courage qu'Alexander. Vous n'auriez pas tardé à ne plus trouver drôle du tout de vivre avec un mollasson. Vous auriez pris vos cliques et vos claques, et lui se serait activé pour se trouver dare-dare une nouvelle épouse sur laquelle s'appuyer. C'est allé plutôt vite avec vous aussi, non ?

Sans doute était-il à peine divorcé qu'il vous a traînée devant monsieur le maire. Vous avez cru que c'était par amour ?

Un rire méprisant le secoua brièvement.

— Désolé de détruire vos illusions, jeune dame, mais il n'y a qu'Eléna que mon fils ait aimée, je veux dire *réellement aimée*. Et d'une façon trop entière et trop absolue pour que ça cesse un jour. *Vous*, il vous a seulement utilisée pour s'accrocher.

Je n'aurais pas dû venir, se dit Jessica en fermant un instant les yeux. Le vieil homme la giflait à chacun des mots qu'il prononçait, pourtant rien de ce qu'il disait n'était très éloigné de ce qui lui avait déjà traversé l'esprit. Elle songea au coup de téléphone dont elle avait été témoin à Stanbury ; ce qu'elle avait perçu dans la voix d'Alexander l'avait bouleversée.

Elle s'était dit que ce n'était pas terminé entre lui et Eléna, et que cela ne le serait sans doute jamais.

Le vieux Will l'avait très précisément observée.

— Vous n'aimez pas vous l'entendre dire, remarqua-t-il, mais vous savez que j'ai raison. J'en suis désolé pour vous. Vous allez devoir vivre avec l'idée d'avoir été mariée à un homme qui ne vous a pas réellement aimée. Le tragique, dans la mort brutale d'Alexander, est qu'elle vous a privée de la possibilité de le quitter. Un divorce est douloureux, pourtant vous l'auriez demandé et, un jour, il vous aurait été indifférent qu'Alexander vous ait aimée ou pas. Ça risque désormais de n'être jamais le cas. C'est comme ça, il faut faire avec. Mais qui n'a pas son boulet à traîner ?

Elle faillit se lever et partir, puis se ressaisit. Elle avait besoin d'informations, seul ce besoin importait. Elle verrait plus tard comment s'accommoder de ses sentiments en miettes.

— Pourquoi haïssiez-vous votre fils ? demanda-t-elle.

Will tenta d'allonger sa jambe raide ; il gémit discrètement.

— Ça fait un mal de chien. A chaque mouvement. Moi, c'est avec ça que je dois vivre.

— Votre fils...

— Vous savez, je ne suis pas certain de l'avoir haï. Haïr est un très grand mot. Aussi grand qu'aimer. Je me suis toujours méfié de ces grands mots. Je n'ai jamais dit de quelqu'un que je l'aimais. Et je n'ai jamais dit non plus de quelqu'un que je le haïssais.

— Qu'un père n'aime pas son fils est peu fréquent.

— Détrompez-vous ! La plupart des gens racontent beaucoup de choses et, derrière, il n'y a rien. Beaucoup de maris n'aiment pas leur femme et beaucoup de femmes n'aiment pas leur mari. Entre parents et enfants, c'est la même chose. Mais ils sont tous là à parler d'amour parce qu'ils se figurent qu'il le faut.

Il fit une nouvelle tentative pour détendre sa jambe, puis renonça en gémissant.

— Saloperies de douleurs ! Je vais vous dire une chose, jeune dame : je n'ai pas haï Alexander. Il m'a seulement déçu. Tellement déçu que je ne voulais plus rien savoir de lui. Je voulais l'oublier. Le fait qu'il a été assassiné n'a rien changé et ne change toujours rien. Voilà. C'est comme ça. Il n'y a rien de plus à dire.

— Si. Pourquoi vous a-t-il tant déçu ?

Will leva les yeux au ciel.

— Eh bien, on peut dire que vous êtes têtue, vous ! Comme si ça avait encore de l'importance ! Il n'était pas un homme. C'était un froussard, un lèche-cul, un fayot mielleux. Déjà tout enfant. Qu'est-ce qu'il a pu pleurnicher, étant môme ! Et toujours en train de faire attention à tout faire correctement. Jamais la moindre frasque, jamais la moindre connerie. Toujours à trembler. La trouille. Du sang de navet dans les veines. Ça me mettait hors de moi.

— Un enfant n'est pas comme ça de lui-même. Il y a des raisons pour qu'un petit garçon ait constamment peur.

— Des raisons ! Des raisons ! Ne venez pas me saouler avec ces balivernes d'explications psychologiques ! Dès le début, je l'ai mené à la dure. Ça ne donne rien de bon de gâter les enfants. Ça les empêche seulement d'apprendre à vivre.

— Pas la dureté ? Il semble pourtant que le portrait que vous brossez d'Alexander contredise votre théorie.

— Quand on naît mollasson, on reste mollasson. On a beau faire. Jusque-là, vous n'avez pas tort, j'aurais pu épargner mes efforts pour lui forger le caractère.

L'antipathie qu'il lui inspirait grandissait à chaque mot qu'il prononçait, mais elle s'efforça de ne rien laisser paraître.

— Alexander avait cinq ans quand sa mère est morte, n'est-ce pas ?

— Oui. Le coup a été dur pour lui. Il lui était extrêmement attaché. Il faut dire aussi qu'elle n'arrêtait pas de le cajoler et de le dorloter. Quand elle est morte, ça a été une autre chanson. Il est tombé de haut.

— Vous ne pensez pas qu'un enfant qui a perdu sa mère ait besoin d'amour et d'attention ? Pas d'une *autre chanson* ?

— Ma chère, commença Will, je ne vois pas la moindre raison de me justifier vis-à-vis de vous. Que vous le croyiez ou non, j'ai voulu le mieux pour mon fils. Je voulais qu'il s'en sorte dans la vie, qu'il soit capable de se bagarrer au lieu de se défiler. J'ai échoué. Qu'est-ce que ça va apporter de savoir maintenant pourquoi j'ai échoué ?

— A dix ans, il a été envoyé en pension.

— J'ai bien été obligé de reconnaître que je n'arriverais pas à en faire ce que je voulais. J'ai pensé que ce qu'il lui fallait, c'était une bonne école et des contacts avec des garçons de son âge. Je lui ai tout de suite dit qu'il allait sans doute me faire honte et que j'espérais seulement qu'il ne serait pas le pire du pensionnat. Bah...

Il fit un geste vague de la main signifiant sans doute que, déjà à l'époque, il n'attendait plus rien de son fils.

— Et il vous a fait honte ? demanda sèchement Jessica. Il s'est avéré le plus nul de l'école ?

— Il s'est adapté à l'internat comme il s'adaptait à tout, il s'est fondu au milieu des autres. Vive l'anonymat. Personne ne s'est jamais plaint de lui.

— Lui rendiez-vous visite pendant l'année scolaire ? Je veux dire à l'occasion des fêtes organisées par l'école, des tournois sportifs... ?

Will eut un rire bref.

— Pourquoi l'aurais-je dû ? Alexander ne se distinguait en rien. Il ne faisait pas partie de l'équipe de foot de l'école, il ne faisait pas de hockey, il ne faisait pas de tennis. Rien, le vide. Vous n'imaginez pas comme j'aurais aimé être dans les gradins et voir mon fils rapporter une coupe à son école – dans quelque sport que ce soit ! Ou qu'il ait au moins le premier rôle dans une pièce de théâtre. Qu'il fasse seulement une fois quelque chose qui l'élève au-dessus de la masse ! Mais non ! Il fallait toujours qu'il nage docilement dans le sens du courant. Surtout ne pas se distinguer, surtout ne pas se faire remarquer. C'était sa devise. Au nom de quoi auriez-vous voulu que je me déplace, très chère ? Au nom de père du plus insignifiant des collégiens que l'école ait jamais vu ?

— Simplement au nom de père.

A nouveau, il se pencha en avant. Ses yeux, pensa Jessica. Ils ont la même couleur que ceux d'Alexander. S'ils n'étaient pas dénués de toute chaleur, la ressemblance serait évidente.

— Que voulez-vous ? M'expliquer que j'ai été un mauvais père ? A quoi bon ? Qu'est-ce que ça changera ? Mon fils est mort. Vous allez un jour rencontrer un autre homme, vous l'épouserez et tout ça tombera dans l'oubli. Nos chemins ont peu de chances de se recroiser un jour.

Elle ne lui parlerait pas de l'enfant qu'elle portait ; ça ne l'intéresserait pas.

— Vous avez raison, dit-elle, nos chemins ont peu de chances de se recroiser un jour.

Elle était sur le point de se lever pour prendre congé quand une question lui vint à l'esprit.

— Connaissiez-vous ses amis ? demanda-t-elle.

— Vous voulez dire cette bande de garçons à laquelle il s'était accroché pour avancer discrètement dans leur ombre ? Oui. Je les connaissais tous les trois. Je les ai eus une fois ici pendant les vacances d'été. Je m'étais dit que si je les connaissais, je connaîtrais aussi mon fils.

Il secoua la tête.

— Mais ils n'ont fait que confirmer ce que je savais déjà. Il était dépendant d'eux. Ils le protégeaient. Le schéma habituel. Jamais il ne disait ou ne faisait quelque chose qui vienne de lui. Il s'assurait de ce que pensaient, disaient ou faisaient les autres et il s'engouffrait derrière. Ce fut pour moi extraordinairement frustrant de devoir assister à ça, vous pouvez me croire !

Tandis qu'il parlait, quelque chose l'avait troublée, qui lui revint.

— Deux, dit-elle. Ils étaient deux. Avec Alexander, cela faisait trois.

Will plissa le front.

— Je suis peut-être vieux, mais pas complètement gâteux. Ils étaient trois. Avec Alexander, ça faisait quatre.

— Il n'y avait que Tim et Léon...

— Ecoutez, ma chère, j'ai eu les garçons cinq semaines, je pense être bien placé pour savoir combien ils étaient à ficher mes journées en l'air ! Ils avaient treize ou quatorze ans. Pas un âge facile. J'aurais pourtant préféré avoir n'importe lequel d'entre eux pour fils plutôt que celui dont j'étais affligé !

Jessica ne pouvait en entendre plus. Elle se leva. Si l'enfance et l'adolescence d'Alexander n'avaient été faites que de remarques de ce genre, il y avait de quoi s'étonner qu'il n'ait pas été plus perturbé.

— Je pense désormais connaître un peu mieux mon mari, dit-elle. Merci du temps que vous m'avez accordé.

Will tenta de s'extirper de son fauteuil, mais Jessica l'arrêta d'un geste.

— Restez assis, je vous en prie. Je trouverai mon chemin toute seule. Au revoir !

Elle se hâta vers l'entrée et ouvrit la porte. Dehors, le soleil brillait, l'air embaumait. Elle prit une longue inspiration. Autant la propriété était de prime abord accueillante, autant, avec ce vieil homme cynique qui ne savait que dénigrer son fils, l'atmosphère y était oppressante. Pourtant, elle était contente d'être venue. Elle comprenait des choses qui jusque-là lui étaient incompréhensibles. Elle comprenait mieux les faiblesses et les appréhensions qui avaient interdit à Alexander toute forme d'opposition à ses amis. Elle comprenait son incapacité à suivre une autre voie que celle, constante, de l'adaptation. Quoi qu'il eût pu faire de sa vie, ce père suffisait à tout excuser.

Elle roulait sur l'autoroute en direction de Munich quand ce que le vieux Will lui avait dit d'Eléna lui revint à l'esprit.

Il n'y a qu'Eléna que mon fils ait aimée... réellement aimée.

— Vieille teigne, dit-elle à voix haute, qu'est-ce qu'il en sait ?

Elle décida de ne pas ajouter foi à sa déclaration, mais la blessure était là et elle devinait que ce serait pour toujours.

Il était plus de sept heures quand elle arriva chez elle, inquiète pour Barney, qu'elle n'avait jamais laissé seul aussi longtemps. Après une journée magnifique, les retours sur Munich étaient toujours difficiles et elle s'était trouvée prise dans des embouteillages sans fin. Elle était fatiguée, énervée, et aspirait à se détendre dans un bain chaud.

Une voiture était garée dans l'allée qui menait à son garage. Quand elle s'arrêta derrière, la portière côté conducteur s'ouvrit. Léon ? Oui, c'était Léon. Léon qui avait apparemment pris les premières mesures de réduction de son train de vie en troquant sa grosse berline contre une petite voiture d'occasion.

— Enfin, te voilà, dit-il d'un ton de reproche. Je suis là depuis trois heures et demie !

— Sérieusement ? Mais comment as-tu pu attendre aussi longtemps ? J'étais au Chiemsee.

— Au Chiemsee ?

— Je suis allée voir le père d'Alexander. Je t'en avais parlé.

Elle ouvrit la porte de la maison. Barney jaillit comme une flèche puis commença à sauter comme un fou autour d'elle.

— Tu entres ? proposa-t-elle à Léon.

Elle était trop fatiguée pour se réjouir de sa visite, mais étant donné qu'il l'avait attendue près de quatre heures, elle pouvait difficilement l'envoyer promener. Il entra dans la maison sur ses talons et lui plaqua un baiser sur la joue en manière de bonjour. Il sentait l'alcool et n'était pas rasé, tout comme lorsqu'ils avaient dîné au restaurant la semaine précédente.

— Félicitations, dit-elle. Tu as joliment fait le plein !

— Fait le plein ?

— D'alcool. Tu sens l'alcool à trois mètres.

— J'ai un peu bu à midi, en déjeunant. Et j'ai une flasque dans la voiture. Il fallait bien que je passe le temps.

Elle se rendit compte qu'il faisait des efforts pour parler distinctement, mais il terminait difficilement ses mots. Il était pitoyable.

— Installe-toi sur la terrasse, dit-elle. Je prends vite une douche et je me change. J'ai besoin de récupérer. Tu connais la maison.

— Pas de problème !

Il disparut en direction du séjour. Elle l'entendit ouvrir la porte-fenêtre qui donnait sur le jardin. Barney le suivit en agitant la queue.

Il ne me manquait plus que lui, songea-t-elle en soupirant.

Faute d'une longue rêverie dans un bain chaud, elle se résigna à une douche rapide qui lui apporta tout de même un peu de la détente escomptée. Elle se sécha, enfila une robe légère, puis essora ses cheveux dans une serviette et les peigna. Il faisait encore chaud, elle les laisserait sécher à l'air libre. Elle se rendit compte qu'elle était affamée. Si elle avait été seule, elle aurait une fois de plus glissé une pizza surgelée dans son micro-ondes, mais si Léon voulait dîner, il faudrait qu'elle se mette en cuisine. Elle fut étonnée des sentiments qu'elle éprouvait. Elle avait toujours apprécié Léon, mais, à cet instant, elle aurait donné cher pour en être débarrassée.

Il était assis sur les marches qui menaient au jardin et buvait un whisky. Barney faisait des cabrioles sur la pelouse devant lui.

— Tu devrais peut-être manger quelque chose avant de continuer à boire, conseilla Jessica.

Il leva son verre ; dans le soleil du soir, le whisky prit des teintes rouge orangé.

— En fait, je n'ai pas faim.

— Cela fait plusieurs fois que tu sautes un repas, ces derniers temps. Tu as beaucoup maigri. Il faut que tu prennes plus soin de toi, Léon.

— Oui, oui, concéda-t-il sur un ton légèrement impatient. Je trouve que Barney a incroyablement grandi, ajouta-t-il pour changer de sujet.

Elle s'assit sur les marches à côté de lui.

— Ça te frappe sûrement plus que moi, qui le vois tous les jours.

— Je me souviens encore du jour où tu l'as ramené à Stanbury. Une petite boule de poils avec de grosses pattes. Ce n'est pas très vieux, ça fait à peine un mois. Pourtant...

— ... pourtant on dirait que c'était dans une autre vie. Je sais.

— Vendredi, j'ai signé le contrat de location de mon nouvel appartement. Je déménage la semaine prochaine. Je voulais te le dire, c'est pour ça que je suis venu.

— Tu as trouvé quelque chose ? C'est bien ?

Il haussa les épaules.

— Ça va. C'est petit, mais, pour moi tout seul, ça suffit. De toute façon, je n'y serai que pour dormir. Il faut que je travaille comme un dingue si je veux voir le bout de mes dettes.

— Vas-tu essayer de relancer ton cabinet ?

— Je ne sais pas. J'essaye déjà depuis si longtemps... Non, je crois que je vais plutôt tenter de me faire embaucher dans un gros cabinet. Ce n'est pas si facile, à mon âge... Finalement, il y a tous les jours des tas de petits jeunes très doués qui arrivent sur le marché. Mais j'ai peut-être un atout. Je n'ai plus de famille. Je peux accepter de commencer en bas de l'échelle...

Un sourire triste passa sur son visage.

— Moi tout seul, j'arriverai toujours à m'en sortir. Je n'ai pas de gros besoins, surtout comparés à ceux de Patricia et des enfants.

— Tu recommences de zéro. En dépit de tout ce qui s'est passé, c'est peut-être une chance.

Il but une longue gorgée de whisky. Jessica remarqua que ses mains tremblaient un peu.

— Si seulement on pouvait ne pas avoir de souvenirs...

— Les souvenirs s'estompent. Ils ne disparaissent pas, mais ils pâlissent. Et un jour on découvre que l'on peut vivre avec.

Il se tourna vers elle, lui sourit.

— Tu es si jeune. Comment le sais-tu ?

— Je ne le sais pas. Je l'espère. C'est mon seul espoir et c'est ce qui me donne le courage de continuer.

Il l'observa un moment, puis sans transition, déclara :

— Je ne peux conserver qu'une petite partie de nos meubles, et je ne peux pas tout vendre non plus. Je voulais te proposer de passer à la maison et de choisir ce dont tu pourrais avoir besoin.

— Léon, j'ai tout ce qu'il me faut.

— Tu as l'intention de rester ici ?

— Je ne sais pas encore. On s'est mutuellement légué la maison par testament, Alexander et moi. Elle doit ensuite, à la mort du survivant, revenir à Ricarda – et au bébé que j'attends. Mais parfois je me dis que...

Elle s'interrompit et regarda le jardin où les ombres s'allongeaient.

— ... parfois je me dis que je devrais la mettre tout de suite au nom de Ricarda pour qu'elle l'ait à sa majorité, dans deux ans, et chercher autre chose de nouveau pour moi et le bébé, pour commencer une nouvelle vie.

— Une nouvelle vie. Ce n'est pas aussi simple. Nous avons été marqués au fer rouge, Jessica. Le malheur nous a touchés profondément. Nous sommes différents, maintenant. C'est comme un virus que nous portons désormais en nous.

— Ce n'est pas un virus. Le malheur ne s'attrape pas comme une maladie.

Il lui jeta un regard presque méprisant.

— Oh, que si ! Le malheur est même la plus grande épidémie qui sévisse actuellement dans le monde. Mais il y a des gens qui ne supportent la vie qu'en niant cette vérité.

— J'attends un bébé, Léon. Cet enfant ne doit pas grandir avec une mère qui pense qu'elle est *marquée par le malheur*. *Marquée au fer rouge*. Il a droit à l'insouciance et à la normalité. Je me dois de les lui apporter. Ce serait impardonnable de l'en priver.

— Si Sophie avait survécu, je penserais peut-être comme toi. Mais maintenant...

— Ne baisse pas les bras, Léon, pense aussi à toi.

Il eut un petit rire, vida son verre, se leva et alla dans le séjour. Jessica, gênée, le vit revenir avec cette fois la bouteille entière.

— Je vais faire dégeler deux pizzas. Tu ne peux pas rester le ventre vide.

Il pressa la main sur son épaule pour l'empêcher de se lever.

— Surtout pas. Je serais incapable d'avaler quoi que ce soit.

Il se rassit à côté d'elle sur les marches.

— Raconte, comment était-ce chez le vieux Will ? demanda-t-il alors.

Le vieux Will n'était pas un sujet neutre, mais Jessica fut soulagée que Léon renonce à développer sa théorie sur le virus du malheur.

Elle réfléchit. Elle ne savait pas encore quoi penser de son après-midi.

— Au début, j'ai failli partir en courant. Cet homme est tellement glaçant... Mais finalement, je suis contente d'y être allée. Il y a des côtés d'Alexander que je comprends mieux. Apparemment, son père n'a eu de cesse de le terrifier et de le rabaisser, et, quand il a eu devant lui l'enfant apeuré et soumis qu'il avait fabriqué, il l'a détesté pour ce qu'il était devenu. Quand je pense à l'enfance et à l'adolescence qu'il a eues, je pourrais pleurer. Je comprends maintenant pourquoi il y avait toujours cette tristesse dans ses yeux, pourquoi il semblait souvent...

Elle s'interrompit. Elle hésitait à dire quelque chose qui aurait pu ternir sa mémoire.

— ... pourquoi il ne savait pas réellement s'imposer, continuat-elle néanmoins. Il lui importait plus d'être reconnu et apprécié de son entourage que d'atteindre ce qu'il aurait aimé atteindre. Quelqu'un qui a peur à ce point de ne pas être aimé soit renonce à ses idées, soit se débrouille pour éviter les conflits à la source. Parfois, j'avais même l'impression que...

Léon leva les yeux.

— Oui ? Quelle impression avais-tu ?

— Eh bien, qu'au fond il ne savait pas ce qu'il voulait, qu'il ne connaissait pas ses propres désirs. Surtout qu'il avait peur de les découvrir parce qu'ils auraient pu le mettre en situation de conflit avec les autres. Plutôt que d'aller voir au fond de lui-même, il préférait consacrer son énergie à observer son entourage pour se glisser dans les idées des autres... C'est terrible de parler de lui comme ça, non ?

— Je n'ai pas l'impression que tu dises du mal de lui, si c'est ce que tu penses. Tu essayes de comprendre. C'est plutôt positif.

Elle ne le regarda pas. Elle arrachait des brins d'herbe qu'elle tressait ensemble, comme Phillip. Pour la première fois depuis des semaines, il lui revint en mémoire. Que devenait-il ? Continuait-il à tourner autour de Stanbury House sans pouvoir penser à autre chose ?

— Will a dit autre chose. Il pense qu'Alexander adorait Eléna. Et qu'il a continué à l'aimer après qu'ils se sont séparés. Il m'aurait épousée uniquement... parce qu'il avait besoin de quelqu'un sur qui s'appuyer.

Léon secoua la tête.

— Qu'est-ce qui lui permet de dire ça ? Il y a des années qu'il ne fréquentait plus son fils. Il voulait seulement te faire du mal, Jessica. Et ça lui ressemble bien. C'est un type qui prend plaisir à blesser les autres.

Elle aurait voulu le croire, mais en son for intérieur elle savait qu'il se trompait. Will n'avait pas simplement déversé son fiel. Il était peut-être méchant, mais il était loin d'être bête. Et il savait très bien percer les gens à jour.

Puis soudain, un détail lui revint à l'esprit.

— Au fait, il m'a dit aussi qu'au temps de l'internat vous étiez *quatre* amis. Pas seulement trois. Ce quatrième, qui était-ce ? Vous n'êtes pas restés en contact avec lui ?

Jessica vit Léon tressaillir. Avant même qu'il lui réponde, elle lut dans ses yeux qu'il ne lui dirait pas la vérité.

6

— Je passe devant, si vous n'y voyez pas d'inconvénient, dit l'agent immobilier après avoir ouvert la porte.

Géraldine opina. Le petit jardin était soigné, la pelouse, délimitée par d'étroites plates-bandes de pensées, était fraîchement tondue. Elle se demanda ce que dirait Phillip de ce rêve de banlieue. Londres était à un jet de pierre, mais ce n'était pas Londres. La rue ensoleillée était bordée de jolies maisons dans lesquelles devaient vivre des familles avec de jeunes enfants, du moins les bicyclettes et les skateboards que l'on apercevait dans les jardins le laissaient-ils penser. Les voitures qui passaient roulaient lentement, si bien que l'on pouvait laisser les enfants jouer dans la rue. Toutes les rues avoisinantes étaient aussi calmes, propres et charmantes. Les bords de la Tamise étaient à dix minutes à pied. Il y avait en permanence une odeur d'iode dans l'air et, haut dans le ciel, des mouettes criaient.

— Leigh-on-Sea est très prisé des jeunes familles, indiqua l'agent immobilier comme s'il avait lu dans les pensées de Géraldine. On peut travailler à Londres, et les enfants grandissent dans un environnement paisible. Il y a ici de très bonnes écoles. Vous aurez du mal à trouver mieux. Avez-vous des enfants ?

— Pas encore, mais nous en voulons.

— Et vous voulez préparer le nid avant. C'est une très bonne idée. Dommage que votre mari n'ait pas pu venir visiter la maison avec vous.

— Je la lui décrirai précisément, murmura Géraldine.

Elle avait tu à l'agent immobilier qu'elle n'était pas mariée et elle ne lui avait pas dit non plus que l'homme avec lequel elle envisageait ce déménagement ignorait tout de ses recherches.

Comme il était plus fréquent en Angleterre d'acheter que de louer, trouver une maison qui convenait n'avait pas été chose facile. Géraldine était tombée sur l'annonce de Leigh-on-Sea en ouvrant le journal, et, dans un élan de hardiesse, elle avait décroché son téléphone et pris contact avec l'agence immobilière. Il s'avéra que les propriétaires, contraints de s'installer aux Etats-Unis pour raisons professionnelles, souhaitaient louer leur maison durant les sept années que devait durer leur absence. Ils étaient déjà partis avec armes et bagages en confiant leurs clés à l'agent immobilier qui avait tout pouvoir d'agir en leur nom.

La maison correspondait en tout point à l'image que Géraldine se faisait d'un foyer pour elle et Phillip. Elle était petite, douillette, chaleureuse. A des années-lumière du glamour et des paillettes du milieu dans lequel elle travaillait, mais sans point commun non plus avec la lugubre pseudo-vie de bohème que Phillip s'était assignée. Bourgeoise, médiocre, étriquée, commune... *épouvantablement étriquée* ! Elle entendait déjà les critiques de Phillip. Le séjour donnait sur la rue, il était agrémenté d'un grand bow-window où Géraldine imaginait déjà une table à thé, deux fauteuils et des fleurs dans les jardinières des fenêtres. Situées sur l'arrière, la cuisine et la salle à manger ouvraient sur un jardin au centre duquel se dressait un pommier. Géraldine se vit en été lisant un livre à l'ombre de sa ramure, peut-être bénie d'un gros ventre dans lequel grandirait l'enfant de Phillip. Un soupir lui échappa. Si seulement il voulait bien comprendre...

— Vous voyez, la salle à manger possède sa propre cheminée, poursuivit l'agent immobilier. C'est très agréable, l'hiver, de prendre le petit déjeuner à côté d'un bon feu qui crépite. Je peux vous dire par expérience que l'essentiel de la vie de famille se passe dans la cuisine et la salle à manger.

L'homme plaisait à Géraldine. Il était petit, rond, ses joues étaient rouges comme des pommes, et il partageait sa vision du monde.

— Et que fait monsieur votre mari ?

Géraldine hésita légèrement avant de répondre.

— Il travaille à la BBC, dit-elle enfin. Dans la production.

— Ah ! fit l'agent immobilier, impressionné. Présente-t-il une émission que je connaîtrais ?

— Non... il... il fait du doublage de films...

Elle espéra qu'il n'avait qu'une vague idée de ce que le terme recoupait et ignorait que le doublage était rarement une profession, bien plus souvent un job occasionnel payé au lance-pierre.

A en juger par sa réaction, le milieu ne lui était pas familier.

— Comme c'est intéressant ! Alors nous entendons certainement sa voix à la télévision ?

— Oui.

Le fait parut élever Phillip au rang de semi-vedette.

— Je n'ai encore jamais eu ce type de client. Puis-je me permettre de vous demander si vous travaillez aussi à la télévision ?

Géraldine était consciente de l'admiration qu'elle suscitait. Si elle avait dit qu'elle était actrice, personne n'aurait mis sa parole en doute. Cependant, elle évita de souligner qu'elle était mannequin pour se donner une apparence de sérieux.

— Je travaille dans la mode, dit-elle.

— Oh... fit l'agent immobilier, qui paraissait trouver ses clients de plus en plus exotiques. Mais... vous seriez assurément la meilleure réclame qui puisse être pour n'importe quel genre de mode !

Géraldine ne releva pas la remarque.

— Pourrais-je maintenant voir le premier étage ? demanda-t-elle.

— Mais bien entendu ! Suivez-moi !

L'escalier était peint en blanc laqué. Le premier étage se composait de quatre pièces claires de taille moyenne et d'une salle de bains.

— Papa, maman, deux enfants et une chambre pour les amis, énonça-t-il. N'est-ce pas parfait ?

C'était parfait. Tellement parfait que Géraldine en aurait pleuré. Si seulement Phillip voulait bien essayer ! Seulement essayer ! Donner une chance au projet ! Comment avait-il qualifié sa timide suggestion d'emménager ensemble dans une petite maison avec un jardin ? D'*idée nullissime*.

— Je vais parler avec mon mari. Nous vous donnerons une réponse dès que possible.

— Ce type de bien est très recherché. Ne tardez pas !

Ils se tenaient dans une des pièces du premier étage. Géraldine s'attardait devant la fenêtre. La floraison du pommier était passée, ses feuilles étaient d'un vert encore tendre. Elle songea aux grosses pommes rouges qu'il porterait à la fin de l'été.

— Dès que possible, répéta-t-elle.

Elle avait laissé sa voiture à Londres et était venue en train pour pouvoir dire ensuite à Phillip combien de temps durait le trajet par les transports en commun. Elle reprit le chemin de la gare. Il faisait chaud, la journée était presque estivale. Seuls quelques rares petits nuages blancs troublaient de temps à autre le bleu du ciel. Elle quitta le quartier résidentiel, traversa le Marine's Drive qui remontait en amont de la Tamise et s'engagea sur l'allée de gravillons d'un petit parc. Des panneaux représentant la silhouette barrée de chiens en position accroupie indiquaient qu'ils n'étaient pas autorisés à faire leurs besoins en ces lieux.

C'est effectivement un peu collet monté, par ici, songea Géraldine avec une pointe de malaise.

Néanmoins, le cours paresseux du fleuve, les cimes verdoyantes d'une forêt, au loin, sur l'autre rive, les bateaux, les mouettes dont les ailes déployées prenaient, dans le soleil, des reflets d'argent, tout donnait une impression d'espace et de liberté. L'embouchure de la Tamise n'était qu'à quelques kilomètres de là. L'air sentait fortement l'iode et la mer. Peut-être que cela plairait tout de même à Phillip. Il allait bien finir par se rendre compte que le sinistre trou à rats dans lequel il vivait ne pouvait pas être une solution d'avenir.

Elle avait beau se donner beaucoup de mal pour la refouler, une idée ne cessait de la hanter, remontait à la surface, s'imposait à son esprit, la tourmentait. Une petite voix qu'elle ne voulait pas entendre lui disait que c'était uniquement à cause de l'alibi, du fameux alibi, que Phillip était encore avec elle. S'il n'y avait pas eu cet épouvantable massacre dans le Yorkshire, il ne l'aurait pas laissée remettre un pied dans son appartement. Jamais elle n'aurait songé à consulter les petites annonces immobilières. Leur seul lien était ce terrible 24 avril. Phillip ne se rebellait pas parce qu'il se sentait à sa merci – ce qu'il était objectivement. Cependant, jusqu'où la laisserait-il aller ? Jusqu'à la petite maison de Leigh-on-Sea ? Jusqu'au oui devant monsieur le maire ? Jusqu'à la conception et la naissance d'enfants communs ? Ou bien sa fierté, son entêtement, peut-être aussi quelque chose comme un instinct de survie le pousseraient-ils à rompre, à partir en dépit des problèmes que cela pourrait lui attirer ?

De son côté, jusqu'où irait-elle ? Ils n'avaient encore jamais abordé le sujet. Lui rappellerait-elle sa situation s'il s'opposait à ses projets ? Le menacerait-elle ? Serait-elle capable, en dernier ressort, d'aller voir la police et de revenir sur sa déposition ?

Ces réflexions la ramenaient à la question à laquelle elle souhaitait le moins penser : avait-elle fourni un alibi à un innocent ? Et dans ce cas, serait-ce un innocent sur lequel elle attirerait les pires ennuis en anéantissant après coup son alibi ?

Ou bien était-elle en train d'envisager de faire sa vie et même d'avoir des enfants avec un meurtrier ?

Je ne dois pas douter de lui. Je ne dois jamais douter de lui !

Mais elle doutait. Elle doutait depuis le premier instant. Pas une seconde elle n'avait cru à la véracité de son histoire de départ pour Leeds sur un coup de tête. La hâte qu'il avait eue à se construire un alibi sans faille l'avait d'emblée rendue méfiante. En même temps, c'était compréhensible, dans sa situation. Sachant qu'il serait parmi les premiers à être suspectés, il était naturel qu'il cherche à se disculper. Des heures durant, elle se répétait qu'il était normal d'avoir parfois un comportement absurde, de faire des choses irrationnelles, comme de rouler au hasard dans la campagne avec une vague idée en tête, puis de changer d'avis et revenir sur ses pas. Elle-même, qu'avait-elle fait ce jour-là ? Rien pour l'essentiel, excepté pleurer dans sa chambre. Si, pour une raison quelconque, elle avait dû être suspectée, elle n'aurait eu personne pour confirmer son innocence. Elle aussi aurait dû se construire une histoire plausible, se trouver un témoin complaisant.

Elle s'interrogeait, réfléchissait, mais le doute n'en était pas moins là. Et peut-être était-ce ce qui avait incité Phillip à faire le dos rond depuis leur retour du Yorkshire. Il était assez fin pour deviner son scepticisme. Il sentait qu'elle n'était pas fiable. Si sa crainte de couvrir un meurtrier devenait trop grande, elle laisserait tout tomber. Tant qu'il était près d'elle, il pouvait influencer l'image qu'elle avait de lui. Il était le Phillip qu'il avait toujours été, l'ami qu'elle connaissait depuis des années. L'homme qui l'avait rendue si malheureuse mais dont elle était folle. L'homme qu'elle aimait. Cela la rendait manipulable. Plus manipulable que s'il l'avait mise à la porte. Que si elle était seule chez elle et tentait de se consoler en se disant que l'homme qui l'avait repoussée était de toute façon un meurtrier, un homme qui méritait au moins vingt-cinq ans de prison. Et qu'elle préférerait même voir derrière des barreaux plutôt que dans les bras d'une autre femme.

Elle l'imaginait très bien suivant ce raisonnement. C'était l'unique raison pour laquelle il l'avait implicitement autorisée à toucher à la décoration de son appartement. L'unique raison pour laquelle il s'abstiendrait de hurler quand elle lui parlerait de sa rencontre avec l'agent immobilier. Et l'unique raison qui l'autorisait à caresser le vague espoir qu'il accepte de visiter la maison avec elle. En même temps, elle appréhendait l'avenir, car elle savait bien qu'on ne construisait pas une relation et encore moins un mariage sur de pareilles bases. Ça ne pouvait se terminer que dans la douleur et les larmes. Elle n'avait pas gagné le cœur de Phillip. Elle avait simplement obtenu un ajournement de la rupture.

Elle s'arrêta et s'efforça de respirer lentement pour calmer son cœur qui s'emballait. Il ne fallait pas qu'elle réfléchisse trop, qu'elle se projette aussi loin dans le futur. Pour l'heure, il s'agissait du présent, et il lui offrait des possibilités qu'elle se devait d'exploiter.

Elle refoula ce qui aurait pu assombrir l'avenir et commença à réfléchir à la façon dont elle aménagerait la maison. Elle pourrait utiliser certains de ses meubles, mais elle était prête à en acquérir de nouveaux avec Phillip. De nouveaux objets pour une nouvelle vie.

Elle regarda l'heure. Il fallait qu'elle se dépêche si elle voulait attraper le prochain train. En arrivant, elle achèterait une bouteille de champagne et irait attendre Phillip à son appartement.

Il était temps de passer à l'étape suivante.

7

Journal de Ricarda

20 mai

Maman est désespérée parce que je ne vais pas au lycée. Quand je me suis levée samedi, elle a dû croire que tout allait redevenir comme avant. Mais je ne vois pas quel sens ça aurait. Pourquoi j'irais y finir l'année, au bout du compte ? J'en tirerais quoi ? En plus, il y a eu des articles dans les journaux sur cette histoire en Angleterre et ils me regarderaient tous comme une bête curieuse. C'est ce que je donne à maman comme raison pour ne pas sortir de la maison et pourquoi je ne veux pas qu'elle me passe les copines de la classe qui téléphonent. Je lui dis que « je ne veux pas qu'on me pose de questions ». Cela dit, il n'y en a pas des tonnes qui se sont manifestées. Je n'ai pas de vraie amie et je ne fais pas partie non plus d'une des bandes de la classe. Il y en a quelques-unes du basket qui ont téléphoné, mais je sais qu'il n'y en a aucune qui m'aime vraiment. Je suis seulement plutôt bonne et elles commencent à se demander quand je vais revenir. Bien évidemment, la déléguée de classe a aussi parlé à maman. Ça fait partie de son travail et elle a envie de se faire réélire l'année prochaine. Si elle savait comme elle perd son temps à s'occuper de moi ! Ma voix, elle peut faire une croix dessus !

Parce que l'année prochaine, je ne serai plus là !

Au fait, maintenant, maman rentre déjeuner tous les jours. Avant elle déjeunait à la cantine de son travail. Je me faisais un sandwich et le soir maman nous préparait quelque chose. Maintenant, elle se fait tellement de souci pour moi qu'il faut qu'elle passe voir comment je vais le midi. Dans un sens, elle me fait de la peine à s'éreinter comme ça. Elle arrive en courant, fourre en vitesse un truc surgelé dans le micro-ondes, met la table à tout berzingue, avale quelque chose et repart sur les chapeaux de roue. Ce que c'est censé apporter, j'aimerais bien le savoir. Je n'attends qu'une chose, qu'elle me dise que je pourrais *moi* faire les courses, la cuisine et mettre la table, maintenant que je ne suis plus au lit. Je me rends bien compte que l'idée lui tourne dans la tête et qu'elle se demande ce qui serait le mieux pour mon équilibre psychologique : qu'elle ne dise rien, n'exerce aucune pression sur moi et me laisse « retrouver le chemin toute seule » (comme elle l'a dit hier au téléphone à une amie alors qu'elle ne savait pas que je l'entendais), ou qu'elle fasse comme si tout était comme avant et qu'il était normal que je me rende utile. Mais là, il faudrait qu'elle me renvoie au lycée, et je crois qu'elle ne sait pas comment y arriver.

Aujourd'hui, je me suis dit que j'allais faire la cuisine, mais je n'ai pas réussi parce que ça aurait été comme si j'interrompais un jeu que j'avais commencé et qui m'excitait trop pour que je puisse arrêter. Le jeu consiste à observer maman, à la regarder espérer que quelque chose change. Elle a une expression tout à fait particulière quand elle déboule le midi. Ses yeux sont grands et son regard un peu anxieux, et en même temps plein d'espoir, mais l'angoisse est plus grande que l'espoir. Elle a un super tempo quand elle tourne en voiture au coin de notre rue, elle fait hurler les pneus comme à la télé. Ensuite, j'entends la portière claquer, puis ce sont ses talons qui martèlent à toute vitesse le chemin dallé du jardin. Elle est tellement nerveuse quand elle ouvre la porte qu'elle rate deux ou trois fois le trou de la serrure. Elle jette sa veste sur le fauteuil de l'entrée et laisse tomber son sac à main. Elle est au niveau maxi du stress parce que sa pause de midi est tellement courte qu'elle n'a pas une seconde à perdre. Mais tout d'un coup, elle devient lente. C'est quand elle passe la porte pour entrer dans la cuisine. Et c'est là qu'elle a cette expression d'espoir. D'espoir fou et plein d'angoisse. Que ça sente la cuisine. Que j'aie mis la table. Que je sois en train de m'activer au milieu des casseroles et que je dise gaiement : « Salut, m'man ! Super que tu sois là ! Assieds-toi, c'est prêt dans une minute ! » Elle aurait l'impression que je recommence à vivre et c'est ce qui aujourd'hui lui ferait le plus plaisir. Elle penserait que je vais bientôt retourner au lycée et au basket et que tout va être à nouveau comme avant.

Au lieu de ça, je suis assise à un coin de la table, soit encore en pyjama, soit en jogging. Je la dévisage sans rien dire. Les restes et la vaisselle sale du petit déjeuner traînent sur la table. Ça sent le fromage, qui aurait dû être rangé dans le réfrigérateur depuis longtemps, et le beurre est tout mou. Le visage de maman s'affaisse, mais comme pour le moment elle a opté pour la stratégie consistant à ne pas me faire de reproches, elle essaye presque tout de suite de sourire. Ce n'est franchement pas naturel et chaque fois j'adore la voir se donner tout ce mal. J'aime bien la regarder tournicoter dans la cuisine, toujours avec ce tempo d'enfer, elle est peut-être même encore plus rapide que quand je l'entends arriver. Elle met un plat dans le micro-ondes, elle débarrasse le petit déjeuner, nettoie les miettes, met des sets de table propres, les assiettes, les couverts, les verres, le micro-ondes couine, elle sort le plat tellement vite qu'elle se brûle et crie « Aïe ! ». Elle court à la cave chercher de l'eau minérale quand il n'y en a plus dans le réfrigérateur. Et pendant tout ce temps, je la regarde, assise dans mon coin.

Je me demande pourquoi ça m'amuse tant de la voir comme ça. Pourquoi je n'arrive pas à être gentille et à lui donner ce qu'elle attend. C'est difficile de bien comprendre ce qui se passe au fond de soi. Je crois que ça a quelque chose à voir avec la vengeance. C'est une jouissance, et la vengeance peut être une jouissance. J'aime bien maman. J'aime maman. En fait, je ne devrais pas avoir envie de me venger. Et me venger de quoi ?

De ce qu'elle a quitté papa.

Il ne l'a pas rejetée. Elle est partie.

Une fois, elle m'a dit que « je devrais tirer un trait ».

Pourquoi ? Pourquoi ? Pourquoi ?

A chaque fois que j'y pense, je me rends compte que je ne peux pas aller vers elle. Je veux continuer à la regarder se démener, se faire du souci, me supplier silencieusement. Je me fais un peu peur, mais seulement un petit peu. Après tout ce qui s'est passé, comment pourrais-je avoir encore vraiment peur ?

De toute façon, maman n'aura bientôt plus de soucis. Je serai en Angleterre. Je n'arrête pas de me demander si je vais appeler Keith avant ou si je vais arriver directement comme ça. Je n'ai pas son numéro de téléphone chez lui car avant je ne pouvais pas l'appeler à cause de son père. Mais maintenant, son père ne peut plus lui donner d'ordres. J'ai essayé deux fois sur son portable, mais il n'était pas branché. Je pourrais facilement obtenir le numéro de la ferme par les renseignements, mais ça m'angoisse un peu de le faire.

Pourquoi est-ce que ça m'angoisse ?

J'ai tellement le temps de réfléchir, toute la journée, que forcément je me pose des questions. Et en fait, je n'ai pas du tout envie d'y répondre. Keith m'aime. Je l'aime. Il n'y a rien qui devrait m'angoisser ou m'inquiéter. Il voulait commencer une nouvelle vie avec moi, mais c'est bien évident qu'il faut aussi qu'il pense à sa mère. Nous ne nous sommes pas réellement dit au revoir, mais aussi comment aurions-nous pu ?

Je vais arriver directement comme ça. Au mois de juin.

Le docteur Wilbert, que Jessica avait appelé dès le lundi matin, lui avait donné rendez-vous pour le jour suivant. Lorsqu'elle lui avait dit être une amie d'Evelin Burkhard et souhaiter parler d'urgence avec quelqu'un qui la connaissait bien, il s'était aussitôt montré attentif.

« Evelin a de grosses difficultés », avait-elle indiqué, ce à quoi le docteur Wilbert avait répondu : « Je sais, elle m'a appelé d'Angleterre.

— J'aimerais l'aider. Cependant, j'ai le sentiment qu'il me manque pour cela des informations importantes sur des pans entiers de sa vie.

— Vous savez, je suppose, que je suis tenu au secret professionnel.

— Je sais. Mais pour le moment, vous êtes la seule personne vers qui je puisse me tourner.

— Je prends tout à l'heure l'avion pour Hambourg, où je dois assister à une conférence, et je ne rentrerai que tard ce soir. Mais venez donc demain matin. Neuf heures, ça vous convient ? »

A en juger par son empressement à recevoir Jessica, le sort de sa patiente lui tenait à cœur.

Le cabinet du docteur Wilbert se trouvait au premier étage d'un immeuble de Schwabing. Jessica tourna un bon quart d'heure dans les rues avoisinantes avant de trouver une place où se garer – en infraction, mais, entre-temps, ça lui était devenu égal. Elle dut ensuite marcher plusieurs minutes, et arriva essoufflée et en retard. Le docteur Wilbert n'en parut pas surpris.

— Vous n'avez pas trouvé de place de stationnement, je sais, dit-il d'emblée en lui tendant la main. Je vous en prie, entrez.

La petite salle d'attente dont les murs étaient ornés de tableaux colorés avait un côté chaleureux et intime. Avec son bureau en verre et acier, deux fauteuils de cuir noir et un unique tableau abstrait rouge vif dans lequel Jessica crut reconnaître un phallus – ce qu'elle se serait bien gardée de dire –, le cabinet de consultation était, en revanche, d'une sobriété minimaliste.

Le docteur Wilbert la pria de s'asseoir dans un des fauteuils noirs puis s'installa en face d'elle. Grand, aux cheveux poivre et sel, il inspirait confiance. Jessica lui donna entre cinquante et cinquante-cinq ans. Evelin avait dû se sentir rassurée auprès de lui. Il invitait à s'épancher, il donnait le sentiment de pouvoir tout surmonter avec son aide.

Elle se sentit soudain très proche d'Evelin. Elle était venue ici chaque semaine. Une part essentielle de sa vie s'était sans aucun doute jouée ici. C'est ici qu'elle était venue chercher de l'aide et l'avait probablement trouvée, ici qu'elle avait puisé espoir et réconfort. Qu'elle avait parlé de ce qui lui pesait, de son désir d'enfant, de son corps impossible à accepter, de la monotonie de sa vie. De son mariage, qui était un enfer.

— Docteur Wilbert, je sais que je vous mets dans une situation difficile, commença-t-elle sans détour, mais Evelin est en prison et je sens que je dois l'aider. Etes-vous au courant de ce qui s'est passé ?

Il hocha affirmativement la tête.

— Dans les grandes lignes. J'ai lu l'information dans le journal, mais au début aucun nom n'était cité. Evelin – je l'appelle toujours par son prénom – m'a naturellement souvent parlé de Stanbury et du petit groupe d'amis qui s'y retrouvait pour les vacances. Quand j'ai reconnu le nom du village et appris que les victimes étaient des Allemands qui y séjournaient régulièrement, j'ai ressenti un malaise. Mais vous savez comment c'est, on croit toujours que ces choses ne peuvent pas arriver. J'ai repoussé l'éventualité. Puis Evelin n'est pas venue à son rendez-vous et j'ai commencé à sérieusement m'inquiéter. Puis, trois ou quatre jours plus tard, elle a été autorisée à me téléphoner. Elle m'a tout raconté, en pleurant et de façon très confuse. J'ai toutefois compris qu'elle était soupçonnée d'avoir tué cinq personnes et avait été incarcérée. Depuis, vous vous en doutez, je ne cesse de penser à elle.

Jessica apprécia son évidente compassion. Ses patients n'étaient pas des individus anonymes qui lui permettaient de gagner sa vie et dont il se désintéressait une fois qu'ils étaient sortis de son cabinet.

— Ils refusent la liberté provisoire car ils craignent qu'elle quitte l'Angleterre, expliqua-t-elle.

— Hum, c'est compréhensible... Dites-moi... Vous faites partie de cette... équipe ?

Elle se demanda fugitivement ce qu'Evelin avait pu lui raconter sur l'« équipe ».

Sans doute en avait-il conclu que tout ce petit monde n'était pas très équilibré.

— Oui, j'en fais partie. Ou plutôt *faisais* partie. Maintenant que cinq personnes ne sont plus là... dont mon mari...

— J'en suis sincèrement désolé.

— Merci.

Elle détourna les yeux, mal à l'aise. De l'instant où il avait appris son drame personnel, sans doute le docteur Wilbert avait-il inconsciemment adopté un regard professionnel et, déjà chez Tim, elle ne l'avait pas supporté.

— Je voudrais aider Evelin, reprit-elle. Et pour la mémoire de mon mari, je voudrais que le véritable criminel soit arrêté.

— Vous êtes convaincue de l'innocence d'Evelin ?

— Oui.

Il hocha la tête.

— Une chose m'intrigue, dit-il, que ma conversation avec Evelin n'a pas réellement expliquée : comment se fait-il que ce soit précisément elle qui ait été arrêtée ? Pourquoi la soupçonne-t-on ?

— Elle est la seule à avoir été présente au moment du drame et à ne pas avoir été tuée. Nous étions absents... quoique personne ne puisse témoigner de nous avoir vus ailleurs. Ses empreintes se trouvaient sur l'arme du crime. Ses vêtements étaient maculés de sang. Elle a trouvé les victimes, s'est penchée sur elles, les a touchées. Mais il y avait aussi du sang de... mon mari et d'une des enfants. Et elle dit ne pas les avoir vus.

— Comment l'explique-t-elle ?

— Elle était hébétée.

Jessica décrivit brièvement l'état d'Evelin quand elle l'avait découverte dans la salle de bains des combles.

— Je ne suis pas psychologue, mais il me semble, compte tenu de ce qu'elle a vécu, qu'il est compréhensible que ses souvenirs soient confus. Ce qu'elle a déclaré ne devrait pas être pris au pied de la lettre...

Le docteur Wilbert l'avait écoutée attentivement.

— Evelin a-t-elle une raison quelconque de nier avoir découvert ces deux victimes, je veux dire votre mari et cette fillette ? Si c'est précisément ce qui la rend suspecte, il semble – au cas où elle serait effectivement coupable – qu'il aurait été plus malin de sa part de dire qu'elle les avait également trouvées.

— Bien sûr, et c'est une des raisons pour lesquelles je pense que ce n'est pas elle qui a commis ces meurtres. Une femme capable de tuer cinq personnes, dont deux enfants, est assez rusée pour faire disparaître l'arme du crime ou au moins pour en effacer ses empreintes. De plus, elle ne contesterait pas avoir vu deux des victimes en sachant qu'elle était couverte de leur sang. Ça n'a pas de sens.

— La police ne semble pas de cet avis.

— Ils pensent qu'elle n'a pas toute sa tête. Qu'elle a agi dans une sorte d'état second, ce qui explique qu'elle-même ne sache plus très bien combien de personnes elle a tuées et qui elle a tué.

— Hum...

— C'est pour cette raison que je tenais à vous parler, poursuivit Jessica. Vous êtes son thérapeute. Vous êtes, j'en suis sûre, mieux placé que quiconque pour juger de l'absurdité de son arrestation.

Au lieu de lui répondre, il lui posa une question qui la déconcerta.

— Son mari – le mari d'Evelin – est-il au nombre des victimes ?

— Oui. Pourquoi ?

— Il me semble que ce n'est pas anodin. Si l'on soupçonne

Evelin, le fait que la personne qui lui était la plus proche ait été tuée a de l'importance.

Jessica prit une longue inspiration.

— A propos de son mari... il y a autre chose qui est apparu important aux yeux de la police...

— Je vous écoute.

— Peu avant l'heure présumée du crime, Evelin se trouvait dans le parc. Elle y a rencontré un ami... enfin, une personne que nous connaissons, et s'est entretenue quelques minutes avec lui. Cet ami dit qu'elle était alors complètement repliée sur elle-même, coupée du monde, réellement déprimée. Il la sentait au bord du désespoir.

Wilbert acquiesça.

— Oui, dit-il, presque plus pour lui-même que pour Jessica. Elle était très déprimée, elle était effectivement au bord du désespoir.

— A un moment, Tim, son mari, l'a appelée. Phillip, l'ami avec lequel elle parlait, dit qu'il l'a vue alors se figer. A la suite de ses déclarations, il est apparu, du moins on le prétend, que Tim maltraitait sa femme et que tout le monde, moi exceptée, était au courant. Pour les inspecteurs qui suivent le dossier, Evelin aurait eu là une motivation suffisante pour tuer son mari. Elle aurait ensuite tué ses amis dans un accès de folie.

Le docteur Wilbert réfléchit un instant.

— Il y a donc des indices contre Evelin, observa-t-il. Mais je ne suis pas sûr que cela suffise pour une condamnation... C'est tout de même assez mince. Quoique je ne sois pas juriste. A-t-elle un bon avocat ?

— Il semble que oui... Docteur Wilbert, Evelin venait toutes les semaines. Vous devez savoir si ce que l'on prétend de son mari est vrai.

— Je ne peux rien vous révéler de ce qui s'est dit entre ces murs. Vous le comprendrez.

— Connaissiez-vous Tim Burkhard ? Après tout, vous étiez confrères.

— Je le connaissais. Peu, mais il nous arrivait de nous rencontrer lors de séminaires.

— Qu'en pensiez-vous ?

— Pour tout vous dire, je le tenais pour un charlatan. Il était psychothérapeute, mais le terme de gourou lui aurait mieux convenu – et ce ne sont pas sa barbe et ses épouvantables sandales qui me font dire ça. C'est la façon dont il travaillait, ses gestes, ses regards, les mots qu'il utilisait. Il se servait de méthodes suggestives qui me révulsaient. Je suis convaincu qu'il méprisait ses patients et se sentait supérieur à eux. C'est assurément un moyen de susciter une certaine admiration, notamment chez des patients en état de faiblesse ou des personnalités fragiles. C'est ce qu'il recherchait. Aider ne l'intéressait pas.

Jessica soupira. Elle était heureuse de se sentir en parfait accord avec le docteur Wilbert, mais elle comprenait aussi qu'il ne l'aiderait guère. Quoi qu'il sache sur Evelin, il resterait muet et rien de ce qu'il pensait ne transparaissait dans son regard ou sur son visage. Qu'il ait voulu savoir si Tim se trouvait au nombre des victimes était son seul début de piste. Et il n'avait pas caché tout le mal qu'il pensait de lui.

Elle se demanda s'il n'avait pas ainsi répondu de façon détournée à sa question.

Elle se leva et, spontanément, effleura de la main droite son ventre à peine bombé. Qui n'était pas au courant de sa grossesse n'aurait rien remarqué, mais le docteur Wilbert, qui s'était levé en même temps qu'elle et avait suivi son geste des yeux, parut comprendre.

— Vous avez vécu quelque chose de particulièrement dramatique, dit-il, et vous en parlez avec beaucoup de recul et étonnamment peu d'émotion. Ne refoulez pas trop votre chagrin. Ce n'est bon ni pour vous… ni pour votre bébé.

Elle eut soudain envie de se confier à lui.

— Je ne parviens pas à pleurer, avoua-t-elle. Je n'ai pas réussi à pleurer une seule fois depuis que c'est arrivé. Pas même le jour de l'enterrement de mon mari.

— Et vous souhaiteriez pleurer ?

— Je ne sais pas… Je me figure peut-être seulement que je devrais.

— Avez-vous songé à vous faire aider par quelqu'un dont c'est le métier ?

Elle ne put s'empêcher de sourire. Aussitôt il leva les mains en signe de protestation.

— Non ! J'ai plus de patients qu'il ne m'en faut ! Je ne pensais pas à moi. Certains de mes confrères sont spécialisés dans l'aide aux victimes de crimes.

— Je...

Il l'interrompit.

— *Vous êtes victime d'un crime.* Que vous soyez en vie et n'ayez pas été physiquement agressée n'en fait pas moins de vous une victime. Des personnes qui vous étaient très proches, dont votre mari, ont subi la pire des violences. Avec ce drame, quelque chose est entré dans votre vie que vous ne devriez pas sous-estimer. Vous n'êtes plus la même. Et vous allez continuer à changer. Vous devez l'accepter.

Une remarque qui lui parut éculée mais juste lui vint à l'esprit.

— Laissons le temps au temps, dit-elle.

— Certes, mais il y a des moments où il faut intervenir, insista Wilbert.

Elle lui tendit la main.

— Merci de m'avoir reçue, docteur.

— Malheureusement, je ne vous ai pas beaucoup aidée. Et Evelin non plus, ajouta-t-il, l'air soucieux. Les choses prennent parfois un tour cruel...

Jessica se fit la réflexion qu'il aurait probablement préféré que la suspicion tombe sur elle-même ou sur Léon plutôt que sur Evelin, qui avait déjà eu plus que sa part d'épreuves. Mais n'en allait-il pas toujours ainsi ? Le malheur n'attirait-il pas le malheur ?

— J'aurais une requête, reprit Wilbert. S'il vous plaît, tenez-moi au courant de tout ce qui concerne Evelin. Vraiment de tout.

— Si elle est libérée, vous...

— ... je souhaiterais en être immédiatement informé. Vous avez mes coordonnées téléphoniques.

— Oui. Je ne manquerai pas de vous prévenir. Vous pensez qu'elle aura besoin d'une aide thérapeutique ?

Il prit une longue inspiration et ne dit rien, mais Jessica devina qu'il pensait que tous ceux qui avaient survécu au drame avaient besoin d'être aidés.

Elle fouilla dans son sac et en sortit une carte de visite qu'elle lui tendit.

— Tous les numéros de téléphone auxquels je suis joignable figurent sur cette carte. Domicile, cabinet, portable. Si quelque chose vous revenait que vous voudriez m'indiquer, et pourriez me dire sans trahir le secret professionnel, je vous en prie : appelez-moi.

— Je le ferai.

Il la raccompagna jusqu'à la porte. Sur le seuil, elle se tourna une dernière fois vers lui.

— Docteur Wilbert, pensez-vous qu'Evelin soit capable d'un tel crime ? demanda-t-elle.

— Je pense que tout le monde est capable de tout, répondit-il en éludant sa question.

Il était neuf heures et demie quand Jessica sortit de l'immeuble où se trouvait le cabinet du docteur Wilbert et elle n'avait toujours pas pris de petit déjeuner. Il faisait beau, déjà chaud, et, ses nausées matinales ayant disparu, elle se laissa tenter par la terrasse ensoleillée d'un petit bistrot. Elle s'installa, commanda un café et des croissants, se laissa aller contre le dossier de sa chaise et ferma les yeux. Le soleil était délicieusement bon.

Elle laissa ses pensées vagabonder.

Il fallait qu'elle recommence à travailler. Elle s'était donné du mal pour monter son cabinet. Elle avait toujours aimé son métier et c'était de surcroît ce qui lui permettait de vivre. Quand on débutait, il fallait du temps pour se constituer une clientèle ; pour la perdre, en revanche... Si elle continuait à tourner en rond, elle pourrait bientôt tout reprendre de zéro. D'autant qu'à la fin du mois de septembre au plus tard, elle devrait à nouveau s'accorder une pause pour le bébé. Se faire remplacer le temps de son congé maternité était peut-être une idée à creuser.

Et puis il fallait qu'elle décide enfin de ce qu'elle allait faire de la maison d'Alexander. Qu'elle y pense comme à *la maison d'Alexander*, et non comme à *notre maison*, la laissait songeuse. Si elle devait continuer à la percevoir ainsi, elle s'y sentirait toujours en visite, en visite chez un mort. Elle avait conseillé à Léon de considérer son nouveau départ comme une chance. Peut-être devait-elle elle aussi prendre un nouveau départ.

— Votre petit déjeuner, annonça une voix féminine.

Elle sursauta et ouvrit les yeux. Une jeune fille posait devant elle une tasse de café, une assiette et deux croissants dans une corbeille.

— Ce mois de mai est merveilleux, n'est-ce pas ? dit-elle.

— Merveilleux, mentit Jessica.

Qu'aurait-elle dû répondre ? Qui s'intéressait réellement à ce qu'elle ressentait ?

Elle s'exhorta à ne pas s'apitoyer sur son sort, ça ne ferait que rendre les choses plus difficiles.

Tout en buvant une première gorgée de café brûlant, elle songea qu'elle ne pouvait guère faire plus pour Evelin. Le docteur Wilbert, qui était la seule personne à peut-être posséder des informations intéressantes, était tenu au secret professionnel. Toutefois, il ne devait rien savoir qui soit susceptible de laver Evelin de tout soupçon, sinon il aurait parlé.

Il était néanmoins possible qu'il tente de la contacter pour lui demander si elle l'autorisait à dire ce qu'il savait. Dans ce cas, Jessica aurait de ses nouvelles.

Il faut que je pense à moi, à ma vie.

Wilbert avait peut-être raison. Peut-être devait-elle d'urgence se faire aider par quelqu'un.

M'investir pour Evelin est une façon de fermer les yeux sur ce qui m'est arrivé.

Elle était convaincue de l'innocence d'Evelin. Pour elle, le crime avait été commis par une personne extérieure à leur groupe.

Pourquoi n'ai-je pas confiance dans la police anglaise ? Ils ne sont pas stupides. Ils découvriront la vérité. Evelin sera mise hors de cause et libérée, même sans que j'intervienne.

Elle devait laisser tomber. Qu'avait-elle besoin de jouer les détectives amateurs ? Qu'est-ce que ça lui apportait ? Seule vraie nouveauté, elle avait appris du vieux Will qu'Alexander ne l'avait jamais aimée.

Super. Elle allait désormais devoir vivre avec l'idée qu'il avait peut-être dit la vérité. Elle n'avait pas avancé d'un pas en ce qui concernait Evelin, en revanche quelques-unes de ses certitudes s'étaient effondrées.

Elle avait progressé dans la compréhension de son mari. Mais était-ce si important de comprendre tout et tout le monde ? Du reste, peut-être essayait-elle de comprendre Alexander, Evelin et les autres uniquement parce qu'elle ne voulait pas se voir soudain confrontée à la nécessité de se comprendre elle-même.

Elle n'eut brusquement plus du tout faim. Ses réflexions lui avaient coupé l'appétit. Elle repoussa la corbeille de croissants comme si ce geste avait le pouvoir d'éloigner ce qui l'oppressait. Il était temps qu'elle mette son énergie au service d'une autre cause. C'était mardi. Qu'est-ce qui s'opposait à ce qu'elle rouvre son cabinet lundi prochain ? Elle n'avait d'ici là qu'une obligation : rendre visite à Léon dans son nouvel appartement. Elle le lui avait promis. Elle repensa sans le vouloir au dimanche précédent, où il était resté des heures à boire assis sur les marches de sa terrasse. Il avait fini par être fin saoul et elle avait appelé un taxi pour le faire raccompagner chez lui. Il avait dû revenir chercher sa voiture tôt le lendemain matin, alors qu'elle dormait encore, car, lorsqu'elle avait ouvert la porte à neuf heures pour laisser sortir Barney, le véhicule avait disparu. Elle se souvint qu'elle l'avait interrogé sur leur quatrième ami du temps de l'internat.

« Ah, tu veux parler de Marc, avait-il répondu. Mon Dieu, il y a une éternité que je n'ai plus pensé à lui ! Marc ! Il n'a pas longtemps fait partie de la bande. Il a redoublé une année, puis encore une autre. Là, il a dû quitter l'école. Nous n'avons plus jamais entendu parler de lui. »

L'explication était plausible. Quoi de plus banal que de perdre de vue un ami d'enfance ? Pourtant, elle était presque certaine qu'il ne lui avait pas dit la vérité. Mais elle se faisait peut-être des idées. Elle se sentait très fatiguée, ce soir-là, sa visite au père d'Alexander l'avait éprouvée. L'imagination avait vite fait de s'échauffer quand on était épuisé.

Pourtant, elle avait vu passer quelque chose dans ses yeux. Un éclair d'effroi. Comme si elle avait mis le doigt sur un sujet interdit.

Zut et zut ! Je viens à la seconde de décider de ne plus penser à tout ça !

Elle sortit son porte-monnaie, laissa de quoi régler son addition et se leva.

Elle irait chercher Barney et l'emmènerait au cabinet avec elle. Et elle commencerait à s'occuper de la montagne de papiers qui s'étaient sans aucun doute amoncelés au cours des dernières semaines.

Si elle voulait recommencer à travailler dans cinq jours, elle avait du pain sur la planche.

Beaucoup trop de pain sur la planche pour ressasser le passé.

9

— Non, dit Phillip, c'est non. Il n'en est pas question. Tu as vraiment cru que je pourrais vivre ici ?

Ils étaient dans un pub des bords de la Tamise où il faisait suffisamment chaud pour que l'on puisse se tenir dehors à de grandes tables de bois. L'après-midi touchait à sa fin et l'endroit jusque-là quasi désert se révélait un lieu de passage très fréquenté. Des hommes d'affaires en costume sombre, des mamans avec de jeunes enfants, des poussettes et des chiens regagnaient leurs domiciles en rangs serrés. Le vent qui arrivait de l'ouest apportait des odeurs de sel et d'algues. L'atmosphère était paisible et familiale. Géraldine ne s'en serait pas lassée, mais, en face d'elle, Phillip, le regard noir, le visage fermé, était tendu. Géraldine avait commandé pour eux deux de la bière brune et des *fish and chips*. Phillip buvait sa bière du bout des lèvres et sans accorder un regard à son assiette. Il donnait tous les signes de quelqu'un qui veut prendre ses jambes à son cou mais fait de gros efforts pour se maîtriser.

— Qu'est-ce qui te dérange tant ? demanda-t-elle. Le côté banlieue ?

— C'est étriqué. C'est petit-bourgeois. C'est si… léché.

— En tout cas, c'est moins étriqué que ton appartement.

— Peut-être. Mais en contrepartie, tu ne peux pas reprocher à mon appartement d'être trop léché.

Elle portait une frite à sa bouche, mais laissa retomber sa main.

— Qu'est-ce que tu veux ? questionna-t-elle d'un ton las.

— Tu le sais très bien.

— Oh… non ! Tu ne vas pas recommencer !

— Si tu n'as pas envie de l'entendre, ne me pose pas la question, répliqua Phillip. Je veux Stanbury. Et tant que je n'aurai pas épuisé toutes les possibilités pour l'obtenir, je ne m'installerai pas dans une bicoque de banlieue avec des plates-bandes de pensées. Je ne cadre pas là-dedans. *Ce n'est pas ce que je suis !*

— Tu ne cadres pas dans Stanbury non plus ! Tu t'es seulement fourré le contraire dans le crâne !

Il parlait sans élever le ton, mais son regard révélait à quel point il était en colère.

— Une fois pour toutes, Géraldine, ça ne te regarde pas ! Rien de ce qui se passe dans ma vie ne te regarde. Je suis ma route. Pour une raison qui m'échappe, tu es décidée à la suivre avec moi, bien que, je le répète, ça ne puisse te mener à rien. Tu me reproches de m'être fourré une idée dans le crâne ? Et toi, alors ? Ça fait des années que tu te berces d'illusions et que tu refuses d'écouter ceux qui ont la bonne idée de te le faire remarquer. Moi, par exemple, et ta chère amie Lucy. Celle-là, Dieu sait si elle m'insupporte, mais quand elle se tue à t'expliquer que je suis un nul et que tu n'as rien à attendre de moi, elle a sacrément raison ! Mais il faut toujours que tu saches tout mieux que les autres !

Il y avait des semaines qu'il ne lui avait pas parlé de cette façon, et elle reçut la violence de ses mots comme autant de gifles. Elle ne s'attendait pas qu'il mette un terme aussi soudain et aussi brutal à l'accord tacite qui les liait depuis le crime de Stanbury. C'était à nouveau le Phillip irascible, brutal et blessant dont elle avait fait l'expérience dans le Yorkshire. Il lui fallut quelques secondes pour en prendre conscience.

Elle se sentit pâlir.

— Tu veux suivre ta route ? demanda-t-elle. Et si un jour tu as par hasard besoin d'un alibi pour un meurtre, j'aurai à nouveau le droit de faire un bout de chemin avec toi ?

— Je n'ai rien à voir avec ces meurtres.

Ils avaient tous les deux haussé le ton et, aux tables voisines, des têtes se tournèrent vers eux.

— Je n'ai rien à voir avec ce crime et tu le sais parfaitement ! répéta Phillip entre ses dents.

— Je le sais ? Et d'où le saurais-je ? De toute façon, il ne s'agit

392

pas de ça. Tu étais dans un sacré pétrin, parce que cette histoire de Stanbury t'est montée au cerveau, et le moins que l'on puisse dire, c'est que ton comportement n'a pas toujours été très clair. Sans moi, tu serais toujours en détention préventive.

— N'en sois pas si sûre. Il était possible que mon innocence soit rapidement démontrée, et moi libéré depuis longtemps.

— Tu veux faire le test ?

Elle le fixa. Il soutint son regard jusqu'à ce qu'elle baisse les yeux.

— Ah, Phillip, dit-elle d'un ton las, sommes-nous obligés de parler ainsi ?

— Sommes-nous obligés de rester dans ce pub ? lâcha-t-il en retour. Tu espérais quoi, de cette opération ? Que j'allais emménager avec toi dans ta petite maison, que j'allais t'épouser et que nous allions faire des enfants ?

— Pourquoi y es-tu aussi opposé ?

— Parce que j'espère faire autre chose de ma vie.

— Mais quoi ? Tu ne sais même pas ce que tu veux ! Tu ne vas pas rester jusqu'à la fin de tes jours dans ce grenier sinistre et tu ne vas pas courir toute ta vie après les petits boulots pour ne pas couler complètement !

— Et pourquoi pas ? Si c'est ma conception de la vie, de quel droit voudrais-tu m'en empêcher ?

— Mais tu sais bien que ce n'est pas vrai ! s'exclama-t-elle en mettant toute la persuasion dont elle était capable dans ces quelques mots. Tu me l'as dit toi-même. Tu manques de confiance en toi, tu hésites. C'est pour ça que Stanbury et le désir de retrouver ton père te rendent dingue ! Tu patauges, tu...

— Mais ça ne te regarde pas. C'est mon problème. Il est possible que je patauge, que je ne m'en sorte pas... mais je m'en sors encore moins avec toi.

Il repoussa son assiette et se leva.

— Oublie ça, Géraldine, dit-il. Et ne recommence jamais un truc pareil. C'est inutile. Tu ne me changeras pas.

— Je pourrais te rendre heureux.

Il rit, mais sur un mode plus triste que méprisant.

— Il y a des milliers d'hommes qui seraient ravis que tu

veuilles les rendre heureux. Pourquoi faut-il que tu t'accroches à celui avec lequel ça ne marche pas ?

— Je t'aime, Phillip. Je t'aimerais même si tu...

Elle s'interrompit.

Il la regarda interrogativement.

— ... même si tu l'avais fait, acheva-t-elle à voix basse.

10

C'était dans un immeuble que Léon venait d'emménager, une de ces immenses tours de béton avec quarante sonnettes à côté de la porte d'entrée et des dizaines de minuscules balcons qui faisaient penser aux rayons d'une ruche, ne permettaient aucune intimité et, grâce à la subtile combinaison de murs sur les côtés et de plaques de béton sur le dessus, veillaient à ce que le soleil entre aussi peu que possible dans les appartements. Il y avait des pelouses au pied de l'immeuble, interdites aux enfants, et des places de parking asphaltées sur lesquelles, apparemment, ils avaient le droit de jouer. Jessica, qui se tenait sur l'allée de dalles de béton qui menait à l'entrée de l'immeuble, dut rejeter la tête en arrière pour apercevoir les derniers étages. Au-dessus du toit en terrasse, le ciel qui paraissait bleu saphir atténuait la banalité de la construction. Par temps de pluie, l'ensemble devait être déprimant.

Après tout, c'était peut-être ce dont Léon avait besoin, cette plongée dans l'anonymat, cette réduction de son lieu de vie à un simple endroit où dormir et qu'il n'investissait d'autre ambition que celle d'avoir un toit au-dessus de la tête. Ramener sa vie à un point zéro pour pouvoir recommencer.

Il était six heures et demie, il faisait doux, l'air était transparent. Après une journée passée à trier des piles de courrier à son cabinet, Jessica aurait préféré rester chez elle, dans son jardin. Mais elle avait promis à Léon de venir voir son appartement et elle ne pouvait lui faire faux bond. Elle s'était néanmoins ménagé une porte de sortie en laissant Barney chez elle. Elle pourrait toujours dire qu'il était temps qu'elle rentre pour le promener.

A peine avait-elle pressé le bouton de la sonnette que la voix de Léon retentit dans l'Interphone. Elle se demanda s'il avait attendu à côté de la porte. Il était seul. Il avait perdu trois personnes.

— Je suis au quatrième, dit-il. Prends l'ascenseur !

Il l'attendait sur le palier. Il s'était enfin rasé et était même allé chez le coiffeur. Il portait un jean, un tee-shirt blanc et des chaussures de toile blanches. Il ne paraissait pas avoir bu et était si séduisant que Jessica ne put s'empêcher de penser qu'il ne resterait pas longtemps seul. Il allait avoir toutes les femmes à ses pieds, et, la période de deuil passée, il serait en couple.

Il l'attira à lui et lui dit combien il se réjouissait de la voir. Il paraissait sincère et elle eut soudain honte d'avoir hésité à accepter son invitation.

Il avait été, avec Tim, le meilleur ami d'Alexander. Alexander aurait attendu d'elle qu'elle s'occupe de lui.

Il la fit entrer dans l'appartement et elle lui tendit la bouteille de vin qu'elle avait choisie dans sa cave pour lui.

— Ce n'est pas très original, mais j'ai passé la journée au cabinet. Je n'ai pas vu le temps passer et il était trop tard pour...

— Le vin est parfait. Et je suis très content que tu sois là. Alors comme ça, tu retravailles ? Tu as raison. C'est ce qu'il faut faire !

Il prit une longue inspiration.

— Voilà, je te présente mon nouveau domaine !

L'appartement devait être comme tous les autres deux-pièces de l'immeuble, si ce n'est qu'il était encore encombré de nombreux cartons de déménagement. Il se composait d'un séjour, isolé de la cuisine par un petit comptoir, et d'une minuscule chambre à coucher orientée au nord et peu lumineuse, qui pouvait tout juste contenir un lit et une armoire.

— C'est là que je dors, expliqua-t-il, et dans le reste de l'appartement, eh bien, je vis.

Il s'était séparé de presque tous ses anciens meubles. Le séjour était meublé d'une table Ikea et de quatre chaises assorties (« Notre grande table aurait pris toute la place »), de deux fauteuils qui avaient fait partie de leur mobilier de salon et d'une petite table basse que Jessica se souvenait avoir vue dans le très élégant jardin d'hiver de Patricia. Elle reconnut un lampadaire, deux tableaux représentant des fleurs et, posé sur le rebord d'une fenêtre, un vase. Des figurines de terre cuite peintes de couleurs vives, sans doute fabriquées par Diane et Sophie au jardin d'enfants, étaient disposées sur le comptoir de la cuisine. C'étaient les seuls objets qui rappelaient qu'un jour cet homme avait eu une famille.

A côté du comptoir, une porte-fenêtre donnait sur le balcon, où se trouvaient une table de bistrot blanche et deux chaises de jardin. Une plante en pot non identifiable grimpait sur le mur en s'accrochant aux aspérités du béton. Le balcon était dans l'ombre, mais il offrait une jolie vue sur la ville et on pouvait y profiter de la douceur de l'air.

— Il est orienté sud-est, dit Léon. J'ai un peu de soleil dans la journée. Mais je ne suis pas souvent là. Assieds-toi. Une coupe de champagne, ça te tente ?

Il disparut et revint avec des verres et une bouteille glacée.

— On a quelque chose à fêter, dit-il. Je me suis fait embaucher par un cabinet. Je commence le 1er août. En d'autres termes, je vais enfin recommencer à gagner de l'argent.

— C'est une excellente nouvelle. Et tu as raison, ça vaut le coup de trinquer.

Elle était étonnée de le voir en aussi bonne forme, il paraissait rajeuni et plein d'énergie.

— Ce nouveau job te regonfle à bloc, remarqua-t-elle.

— Ce nouveau job et ce nouvel appartement. J'étais au trente-sixième dessous, ces derniers temps, tu t'en es rendu compte. J'ai eu beaucoup de mal. Liquider la maison a été un calvaire. Je...

Il secoua la tête et passa ses mains sur son visage dans un geste qui exprimait des jours de souffrance et de déprime.

— Je commençais le matin au whisky, et je finissais mes journées au whisky. Sinon, je n'aurais pas tenu le coup.

— C'est normal. Tu...

— Mais je vais mieux, maintenant. Du jour où ça a été terminé, je me suis senti mieux ! J'ai l'impression d'être revenu vingt ans en arrière, à l'époque où c'était encore moi qui décidais de ma vie. Finalement, j'ai droit à une deuxième chance.

Jessica but une gorgée de champagne. Au fond d'elle-même,

un sentiment de malaise diffus, à peine perceptible, s'éveilla. Elle le refoula.

— Rien qu'à te voir, on devine que tu vas mieux, reprit-elle.

— Eh bien, comme je te le disais...

— Oui, Léon, je sais : tu vas mieux.

Ils demeurèrent un instant silencieux.

— Mes douleurs cardiaques ont disparu, annonça-t-il.

— Tu en avais souvent ?

— Ces derniers temps, oui. De plus en plus souvent et de plus en plus fortes. Ça commençait à m'inquiéter. Je me voyais déjà mourir d'un infarctus et c'était franchement désagréable. Pourtant, je n'ai jamais fait d'excès. Je n'ai pas de kilos à perdre, je ne fume pas et, quand ma famille ne vient pas de se faire assassiner, il est rare que je boive trop. Le stress, en revanche... ce stress infernal, depuis le jour où j'ai épousé Patricia. Ce mariage pitoyable, cette pression permanente... C'est comme si un poids m'avait été ôté de la poitrine. Comme si mon cœur pouvait à nouveau battre librement.

Jessica posa une main sur son bras.

— Je te comprends, dit-elle, bien qu'au fond d'elle-même le sentiment de malaise s'accentuât. Je te comprends, cependant... tu... tu ne devrais pas parler comme ça devant les gens.

— Pourquoi ?

— Parce que... parce que c'est un peu bizarre. Ta femme et tes deux filles ont été sauvagement assassinées et tu parais... oui, tu parais soulagé. Libéré. Je comprends tout à fait ce qui se passe en toi, pourtant...

Elle n'acheva pas sa phrase. Elle se demanda si elle pouvait continuer.

— De toute façon, je ne parle de ça avec personne, répondit-il. Mes deux meilleurs amis sont morts. Je n'ai personne, à part toi, qui me soit assez proche pour que j'aie envie de me confier.

— Excuse-moi de m'être mêlée de ce qui ne me regarde pas.

Il se leva.

— Que dirais-tu de boire tranquillement ton champagne en regardant le soir descendre sur Munich ? Pendant ce temps, je m'occupe de notre dîner !

— Ne fais rien de compliqué pour moi.

— Tout est déjà prêt. Il va falloir que tu passes l'épreuve.

Il rit. Avant de quitter le balcon, il posa la main sur l'épaule de Jessica.

Elle ignorait que Léon savait faire la cuisine. A en croire Patricia, c'était elle et elle seule qui, jour après jour, rassasiait sa famille de délicieux repas merveilleusement équilibrés. Jamais Léon n'avait émis la moindre objection, ni même suggéré qu'il eût lui aussi quelques talents en la matière. Et voilà qu'il enchaînait un délice après l'autre, et apparemment d'une main sûre et experte. Jessica, qui n'avait pas pris le temps de déjeuner, se découvrit une faim de loup. Elle mangea jusqu'à ne plus pouvoir avaler une miette de plus.

— Léon, c'était absolument magnifique, mais si je ne m'arrête pas, je ne pourrai plus bouger pendant trois jours. Pourquoi nous as-tu caché que tu étais un cuisinier aussi talentueux ?

— Il y a encore un dessert. Ce n'est pas fini !

— Pitié ! s'exclama-t-elle en riant. Je ne pourrai pas me lever de ma chaise et tu n'arriveras plus à te débarrasser de moi.

Il sourit. Le photophore qu'il avait posé sur le rebord du balcon n'éclairait qu'imparfaitement son visage, mais Jessica vit l'éclair qui brilla dans ses yeux.

— Pourquoi voudrais-tu que je me débarrasse de toi ? demanda-t-il.

Le ton sur lequel il avait posé la question l'avait déstabilisée, mais elle s'efforça de répondre avec tout le naturel dont elle était capable.

— Parce que ton appartement est bien trop petit pour héberger un visiteur de passage !

Elle le vit ouvrir la bouche, aussi s'empressa-t-elle d'ajouter :

— Barney est seul à la maison. Il va avoir besoin de sortir. Il ne faut pas que je tarde.

— Alors, c'est pour ça que tu l'as laissé chez toi ? Je me disais aussi...

Il voulut lui servir du vin mais elle l'arrêta de la main.

— Pour ça ? Qu'est-ce que tu veux dire ?

— Que tu ne voulais surtout pas risquer de succomber à la tentation de rester.

— Je ne pense pas que j'aurais eu la tentation de rester.

— Tu en es sûre ?

— Tout à fait sûre, affirma-t-elle en prenant son sac à main. Il faut maintenant que...

— Tu sais que ça ne se fait pas de partir aussi vite. Nous avons à peine fini de dîner.

— Léon, je...

Elle voulait s'en aller. Elle avait le sentiment d'avoir été manipulée. L'invitation, la douce soirée de mai, le photophore dont la flamme vacillait sur le rebord du balcon, le champagne, le dîner raffiné... L'homme séduisant qui n'avait soudain plus rien de commun avec le Léon qui hier encore était un simple ami, un ami d'Alexander, agréable et sympathique. Il aspirait aujourd'hui à une nouvelle vie, beaucoup trop vite et beaucoup trop radicalement, mais peut-être non sans raison car ce qu'il avait péniblement échafaudé dans sa tête pour supporter sa situation actuelle était encore trop fragile pour ne pas menacer de s'effondrer à chaque instant.

— Jessica, dit Léon, laisse-moi être franc avec toi : j'ai réfléchi à nous deux. Nous sommes liés par un même destin. Nous avons perdu les êtres qui nous étaient les plus proches, dans des conditions particulièrement dramatiques, et nous devons à présent reconstruire nos vies sur des ruines. Nous sommes trop jeunes pour rester seuls, mais nous ne pourrons jamais trouver quelqu'un qui comprenne ce que nous avons vécu. C'est ce que j'essayais de t'expliquer l'autre jour, tu te souviens de notre discussion ? Les problèmes d'argent, les soucis à cause des enfants, les difficultés au sein d'un couple, c'est banal, qui n'en a pas ? Mais – à part moi et Evelin, bien sûr – connais-tu quelqu'un qui ait été impliqué dans un drame pareil ? En un sens, ce qui s'est passé ce jour-là à Stanbury nous a exclus de la société. Nous ne sommes plus ce que nous étions, mais nous ne sommes plus, non plus, là où sont les autres.

Elle savait qu'il n'avait pas complètement tort. En même temps, elle avait le sentiment de ne pas pouvoir accepter ce qu'il était en train de brosser en grosses lettres noires devant ses yeux. Le docteur Wilbert pouvait penser qu'elle était une victime, elle n'accepterait le statut de victime que lorsqu'elle considérerait que ce qu'elle avait vécu l'avait exclue de la société. Pour Léon, l'exclusion était à la fois évidente et inévitable. Pour sa part, jamais elle ne l'accepterait. Pas seulement à cause de l'enfant qu'elle portait, mais pour sa propre survie.

Elle se leva. Léon se leva. Il occupait tout l'espace entre elle et la porte-fenêtre, l'empêchant de quitter le balcon. Elle s'accrochait à son sac à main pour se donner une contenance.

— Nous avons chacun une façon différente de réagir, dit-elle. Je ne pense pas qu'il y ait une réaction meilleure que l'autre. Nous sommes simplement différents. N'essaye pas de m'imposer ta vision des choses. Laisse-moi trouver la mienne.

— Je ne veux rien t'imposer. J'essaye simplement de... J'énumère des faits, et il en découle pour nous des perspectives qui... C'est idiot, ce que je raconte, non ?

Il secoua la tête comme pour se libérer de toutes les idées confuses qui se télescopaient dans sa tête.

— Je voulais seulement te dire que je t'aime beaucoup, Jessica, reprit-il. Et que ce nouveau départ, que les circonstances ont rendu nécessaire, nous pourrions peut-être le prendre ensemble ?

Au fil des mots, sa phrase s'était transformée en question. Il la regarda, attendant une réponse. Le silence qui s'installa entre eux s'accompagna pendant près d'une minute d'un calme absolu dans l'immeuble. Il n'y eut plus un bruit autour d'eux, hormis celui de leur propre respiration.

Puis des gens recommencèrent à parler, quelqu'un rit, un chien aboya. Le sentiment d'être seuls au monde se dissipa.

Jessica avait l'impression de devoir dire quelque chose.

— Léon, tu ne penses pas que tu précipites un peu les choses ? Tu as un nouveau travail, un nouvel appartement... Tu veux maintenant une nouvelle compagne. Il n'y a pourtant que quatre semaines que... que c'est arrivé. Tu crois aujourd'hui que je suis la compagne qu'il te faut, mais peut-être est-ce uniquement parce que tu ne fréquentes en ce moment personne d'autre, et sans doute ne supporterais-tu pas de fréquenter d'autres gens. Mais...

— Non, l'interrompit-il. Ce n'est pas aussi simple. Déjà avant, du temps de Patricia, je ne pouvais pas te regarder sans imaginer que...

Il hésitait.

Ne le dis pas, songea-t-elle, s'il te plaît, ne le dis pas !

— Je ne pouvais pas te regarder sans imaginer que je te touchais, que je te tenais dans mes bras. Que je t'embrassais...

Il écarta les mains dans un geste d'excuse.

— Tu le sais, maintenant. Et les sentiments que j'éprouve pour toi ne sont pas nés avec la mort de Patricia et Alexander.

Jessica mettait toute son énergie à rester maîtresse d'elle-même.

— Mais... je ne m'en suis jamais rendu compte, répondit-elle d'une voix hésitante.

Ce n'était pas ce qu'elle avait eu l'intention de dire. Les mots n'avaient pas franchi ses lèvres qu'elle était atterrée d'avoir fait une réflexion aussi bête.

— Je me suis donné beaucoup de mal pour que tu ne remarques rien, répliqua Léon. La situation était telle que je ne n'avais guère de raisons d'espérer voir mes rêves se réaliser un jour. J'étais marié, tu étais mariée. Ton mari était l'un de mes meilleurs amis. Vous n'étiez que depuis peu de temps ensemble, vous paraissiez heureux. Même si j'avais divorcé, comment aurais-je pu espérer que tu fasses de même ?

— Tu étais très malheureux avec Patricia, n'est-ce pas ?

— Je te l'ai dit.

— Oui, mais... je ne pensais pas que...

— La vie avec elle était insupportable, expliqua Léon sur un ton presque indifférent, comme si cela avait été trop banal pour s'en émouvoir. J'en ai détesté chaque minute. Je crois que je l'ai détestée elle aussi. Mais il y avait les filles, le quotidien. Rompre paraissait impossible. On s'est accommodés de la situation, et ça a continué. Je me disais qu'autour de moi la plupart des mariages étaient aussi bancals. Je n'avais qu'à regarder mes meilleurs amis. Tim et Evelin : un désastre. Alexander et Eléna : dès le début, on savait comment ça allait finir. Patricia et moi : le même gâchis qu'ailleurs. On était dans la norme.

— Je comprends.

— Puis un jour, Alexander est arrivé avec toi. Tu étais différente des autres femmes. Tu n'étais pas dépressive et névrosée comme Evelin. Tu n'étais pas perfectionniste et autoritaire comme Patricia. Tu n'étais pas mondaine et imprévisible comme Eléna. Tu étais simple... oui, avec les pieds sur terre. Droite. Tu me paraissais un être droit et chaleureux, honnête et ouvert. Tout en étant très indépendante, très autonome. Je me suis dit : « Alexander a réussi. Il a trouvé la femme avec laquelle il va traverser l'existence. Sacré veinard... »

Il demeura un instant silencieux, puis il reprit :

— Je pensais que moi aussi, avec cette femme, je pourrais y arriver.

— Arriver à quoi ?

Je ne devrais rien demander. Je devrais arrêter de discuter.

— A vivre. Je me disais qu'avec une femme comme toi je réussirais à redémarrer. Le boulot. Une vraie famille. Tout...

— Léon, je crois que tu idéalises...

— Et je te trouve très jolie. Très attirante. A Stanbury, c'est tout juste si je pouvais m'asseoir à table en face de toi sans...

Il la regarda avec l'air d'attendre une réaction de sa part, mais elle demeura silencieuse, puis baissa les yeux.

— ... sans imaginer que je couchais avec toi, acheva-t-il à mi-voix.

— Mon Dieu, murmura Jessica.

— Eh oui...

Elle ne le regarda pas, de peur qu'il lise dans ses yeux ce qu'elle pensait. Le soupçon qui des jours auparavant – ou peut-être des semaines, elle ne savait plus très bien – avait germé au fond d'elle-même explosa soudain dans sa tête comme un feu sous l'effet d'un apport d'oxygène. C'était toujours la même interrogation : à quel point Léon avait-il été malheureux en ménage ? A quel point sa situation lui avait-elle paru désespérée ?

Et maintenant, à cette interrogation s'en ajoutait une nouvelle : à quel point avait-il été amoureux de la femme de son ami ? A quel point s'était-il imaginé qu'elle transformerait sa vie ?

Avait-il pu en arriver à penser qu'il n'avait d'avenir que si Patricia et Alexander ne lui barraient plus la route ? Etait-il possible qu'il ait perdu le sens commun au point d'anéantir la vie de ses deux filles ? Et celle de Tim, qu'il était incapable de rembourser ? Dans ce cas, Evelin aurait simplement eu de la chance car, héritière de son mari, elle se substituait à lui pour le recouvrement de ses créances. Seule sa mort aurait libéré Léon de sa dette. A moins qu'il n'ait eu besoin d'elle pour lui faire porter le chapeau. Mais ça, Léon n'avait jamais essayé. Pour lui, le coupable avait toujours été Phillip. Il n'avait jamais dévié de ce point de vue.

Elle était déconcertée et fatiguée, fatiguée de tout. Pourquoi la police ne se décidait-elle pas à arrêter le coupable ? Pourquoi aucun éclaircissement ne venait-il mettre un terme aux spéculations et aux doutes ? Pourquoi fallait-il que Léon lui fasse soudain une déclaration d'amour ? Pourquoi fallait-il que tout devienne plus compliqué et plus difficile ?

— Je voudrais rentrer chez moi, dit-elle. Je suis désolée, Léon, mais je ne peux pas te répondre ce soir. Je m'y attendais tellement peu, et cela arrive si vite après… après ce qui s'est passé. Je ne suis pas prête à penser à tout ça. J'ai besoin de beaucoup plus de temps.

— Bien sûr, approuva-t-il, mais il n'avait l'air ni de la comprendre ni d'apprécier l'idée de devoir attendre. On se téléphone ?

— Promis, dit-elle en se faufilant pour regagner le séjour. Je t'appellerai.

Il se força à sourire.

— Si je comprends bien, tu préfères que je ne t'appelle pas !

Elle l'embrassa sur la joue – depuis le temps qu'ils se connaissaient, il eût été ridicule de lui tendre la main –, mais si rapidement qu'il ne pouvait se méprendre.

— Donne-moi du temps. Et merci pour la soirée !

Elle n'attendit pas l'ascenseur. Elle se précipita dans l'escalier, dévala les marches et ne reprit son souffle qu'une fois dehors, au pied de l'immeuble.

C'est seulement à cet instant qu'elle se souvint qu'elle avait oublié de l'interroger sur Marc.

11

Keith Mallory raccrocha le téléphone dans une sorte d'état second. Entendre subitement la voix de Ricarda l'avait ébranlé. Depuis qu'ils se connaissaient, ils étaient tacitement convenus qu'elle ne devait pas l'appeler chez lui. C'était, bien sûr, essentiellement à cause de son père, et à présent qu'il n'était plus en état d'émettre la moindre remarque sur ce qui se passait autour de lui, sans doute Ricarda s'était-elle sentie libérée de l'accord.

Il se demandait pourquoi il se sentait tout tremblant depuis qu'il lui avait parlé.

Le téléphone se trouvant dans la petite entrée, Keith n'eut que deux pas à franchir pour être dans la cour. Il faisait chaud, étonnamment chaud pour un mois de mai, et inhabituellement sec. D'ordinaire, les pluies étaient fréquentes dans le Yorkshire à cette époque de l'année. D'après ce qu'il voyait à la télévision ou lisait dans le journal, il pleuvait beaucoup plus dans le sud du pays.

La cour écrasée de soleil était calme. Deux poules allaient majestueusement de la grange à l'étable, leurs congénères s'étaient réfugiées à l'ombre de la haie, où elles avaient gratté la terre sèche pour s'aménager de confortables nids. La ferme donnait l'impression d'être mieux tenue qu'au temps du vieux Greg. Ça ne remontait guère à plus de quatre semaines, mais, pendant ces quatre semaines, Keith s'était dépensé comme jamais. Il avait fait disparaître le vieux matériel agricole rouillé qui traînait partout, de même que les vieux pneus et la cabane en planches qui avait jadis servi de toilettes. Il avait désherbé les abords de la maison jusqu'à ce que ses mains soient couvertes d'ampoules et son dos brisé. Il avait repeint la porcherie et réparé

405

le grillage de la basse-cour. Il projetait de remplacer par des neuves toutes les vitres cassées et sales du fenil. La porte de la maison avait besoin d'être repeinte.

Il ne s'était encore jamais senti autant d'énergie.

Surtout, il n'avait jamais imaginé que cette ferme lui inspirerait un tel enthousiasme, une telle soif d'entreprendre. Jusque-là, il se défilait devant la moindre tâche liée de près ou de loin à l'exploitation. La seule idée de devoir exécuter un travail quelconque aux côtés de son père le rendait malade. L'essentiel de ses journées consistait à se réfugier dans sa grange abandonnée, où, allongé sur le vieux canapé défoncé, il rêvait à la restauration des stucs de belles demeures anciennes.

Chasser les mauvaises herbes, réparer les clôtures et récurer les étables était très éloigné de ce dont il avait imaginé faire sa vie. Découvrir l'ardeur à la tâche que cela suscitait chez lui l'étonnait d'autant. C'était comme si la maladie de son père avait ouvert devant lui un chemin jusque-là interdit. Il s'était libéré. A chaque seau rouillé dont il s'était débarrassé, il s'était débarrassé d'un morceau de son père. A chaque chardon coriace qu'il avait arraché, il avait arraché un morceau de son père. A chaque rénovation qu'il avait entreprise, il avait supprimé un morceau de son père, et il avait pris la place désormais libre.

Greg n'était pas mort, mais il n'appartenait plus qu'en pointillé au monde des vivants. L'hôpital l'avait renvoyé chez lui en le confiant aux bons soins de sa femme, en d'autres termes Gloria avait désormais la charge d'un handicapé, d'un homme grabataire et incontinent qu'elle devait nourrir et auquel elle devait mettre des couches comme à un bébé, qui ne pouvait plus qu'émettre des sons inintelligibles et dont l'état, les médecins l'avaient laissé entendre, avait peu de chances de s'améliorer de façon notable.

Désormais, la ferme appartenait à Keith. Pas encore au sens juridique du terme, mais il assumait déjà la pleine responsabilité des bêtes, des terres, de la maison et des étables. Et il se rendait compte que sa mère, autant que sa sœur, le considéraient comme le nouveau chef de famille.

A force de s'y démener comme un beau diable, il avait en outre le sentiment de s'être réellement approprié la ferme et d'en avoir fait son territoire.

L'horizon se dégageait. Il avait un avenir. En un instant, sa vie avait changé du tout au tout.

Il prit une longue inspiration et réfléchit au coup de téléphone qu'il venait de recevoir. Il avait eu l'impression que Ricarda l'appelait à l'aide. L'idée l'effrayait un peu. Il était au seuil d'une nouvelle vie. Penser que quelqu'un, maintenant, puisse chercher à s'accrocher à lui comme à une bouée lui donnait un sentiment d'accablement. Il avait dix-neuf ans. Il commençait tout juste à trouver sa voie. Qu'était-il en mesure d'offrir à une jeune fille de seize ans ?

A une jeune fille traumatisée. Parce qu'il n'était pas nécessaire d'être très versé en psychologie pour se douter qu'elle l'était. Elle avait perdu son père dans les circonstances les plus effroyables que l'on puisse imaginer, et le massacre auquel s'était livré le meurtrier ne pouvait que rendre plus difficile encore son retour à l'équilibre. Il devait bien lui traverser l'esprit que ce n'était sans doute que pur hasard si elle était encore en vie.

Au téléphone, elle n'avait pas eu un mot pour évoquer l'événement. C'est ce qui paraissait anormal à Keith. Déjà sa réaction, ou plutôt son absence de réaction, un mois auparavant, dans la grange, quand il lui avait rapporté ce qu'il savait, l'avait laissé songeur. Elle avait une façon de refuser de regarder la réalité en face, de nier les événements qui lui paraissait pathologique.

Il l'aimait, il en avait désormais la certitude. Elle était douce, confiante, ouverte et en même temps très authentique, très droite. Elle ne se donnait pas de grands airs, elle n'était pas aussi désabusée ni aussi capricieuse que les autres filles. Et il la trouvait extraordinairement jolie.

« Keith, c'est moi, Ricarda », avait-elle dit. Il en était resté un instant sans voix. Elle avait insisté :

« Keith ? Tu es là ?

— Oui, bien sûr, je suis là.

— J'ai essayé plusieurs fois de t'appeler sur ton portable. Mais apparemment, tu ne le branches jamais.

— Je suis maintenant tout le temps à la ferme, si bien que je suis joignable sur le fixe.

— Et tu n'écoutes jamais ta boîte vocale ?

— Non. »

Il s'était ressaisi.

« Ricarda, c'est bon d'entendre ta voix. Comment vas-tu ? »

Dans son esprit, c'était plus qu'une simple question de politesse, mais il s'attendait néanmoins à une réponse lisse et convenue.

Au lieu de cela, elle dit :

« Je ne vais pas bien du tout, Keith. C'est horrible. Tu me manques énormément. Et tout a changé. Je n'arrive pas à recommencer comme avant.

— C'est normal, après ce qui s'est passé, il faut du temps pour que... »

Elle l'avait interrompu.

« Je parle de *nous*. C'est à cause de nous que je ne peux plus faire comme avant. »

Son refus de la réalité allait jusqu'à refuser de penser au crime. C'était comme si, pour elle, il n'avait pas eu lieu.

Etait-il possible de s'aveugler à ce point ?

« Tout est différent, tu sais, poursuivait-elle. Avant les vacances de Pâques, j'étais un bébé. Maintenant, c'est fini.

— Tu as quinze ans, lui rappela-t-il.

— Presque seize. Dans quinze jours, j'en aurai seize.

— Ça reste très jeune. »

Elle était demeurée un instant silencieuse avant de répliquer :

« Tu ne trouvais pas ça trop jeune, l'autre jour, quand tu voulais qu'on s'installe ensemble à Londres.

— C'est vrai, mais à l'époque...

— Oui ? Qu'y avait-il à l'époque ? » avait-elle insisté devant son silence.

Il n'aurait pu le dire. C'était différent. Sans doute le crime qui avait eu lieu y était-il pour quelque chose. Quand ils étaient partis, elle était une jeune fille en rupture avec sa famille, mais ses problèmes s'inscrivaient, aux yeux de Keith, dans la normalité. Puis quelque chose d'indicible s'était produit. Quelque chose qui emplissait Keith d'une angoisse inédite.

« Tu vas rester à la ferme ? » avait demandé Ricarda.

Qu'elle aborde elle-même le sujet l'avait soulagé.

« Oui. Dans un sens, tout était lié à mon père. Le fait de vouloir partir, ne pas travailler avec lui… Aujourd'hui, la ferme est à moi. Mon père est sur la touche. Il n'est pas mort, mais il est très amoindri, c'est un enfant. Je peux faire ce que je veux. Et je… j'ai l'impression que c'est mon devoir de rester. Cet héritage… Ma famille vit ici depuis des générations. Je ne voudrais pas rompre le fil.

— Je te comprends, Keith. Je te comprends complètement. »

C'était cette flamme dans la voix de Ricarda qui, lorsqu'il était avec elle, lui donnait toujours ce sentiment de confiance et de sécurité. C'était cela qui la rendait si authentique. Cette chaleur.

Il imagina la tête de sa mère quand il lui présenterait une jeune fille allemande de seize ans qui n'avait jamais trait une vache de sa vie, jamais tondu un mouton, jamais cuit un pain. Et pour couronner le tout, qui appartenait à ce qu'au village on appelait les « gens de Stanbury House ». Le crime tenait encore la région en haleine, d'autant que l'on savait qu'aucune preuve ne condamnait formellement la femme qui avait été arrêtée. L'affaire était considérée comme non résolue et personne n'avait envie d'y être mêlé de près ou de loin. Sa mère serait aux cent coups.

« Quand tu auras seize ans, nous pourrons nous marier », avait-il dit.

Il fouilla dans ses poches, en sortit un briquet et une cigarette écrasée, l'alluma et tira une longue bouffée. Il avait sauté le pas. Il espérait qu'il avait bien fait.

Il entendit un bruit derrière lui et se retourna. Gloria se tenait sur le seuil de la maison. Le poids des soucis et du chagrin semblait l'accabler. Depuis la maladie de son mari, elle paraissait s'être tassée sur elle-même. A moins que ce ne fût sa façon de se tenir les épaules en avant.

— Qui était-ce, au téléphone ? demanda-t-elle, puis elle toussa pour manifester sa désapprobation de le voir fumer.

— Une amie.

— Je la connais ?

Elle n'avait jusque-là jamais manifesté d'intérêt particulier pour les fréquentations féminines de son fils, mais depuis l'accident vasculaire de son mari, c'était devenu un sujet d'inquiétude. Elle était également partagée entre deux craintes : qu'il rencontre une femme et parte avec elle ; qu'il en ramène une à la ferme avec laquelle elle ne s'entendrait pas. La situation actuelle était déjà assez difficile sans que de nouveaux changements viennent s'y greffer.

— Tu ne la connais pas, répondit Keith en jetant sa cigarette par terre et en l'écrasant du pied.

— Rien de sérieux, alors ? s'assura Gloria.

C'est à cet instant que Keith comprit qu'il n'y avait jamais rien eu de plus sérieux dans sa vie.

Il aurait pu prendre sa mère dans ses bras et la serrer très fort. Il ne le fit pas. On ne s'épanchait pas, chez les Mallory, le geste aurait troublé sa mère.

12

Phillip avait déjà vécu la scène. Il pleuvait des cordes. Phillip rentrait chez lui. Il leva la tête, vit de loin la lumière briller derrière la lucarne de son appartement et il sut qu'elle était là. La même scène que huit jours auparavant.

Cette fois, Phillip ne revenait pas de chez un avocat, il revenait des archives de l'*Observer*. A vrai dire, il avait déjà compulsé toutes les archives de tous les journaux, mais il y avait des jours où il ne pouvait s'empêcher de recommencer à chercher. L'espoir le reprenait de découvrir un lien avec sa mère, et donc avec lui, ou quelque chose pour expliquer que McGowan ait abandonné et rayé de sa vie Angela Bowen. Il existait peut-être des raisons. De bonnes raisons qui lui permettraient de comprendre, d'accepter et peut-être de se réconcilier avec son père.

Il n'avait rien trouvé, rien qu'il n'eût déjà dans l'un de ses multiples classeurs. Il était assis depuis des heures quand il s'était rendu compte qu'il avait faim et que sa tête était prête à exploser. Il avait regardé sa montre. Six heures et demie.

Quand il retrouva l'air libre, il pleuvait. La journée avait commencé sous le soleil, puis, au cours de l'après-midi, d'épais nuages s'étaient amoncelés. Toutes les vannes du ciel étaient ouvertes. Phillip n'avait une fois de plus ni parapluie ni imperméable. En rasant les murs pour éviter de se faire trop mouiller, il courut jusqu'à un restaurant pakistanais. Beaucoup de gens s'y étaient engouffrés pour échapper à la pluie, mais il réussit à dénicher une petite table d'un couvert. Un coup d'œil à son porte-monnaie lui confirma qu'il avait bien quelques billets à dépenser. Il pouvait s'offrir une bière et une assiette de riz aux légumes.

Le plat était bon, ses vêtements mouillés séchaient, l'alcool le réchauffait. Il commanda un cognac, observa les gens autour de lui. Il saisissait des bribes de conversation sans y prêter attention. Il se sentait bien.

Au cours de l'après-midi, il avait pris une décision. Il avait réfléchi à McGowan et à sa femme Patricia, et à la branche allemande de la famille. Ce n'était pas la première fois, mais il n'y avait jamais accordé le même intérêt. Kevin McGowan n'avait plus de parents en Angleterre. Mais Phillip n'avait jamais cherché à savoir s'il n'avait pas de la famille en Allemagne. Son fils était peut-être toujours vivant, et il était possible qu'il y ait quelque part des tantes et oncles éloignés, des cousins. Il était possible que Kevin ait gardé des liens avec les uns ou les autres après son divorce. Qu'il ait été plus proche de l'un d'eux et qu'il se soit confié à lui, qu'il lui ait parlé d'Angela Bowen. Peut-être y avait-il là une piste que personne n'avait encore explorée.

Il le ferait. Il irait en Allemagne. A Hambourg. C'était là que Kevin et Patricia avaient vécu. C'était là que la piste commençait.

Ses vacations à la BBC lui avaient rapporté un peu d'argent. Il avait des retards de loyer, mais son propriétaire ne s'était pas manifesté et, de toute façon, il était habitué à attendre. Il devait toutefois à la vérité de reconnaître que le bon état de ses finances était dû pour une bonne part au fait que Géraldine, qui s'était pour ainsi dire installée chez lui, payait tout, de la nourriture à la facture d'électricité en passant par le journal quotidien et le champagne. Economiquement parlant, vivre à ses frais avait été une bonne opération. Il ne voyait pas pourquoi il aurait dû avoir mauvaise conscience. Dieu sait qu'il n'avait rien fait pour l'encourager à être tout le temps fourrée chez lui.

Il était neuf heures quand il quitta le restaurant. La nuit tombait et il pleuvait toujours autant. Inutile d'attendre, rien dans le ciel ne permettait d'espérer une amélioration. Prendre un taxi était tentant, d'autant qu'il avait encore un peu d'argent sur lui, mais s'il commençait comme ça, il n'aurait jamais de quoi aller jusqu'à Hambourg. Et Hambourg était désormais la priorité suprême.

Il prit donc un métro bondé qui sentait le chien mouillé, courut sous la pluie dans des rues sinistres et vit de loin la lumière qui brillait chez lui. Il était à présent neuf heures et demie. Phillip avait espéré qu'elle serait partie, lassée d'attendre qu'il veuille bien rentrer dîner ou téléphoner pour prévenir qu'il ne rentrerait pas. Il songea en soupirant que cet épouvantail de Lucy devait être là. Les deux copines étaient sans doute trop occupées à vider une bouteille de champagne pour se rendre compte de l'heure.

Bien que dans les meilleures dispositions, grâce à l'alcool et aux espoirs qu'il fondait sur l'Allemagne, il se sentit devenir agressif. La simple idée de ce qu'elle allait dire quand il lui parlerait de son projet lui gâchait son plaisir.

Quand il ouvrit la porte de son appartement, il fut assailli par une épaisse fumée âcre qui le fit tousser. Il ne comprit pas tout de suite d'où elle provenait, puis il vit Géraldine agenouillée devant le petit poêle en fonte qui occupait un angle en soupente de la pièce.

Jamais Phillip n'avait utilisé ce poêle. Il avait toujours été là, rouillé, poussiéreux, inutile. Quand il avait emménagé, le loueur lui avait dit qu'il ne voyait pas d'objection à ce qu'il s'en débarrasse puisque l'immeuble, combles compris, était équipé d'un chauffage collectif. Le poêle ne gênait pas Phillip, et il était resté où il était.

A en juger par ce qu'il voyait, Géraldine s'était décidée pour une soirée romantique au coin du feu, en plein mois de mai. Parce qu'il pleuvait dehors ?

Qu'était-elle encore en train de mijoter ? Ne pouvait-elle donc jamais lui ficher la paix ?

Elle poussait des boules de journaux froissés dans les flammes sans paraître remarquer que le feu s'emballait ni que le poêle ne tirait pas assez ou qu'elle-même toussait et était incommodée par la fumée qui envahissait l'appartement. Indifférent aux marques humides et sales qu'il laissait sur la moquette, Phillip se précipita sur la fenêtre et l'ouvrit en grand.

— Tu veux nous asphyxier ou quoi ? s'exclama-t-il. Qu'est-ce que tu fabriques avec ce poêle ?

Elle ne l'avait pas entendu entrer et sursauta violemment. Elle releva la tête. Il y avait de la suie sur son visage et son pull-over blanc. Elle était très pâle. Ses mains tremblaient.

— Je brûle des journaux, dit-elle.

— Mais pourquoi ? Il y a un container pour les vieux papiers dans la cour en bas et...

Il n'acheva pas. Ses yeux s'arrêtèrent sur ce qu'il y avait par terre devant le poêle et lentement, presque au ralenti, le sens de ce qu'il voyait s'imposa à son esprit. Ses classeurs, éparpillés. Les grands ciseaux de cuisine. Quelques journaux, la plupart déjà déchirés. Des restes de photos. En arrière-plan, l'étagère vide. Le visage défait et anormalement pâle de Géraldine. Ses mains, dont elle ne parvenait pas à contrôler le tremblement.

Il la dévisagea. Il devait lui en coûter, mais elle soutint son regard. Il lut de la peur dans ses yeux.

— Qu'est-ce que tu as fait ? demanda-t-il bien qu'il le sût déjà.

— J'ai pensé que... je pense, se corrigea-t-elle, que c'est mieux pour toi... pour *nous*, que tu sois libéré. Tu es prisonnier d'une idée, et...

Elle s'interrompit. Au vu de l'expression qui se peignit sur le visage de Phillip, elle préféra ne pas aller jusqu'au bout.

— Tu n'y serais jamais arrivé, dit-elle à mi-voix. Tu n'aurais jamais pu te libérer.

Il était tellement sidéré qu'il avait quelque part au fond de la tête l'espoir fou qu'il se trompait, qu'en réalité le tableau qu'il avait sous les yeux n'était pas ce qu'il semblait être.

— Mes archives, murmura-t-il lentement, les journaux... tout ce que j'ai rassemblé sur mon père... Ne me dis pas que tu...

C'était trop énorme pour qu'il puisse mettre des mots sur ce qu'il voyait. Elle ne pouvait pas être allée aussi loin, elle ne pouvait pas avoir fait ça... même elle...

Il fut pris de vertige et s'efforça de respirer à fond. De l'air frais et humide pénétrait dans la pièce enfumée par la fenêtre grande ouverte. Les murs cessèrent de tourner autour de lui.

— C'était la seule solution, Phillip, déclara Géraldine.

Sa voix avait repris un peu de fermeté mais son visage était toujours d'une pâleur mortelle.

— Tu t'es entiché d'une idée qui me fait peur, et surtout qui détruit ton avenir. Tu passes des heures à fouiller les archives des journaux, tu fais des dossiers, tu collectes la moindre bribe d'information et... tu en fais le but de ta vie. Mais cette quête insensée n'est pas une vie. C'est seulement une... gigantesque erreur.

— Mon père...

— Ce n'est pas ton père. C'est uniquement un mensonge de ta mère, et je ne veux pas qu'à cause de ce mensonge notre vie...

Elle comprit qu'elle était allée trop loin. Phillip le vit à son expression, qui passa de la détermination à la consternation. Elle se tut, avala sa salive et se mordit les lèvres.

— Je veux dire... commença-t-elle dans une ultime tentative d'explication, mais elle n'alla pas plus loin car il n'y avait rien à dire.

Il serrait les poings. Il éprouvait un tel besoin de frapper ce visage blanc aux yeux immenses, d'écraser ces lèvres douces qu'il se sentait sur le point d'étouffer. Il fallait qu'il fasse taire la bouche qui avait proféré de telles abominations, qu'il lui fasse aussi mal qu'elle lui avait fait mal. Il voulait l'entendre geindre, la voir se tordre de douleur par terre au milieu des classeurs vides et des journaux déchirés, au milieu de tout ce qu'elle avait détruit. Il voulait la rouer de coups jusqu'à ce qu'elle n'en puisse plus, jusqu'à ce qu'elle se traîne hors de son appartement et soit définitivement et pour l'éternité guérie de l'idée de remettre un jour un pied dans sa vie, de l'envahir, de lui imposer ses désirs et ses idées. Il voulait se venger, il voulait s'en débarrasser, il voulait...

— Je t'en prie, non ! murmura-t-elle en reculant sur les genoux jusqu'au mur. Non !

Si sa colère ne trouvait pas d'urgence un exutoire, il mourrait sur place, il en avait l'intime conviction. D'un seul mouvement, et sans réfléchir, il s'empara des ciseaux avec lesquels Géraldine s'était déchaînée sur ses dossiers. Il fut sur elle en un éclair.

— Non ! Par pitié, non ! hurla-t-elle en se recroquevillant contre le mur.

C'était la terreur d'avoir affaire à un fou, la peur de mourir qui emplissait ses yeux ; elle suait la peur par tous les pores de sa peau. Il la saisit par les cheveux et tira violemment sa tête en arrière. Elle hurla, hurla encore tandis qu'en quelques coups de ciseaux il coupait la merveilleuse chevelure qui atteignait le creux de ses reins et jetait les épaisses mèches noires à travers la pièce.

— Disparais, dit-il entre ses dents, disparais de ma vie et ne reviens jamais ! Tu entends, jamais ! Je ne veux plus jamais te voir !

Elle tremblait, poussait des petits gémissements et paraissait stupéfaite d'être encore en vie. Elle était grotesque avec ses cheveux courts coupés à des hauteurs différentes. Son désarroi emplit Phillip d'une joie mauvaise.

— J'ai dit : *dehors !* répéta-t-il.

Sans cesser de gémir, elle leva les mains avec appréhension et toucha du bout des doigts ce qui restait de ce qui avait été sa plus belle parure. Elle tressaillit quand elle comprit ce qu'il avait fait. Elle baissa les yeux, et quand elle vit sa poitrine, son ventre que n'effleuraient plus les longues mèches soyeuses, ses yeux s'agrandirent. Elle releva la tête, regarda Phillip.

— Dehors ! dit-il encore une fois.

— Salaud, fit-elle à voix basse.

Il prit son sac à main qu'elle avait posé sur le canapé, se dirigea vers la porte de l'appartement et le lança dans la cage d'escalier. Le sac roula de marche en marche, puis s'ouvrit, et tout son contenu se répandit sur les marches et les paliers au milieu de bruits divers.

— Je veux que tu disparaisses, jeta-t-il d'une voix blanche.

Elle se releva péniblement, vacilla. Elle ressemblait à un épouvantail. Quand elle se verrait dans une glace, elle aurait le choc de sa vie, mais c'était égal à Phillip. Il ne voulait plus qu'une chose : qu'elle disparaisse. Il voulait être seul, il voulait voir s'il y avait encore quelque chose à sauver parmi ce qu'elle avait détruit. Sa présence lui donnait la nausée. Il ne voulait pas d'elle. Il n'avait jamais voulu d'elle. Et il ressentit quelque chose comme du soulagement qu'elle lui ait donné le courage de mettre un terme à leur relation.

Phillip vit la peur de Géraldine se muer en haine, mais cela aussi lui était égal. Tout lui était égal pourvu qu'elle disparaisse. S'il l'avait pu, il l'aurait attrapée par la peau du cou et lancée dans l'escalier comme il avait lancé son sac. Il attendit. Elle renifla.

— Espèce de salaud ! cria-t-elle. Et dire que je t'ai tout sacrifié !

Dans d'autres circonstances, il aurait ri et lui aurait demandé si par *sacrifié* elle voulait dire qu'elle s'était immiscée dans sa vie et des années durant l'avait tanné avec ses projets. Qu'elle ne l'avait jamais écouté quand il lui avait dit et redit qu'ils n'avaient pas d'avenir ensemble. Qu'elle avait décidé qu'il le lui fallait comme on se met en tête d'avoir un beau jouet, une jolie robe ou une super voiture.

Il ne demanda rien, ne dit rien. Ils n'avaient que trop parlé, que trop perdu de temps. Seul importait désormais que ça se termine.

Elle le regarda, puis passa devant lui d'un pas décidé et prit d'un geste brusque son manteau sur le dossier de la chaise où elle l'avait posé. Elle claqua la porte derrière elle. Il entendit ses pas dans l'escalier. Il lui faudrait un bon moment pour ramasser le contenu de son sac.

Elle était partie !

Il se laissa tomber devant le poêle et rassembla ce qui avait échappé au feu. Quelques photos, quelques coupures de presse, quelques lambeaux de papier, quelques fragments d'articles inutilisables... des restes qui n'avaient plus de valeur. Il se revit hanter les bibliothèques et les archives, s'usant les yeux sur les écrans de moniteurs où défilaient les micro-fiches, photocopiant des centaines de documents, imprimant des centaines de pages découvertes sur Internet. Une année de travail. Une année de recherches. De déchiffrage, de tri, de classement, de collage. Douze mois pendant lesquels il avait inlassablement travaillé à la construction de l'image de son père, avec le soin et la patience que l'on met à reconstituer un puzzle. Douze mois qu'elle avait anéantis en moins d'une heure.

Soudain accablé de fatigue, il se releva. Il ne savait pas combien de temps s'était écoulé. Aucun bruit ne provenait de la cage d'escalier.

Il entra dans le minuscule cagibi qui faisait office de salle de bains et se glissa dans la cabine de douche en plastique que, des années auparavant, le propriétaire de l'appartement avait été si fier de faire installer. WC sur le palier, mais douche dans l'appartement. Toujours mieux que rien, s'était dit Phillip à l'époque.

Il prit une douche glacée, le visage tendu vers la pomme ruisselante. Sous la morsure du froid, il sentit la vie revenir dans son corps, son cerveau sortir de sa torpeur, son esprit reprendre conscience de la réalité. Il se sécha et regagna le séjour. Le poêle s'était éteint ; dehors, le ciel était d'un noir d'encre. L'air humide qui pénétrait dans la pièce par la fenêtre ouverte se mêlait à l'odeur de fumée froide. Des touffes de longs cheveux noirs jonchaient la moquette.

Phillip les fixa. Maintenant que le choc s'estompait, il commençait à se rendre compte de ce qu'il avait fait. Il avait flanqué Géraldine dehors, d'une façon telle qu'elle devait avoir compris qu'il n'y avait pas de retour possible. Il lui avait en outre fait quelque chose qui s'apparentait au pire pour une femme : il lui avait coupé les cheveux de force. Outre que ses cheveux avaient été toute sa fierté, qu'elle les avait toujours méticuleusement soignés et qu'ils avaient représenté un de ses meilleurs atouts professionnels, le geste devait l'avoir humiliée. Il avait franchi une limite qu'on ne franchit pas entre gens civilisés. Sur l'échelle des interdits, ce qu'il avait fait arrivait juste derrière le viol. Pour Géraldine, c'était peut-être sur la même ligne.

Il eut froid et ferma la fenêtre. Il devait réfléchir. Non qu'il regrettât son geste, qui avait au moins le mérite d'avoir clarifié la situation – du reste, maintenant que c'était fait, il se rendait compte que ces dernières semaines l'avaient mis au supplice, la fin était inévitable –, mais c'était la première fois qu'il prenait la pleine mesure des conséquences.

Elle irait à la police. Ou bien elle appellerait directement le superintendant Machin – il avait oublié son nom – dans le Yorkshire. Elle reviendrait sur ses déclarations, elle anéantirait son alibi. Elle raconterait qu'il l'avait harcelée jusqu'à ce que sa déposition aille dans son sens à lui. Et il serait plus suspect que jamais.

Il regarda l'heure. Un peu plus de onze heures et demie. Il devait y avoir à peu près une heure que Géraldine avait quitté l'appartement.

Théoriquement, les flics pouvaient débouler à tout moment.

Il n'était plus temps de peser le pour et le contre. Se rendrait-il plus suspect encore en prenant la fuite ? Serait-il plus raisonnable de rester ? Géraldine irait-elle trouver la police ? Ou bien débarquerait-elle, en larmes une fois de plus, et le supplierait-elle de lui accorder une énième explication ? Quoi qu'il en soit, s'il ne prenait pas la poudre d'escampette, il avait toutes les chances de passer le reste de la nuit au poste.

Phillip se débarrassa de la serviette dans laquelle il était encore enveloppé, enfila des sous-vêtements propres, un jean, un sweat-shirt gris. Il prit un sac de toile dans un placard, y fourra quelques vêtements de rechange, une brosse à dents, du dentifrice, le portefeuille renfermant ses maigres économies, initialement destinées à financer son voyage en Allemagne. Il ne savait pas encore ce qu'il allait faire. Pour le moment, seul importait de disparaître.

Tout s'était passé très vite. A minuit moins dix, il quittait son appartement. Il portait des chaussures de sport et une veste en cuir râpé sur son sweat-shirt, une sorte d'uniforme pour passer inaperçu. Mais si on le recherchait, il ne serait nulle part à l'abri. Dans aucun train, aucun bus, aucune pension de famille.

Il s'exhorta à ne pas y penser. Qu'il commence déjà par partir.

La cage d'escalier était aussi chichement éclairée que d'ordinaire ; il remarqua toutefois dans la lumière glauque d'une ampoule intacte un tube de rouge à lèvres sur une marche et un crayon à paupières sur une autre, qui venaient sans doute du sac de Géraldine. Elle n'avait pas dû les voir.

Il descendit silencieusement. Dehors, il pleuvait toujours. La rue était déserte. Il se détendit. Ces dernières minutes, l'immeuble avait pris l'allure d'un immense piège. Il n'aurait eu aucun moyen de s'échapper de sa mansarde.

Mais à présent, il était dehors, et il n'y avait aucun policier en vue.

Il prit la direction de la station de métro, d'un pas mesuré. Ce n'était pas le moment de se faire remarquer.

13

Elle fut presque soulagée de le voir comme ça. Débarquant au milieu de la nuit, ivre, sentant la transpiration, les cheveux hirsutes, les vêtements en désordre. Il faisait peine à voir, il paraissait déboussolé, au bord du désespoir, et pour le coup parfaitement conforme à l'image que l'on se fait d'un homme dont la famille entière a été sauvagement assassinée quatre semaines auparavant. Le séduisant et très sémillant jeune quadragénaire qui lui avait fait les honneurs de son nouvel appartement deux jours auparavant avait mis Jessica très mal à l'aise. Celui qu'elle avait en face d'elle n'accréditait pas la thèse du soupçon qui la hantait et qu'elle n'allait pas refouler éternellement.

Elle comprenait que Léon serait peut-être encore longtemps ballotté comme une feuille dans le vent. Qu'il hésiterait ainsi entre l'euphorie d'un nouveau départ et la gueule de bois carabinée, entre le sentiment d'être libéré d'un poids et celui d'avoir subi une perte irréparable. C'était sa façon de se reconstruire, de *faire son deuil*.

En devenait-il moins suspect pour autant ?

A vrai dire, ni plus ni moins qu'une attitude opposée eût signé sa culpabilité. Au fond, il n'y avait rien qui parlât plus en faveur d'une théorie que l'autre. Le comportement d'un homme dont la famille avait été assassinée n'était pas codifié.

Jessica avait hésité à ouvrir la porte. Elle s'était couchée très tard, presque à une heure du matin, et avait eu du mal à s'endormir. Quand la sonnerie l'avait réveillée, elle avait tout d'abord cru entendre son réveil, puis la sonnerie avait à nouveau retenti. Elle ne provenait pas de son réveil, mais sans nul doute de la porte d'entrée. Au reste, il était un peu plus de deux heures du matin, ce n'était pas une heure à laquelle on réglait un réveil.

Barney, qui dormait dans sa corbeille à côté du lit, avait levé la tête, grogné doucement, puis s'était dressé sur ses pattes et était sorti de la chambre. Jessica l'avait entendu descendre l'escalier. Elle s'était levée à son tour et l'avait suivi au rez-de-chaussée.

Elle s'était demandé s'il était bien prudent d'ouvrir sa porte à deux heures du matin, puis elle se dit que des cambrioleurs ne sonneraient pas. De plus, Barney, qui avait encore pris quelques centimètres, commençait à ressembler à un vrai chien de garde.

Léon entra dans la maison. Il sentait l'alcool mais n'était pas ivre au point de ne pas marcher droit ou de bafouiller.

— Je sors d'un bistrot, expliqua-t-il. Je t'ai réveillée ?

— Il est deux heures du matin !

— Oh !

S'il ne paraissait pas contrarié, il devait néanmoins avoir le vague souvenir que l'on se montrait d'ordinaire gêné quand on réveillait les gens au milieu de la nuit.

— Si tard ? Je n'en avais pas la moindre idée.

Il était dans un état pitoyable. Il avait encore maigri et les cernes qui creusaient ses yeux trahissaient les longues heures passées à broyer du noir.

— Léon… commença Jessica, je t'ai dit, la dernière fois que nous nous sommes vus, que…

Il avait au moins les idées encore assez claires pour comprendre de quoi elle parlait. Il l'arrêta d'un geste de la main.

— Et j'ai tout à fait compris. Je t'assure, Jessica, j'ai compris. Pour être exact, je dirais même que non seulement j'ai compris, mais que je respecte ton attitude. Pour ma part, il n'y a aucun malentendu entre nous et je ne suis pas fâché.

— Tant mieux. Je ne suis pas fâchée non plus.

Cela mis au point, ils se regardèrent un moment sans savoir quoi dire.

Enfin Léon baissa la tête et avoua :

— Je ne savais pas où aller.

— Tu ne voulais pas rentrer chez toi ?

— C'est tellement… c'est tellement calme, là-bas. Si vide. En fait… je crois que je n'ai pas encore appris à être seul.

Elle ne pouvait pas le mettre à la porte.

— Va dans le salon, dit-elle. Je vais préparer du thé.

— Tu as du whisky ?

— Je crois qu'il vaut mieux en rester au thé.

Il se résigna.

— Mais je ne veux pas te créer de complications, dit-il. Tu me trouves sûrement impossible.

— Compte tenu des circonstances, je te trouverais même plutôt normal.

Elle le laissa s'installer puis gagna la cuisine, où elle mit de l'eau à chauffer et prépara un plateau avec deux tasses, des sachets de thé et du sucre. Elle ne se sentait pas fatiguée. Il ne l'avait pas tirée d'un profond sommeil. Elle avait le sommeil léger, ces derniers temps.

Léon était tassé sur lui-même dans le canapé. Elle posa le thé devant lui.

— Laisse-le encore un peu infuser, conseilla-t-elle.

Il la regarda. Elle prit soudain conscience d'être à peine vêtue. Elle portait en tout et pour tout un grand tee-shirt qui avait appartenu à Alexander et qui lui arrivait juste à mi-cuisse. Elle aurait peut-être dû enfiler un peignoir, mais la chaleur de ces derniers jours stagnait encore dans la pièce et elle se sentait plus à l'aise.

Et puis quel mal y avait-il à cela ?

— Il y a des jours, je crois que tout va bien, dit-il. Puis le lendemain, tout s'effondre. Et je me rends compte que ce n'était qu'une illusion. Que la souffrance s'était endormie. Moi, pauvre idiot, j'avais cru qu'elle était partie. Je ne le savais pas avant. Tu le savais, toi ?

— Quoi ?

— Que la souffrance a besoin de se reposer. Qu'elle ne peut pas éternellement tourmenter les gens. Qu'elle se fatigue. On s'imagine alors que c'est passé. Qu'on ne souffrira plus. La vie recommence. Mais on se trompe. On se trompe lourdement.

— La souffrance s'apaise tout de même. C'est vrai qu'elle s'en va, qu'elle revient et que l'on croit qu'elle ne va jamais cesser de revenir, mais elle perd à chaque fois un peu de son intensité. Au début, c'est imperceptible. Mais elle décroît vraiment. Et un jour, elle disparaît pour de bon.

— Je voulais déjà venir te voir hier après-midi. La solitude était… ah, peu importe. Puis je me suis dit qu'après ce qui s'était passé, ça te serait pénible que je débarque. J'ai atterri dans un bistrot. Au moins, là, il y avait des gens. Mais il arrive toujours un moment où on est le dernier au comptoir. Et la solitude te reprend. Comme la souffrance. Elle déboule et dit : « Salut ! Tu croyais que je t'avais laissé tomber ? »

Léon rit.

— C'est super, tu ne trouves pas ? La solitude qui te laisse tomber ? En réalité, c'est une saloperie de compagne fidèle. Elle ne te laisse pas tomber comme ça.

— Léon, tu devrais arrêter de remuer toutes ces idées dans ta tête. Tu as une mine épouvantable. Tu manques de sommeil. Si tu veux, je peux te donner un léger somnifère, tu t'allonges là, sur le canapé, et tu dors douze heures d'affilée. Tu iras beaucoup mieux après.

— Je ne veux pas dormir. Je veux te parler.

— Ce que tu dis te fait du mal, Léon, ce n'est pas bien.

— Je ne veux pas parler de ma… famille. De Patricia, des filles. Parfois je peux, parfois je ne peux pas. Aujourd'hui, je ne peux pas.

— Léon…

Elle avait peur de presque tout ce qu'il pouvait dire. Elle avait peur qu'il lui parle de sa vision des choses, de son sentiment de culpabilité. Elle avait peur qu'il lui parle de sa souffrance parce que c'était la sœur jumelle de la sienne, qu'elle la maintenait tant bien que mal à distance et redoutait que sa douleur se serve des mots de Léon pour gagner subrepticement du terrain. Elle regretta d'avoir fait entrer Léon. Elle voulait être seule. Elle voulait pouvoir reconstruire seule les morceaux de sa vie. Elle ne voulait pas mélanger les morceaux de sa vie à ceux de la vie de quelqu'un d'autre.

— Je veux te parler de Marc, dit Léon.

Quatrième partie

Il faisait noir et froid. Ça ne le dérangeait pas, il trouvait même que c'était l'ambiance adéquate. Le froid donnait de la gravité à l'entreprise, la lueur des bougies, qui n'éclairait que faiblement les visages, la rendait plus romanesque. Parfois, l'un d'entre eux bougeait, le parquet craquait et les autres faisaient « Chuuut ! ».

Si l'un des professeurs ou des maîtres d'internat les repérait, ils seraient tous renvoyés du collège – sans le moindre espoir d'une grâce ou d'un sursis. Ils le savaient, c'est même ce qui était si excitant. Fumer faisait partie des péchés capitaux. C'était pire que boire de l'alcool. Boire était également répréhensible, mais les châtiments encourus étaient loin d'être aussi sévères. On s'en tirait en général avec un avertissement. Et il est vrai, on n'avait plus droit au moindre faux pas pour le reste de sa scolarité.

Le bout incandescent des cigarettes rougeoyait dans l'obscurité. Depuis qu'ils avaient commencé, une épaisse fumée avait envahi la petite pièce et il devenait plus difficile de respirer. Les garçons s'étaient installés dans un minuscule débarras, un réduit de quelques mètres carrés séparé du reste du grenier par des cloisons en planches. Si quelqu'un entendait du bruit et venait jeter un œil dans le grenier, ils avaient quelques chances de ne pas être découverts. Ils misaient en outre sur le fait que la chaleur de leurs corps additionnée à celle qui se dégageait des bougies et des cigarettes réchaufferait un peu la température. Dans le grenier proprement dit, qui s'étendait sur toute la surface du bâtiment, ils n'auraient rien pu espérer de ce genre.

Les garçons fumaient avec application et parlaient peu. Ils n'avaient pas grand-chose à se dire et, au reste, à quoi bon parler ? Partager une expérience commune en silence pouvait être plus fort et laisser des souvenirs plus marquants que lorsqu'un échange verbal animé avait lieu. Cette nuit dans le grenier avait une signification particulière : Noël était dans dix jours et les garçons n'allaient pas se voir pendant trois semaines. Leur réunion secrète dans le froid et l'obscurité avait valeur de fête d'adieu. Mais elle devait aussi être quelque chose qu'ils pourraient garder dans leur mémoire. Pour plus tard, pour quand ils auraient quitté le collège. Il imaginait qu'au bout du compte la vie serait une simple accumulation de souvenirs, et bien sûr, également de souvenirs tristes, on ne pouvait pas l'éviter. C'est pour cette raison qu'il était si important d'approvisionner la mémoire en belles impressions, en événements heureux, palpitants, drôles, excitants. Penser qu'il risquait d'arriver au seuil de la mort et découvrir qu'il avait vécu en passant à côté de l'essentiel pouvait l'emplir d'angoisse. Pour une raison obscure, cela le tourmentait. Il n'en parlait toutefois à personne. Il savait qu'on se moquerait de lui. Il avait seize ans. Ce n'était pas un âge pour passer des nuits blanches à réfléchir aux états d'âme qu'il aurait à quatre-vingt-dix ans.

L'idée de fumer ensemble dans le grenier venait naturellement de lui. En fait, la plupart des coups qu'ils montaient venaient de lui.

« Léon va encore nous attirer les pires ennuis », disait souvent Alexander.

Il prenait effectivement plaisir à provoquer et il aimait les défis. A quatorze ans, il avait volé une voiture et les avait tous convaincus de faire une virée avec lui. Par extraordinaire, ils ne s'étaient pas fait prendre. De même qu'ils ne s'étaient pas fait prendre la nuit où ils avaient couvert les murs du parc de graffiti – des bons mots, réellement spirituels, sur les professeurs et les maîtres d'internat. Les personnes visées n'avaient pas goûté la plaisanterie et le scandale avait été énorme. Léon s'était formidablement amusé et il avait photographié les portions de mur concernées avant qu'une équipe de peintres n'efface l'outrage à grands coups de brosse. Ce qu'ils avaient écrit ne manquait pas de finesse, il fallait qu'ils en gardent une trace pour l'éternité.

Il tira sur sa cigarette. Ce n'était pas la première fois qu'il fumait. Ça lui arrivait souvent pendant les vacances, et il avait déjà fumé avec la bande, le samedi quand ils allaient en boîte, ou au fond du parc, derrière un buisson. A vrai dire, c'est avec Tim qu'il avait fumé. Alexander n'avait pas encore osé et Marc avait peur à cause de son asthme. Il les aimait bien, Marc et Alexander, mais il les méprisait *aussi un petit peu. Marc était un enfant unique chouchouté par sa maman. Il souffrait constamment de bobos divers dont – Léon en était persuadé – au moins la moitié étaient imaginaires. Ou plutôt, dont sa mère l'avait convaincu. Quant à Alexander, il vivait dans la crainte permanente de déplaire. De se faire remarquer. D'être rejeté. Avec le père qu'il avait, ce n'était pas étonnant. Léon le connaissait pour avoir passé des vacances chez lui avec la bande. Un bonhomme épouvantable ! Mais Alexander se libérait peu à peu de son influence.*

Depuis quelques jours, il faisait un froid polaire. Les garçons avaient fouillé dans les cartons et les malles entreposés dans la première partie du grenier, parmi le vieux matériel scolaire mis au rebut, les décors et les costumes fabriqués par les élèves de l'atelier théâtre. Chacun avait trouvé une couverture ou de quoi s'envelopper pour s'armer un tant soit peu contre le froid. Alexander était le plus drôle. Il était tombé sur un manteau noir qui lui arrivait jusqu'aux pieds et possédait un immense col en fausse fourrure. Il avait l'air d'un prince russe.

D'un prince russe tragique, songea Léon. Cela tenait à son expression grave, à son air toujours un peu mélancolique. S'il lui arrivait de le mépriser pour son caractère, Léon l'admirait pour son physique. Alexander avait été un très bel enfant, il était à présent un adolescent exquis – si ce terme désuet correspondait encore à quelqu'un, c'était bien à Alexander – et il serait un homme très séduisant. Léon, qui attachait lui-même beaucoup d'importance à l'apparence, et ainsi qu'il l'avait déjà constaté rencontrait un vif succès auprès des filles, se sentait esthétiquement parlant en communion d'idées avec Alexander, même si Alexander ne semblait guère sensible à sa propre beauté. Tim en revanche… ma foi, il n'avait pas grand-chose pour lui ! Léon l'observa à la dérobée. Tim était culotté, drôle, il n'avait peur de rien, c'est pour cela qu'ils étaient presque tout le temps ensemble, mais il était franchement atroce, on ne pouvait pas le dire autrement. Depuis environ un an, il s'était trouvé des affinités avec le mouvement écologiste et, pour des raisons que Léon ne s'expliquait pas, il se laissait pousser les cheveux, portait des pull-overs en laine de mouton brute que lui tricotait sa mère et faisait ses courses avec un sac en toile de jute – ce qui avait au moins le mérite d'être en harmonie avec son goût pour les magasins de produits diététiques. Avec ses cheveux longs et ses pull-overs trop grands (sa mère se disait-elle qu'il fallait qu'ils fassent de l'usage ?), il avait l'air d'un prédicateur des temps modernes. Il portait nuit et jour son détecteur de radioactivité, lisait essentiellement des ouvrages de psychologie et voulait, après le bac, partir un an en Inde, puis se former à la psychothérapie. Léon aurait pu le trouver insupportable, mais il y avait autre chose, chez lui, de difficilement saisissable. Il avait l'air d'un idéaliste, d'un apôtre de la paix, il en revendiquait l'étiquette, mais au fond de lui-même il n'était ni l'un ni l'autre. Il y avait quelque chose dans ses yeux qui fascinait Léon. Parfois, il se disait que s'il était plus vieux, il saurait ce que c'était. Ce qu'était cette secrète lueur de joie qui vous donnait la chair de poule au lieu de vous conquérir.

Alexander se détourna pour tousser, rompant le silence quasi religieux. Léon eut un sourire moqueur.

— Ne me dis pas que c'est la première fois que tu fumes ?

— Bien sûr que non, se défendit Alexander. D'ailleurs, ce n'est pas à cause de la cigarette que je tousse. J'ai mal à la gorge et, avec la fumée et le froid qu'il y a ici, ça ne risque pas de s'arranger.

La fumée était devenue tellement épaisse dans le cagibi que les garçons ne se voyaient plus qu'à travers un nuage.

— Avoir mal à la gorge n'a jamais fait tousser personne, déclara Tim, qui fumait en professionnel, impassible.

Ça ne colle pas avec ses bonnes paroles sur la vie saine et le retour aux vraies valeurs, ne put s'empêcher de penser Léon.

— Et pourquoi ne devrait-on pas tousser quand on a mal à la gorge ? fit Alexander. En tout cas, moi, quand c'est irrité, loin au fond de la gorge, je tousse.

Tim ouvrit la bouche pour répliquer mais personne ne sut jamais ce qu'il s'apprêtait à dire. En revanche, tous se souvinrent plus tard que c'est à cet instant que Marc avait commencé à râler.

Marc, arguant de son asthme, avait longtemps protesté contre cette idée d'aller fumer dans le grenier, mais personne ne lui avait prêté attention, tant on était habitués à l'entendre se plaindre d'un problème de santé ou d'un autre. Toutefois, personne non plus ne l'avait forcé à fumer. Il aurait pu décider de rester dans son lit, comme il aurait pu monter avec les autres au grenier mais ne pas participer à la fumerie. En théorie. En réalité, ils étaient une association de conjurés, une bande étroitement soudée. S'exclure du groupe présupposait plus de maturité et de force de caractère que n'en possède habituellement un adolescent de seize ans.

Marc avait été dispensé de sport pour toute la durée de sa scolarité. Depuis sa plus tendre enfance, il était sujet à des crises d'étouffement qu'un effort physique accru – au dire de lui-même et de sa mère, qui se réclamait des médecins – risquait toujours de déclencher.

« Quand j'étais petit, j'ai été plusieurs fois transporté en ambulance à l'hôpital parce que je ne pouvais plus respirer et que ma figure était déjà toute bleue, » avait-il raconté plusieurs fois.

On avait écouté son histoire, mais on ne l'avait pas vraiment pris au sérieux.

Quand il commença à étouffer, ils se tournèrent tous vers lui, presque étonnés.

— Tu as mal à la gorge, toi aussi ? demanda Léon.

Ce qui avait été une brève toux sèche chez Alexander prenait cependant chez Marc un tour extrêmement inquiétant. Il laissa tomber sa cigarette, tendit le cou et ouvrit la bouche. Il haletait, suffoquait, et un raclement effrayant sortait de sa poitrine.

Les adolescents prirent peur, bien qu'aucun d'entre eux ne l'eût avoué. Tim, à côté de lui, tendit la jambe pour écraser la cigarette de Marc avec son pied. Ce n'était pas le moment de mettre le feu.

— Allez, Marc, reprends-toi ! dit-il d'un ton autoritaire. Tu veux que je te tape un bon coup dans le dos ? Ça te remettra peut-être d'aplomb !

Marc ne répondit pas. Il ouvrait la bouche comme un poisson hors de son bocal.

— C'est une crise d'asthme, remarqua Alexander d'un ton inquiet.

Léon poussa un petit cri de douleur. Il s'était brûlé le bout des doigts avec sa cigarette, qui s'était consumée sans qu'il s'en rende compte. Il la jeta par terre et l'écrasa. Les autres suivirent son exemple.

Marc glissa de la vieille caisse à oranges sur laquelle il était assis et se tordit sur le plancher. Même à la lumière des bougies, ils virent que son visage prenait une teinte sombre.

— Mon Dieu ! souffla Alexander.

Plusieurs secondes s'écoulèrent, peut-être même plusieurs minutes, pendant lesquelles, pétrifiés, ils regardèrent leur ami qui tentait de respirer et râlait comme une bête à l'agonie.

Léon fut le premier à reprendre ses esprits.

— Il faut vite appeler un médecin. Il nous a bien dit qu'il avait des crises comme ça, enfant, et que c'est aux urgences qu'on le soignait !

— Pas si fort ! chuchota Alexander. Tu veux réveiller toute la maison ?

— Ça m'étonnerait qu'on réussisse à appeler une ambulance sans réveiller toute la baraque, répliqua Léon.

Alexander le saisit par le bras.

— Non, mais tu réalises un peu ce qui va se passer ? Ils vont comprendre qu'on était en train de fumer et on va tous se faire virer du bahut !

Léon le dévisagea.

— Mais on ne peut tout de même pas...

Le corps de Marc se contracta et s'arqua sous l'effet de crampes. Ses bras battaient l'air autour de lui, il heurta une chaise bancale qui se renversa avec fracas.

Tim, qui paraissait le plus calme, remarqua :

— Je crains que, d'ici l'arrivée du médecin, il ne soit trop tard.

— Tu vois !

Alexander était livide. Il tremblait.

— Le médecin ne pourra plus rien pour lui, mais nous, on sera virés !

Marc bramait comme un cerf. Léon passait les doigts dans ses cheveux.

— Il réussit à peine à respirer, mais il vit toujours, dit-il, désespéré. Qu'est-ce qu'on va faire si ça dure une heure comme ça ?

— Ça ne va pas durer une heure, observa froidement Tim.

Les ongles d'Alexander s'enfoncèrent douloureusement dans le bras de Léon.

— Je t'en prie ! Tu sais que ça ne me disait rien de venir fumer ici. Mais c'est moi qui vais payer le prix fort. Mon père...

— Quoi, ton père ? Qu'est-ce qu'il va faire ?

— Si je suis viré de l'école... Vous n'imaginez pas... Il me méprise. Je suis une sous-merde pour lui. Pratiquement rien de ce que je fais ne trouve grâce à ses yeux. Ici... c'est une école super réputée. Si je réussis à aller jusqu'au bout... Enfin, vous comprenez bien !

Il sanglotait presque.

— Si je suis viré de cet endroit, je serai pour le restant de mes jours le pauvre petit con pour qui il m'a toujours pris !

— Mais on ne peut tout de même pas laisser Marc crever pour ça ! protesta Léon, hors de lui.

La discussion lui était insupportable. Aucun d'entre eux n'aurait dû se laisser entraîner dans un débat pareil. A commencer par lui. Sans que cela ait jamais été défini, il jouait un peu au sein du groupe le rôle de leader. Il était écouté. Il était capable de prendre des initiatives.

Alexander tremblait de tout son corps. De Marc ne provenait plus qu'un râle très faible, ténu. Plus tard, Léon pensa que ce râle infiniment ténu était ce qui avait emporté la décision.

— Ramassez vos cigarettes et les cendriers, dit-il. Remettez les caisses et les chaises sur lesquelles vous étiez assis où elles étaient.

Les autres comprirent tacitement : il fallait que l'on ait l'impression que Marc avait été seul.

Rapidement et sans échanger une parole, ils effacèrent leurs traces. Les couvertures et le manteau noir regagnèrent les malles où ils avaient été trouvés. Les chaises furent remises à leur place. Les mégots disparurent. Seule la caisse sur laquelle Marc était assis resta où il l'avait installée avec, devant, la sous-tasse qui lui avait servi de cendrier et deux bougies fixées au plancher par de la cire. Plus aucun son ne provenait de Marc lui-même et il ne bougeait plus. Personne ne le regardait. Ils faisaient comme s'il n'était pas là. Alexander, toujours tremblant, le regard dans le vague, attendait, accroupi à côté de l'échelle qui menait à l'étage inférieur.

Léon éteignit les bougies. Le grenier fut plongé dans le noir.

— Il ne faut pas faire ça, dit Tim. On va trouver bizarre que... qu'il...

Il n'arrivait pas à nommer Marc par son nom.

— ... on va trouver bizarre qu'il ait soufflé les bougies avant de... d'avoir sa crise d'asthme.

— Mais si on les laisse se consumer, ça risque de ficher le feu à toute la baraque, objecta Léon. On peut aussi penser que c'est un courant d'air qui les a éteintes.

Ils laissèrent les choses comme elles étaient. L'un après l'autre, en silence, ils descendirent l'échelle et quittèrent le grenier. Ils débouchèrent dans un couloir du dernier étage. Personne ne dormait à ce niveau du bâtiment, seules quelques pièces faisaient office de lingerie. Un escalier en colimaçon menait aux couloirs des chambres.

— Il faut surtout que l'échelle reste comme ça, murmura Léon.

Alexander recouvra la parole. Il était d'une pâleur mortelle, visible même dans la lumière blafarde de la lune qui pénétrait par les fenêtres.

— Qu'est-ce qu'on fait des mégots, des cendres et des bougies ?
demanda-t-il.

— Donnez-moi tout, enjoignit Léon.

Comme toujours, c'est lui qui prenait les rênes. Il se sentait
responsable.

— J'irai tout jeter demain quelque part dans une poubelle en ville.
Et maintenant, on se casse. On se recouche en vitesse !

Ils avaient pris une décision sur laquelle ils ne pouvaient pas revenir.
Il n'y avait pas de retour en arrière. L'espace de quelques secondes, les
trois adolescents se regardèrent.

— Merci, murmura Alexander.

Puis ils descendirent à pas de loup l'escalier en colimaçon. La nuit
était calme, tout était silencieux.

Personne ne s'était réveillé.

Du samedi 24 mai au mardi 27 mai

1

Le téléphone sonnait quand Jessica ouvrit sa porte. Il était cinq heures de l'après-midi et elle était fatiguée. Elle revenait de son cabinet, où elle avait passé presque toute la journée à faire du ménage. Elle avait épousseté, lavé, astiqué, remplacé les plantes vertes fanées du rebord de la fenêtre par des fraîches, remplacé les vieux magazines de la salle d'attente par de nouveaux. C'était samedi, le cabinet resplendissait. Rien ne s'opposait plus à ce qu'elle rouvre lundi matin.

Barney, qui l'attendait derrière la porte, l'accueillit avec sa fougue habituelle, bondit sur elle puis partit oreilles au vent dans le couloir, revint avec un petit ours en tissu dans la gueule et sauta autour d'elle. Elle s'accroupit et le serra contre elle.

— Mon pauvre chien, tu es resté toute la journée tout seul ! On va faire une longue promenade pour rattraper ça !

Au mot *promenade*, Barney recommença à sauter comme un fou. Le téléphone se tut.

Jessica se releva, détendit son dos douloureux. Le ménage l'avait épuisée.

Elle savait pourquoi elle ne s'était pas précipitée pour décrocher. Elle craignait que ce ne soit Léon.

Elle alla dans la cuisine, se servit un verre d'eau et but à petites gorgées. Barney se tenait devant elle et la regardait, la tête inclinée de côté.

— On y va tout de suite, promit-elle.

Il y avait deux nuits de cela, son récit achevé, elle avait demandé à Léon pourquoi il lui avait raconté l'histoire de Marc. Il lui avait répondu qu'il pensait qu'elle devait savoir.

« Vous n'en avez jamais parlé à personne ?

— Jamais. A personne. Nous nous l'étions juré.

— Et tu considères que la mort d'Alexander te libère de ce serment ? »

La question l'avait déstabilisé, elle s'en était rendu compte. Le thé dont il avait tout de même bu trois tasses l'avait dégrisé, son élocution était plus assurée. Peut-être, maintenant que l'effet de l'alcool se dissipait, se demandait-il s'il avait bien fait de parler.

« Tu es allée voir son père pour mieux comprendre Alexander. C'est du moins ce que tu as dit. J'ai eu l'impression qu'il était important pour toi de préciser l'image que tu avais de ton mari. Que c'était un peu ta façon de... surmonter l'épreuve, de faire ton deuil. C'est pour cette raison que j'ai pensé que tu devais connaître l'histoire de Marc. Cette nuit dans le grenier de l'internat a été un événement qui a définitivement marqué la vie d'Alexander. »

Ses oreilles bourdonnaient et, quand elle avait parlé, elle avait cru entendre une étrangère. Etait-ce sa voix qui était si assurée, si froide ?

« Mais pas seulement celle d'Alexander, il me semble. Aucun de vous n'a vécu d'événement plus dramatique, non ? »

Il prit un nouveau sachet de thé dans le paquet qu'elle avait posé sur la table, ouvrit la bouteille Thermos et versa de l'eau chaude dans sa tasse.

« C'est vrai. Mais c'est Alexander qui a été le déclencheur. Tim et moi, on aurait appelé de l'aide. On aurait été virés du bahut – et alors ? Il y avait d'autres écoles. C'est comme ça qu'on voyait les choses.

— N'empêche que vous n'avez rien fait. *Qu'est-ce que je cherche, au juste ?* »

Léon tournait sa cuillère dans sa tasse pour dissoudre le sucre.

« Peut-être que tu ne peux pas te rendre compte. Peut-être qu'il est impossible de se rendre compte quand on n'a pas assisté à la scène. Alexander était... on aurait dit que sa vie était en jeu.

436

Il tremblait. Il était blême. Il crevait de trouille. Il nous a suppliés. Il était... »

Léon haussa les épaules.

« Il ne nous a pas laissé le choix.

— Votre ami mourait sous vos yeux !

— Alexander ne nous a pas laissé le choix », avait répété Léon.

La phrase s'était gravée dans sa mémoire, tournait dans sa tête, l'obsédait.

Il nie sa responsabilité, pensait-elle, pleine de colère, et il lave Tim de tout soupçon. Ben voyons. C'est tellement commode. Et qui me dit que les choses se sont passées comme il le raconte ?

Personne. Personne sauf elle. Tout ce qu'elle savait d'Alexander lui disait que cette funeste nuit s'était très probablement déroulée ainsi que Léon l'avait raconté. Cela ne s'accordait que trop avec ce qu'elle savait de son père. Et cela expliquait ses cauchemars nocturnes.

Elle aurait voulu ne jamais savoir.

Elle s'apprêtait à se servir un second verre d'eau quand le téléphone recommença à sonner. Elle décida de ne pas répondre. Il se tut au bout de plusieurs sonneries, mais pour retentir à nouveau une minute plus tard. Quelqu'un paraissait très désireux de la joindre.

Si c'est Léon, je raccroche tout de suite, se dit-elle en soulevant l'écouteur.

— Oui ? fit-elle d'un ton sec.

Ce n'était pas Léon. C'était Evelin.

Parler avec Evelin ne fut pas chose facile. A peine avait-elle dit son nom qu'elle éclata en sanglots et pleura sans retenue pendant une bonne minute.

— Calme-toi, Evelin, ne cessait de répéter Jessica. Tout va bien. Ne pleure plus !

Enfin Evelin put parler.

— J'ai eu peur. J'ai essayé de t'appeler tout l'après-midi. Je me suis dit que tu avais peut-être changé de numéro et que je ne pourrais plus jamais te joindre...

Sa voix tremblait.

— Tout va bien. Je viens seulement de rentrer. J'étais au cabinet.

— Un samedi ?

— Le cabinet est resté fermé tout ce temps. Je recommence lundi. J'ai tout nettoyé à fond.

— Excuse-moi de m'être effondrée comme ça, tout à l'heure. C'est seulement que... Je sais que je ne devrais pas te le demander, mais... pourrais-tu venir ici ? En Angleterre ?

— En Angleterre ? Maintenant ? Qu'est-ce qui se passe ?

— Je n'ai pas le droit de voyager. Ils ont gardé mon passeport. J'ai besoin d'argent. Je me sens incapable de rester seule ici. Penses-tu pouvoir venir ?

— Evelin, s'il te plaît, une chose après l'autre. Je ne comprends rien. Où es-tu ?

— A Stanbury. J'ai pris une chambre au Fox and The Lamb. Ils m'ont libérée mais je dois me tenir à leur disposition, comme ils disent. Je n'ai pas du tout d'argent et...

— Ça, je peux t'en faire envoyer. Mais comment se fait-il que tu aies pu...

— Non, s'il te plaît, viens. Il faut que tu viennes. Je n'en peux plus, Jessica. Je deviens folle, ici.

Elle luttait à nouveau avec les larmes.

Jessica songea à son annonce dans le journal et à la lettre circulaire qu'elle avait adressée à la clientèle du cabinet. *Zut !*

— Comment se fait-il que tu aies pu sortir ? Ont-ils...

Dans sa poitrine, son cœur s'emballa.

— ... ont-ils arrêté quelqu'un ?

— Est-ce que tu viens ?

— Oui. Ne t'inquiète pas. Je vais venir. Mais raconte-moi ce qui s'est passé...

— Mon avocat a déposé hier encore une nouvelle demande de mise en liberté conditionnelle, expliqua Evelin, qui s'apaisait maintenant qu'elle avait obtenu de Jessica l'assurance qu'elle viendrait. Il pensait qu'ils seraient sans doute obligés de me laisser sortir car il n'y avait toujours que très peu d'indices contre moi, et aucune preuve n'était venue les étayer. Mais ça a été encore plus simple. Mon avocat a appris qu'un mandat d'arrêt avait été lancé jeudi soir contre Phillip Bowen. Son alibi était faux, ils ont fini par l'apprendre. Il est en fuite. Il semble quasiment sûr que ce soit lui.

C'est ce que Léon disait. Depuis le début. Jessica eut soudain la bouche sèche, l'impression que sa tête tournait. Un faux alibi ? Elle entendait encore le superintendant Norman : « Il n'a pas quitté Mlle Géraldine Roselaugh de l'après-midi. »

Et Léon qui répliquait : « Ben voyons !... Cette fille décrocherait la lune pour lui ! »

Ainsi, il avait raison.

— En tout cas, poursuivait Evelin, je ne suis plus directement suspecte. Ils ont tout de même conservé mon passeport. Ils ne veulent pas que je quitte l'Angleterre. Mais je ne suis pas bien, Jessica. Je me sens si seule ! La prison, c'était... un cauchemar, un véritable cauchemar. Je ne sais plus où j'en suis. Je...

— Je t'ai dit que j'arrivais. Ecoute, je vais voir si je peux réserver une place sur un vol pour demain, d'accord ? Si c'est bon, je serai à Stanbury demain soir. Il faut que tu tiennes jusque-là, ça ira ?

Evelin donnait l'impression d'une grande fragilité psychologique. Ses quatre semaines de détention – comment s'en étonner ? – devaient l'avoir profondément affectée. Elle paraissait lutter en permanence contre elle-même.

— Oui. Mais viens aussi vite que possible. Je t'en prie !

Après que Jessica l'eut assurée une énième fois de sa venue, elle mit un terme à leur conversation et sortit marcher avec Barney. L'appel au secours d'Evelin ne pouvait tomber plus mal. Elle envisagea de demander à Léon de partir à sa place. Il était disponible et se devait au moins autant qu'elle de s'occuper de la veuve de son ami. Mais elle savait que, pour Evelin, ce serait une trahison. C'était une femme qu'elle voulait à ses côtés, pas un homme, et encore moins un homme comme Léon.

Quand elle revint, elle entendit à nouveau le téléphone sonner derrière la porte. Cette fois, elle se dépêcha.

Si c'est Léon, ce sera un signe. C'est lui qui partira.

Ce n'était toujours pas Léon. C'était Eléna, et elle paraissait presque aussi troublée qu'Evelin quelques instants auparavant.

— Jessica, Ricarda a disparu ! J'appelle tous les gens que je connais. Serait-elle par hasard chez vous ?

2

— Je savais bien que tu ferais machine arrière, au moins mentalement, dit Lucy. Cette fois, heureusement, tu ne peux pas te rétracter. Tu as dénoncé Phillip et tu...

— Je ne l'ai pas dénoncé, l'interrompit Géraldine. J'ai uniquement appelé le superintendant Norman pour lui dire que l'alibi de Phillip n'était pas exact. Dénoncer, c'est autre chose !

— En tout cas, ça revient au même. Phillip ne te le pardonnera jamais et je peux te dire que j'en suis ravie ! Franchement, Géraldine, tu ne vas pas encore pleurer pour ce type !

Elles discutaient en buvant du champagne dans l'élégant appartement de Géraldine à Chelsea. L'air du soir pénétrait à flots par la fenêtre du séjour. La journée avait été magnifique, déjà estivale, et Lucy avait proposé d'aller quelque part à la campagne ou au moins dans un parc.

— Tu n'as pas bougé d'ici depuis jeudi soir, tu pleures, tu broies du noir. Ça ne te fait que du mal. Viens prendre un peu le soleil.

— Je ne sortirai pas. Regarde-moi !

Il ne restait des longs cheveux soyeux de Géraldine que de courtes touffes coupées de travers qu'elle n'avait de surcroît ni lavées ni peignées depuis le fameux soir. De même qu'elle ne s'était ni douchée ni habillée. Elle était vêtue d'une chemise de nuit défraîchie et constellée de taches, à croire – du moins était-ce l'avis de Lucy – que les quelques maigres repas qu'elle s'était accordés avaient pour partie fini sur le léger coton clair. Ses yeux étaient encore gonflés de larmes et son visage marbré de plaques rouges. Elle avait appelé Lucy le lendemain de sa dispute avec

Phillip – si tant est que *dispute* fût bien le mot adapté à la scène –, après avoir téléphoné au superintendant Norman pour libérer sa conscience. Norman l'avait priée de se rendre dans un commissariat de police londonien afin de faire enregistrer sa déposition. Il lui avait donné une adresse et le nom d'un collègue ; or Géraldine s'était sentie incapable d'accomplir seule la démarche.

Quand Lucy était arrivée, elle n'avait pu réprimer un cri d'horreur en découvrant la nouvelle coiffure de ce qui avait été son meilleur mannequin.

« Dieu du ciel ! Mais qu'est-ce que tu as fait ? »

Il fallut un certain temps à Lucy pour débrouiller l'histoire que lui raconta Géraldine en hoquetant. Quand elle comprit enfin, elle fut prise d'une épouvante incrédule.

« C'est un criminel ! Un tueur en série ! Mon Dieu, Géraldine, tu te rends compte de ce à quoi tu as échappé, tout ce temps ? Qu'il n'était pas tout à fait normal, ça, je l'ai toujours dit, mais qu'il… Non. Je pourrais tourner de l'œil quand je pense que… »

Géraldine l'avait interrompue.

« Je ne sais pas si… si c'est lui. Il m'a juré que ce n'était pas lui. Il…

— Alors pourquoi avait-il besoin d'un faux alibi ? Hein ? Tu peux me le dire ? Géraldine, quelqu'un qui a la conscience tranquille ne va pas se lancer dans des embrouilles pareilles ! Je me demande comment tu as pu accepter. Tu ne sais donc pas que c'est répréhensible ? Et au-delà de ça, je me demande comment tu as pu sérieusement envisager de construire ta vie avec un type qui a égorgé cinq personnes ? ! Cinq personnes, Géraldine ! Et tu voulais faire des enfants avec lui ? Mais comment as-tu pu… »

Sous le feu roulant des questions, Géraldine s'était tassée sur elle-même, elle n'avait pas osé répondre, seulement demandé, timidement :

« Tu viens avec moi à la police ?

— Bien sûr que je viens. Ne serait-ce que pour être sûre que tu ne vas pas revenir sur ta décision ! Telle que je te connais, tu en serais capable. Mon Dieu, quand je pense que moi aussi je suis allée dans l'appartement de ce monstre… »

Géraldine avait fait sa déposition dans une sorte d'état second. Elle était restée longtemps dans les locaux de la police ; trop nauséeuse pour avaler une gorgée d'eau, elle avait refusé aussi bien le café que l'eau minérale qu'on lui avait proposés.

Personne ne lui avait adressé de reproches ni n'avait suggéré que sa première déclaration risquait de lui valoir quelques ennuis judiciaires, c'était déjà ça. Elle fut toutefois, et sans surprise, renvoyée chez elle avec ordre de se tenir à tout instant à la disposition de la police. Lucy comprit tout de suite que cela signifiait d'abord une kyrielle de complications professionnelles. Il est vrai que, dans l'immédiat, elle ne pourrait de toute façon placer Géraldine sur aucun projet, moins à cause de sa désastreuse coupe de cheveux que de l'expression de désespoir dont elle ne se départait plus. Quand elles avaient enfin quitté le commissariat, Lucy avait proposé d'aller prendre un café quelque part puis d'accompagner Géraldine chez son coiffeur.

« Il faut qu'on fasse quelque chose pour tes cheveux. Ils ne peuvent pas rester comme ça. Bruno saura. »

Bruno était le coiffeur de South Kensington Road qui s'occupait de la plupart des mannequins de l'agence de Lucy.

« On va te changer de style. Finalement, ce ne sera peut-être pas si mal. Ça fait des années que tu es la femme évanescente aux cheveux longs. Je te verrais bien avec des cheveux très courts, une coiffure un peu impertinente, ça te donnerait l'air plus jeune. »

Géraldine avait refusé en bloc le café et le coiffeur, et rien n'avait pu la faire changer d'avis. A bout d'arguments, Lucy l'avait raccompagnée à Chelsea. Ce samedi-là, elle s'était à nouveau rendue chez elle, où elle l'avait trouvée dans le même état d'apathie. Toujours aussi incapable, en dépit de ses efforts, de la convaincre de s'habiller et de sortir, Lucy s'était rabattue sur l'idée du champagne. Elle avait remonté plusieurs bouteilles de la cave, les avait mises au frais et en avait ouvert une première en fin de journée.

L'alcool parut faire du bien à Géraldine. Elle recouvra au moins le sens de la parole.

— Tu sais, Lucy, dit-elle, je suis intimement convaincue que Phillip n'a tué personne. Je ne peux pas expliquer pourquoi, mais j'ai en moi la...

Lucy ne put s'empêcher de l'interrompre.

— Ne le prends pas mal, Géraldine, mais reconnais que tu n'es pas la mieux placée pour porter un jugement un tant soit peu objectif sur Phillip Bowen. Ce type s'est moqué de toi pendant je ne sais combien d'années, il s'est servi de tes sentiments, il t'a traitée comme une moins que rien, et tu t'es laissé marcher dessus. Tu en as même redemandé. Comme je te l'ai déjà dit, ça révèle chez toi un degré de dépendance inquiétant dont tu ne te débarrasseras qu'avec une bonne thérapie. Même maintenant, après ce qu'il t'a fait, tu te consumes d'amour pour lui et tu rêves secrètement qu'il va revenir, que vous allez vous réconcilier et que tout ira bien. C'est dire !

Géraldine baissa les yeux. Lucy disait vrai. Elle n'espérait rien tant que...

— Du coup, tes sentiments te trompent, poursuivit Lucy. Tu ressens ce que tu veux ressentir, mais rien qui ait à voir de près ou de loin avec la vérité. Enfin... tu as tout de même eu un moment de lucidité. Sinon, l'autre soir, tu n'aurais pas appelé ce superintendant dans le Yorkshire.

— C'était seulement de... de la vengeance. J'étais dans un tel état... Phillip m'avait... Pour la première fois, j'ai eu vraiment peur de lui et...

— Eh bien, c'est sans doute la seule fois où tu as éprouvé pour cet homme ce que tu aurais dû !

— Il aurait pu me tuer. Pourquoi un meurtrier, un cinglé, se serait-il contenté de me couper les cheveux quand il aurait pu me... me planter dans la poitrine les ciseaux qu'il tenait à la main ?

— Même un cinglé n'est pas cinglé en permanence ! Il ne pète les plombs qu'à certains moments. Apparemment, c'est ce qui s'est passé à – comment s'appelle le patelin ? – ... à Stanbury. Le reste du temps, il peut sembler normal et se comporter comme quelqu'un de sain d'esprit... Quoique, si tu veux mon avis, Phillip Bowen n'ait jamais eu l'air tout à fait normal. Bref, l'autre soir, il a bien compris qu'il ne ferait qu'aggraver son cas en commettant un nouveau meurtre. Sa rage avait néanmoins besoin d'un exutoire... et il s'est jeté sur tes cheveux. Soit dit en passant, c'est déjà passablement pathologique. Comme de collectionner des coupures de presse sur Kevin McGowan et toute cette histoire ahurissante sur son supposé père. Ce type n'est pas clair. Et tout le monde te le dira.

— Tu ne l'as jamais aimé.

— Parce que je ne supportais pas la façon dont il te traitait.

Géraldine regarda par la fenêtre. Elle avait l'air perdu et transi d'un oisillon tombé du nid. Lucy, qui n'était pourtant guère sentimentale, fut prise d'un élan de tendresse et se découvrit une envie de lui ouvrir les bras pour la bercer comme un bébé. Elle ne bougea pas. Elle avait le sens du ridicule ; de plus, elle aurait risqué d'indisposer Géraldine.

— Je ne sais pas ce qui va se passer, maintenant, soupira Géraldine. C'est comme si… comme si ma vie était finie. Je n'ai plus d'espoir, plus d'avenir. Je regrette tellement ce que j'ai fait…

Elle se cacha le visage dans les mains.

— Je n'aurais jamais dû déchirer ses dossiers. Quoi que j'aie pu penser de son… son délire sur McGowan, je n'aurais jamais dû m'en mêler. C'était son problème. Au fond, je n'ai rien fait d'autre que ce qu'il a fait. Il a coupé mes cheveux, moi j'ai détruit ce qui lui tenait le plus à cœur. Mais c'est moi qui ai commencé. J'ai passé les bornes la première.

— Alors là, non, Géraldine, ce sont deux choses qu'on ne peut pas comparer !

— Mais si, Lucy ! Mais si. J'ai vu son expression quand il a compris ce que j'étais en train de faire. C'est ce qu'il avait de plus profond en lui que j'ai blessé. Je n'aurais pas pu faire pire. J'ai détruit tout ce qu'il y avait entre nous.

Lucy faillit lui rétorquer qu'il n'y avait rien à détruire entre elle et Phillip, mais elle ravala sa remarque. Autant parler dans l'oreille d'un sourd.

— Et en plus je vais à la police ! Jamais il ne me le pardonnera. Jamais…

Et voilà, retour à la case départ, songea Lucy. On n'en sortira jamais.

— *Je sais qu'il est innocent.* Il n'a rien à voir avec ce crime abominable. Mais ils vont l'arrêter, et avec cette histoire de faux alibi, ils vont être persuadés qu'il est coupable et il…

— Il y aura un procès. On vit dans un Etat de droit. S'il est innocent, ce que je ne crois pas, la preuve en sera faite, auquel cas il n'a rien à craindre.

— Lucy, tu sais bien qu'il arrive que quelqu'un soit condamné sur la seule foi d'indices et que des années, voire des dizaines d'années plus tard on apprenne qu'il était innocent. Comment peux-tu croire à l'infaillibilité de la justice ?

— S'il est innocent, pourquoi fallait-il qu'il se fabrique un alibi ? Pourquoi est-il aujourd'hui en fuite ? Non, Géraldine, arrête de t'inventer des histoires. Et à tous les points de vue. Phillip Bowen ne t'a jamais aimée. Il n'a jamais envisagé de vivre une seule seconde avec toi. En d'autres termes : *il s'est toujours fichu de toi !* Tu veux bien te décider à le comprendre ?

Lucy se leva. Elle était énervée, en colère, elle n'avait plus envie de se bagarrer. Géraldine avait été le meilleur cheval de son écurie et pendant des années cet amour imbécile pour ce bon à rien ne lui avait mis que des bâtons dans les roues. Combien de contrats étaient tombés à l'eau parce qu'elle avait le visage ravagé par les larmes, combien de rendez-vous avait-elle annulés avec des gens importants qui auraient pu faire décoller sa carrière pour passer une soirée à se morfondre dans la soupente de Phillip Bowen en espérant qu'il daignerait lui adresser un sourire ou un mot gentil ? Lucy en avait assez. La coupe était pleine. De plus, en tant que femme, voir une autre femme se faire humilier de la sorte par un homme la vexait.

— Tu as très bien fait de te sortir de cette histoire de faux alibi. Vraiment. Mais... il y a une petite chose qui m'inquiète...

Elle s'interrompit. Devait-elle faire part de ses craintes à Géraldine ? Il y avait des heures qu'elle retournait la question dans sa tête. Géraldine était fragile, elle risquait de la déstabiliser un peu plus. En même temps, c'était peut-être son devoir de la prévenir...

Géraldine la regarda.

— Oui, Lucy, qu'y a-t-il ?

— Je sais que c'est une hypothèse que tu rejettes aussi loin que tu peux, mais en supposant, en supposant seulement que ce soit lui...

— Lui quoi ?

— Qui ait commis les meurtres. Ces épouvantables

meurtres... Si c'est lui – et objectivement rien ne te prouve que ce n'est pas lui – c'est un homme extrêmement dangereux. Un fou. Une bombe à retardement ambulante. Et tu l'as mis dans une colère noire.

— Je ne vois pas où tu veux en venir.

— Si on sonne, il vaudrait mieux que tu n'ouvres pas. La nuit, ne laisse pas tes fenêtres ouvertes, même s'il fait chaud. Verrouille également la porte-fenêtre de la terrasse. Ne sors qu'en plein jour et, si possible, avec moi. Tant qu'il n'est pas sous les verrous, il vaut mieux que tu ne prennes aucun risque.

— Mais tu ne crois tout de même pas que...

— Je te dis seulement de ne pas prendre de risques. Il a peut-être plus envie de se venger que tu ne l'imagines. S'il perd à nouveau les pédales. Je ne veux pas que... Je ne veux pas qu'il t'arrive quelque chose, d'accord ? Tu me promets d'être prudente ?

— Lucy, je crois que tu...

— Promets-le-moi !

Géraldine se laissa retomber dans les coussins du canapé. Sa pitoyable chemise de nuit s'entrouvrit brièvement. Lucy aperçut ses côtes décharnées, le creux de son ventre, sa peau translucide.

Elle fut frappée par sa maigreur.

— Je te le promets, dit Géraldine d'une voix sans timbre.

Elle aurait aussi bien pu promettre de descendre le Kilimandjaro à ski.

3

Il existait des photos d'Eléna sur lesquelles elle était exceptionnellement belle. Lors de leurs rares et brèves rencontres, Jessica
avait toutefois été frappée de la voir, au quotidien, ressembler
de moins en moins à la beauté espagnole aux yeux noirs et au
tempérament de feu de sa jeunesse. Elle semblait se faner, elle
perdait sa fougue et son énergie, elle se tassait, devenait plus
mince, plus ridée.

Jamais cependant elle ne l'avait vue aussi fatiguée que ce
soir-là.

Mon Dieu, comme elle a vieilli, avait songé Jessica en lui
ouvrant la porte.

« Je suis une formation en ce moment, avait expliqué Eléna au
téléphone. Je suis partie tôt, bien que ce soit samedi, et je ne suis
rentrée qu'à cinq heures et demie. Ricarda n'était pas là.

— Elle est peut-être chez une amie, ou...

— Elle n'a pas quitté la maison depuis que vous êtes revenues
d'Angleterre, l'avait interrompue Eléna. Et elle n'a pas de véritable amie intime. J'ai appelé les camarades de classe avec
lesquelles elle s'entend bien, également les filles de son équipe de
basket. Personne ne sait où elle est, ni ne l'a vue.

— Ce n'est peut-être pas une raison pour s'inquiéter. Je... »

A nouveau Eléna l'avait interrompue.

« Elle est partie avec un sac de voyage, des tee-shirts, des jeans,
des sous-vêtements. Et... elle a pris de l'argent dans un coffret
que je garde dans mon secrétaire.

— Oh... »

La voix d'Eléna était faible et hésitante.

« Je ne sais plus quoi faire, Jessica, sinon je ne vous importunerais pas avec ça.

— Vous savez, Ricarda ne m'a jamais acceptée, et elle ne m'a jamais fait la moindre confidence. Je crains de ne pas pouvoir vous être d'un grand secours.

— Il y a autre chose. Elle a laissé son journal. En temps normal, je ne me serais jamais autorisée à sauter le pas, mais compte tenu des circonstances...

— Vous l'avez lu ?

— Elle doit être malade, Jessica, très malade ! Ce que j'ai lu m'a terriblement choquée. Auriez-vous... Je veux dire, pourrais-je venir vous voir ? Il faut que je vous en parle. J'ai peur, Jessica. Je n'ai jamais eu aussi peur pour ma fille. »

Elles s'étaient installées sur la terrasse. La fin de journée n'avait pas apporté de fraîcheur et il faisait meilleur dehors que dedans. Jessica avait préparé un plateau avec du vin blanc frais et des tranches de baguette grillée tartinées de tapenade. Eléna ne toucha pas au pain, elle trempait de temps à autre les lèvres dans son verre de vin en plissant le front comme si elle luttait contre une migraine naissante. Elle était vêtue d'un élégant ensemble clair un peu défraîchi et froissé qu'elle devait porter depuis le matin. Ses épais cheveux noirs – striés de nombreux fils d'argent – paraissaient humides sur la nuque.

Le jardin était empli d'ombres, empli d'odeurs d'été et de bruissements mystérieux qui ne survenaient qu'avec la nuit. Au milieu de la pelouse, Barney mordait avec ardeur un gros morceau de bois qu'il avait trouvé dans la rue et rapporté à grand-peine à la maison. Tout était comme d'habitude, peut-être même plus paisible et plus agréable ; pourtant, de l'instant où Eléna était entrée dans la maison, Jessica ne voyait plus rien avec les mêmes yeux. Si Eléna se comportait avec la réserve d'une invitée, elle avait eu néanmoins une façon de traverser le couloir et le séjour pour gagner la terrasse qui révélait que les lieux lui étaient familiers.

A quoi cela tient-il ? se demanda Jessica, qui jusque-là n'avait pas réalisé qu'Eléna avait longtemps habité la maison. Est-ce une absence d'hésitation, un manque de curiosité pour ce qui l'entoure ? Une certaine retenue ? Ou bien est-ce simplement parce que *je sais* qu'elle a vécu ici ? Parce que je la vois soudain entre ces murs, au milieu de ces meubles ? Parce que je la sens en harmonie avec le cadre ? Elle est en accord avec la maison, et la maison est en accord avec elle.

Jessica eut brusquement, dans une sorte de fulgurance, la réponse à la question qu'elle se posait depuis son retour d'Angleterre. Ce fut soudain une telle évidence qu'elle se demanda comment elle avait pu hésiter. Elle ne resterait pas dans cette maison. Elle ne s'y était jamais réellement sentie chez elle et, quoi que l'avenir lui réserve, rien n'effacerait ce sentiment. C'était la maison d'Alexander, Eléna et Ricarda.

Ce n'était pas sa maison ni celle de son enfant.

Se rendre compte qu'il aurait été important qu'elle bâtisse un nouveau foyer avec Alexander lui broyait le cœur. Il lui serait, aujourd'hui, resté quelque chose.

C'était une négligence, une erreur que beaucoup de couples commettaient, sauf que, dans leur cas, la mort brutale d'Alexander la rendait irréparable.

Ces choses-là arrivaient. Mais pourquoi fallait-il qu'elles lui arrivent à elle ?

Elle s'efforça de se concentrer sur Eléna, qui parlait de Ricarda, disait combien elle avait changé depuis l'*événement,* soit insolente et odieuse, soit renfermée et perdue dans un monde à elle. Qu'elle avait refusé de retourner au lycée, de reprendre le basket, et même simplement de s'habiller ou de sortir de la maison.

— Je savais qu'elle avait besoin d'un soutien psychologique, dit Eléna, mais elle y était encore plus opposée qu'à tout le reste. Comment forcer une jeune fille de presque seize ans à se faire soigner ? Je ne sais pas... J'aurais peut-être dû être plus sévère.

— Je ne pense pas que c'eût été plus efficace, observa Jessica. Nous cherchons tous comment vivre avec notre chagrin et chacun a une façon personnelle. Ce sera long pour tout le monde. Et peut-être encore plus pour Ricarda. Elle est à un âge difficile.

— Elle n'a jamais accepté notre divorce. Elle adorait son père.

Ne le voir que le week-end a dû être épouvantable pour elle. Et quand...

Elle n'acheva pas sa phrase, mais Jessica devina ce qu'elle était sur le point de dire.

— Et quand il s'est remarié avec moi, ses derniers espoirs se sont évanouis.

— Oui, je l'imagine, acquiesça Eléna d'un ton las.

Ses mains tremblaient quand elle sortit de son sac à main l'épais cahier d'écolier à couverture verte. Le journal de Ricarda. Jessica ne le connaissait que trop. Elle le revit dans les mains de Patricia ; elle avait encore dans l'oreille le ton glacial et dur que leur amie – leur amie ? – avait adopté pour en lire à voix haute des morceaux choisis. Cette soirée dans le salon de Stanbury fut brusquement si présente à son esprit qu'elle ne put retenir un soupir horrifié.

Eléna se méprit sur sa réaction.

— Je sais, s'excusa-t-elle, je n'aurais pas dû y toucher. Croyez-moi, en d'autres circonstances, je me le serais interdit, mais je suis tellement désemparée, je suis si inquiète...

— Je comprends. J'aurais sans doute fait la même chose.

Eléna fixait le cahier. Son visage était très pâle.

— Et maintenant, j'aurais voulu ne jamais l'avoir ouvert, dit-elle doucement. Ce qu'elle a écrit est tellement... effrayant. C'est haineux, cruel... C'est ce dont je parlais, tout à l'heure... Je crois que ce n'est pas normal. Elle doit être malade...

Jessica se leva. Comme elle connaissait certains passages du journal, elle comprenait ce qu'Eléna voulait dire et elle pria intérieurement pour qu'elle ne devine pas à son expression qu'elle en savait plus qu'elle ne le disait. Elle était presque sûre que Ricarda n'avait rien raconté à sa mère de ce qui s'était passé ce soir-là à Stanbury House. Si Eléna l'apprenait maintenant, ça ne ferait que l'inquiéter un peu plus.

Elle demeura debout derrière sa chaise.

— Je ne sais pas ce qu'il y a dans ce journal, mentit-elle, mais il ne faut pas y attacher trop d'importance. Quand j'avais l'âge de Ricarda, il y avait des moments où je n'étais pas à prendre avec des pincettes. J'étais d'une agressivité à l'égard de mes parents...

Si j'avais tenu un journal, ça n'aurait été qu'une succession d'horreurs. Je crains que ce ne soit très banal.

— Mais elle parle de mort, insista Eléna. Elle écrit qu'elle voudrait que tous les habitants de Stanbury House meurent. Elle imagine comment ce serait de les tuer et... de les voir tomber par terre les uns après les autres. C'est... monstrueux.

— Ça paraît monstrueux parce qu'un crime a eu lieu. Ça propulse sur le devant de la scène quelque chose qui sinon serait resté un délire morbide et aurait paru beaucoup plus anodin. J'en suis certaine.

— Ce Keith Mallory, son ami... vous le connaissez ?

— Non. Léon a un peu parlé avec lui, après le drame. Il l'a trouvé très bien, très gentil. Le genre d'ami que l'on souhaiterait pour une jeune fille.

— Je ne sais pas... Cette amitié va nettement plus loin que je ne le pensais. Ils étaient partis pour Londres avec l'intention d'y vivre... Ils n'ont fait demi-tour que parce que le père du jeune homme a eu une attaque. Mais Ricarda paraît décidée à vivre avec lui. Du moins l'écrit-elle à plusieurs reprises dans son journal. Elle veut aller le rejoindre dès qu'elle aura seize ans. C'est dans quelques jours.

— Alors ne vous demandez plus où elle est, dit Jessica, soulagée. Elle n'a pas pu attendre jusque-là et a décidé de partir tout de suite. Elle doit être en ce moment quelque part entre l'Allemagne et l'Angleterre. Ou déjà arrivée.

— J'avais espéré que... mais comme je ne vois pas chez qui elle pourrait être, je suppose qu'elle est vraiment partie retrouver ce... ce Keith Mallory.

Jessica sentit chacun de ses muscles se détendre. Pour une mère, il était peut-être très peu agréable de savoir sa fille de quinze ans partie au fin fond de l'Angleterre retrouver un garçon avec lequel elle comptait vivre. Mais d'un autre côté, dans son désarroi, Ricarda aurait pu se mettre dans des situations beaucoup plus graves. Sans connaître Keith, sans savoir quelle était la nature de leurs relations, Jessica avait l'intuition que près de lui Ricarda était en sécurité.

— Keith est peut-être la thérapie dont Ricarda a aujourd'hui besoin, remarqua-t-elle. Etre avec lui, le travail à la ferme, cette vie si différente… Après ce qu'elle a vécu, il est clair que Ricarda ne peut pas retourner au lycée ou sur le terrain de sport comme s'il ne s'était rien passé. Reprendre les choses où elles étaient avant les vacances de Pâques ne marchera pas. Ça ne marche pour personne, d'ailleurs. Ricarda est partie pour essayer de s'en sortir. Ce n'est pas une si mauvaise solution.

— Mais elle voulait déjà s'installer avec ce Keith avant.

— Elle n'allait déjà pas très bien. Vous avez dit vous-même qu'elle ne parvenait pas à accepter votre divorce. Il y a longtemps qu'elle ne sait plus très bien où elle en est, qu'elle se cherche. Aujourd'hui, elle essaye de reprendre pied à sa façon. En tout cas, c'est mieux que de passer ses journées à se morfondre dans son lit.

— Mais enfin, ma fille n'a que quinze ans !

Eléna, qui jusque-là se tenait le dos voûté, s'était redressée sur sa chaise, droite comme un I, ses yeux lançaient des éclairs. A peine s'était-elle animée qu'un peu de son rayonnement passé était réapparu.

— Bientôt seize, c'est vrai, mais ça ne fait pas une grande différence ! Elle n'a pas le moindre diplôme, pas la moindre idée du métier qu'elle veut faire plus tard. Pour couronner le tout, elle est en ce moment très perturbée et pas en état de mesurer la portée de ses actes. Elle part en cachette retrouver un homme que ni sa mère ni sa… belle-mère ne connaissent et dont, par conséquent, on peut craindre le pire. Tout ce que je sais de ce jeune homme – et parce que je l'ai lu dans son journal – est qu'il a été assez irresponsable pour convaincre une gamine de quinze ans de s'enfuir avec lui à Londres. Je ne vais tout de même pas croiser les bras et attendre que Ricarda se marie avec lui et se retrouve à élever des moutons au milieu de nulle part dans le nord de l'Angleterre ! Elle est en train de gâcher son avenir, de détruire toutes ses chances !

— Ce n'est peut-être que temporaire. Quand elle ira mieux, elle reviendra. Elle aura perdu une année de lycée ? Elle l'aurait perdue tout autant à rester sur son lit toute la journée. Elle fait ce qui en ce moment lui paraît le mieux pour elle.

— Ce qui lui paraît le mieux n'est pas forcément ce qui lui convient. Et je ne suis pas prête à prendre des risques. Une mère se sent terriblement responsable, vous savez. Vous comprendrez quand... quand votre bébé sera là.

Jessica la regarda avec étonnement. D'un geste du menton, Eléna désigna le cahier vert posé sur ses genoux.

— Apprendre que vous étiez enceinte a été un choc pour Ricarda.

— Vous comprendrez que je n'allais pas assujettir mon désir d'avoir un enfant aux éventuelles réactions de Ricarda.

Eléna acquiesça.

— Je ne vous en fais pas le reproche, Jessica. Vraiment pas. Au contraire, je... je voulais vous dire combien je compatis. Ce doit être très difficile d'attendre seule la naissance de votre enfant. J'admire votre courage, Jessica. Sincèrement.

— Merci.

Un silence gêné s'installa, comme si, en exprimant sa compassion, Eléna avait transgressé un tabou. Elles avaient toujours tacitement observé une certaine distance, cette soudaine incursion dans leur intimité les mettait l'une et l'autre mal à l'aise.

Jessica se reprit la première.

— Eléna, je vous propose une chose : je prends demain matin l'avion pour l'Angleterre. Je vais à Stanbury. Je viens juste de réserver ma place. Je n'ai que quelques affaires à préparer et je pars. Je...

— Vraiment ? Mais pourquoi... ?

— Je vous expliquerai plus tard. Mais je serai sur place et je pourrai me renseigner sur Ricarda. Je pourrai m'assurer qu'elle est bien chez Keith, je pourrai peut-être lui parler. Nous saurons au moins où nous en sommes.

— Vous ne pensez pas que je devrais... y aller moi-même ? Je suis sa mère. Peut-être que ce serait mieux...

— C'est à vous, bien sûr, d'en décider. Mais il semble qu'en ce moment vous ayez, toutes les deux, du mal à communiquer. Et vous êtes directement impliquée. Peut-être allez-vous lui faire des reproches, chercher à la convaincre de rentrer avec vous...

Jessica s'interrompit.

— Loin de moi l'intention de vous exclure, Eléna, reprit-elle doucement, mais je dois de toute façon me rendre à Stanbury et je pourrai intervenir avec plus de détachement que vous. C'est seulement une proposition.

Eléna réfléchissait, pesait le pour et le contre.

— Vous avez raison, dit-elle enfin. Il vaut mieux que vous y alliez seule. Si vraiment ça ne vous ennuie pas de le faire pour moi...

— Ça ne m'ennuie pas. J'aurais seulement une chose à vous demander : je peux laisser mon chien chez vous ?

4

Il n'était pas particulièrement tard – à peine dix heures et demie du soir – et pourtant Ricarda n'en pouvait plus. Elle était recrue de fatigue, et, en dépit de la douceur de l'air, frigorifiée.

Ce voyage est tellement long, pas étonnant que je sois crevée, se dit-elle.

Elle avait faim, mais pas d'argent. Pour être plus exact, elle devait conserver le peu d'argent qui lui restait pour acheter un billet pour Leeds ou Bradford. Il faudrait ensuite qu'elle prenne le car jusqu'à Stanbury. Peut-être même devrait-elle emprunter des cars différents, changer plusieurs fois, elle ne savait pas. Jamais encore venir jusqu'à Stanbury n'avait paru aussi compliqué.

Pourtant, elle était heureuse. Ou sinon heureuse, du moins commençait-elle à se sentir soulagée d'avoir pris une décision. D'être enfin à nouveau capable de bouger. D'avoir pris sa vie en main.

Sa décision, sa vie, c'était Keith. Elle avait à nouveau essayé de l'appeler, ce matin, mais personne n'avait répondu. Quand elle s'était rendu compte, au moment de partir, que la batterie de son portable était presque vide, elle n'avait pas eu le temps de la recharger. Elle avait ensuite essayé de l'appeler de l'aéroport de Francfort, alors qu'elle attendait son avion, mais la liaison avait été interrompue avant même que quelqu'un décroche, là-bas, en Angleterre. A l'aéroport de Londres, les seules cabines qu'elle avait trouvées fonctionnaient avec des cartes. Arrivée à Victoria Station, elle avait renoncé à essayer de le joindre. De toute façon, il était trop tard pour téléphoner chez des gens qui probablement se couchaient tôt. Elle ne voulait pas commencer par se faire remarquer en tirant sa nouvelle famille du lit au milieu de la nuit. Entre elle et Keith, les choses étaient claires. Elle arrivait un peu plus tôt que prévu, mais à une ou deux semaines près, qu'est-ce que ça changeait ?

Il ouvrirait la porte, elle serait là, il la prendrait dans ses bras et leur nouvelle vie commencerait. Elle ne voulait pas penser plus loin.

Dans un autre temps, elle aurait été fascinée par le somptueux décor victorien de la gare, les colonnes, la haute voûte, les mosaïques des murs, mais ce soir-là elle était trop épuisée pour apprécier ce qui l'entourait. Arriver jusqu'ici s'était réduit pour elle à un problème d'argent. Ses deux cents livres d'économies étaient restées dans la voiture de Keith après leur tentative avortée de voyage à Londres. Elle était certaine qu'il n'y avait pas touché, mais il ne les lui avait ni renvoyées ni fait virer sur son compte. Elle n'avait pu qu'emprunter de l'argent à sa mère – elle utilisait volontairement le terme d'*emprunter* car elle avait la ferme intention de la rembourser – mais elle avait pris aussi peu de billets que possible dans la boîte que sa mère conservait dans son secrétaire. Elle avait réservé une place sur un vol pour Londres-Stansted au départ de Francfort, de loin le moins cher qu'elle ait pu trouver, mais à peine avait-elle franchi la porte de la maison que cela s'était traduit pour elle par une véritable odyssée en bus et en train pour arriver à l'heure à Francfort. L'Intercity était plein comme un œuf et elle avait fait tout le trajet assise sur son sac dans le couloir. Le vol pour Londres avait du retard et elle avait dû attendre une éternité à l'aéroport en se maudissant de n'avoir pas pensé un seul instant à se préparer un sandwich pour le voyage. Elle avait faim à en avoir des crampes d'estomac, mais elle n'osait pas toucher à son argent, et, pour ne pas être tentée, elle se dépêcha de changer ses euros en livres anglaises. Sans euros, elle ne pouvait plus rien acheter en Allemagne.

Dans l'avion, elle avait eu droit à une maigre collation, un sandwich, de la salade de pommes de terre sèche comme du carton et deux biscuits secs sous Cellophane sur lesquels elle s'était jetée. Elle avait bu du café et réclamé si souvent de l'eau minérale que l'hôtesse de l'air en avait perdu son sourire poli. Tant pis. Elle en avait besoin.

Londres lui étant inconnue, rejoindre Victoria Station en métro s'était transformé en un périple infernal. Elle ne comptait plus les fois où elle avait dû revenir sur ses pas, énervée et inquiète, parce qu'elle était partie dans la mauvaise direction. Qu'elle ait finalement échoué dans la bonne gare relevait plutôt du hasard. Après avoir mis un temps incalculable à déchiffrer des panneaux d'horaires plus déconcertants les uns que les autres, elle comprit qu'elle n'aurait pas de train pour Bradford avant le lendemain matin et qu'il ne lui restait d'autre solution que de passer la nuit sur un banc. Il lui paraissait plus sûr de rester dans la gare, elle devait seulement prendre grand soin de ne pas se faire remarquer par la police. Si elle était identifiée comme mineure et en fugue, c'en était fini de ses chances de rejoindre Keith.

Tout au bout d'un quai, elle découvrit un banc qui présentait le double avantage d'être isolé et à demi caché derrière un gros pilier. Pour la trouver là, il fallait vraiment se donner la peine de la chercher. En dépit de l'heure tardive, il faisait toujours chaud dans la gare, pourtant elle ne parvenait pas à se réchauffer et tremblait de tout son corps. Elle mit ça sur le compte de la fatigue et de la faim. Elle sortit de son sac un pull-over épais, l'enfila, puis enfila par-dessus son blouson en jean. Elle se blottit dans un coin. Ses yeux étaient irrités par le manque de sommeil, mais son cœur qui battait vite et fort la tenait éveillée. Il y avait peu de risques qu'elle s'endorme ; si elle sombrait, au mieux, dans une sorte de torpeur, tous ses sens resteraient en alerte.

Comme un animal, songea-t-elle. Comme un animal sauvage qui ne peut jamais se permettre d'oublier ses ennemis.

Mais elle avait fait un bon bout de chemin. Elle n'était plus loin de lui, à présent.

Elle était en Angleterre.

5

... et tout d'un coup, j'ai vu une image... L'image, c'était moi avec un revolver, et je tirais dans ces visages. Leurs yeux étaient grands ouverts, du sang coulait de leurs bouches et l'un après l'autre ils tombaient par terre... Je voudrais les voir se tordre par terre. Je voudrais qu'ils soient malades, qu'ils crèvent. Oui : surtout qu'ils CRÈVENT !

Quand j'étais couchée, j'ai eu de la fièvre. Vraiment beaucoup de fièvre. J'avais en permanence des images devant les yeux. De papa. Surtout de papa. Papa avec la gorge ouverte. Il était plein de sang. Tout était plein de sang... il y avait des morts partout...

Je voulais dire à maman que J. a une petite pourriture dans le ventre, qu'elle avait embobiné papa...

Si j'en parle, les images m'étoufferont. Ces mêmes images de sang que je voyais quand j'avais de la fièvre. Au milieu de tout ce sang, il y a J. Elle est morte. Sa gorge est béante et, dans son agonie, la petite pourriture a glissé entre ses jambes, une sorte de paquet gluant qui ne ressemble pas du tout à un bébé...

Elle se pencha au-dessus du lavabo, se regarda dans le miroir. Son teint était livide et cireux comme celui d'une morte. Ses jambes tremblaient. Elle devait s'accrocher au rebord du lavabo pour ne pas tomber. Elle serra les cuisses pour retenir son bébé. Elle avait vomi, plusieurs fois, par longues vagues successives, jusqu'à ce qu'il n'y ait plus rien dans son estomac que de la bile. Elle avait repris son souffle, pressé son ventre à deux mains parce que les spasmes qui la secouaient étaient si violents qu'elle pensait que rien, pas même son bébé à naître, ne pouvait rester dans ce corps qui dans une sorte de cauchemar rejetait tout ce qu'il avait absorbé un jour. Pendant tout ce temps, la voix d'Eléna résonnait dans sa tête, une voix timide et anxieuse qui s'accordait si mal avec la belle et fière Eléna et avec laquelle elle lisait le journal intime de sa fille, lentement, atterrée par les mots qu'elle prononçait.

Son murmure : « J'ai tellement peur que ce soit elle, Jessica. Epouvantablement peur. »

Son chuchotement : « Pensez-vous que ce soit possible, Jessica ? J'ai lu des choses qui me disent qu'elle doit être malade. *Elle doit être malade !* »

Sa question, presque inaudible : « Savez-vous si elle a un alibi pour l'heure du crime ? Où était-elle ? *Où était-elle, Jessica ?* »

Puis, pour la convaincre – ou pour se convaincre du contraire –, le journal. Des passages précis. Lus à voix basse, comme si chaque buisson, chaque ombre recelait la présence de quelqu'un qui ne devait pas entendre qu'elle soupçonnait son enfant d'un crime monstrueux.

... et, dans son agonie, la petite pourriture a glissé entre ses jambes, une sorte de paquet gluant qui ne ressemble pas du tout à un bébé...

La nausée était survenue aussi brutalement que si quelqu'un avait appuyé sur un bouton. Comme lorsqu'on actionne un interrupteur et qu'une pièce éclairée se trouve plongée dans le noir. Elle avait bondi sur ses pieds. La terrasse, le jardin, la maison dansaient devant ses yeux. Eléna lui était apparue à travers un voile, elle entendait sa voix mais celle-ci lui parvenait de très loin et elle ne comprenait pas ce qu'elle disait. Elle ne sut pas comment elle parvint jusqu'à la salle de bains, le sol tanguait, les murs se précipitaient sur elle. Elle vomit, vomit son incompréhension, son dégoût, sa peur, son effroi. Elle pensait ne jamais pouvoir s'arrêter de vomir, se demandait si même elle en avait envie. Elle vomissait et se jurait qu'elle défendrait son enfant, qu'elle le protégerait de toute cette folie. Ces fous autour d'elle, ces pervers pouvaient faire ce qu'ils voulaient, elle mettrait son enfant en sécurité.

C'est aussi ce qu'elle dit au visage pâle comme la mort dans le miroir. Un sourire timide apparut enfin sur le visage. Elle sut alors qu'elle était encore en vie.

La voix d'Eléna était toujours si basse que Jessica devait faire un effort pour la comprendre. On aurait pu croire non pas qu'elle s'adressait à quelqu'un mais qu'elle se parlait à elle-même. Parfois, les bruits nocturnes du jardin – un bruissement, un pépiement, un frôlement – couvraient sa voix, alors Jessica se penchait en avant pour saisir des mots qui sinon auraient été emportés par le vent.

— Alexander n'a jamais surmonté l'histoire de Marc. J'imagine que Tim et Léon non plus mais... ils s'en accommodaient mieux. Alexander avait des cauchemars, d'effroyables cauchemars qui le terrifiaient au point que parfois il n'osait pas s'endormir. Ou alors il prenait des somnifères qui l'assommaient et l'aidaient à sombrer dans un sommeil sans rêve. En contrepartie, le lendemain, il pouvait à peine tenir debout.

« J'ai longtemps ignoré ce qu'il avait. J'ai commencé à redouter ces crises nocturnes autant que lui. Je pensais qu'il avait besoin de se faire aider, je ne cessais de l'inciter à consulter, mais il refusait avec véhémence. Puis une nuit, il m'a raconté. Il ne savait plus quoi faire, il pleurait comme un enfant. Il disait que depuis – depuis cette nuit-là – il voulait lui aussi mourir.

« Je crois que ça les a tous les trois détruits. Tim et Léon pouvaient encore se dire que c'était par égard pour Alexander qu'ils avaient renoncé à demander de l'aide, mais ils ne sont pas idiots. Au fond, ils savaient bien qu'un renvoi du collège et la peur qu'Alexander pouvait avoir de son père étaient sans commune mesure avec la mort de quelqu'un. Marc est mort dans d'atroces souffrances. Rien ne peut excuser ça. Au début, ils ont dû se sentir soulagés. La mort du jeune garçon a créé dans l'école l'émotion que vous pouvez imaginer, mais, pour eux trois, elle n'a eu aucune conséquence. Apparemment, on ne les a même pas soupçonnés. Mais le temps passe, et le temps relativise les choses,

460

n'est-ce pas ? Ils sont devenus adultes. Ils avaient le bac. Ils ont commencé des études, réussi leurs examens, connu leurs premières amours, pensé à s'engager plus sérieusement. Ils en auraient été exactement au même point si cette nuit-là ils n'avaient pas cédé à la lâcheté, et ils le savaient. Ils auraient passé leur bac dans un autre lycée, puis ils auraient commencé des études, réussi leurs examens, connu leurs premières amours et pensé à s'engager plus sérieusement. Sauf qu'il n'y aurait pas eu en permanence l'ombre de leur ami à côté d'eux. Le fantôme d'un jeune homme qu'ils avaient sacrifié. A quoi ? L'absurdité de ce sacrifice, sa parfaite inutilité devait les hanter. Qu'Alexander ait réussi à aller jusqu'au bout de cette école d'élite n'a en effet rien changé à ses relations avec son père. Le vieux Will l'a tenu dans le même mépris qu'avant.

« Ils avaient donné la vie de Marc et rien obtenu en échange.

« Chacun a vécu le drame selon sa personnalité propre. Alexander... eh bien, c'étaient ces terribles cauchemars et il était souvent replié sur lui-même, songeur. Presque dépressif.

« Tim, en revanche, il fallait qu'il ouvre sa grande gueule, qu'il se vante de ses merveilleuses qualités de thérapeute et de tout l'argent qu'il gagnait. Ce qu'il aimait, c'était analyser les gens et en même temps subtilement les rabaisser. Ça lui donnait sans doute le sentiment d'être grand et fort. Et non plus ce pitoyable lâche qu'il avait été, à l'époque, tout autant que les autres.

« Et Léon ? Léon est un homme séduisant, ça ne vous a probablement pas échappé. C'est tout naturellement dans le lit des femmes qu'il allait se rassurer. Même alors qu'il était marié depuis longtemps avec Patricia. Même alors qu'il avait deux adorables petites filles. Il fallait qu'il couche avec toutes les jolies femmes qui croisaient son chemin. Ses petites stagiaires ont toujours été à ses pieds et il n'y en a pas une avec laquelle il n'ait pas eu d'aventure. Comment je le sais ? Il ne pouvait pas s'empêcher de parler de ses conquêtes. Il se confiait à Tim. Tim le racontait à Evelin. Et Evelin me le racontait. Voilà comment ils étaient, ces chers, très chers amis : au bout du compte, il y en avait toujours un qui trahissait l'autre.

« Je me suis souvent demandé si ce crime – parce qu'on peut bien appeler ça un crime, n'est-ce pas ? – n'était pas à l'origine de leur incapacité à entretenir des liens d'amitié normaux, avec un équilibre entre les hauts et les bas, le toujours ensemble et la distance. Je veux dire… nous avons tous des amis, certains depuis l'école, et je pense que c'est une vraie richesse que ces amitiés perdurent au fil des années. Mais il y a des périodes où l'on se sent plus proche de l'un, puis d'un autre, et des périodes où l'on fréquente moins ses amis parce qu'on se consacre plus à sa famille ou à son travail, et l'on se fait d'autres amis au sein de ces nouveaux cercles. Mais Alexander, Léon et Tim étaient tout le temps accrochés ensemble. Les vacances ensemble. Le théâtre et le cinéma ensemble. Les dîners. Les week-ends. Et que sais-je encore ! Ça ne vous énervait pas ? Sortir toujours en bande… certains jours, j'aurais pu hurler. Ce n'était pas un homme que j'avais épousé, mais trois, et en prime tout ce qu'il y avait autour.

« Pour moi, c'est leur culpabilité commune qui les ficelait ainsi les uns aux autres. Aucun d'entre eux n'a jamais pu oublier ce qui s'était passé. Ensemble, c'était plus facile à supporter. Hors du groupe, parmi les gens dits normaux, ils ont dû souvent avoir l'impression d'être des monstres. Quand ils étaient entre eux, cette nuit épouvantable revêtait une sorte de normalité. Probablement, parmi des monstres, un monstre ne se sent plus tout à fait monstre. Il n'est plus seul face au reste du monde. Il peut à nouveau avoir le sentiment d'appartenir à un ensemble. Et n'avons-nous pas tous, à des degrés divers, besoin de ce sentiment d'appartenance à un groupe ? En tout cas, Alexander, Tim et Léon en dépendaient.

« Ils devaient discuter entre eux, chercher des explications, se justifier, se pardonner mutuellement. Je n'en sais rien, mais je l'imagine. Ce serait plausible. Qui leur aurait donné l'absolution sinon eux-mêmes ? Sauf qu'elle ne tenait pas bien longtemps. Il fallait constamment la renouveler.

« Quand Stanbury est entré dans leur vie – par le mariage de Léon avec Patricia –, leur amitié a pris une nouvelle dimension. Il existait désormais un lieu dans lequel ils pouvaient se retirer et fermer la porte derrière eux. Stanbury devint leur refuge. Un appartement à Londres ou une petite maison dans un endroit touristique animé n'aurait jamais pu avoir la même fonction. Stanbury était… coupé du monde. Le Yorkshire, un petit village dont personne n'avait entendu parler, le pays enchanté des sœurs Brontë, où la vie semblait s'être arrêtée au XIXᵉ siècle. A Stanbury, plus rien n'était réel. Tout était très loin. A Stanbury, ils reprenaient des forces, ils se détendaient, ils s'exerçaient au refoulement. Alexander vous parlait-il aussi du *calme de Stanbury* ? Parfois je lui demandais pourquoi nous n'irions pas autre part. Chaque fois il me répondait qu'il n'imaginait pas qu'il pût y avoir un autre endroit sur terre où il retrouverait ce calme. Ce n'était pas simplement une question de silence et d'isolement. Le calme de Stanbury était particulier. Moi-même, parfois, je le percevais ainsi. Il y avait dans ce calme quelque chose qui relevait de l'inviolabilité. Comme si le monde s'arrêtait respectueusement devant la grille du parc. Qu'en pensez-vous, est-il possible qu'un endroit possède ce charme particulier ? Ou bien est-ce nous qui l'apportions dans nos bagages, ou, pour être plus juste, les trois hommes ? Stanbury était-il calme en soi ou bien est-ce nous qui le rendions ainsi ? Nous qui en faisions cet étrange lieu de paix et d'oubli ? La porte se refermait et tout ce qui avait brouillé le passé, tout ce qui menaçait l'avenir s'effaçait dans le lointain.

« En réalité, tout cela n'était bien sûr qu'un vœu pieux. Rien n'allait bien, rien du tout. Les vieux murs, le parc romantique, la campagne à perte de vue ne servaient qu'à étouffer les désaccords. Qu'est-ce que je dis, les désaccords ? Ce n'est pas le bon mot. Il ne s'agissait pas de désaccords mais de toutes sortes d'horreurs et de méchancetés, d'agressivité, d'antipathies. Oui, c'est de ça qu'il s'agissait. Peut-être que le fameux calme de Stanbury n'était que l'étouffement collectif de ce qu'on n'aurait pas supporté si on avait dû y être confronté. Etouffement. A la réflexion, ce terme me semble mieux convenir que celui de *calme*.

« Qu'est-ce qui n'allait pas ? Par où dois-je commencer ? Par le lamentable échec du mariage de Léon et Patricia ? Par le lamentable échec du mariage de Tim et Evelin ? Par le lamentable échec de mon mariage avec Alexander ? Léon a épousé Patricia parce qu'elle était enceinte et qu'aussi bien ses parents à lui qu'à elle ont fait pression jusqu'à ce qu'il s'exécute. A la mairie, on aurait cru qu'il se demandait s'il n'allait pas sauter par la fenêtre, et Patricia avait la tête de celle qui était arrivée à ses fins. Je présume qu'elle avait décidé de longue date de devenir

463

épouse d'avocat ; une fille comme Patricia ne se laisse pas engrosser par hasard. Tim et Alexander ont essayé de consoler Léon en lui faisant miroiter Stanbury, dont il serait bientôt propriétaire aux côtés de sa femme et qui deviendrait ainsi accessible à eux tous. C'était une chose. C'en était une autre de vivre avec Patricia, de supporter jour après jour ses désirs et ses exigences, son ambition, sa discipline de fer, son despotisme, bref tout ce qui la rendait infernale. Léon trompait Patricia tant qu'il pouvait, pourtant elle restait la plus forte. Léon me faisait l'effet d'un petit garçon continuellement brimé qui se venge en faisant des grimaces ou en tirant la langue dans le dos de son bourreau. Tant que sa chère image de famille parfaite n'était pas écornée, tant que les apparences étaient sauves, Patricia voulait bien s'en accommoder. C'était une femme essentiellement attachée à paraître parfaite et inattaquable aux yeux des autres. Pourvu que la façade soit belle, à l'intérieur ça pouvait bien être vermoulu. Je ne sais pas ce que ça a finalement donné avec Léon. Mais savez-vous la première chose qui m'est venue à l'esprit quand j'ai appris ce qui s'était passé ? Je me suis dit : c'est Léon. Léon a craqué et ce n'est pas étonnant.

« Quand on réfléchit un peu plus, on n'arrive pas à y croire. Il est vrai qu'on n'arrive à le croire de personne, pourtant il faut bien que ce soit quelqu'un. La première intuition n'est peut-être pas la plus mauvaise. Mais peut-être aussi que je m'accroche à l'idée uniquement parce que j'ai peur que Ricarda soit plus impliquée que je n'ose l'imaginer.

« Et entre Tim et Evelin, c'était la catastrophe, en fait depuis le début. Il avait fait sa connaissance lors d'un séminaire du style *Devenez un être positif en une nuit*. Tim, qui venait d'avoir son diplôme, s'était jeté dans la vie active avec beaucoup d'enthousiasme. Je veux dire par là qu'il proposait toute une batterie de cours et de séminaires sur des thèmes du même acabit. Je dois reconnaître que ça a tout de suite marché extraordinairement bien. Tim gagnait beaucoup d'argent. Ce look de gourou qu'il affectionnait inspire confiance à plus de gens qu'on ne l'imagine. Et avec ça, cette façon mielleuse de s'immiscer dans la vie de ses patients... Apparemment, il y en avait qui croyaient avoir

464

rencontré le messie, le sauveur qui allait les tirer du marasme. Personnellement, je doute qu'il ait jamais aidé qui que ce soit.

« Bref, Evelin assistait à un séminaire où elle espérait découvrir comment prendre confiance en elle. J'ai fait sa connaissance très peu de temps après qu'ils sont sortis ensemble. Je dois dire qu'à l'époque elle était bien mieux qu'elle ne l'a été plus tard, une fois mariée avec Tim. Elle était très timide et plutôt inhibée, mais elle n'était pas dépressive et elle était beaucoup plus mince qu'aujourd'hui. Elle suivait une psychothérapie qui paraissait lui faire un bien fou. Il est du reste possible que ce soit son thérapeute qui l'ait encouragée à s'inscrire à des séminaires comme celui de Tim. C'est vrai que c'est une façon de rencontrer des gens et de dépasser ses difficultés à nouer des liens. Il ne pouvait pas prévoir qu'elle tomberait sur Tim – pour son malheur. Elle a commencé à se faire suivre très jeune, dès l'adolescence, il me semble, et elle n'a jamais complètement cessé depuis, mais elle ne nous a jamais dit pourquoi. J'ai cru comprendre, à travers deux ou trois allusions, qu'elle a eu une enfance très marquée par la violence, mais je n'en sais pas plus. Ça expliquerait assez bien qu'elle soit retombée avec Tim dans un monde où la violence prédomine. La violence physique autant que morale. Il l'humiliait verbalement jusqu'à ce qu'elle croie qu'elle était une parfaite imbécile et se figure devoir lui baiser les pieds parce qu'il voulait bien se commettre avec quelqu'un d'aussi minable qu'elle. Et puis toutes ses blessures, ses bleus, ses contusions... tous ces accidents de sport... Quelle maladroite, notre grosse Evelin ! Il a fallu encore qu'elle se cogne, qu'elle trébuche, qu'elle fasse une mauvaise chute. Ça allait bon train, les commentaires moqueurs, à la table du petit déjeuner... Vous voulez que je vous dise, Jessica ? Ils étaient tous au courant. Ils savaient tous qu'il ne s'agissait pas d'accidents. C'est arrivé plusieurs fois, à Stanbury, que Léon ou Alexander monte le son de la chaîne stéréo parce que, en haut, dans la chambre de Tim et Evelin, ça recommençait. Et ce n'est pas de sexe que je parle. C'est de coups de poing dans le ventre, de coups de pied dans les tibias, de bras tordus. Evelin criait. Là, brusquement, ils étaient comme les fameux singes : ne rien voir, ne rien entendre, ne rien dire. C'est sacré, l'amitié. Tim était l'un d'eux. On ne lâche pas un ami. Ils

465

s'étaient inventé un mythe : Stanbury ; ils entendaient le préserver. Un mari violent dans leurs rangs aurait tout détruit. Il n'y en avait donc pas. Ainsi, tout allait pour le mieux dans le meilleur des mondes. Et cette pauvre Evelin n'était vraiment pas douée pour le sport.

« Je ne veux pas parler de mon mariage avec Alexander. Ce n'est pas avec vous que je le peux. Je veux seulement vous parler un peu de la façon dont ça s'est terminé. J'ai craqué. Je ne supportais plus rien. Ses amis, cette contrainte d'être toujours ensemble, ces faux-semblants, ces mensonges... Surtout ce goût du mensonge.

« Je lui ai posé un ultimatum. Je lui ai demandé de choisir entre moi et ses amis. Je voulais que nous ayons une vie à nous, une vie indépendante des autres.

« Il n'a pas réussi à couper le cordon. Ce n'est pas moi qu'il a choisie. En se prononçant contre moi, il s'est prononcé implicitement contre le maintien de notre mariage. Ça ne m'a même pas étonnée. Je crois que je m'y attendais. Je savais d'avance comment ça se terminerait. En fait, je ne lui ai pas tant posé cet ultimatum pour gagner, puisqu'il était d'emblée évident que je n'avais aucune chance, que pour provoquer une décision, pour que les choses soient claires. Pour mettre un terme à une situation qui m'était insupportable. Cette rupture n'était possible que s'il m'apparaissait que jamais mon mari ne se mettrait de mon côté. Qu'il appartenait aux autres. Ça n'a pas été facile... Je crois que rien ne m'a jamais fait aussi mal. Mais cette souffrance était nécessaire pour que je puisse tirer un trait. Et après tout ce qui s'est passé, je suis plus convaincue que jamais d'avoir pris la bonne décision.

« Mais savez-vous quelle a été mon erreur ? Je n'aurais pas dû accepter que Ricarda, mon enfant, ait des contacts avec cette bande de névrosés. Je savais que leur environnement était malsain. J'aurais dû me battre pour que Ricarda ne passe pas ses vacances avec eux. Je ne pouvais pas m'opposer au droit d'Alexander de voir sa fille, mais j'aurais dû remuer ciel et terre pour obtenir l'autorisation juridique de ne pas l'envoyer à Stanbury. Elle détestait Patricia et Tim. Elle se rendait bien compte que son père était prisonnier de ces gens, même si elle n'en connaissait pas les raisons profondes. Je pense à l'histoire de Marc. Il ne faut pas qu'elle l'apprenne. Promettez-moi de ne jamais lui en parler.

« J'aurais dû, j'aurais dû… Mais si j'avais eu gain de cause, elle n'aurait plus jamais passé de vacances avec son père, parce que, pour lui, il n'y avait que Stanbury. Et elle était tellement attachée à son père ! Finalement, je ne pouvais que me tromper. Quoi que je fasse. Je me demande seulement si dans un cas comme dans l'autre, j'en serais où j'en suis aujourd'hui. Si j'aurais aussi peur, aussi abominablement peur que ce soit ma fille… que ce soit mon enfant qui n'ait plus supporté le calme monstrueux de Stanbury.

6

Evelin avait mauvaise mine, mais elle avait maigri et paraissait moins empruntée que d'habitude. Elle portait un pantalon dans lequel elle semblait flotter et un tee-shirt qui évoquait un chiffon sale. Du reste, toute sa personne était peu soignée. Elle sentait la transpiration comme si elle n'avait pas pris de douche depuis plusieurs jours, ses cheveux étaient gras, elle n'était pas maquillée et ses pieds – elle était pieds nus – étaient noirs de crasse. Elle était assise sur une chaise près de la fenêtre. La chambre, particulièrement petite, devait être une des plus simples de l'hôtel. Jessica eut l'impression qu'elle n'avait pas bougé de l'endroit depuis son coup de téléphone en forme d'appel au secours.

Se trouver là était à la fois pénible et émouvant. Un mois à peine s'était écoulé depuis les quelques jours qu'elle avait passés dans la modeste auberge, et à peine était-elle arrivée à Stanbury que tout lui était revenu : les dernières vacances, la brusque plongée dans l'horreur, la police qui arrêtait puis relâchait un suspect, qui mettait au jour des drames intimes dont elle avait tout ignoré. Comme si le temps s'était arrêté, comme si elle n'était pas retournée en Allemagne, comme si rien n'avait changé.

Il est vrai que rien n'a changé, songea-t-elle. Nous ne savons toujours pas qui est l'assassin. La police a d'abord cru que c'était Phillip. Puis que c'était Evelin. Aujourd'hui ils reviennent à Phillip. Eléna craint que ce ne soit Ricarda. J'ai soupçonné Léon. Nous en sommes au même point.

— Evelin, comme ça me fait plaisir de te voir, dit-elle, et de te voir libre !

468

Elle traversa la petite chambre et serra Evelin contre elle.

— Tu as minci, ajouta-t-elle.

Ce n'était pas le plus important, mais elle ressentait brusquement le besoin de faire plaisir à Evelin et elle supposa qu'avoir perdu du poids devait lui apporter au moins une certaine satisfaction.

— Je sais, je suis plus à l'aise dans mes vêtements, répondit Evelin.

A en juger par son ton, avoir minci l'indifférait. Elle se leva et à son tour serra Jessica contre elle, avec fièvre, presque comme si elle s'accrochait à elle.

— Merci d'être venue, murmura-t-elle. Merci, du fond du cœur !

— C'était bien normal, dit Jessica, qui se sentit un peu honteuse d'avoir tant hésité.

Evelin avait payé de sa personne alors qu'elle était probablement aussi innocente qu'elle-même. On ne pouvait pas la laisser tomber. Ils ne pouvaient plus la laisser tomber. Ils ne l'avaient tous que déjà trop fait.

— J'ai vu mon avocat hier soir, reprit Evelin. C'est gentil, tu ne trouves pas, qu'il se déplace un samedi soir... Il pense que je vais bientôt pouvoir rentrer en Allemagne. Il va dès demain déposer une demande de restitution de mon passeport. D'après lui, ils n'ont rien sur quoi fonder le fait qu'ils me retiennent en Angleterre.

— C'est une merveilleuse nouvelle. Sais-tu s'ils ont arrêté Phillip Bowen ?

— Non. Je veux dire... ils ne l'ont pas arrêté. Du moins, à ce que m'a dit mon avocat, ils ne l'avaient toujours pas arrêté hier soir. Et je n'ai rien entendu depuis aux informations. La radio et la télévision ont diffusé des avis de recherche. S'il avait été retrouvé, j'imagine qu'ils en auraient parlé.

— Probablement. Mais... est-on sûr que ce soit lui ?

— En tout cas, son alibi était faux. Quand la belle construction s'est effondrée, il s'est enfui. Il me semble qu'il y a pas mal de choses contre lui. Beaucoup même.

Jessica soupira.

— Soit c'est lui, soit il s'est comporté si bêtement qu'il va avoir

469

toutes les peines du monde à prouver que ce n'est pas lui. Si seulement on pouvait en terminer avec cette histoire !

— Oui, dit Evelin.

Brusquement elles se sentirent gênées. Après la chaleur des retrouvailles, ce qui s'était passé reprenait le dessus et leur interdisait toute gaieté.

— A qui as-tu dit que tu venais me voir ? demanda Evelin.

Jessica faillit répondre qu'il n'y avait plus grand monde à qui elle aurait pu en parler, mais elle eut peur de la réaction d'Evelin et garda la remarque pour elle.

— Je voulais en parler à Léon, dit-elle. J'ai essayé deux fois de le joindre aujourd'hui, sans succès. Mais Eléna est au courant.

Evelin ne dissimula pas sa surprise.

— Eléna ? Vous vous êtes vues ?

— Oui. Hier soir. En fait, essentiellement à cause de Ricarda.

En quelques mots, elle mit Evelin au courant de la fugue de Ricarda et expliqua qu'Eléna et elle-même pensaient qu'elle se trouvait à Stanbury, chez Keith Mallory. Elle ne dévoila rien des craintes d'Eléna. Evelin ne donnait pas l'impression d'être en mesure d'entendre quelque chose d'aussi déstabilisant.

— Il faudrait d'ici ce soir que j'aille à la ferme des Mallory. Eléna se fait beaucoup de souci, j'aimerais pouvoir la rassurer.

— Qu'elle laisse donc Ricarda vivre sa vie. Si elle aime ce Keith et veut rester avec lui, pourquoi pas ? Je trouve bien que Ricarda soit si déterminée. Elle ne cède devant personne, elle suit son instinct. Tu sais, dans un sens, je l'admire.

— D'accord. Mais elle n'a pas encore seize ans. Eléna en est responsable. Elle ne va pas se croiser les bras et faire comme si tout ça ne la concernait pas. Il faut au moins qu'elle sache où est sa fille.

Au lieu de répondre, Evelin changea brusquement de sujet.

— Sais-tu, par hasard, si tout est en ordre chez moi ? J'avais demandé plusieurs choses à ma femme de ménage...

— Elle est passée à la maison. Je l'ai payée, elle m'a confié tes clés. Je suis allée chez toi. Tout est en ordre. Ne t'inquiète pas.

— Ce n'est pas que ce soit très important, murmura Evelin en regardant par la fenêtre. En fait, il n'y a plus rien de vraiment important. Mais on s'accroche à des petites choses. C'est comme ça pour toi aussi ? Quand j'étais en prison, je n'arrêtais pas de me demander si la femme de ménage avait pensé à arroser le jardin. Qu'elle ait pu oublier et que tout ait cramé me rendait malade. C'est fou, non ? Je suis en prison, mon mari a été assassiné, quelques-uns de mes meilleurs amis aussi, on m'accuse du meurtre, je ne sais pas du tout comment ça va se terminer – et je pleure parce que j'ai peur que mes fleurs manquent d'eau. Je ne dois pas être tout à fait normale.

Jessica souffrait de la chaleur et commençait à se sentir très fatiguée.

— Qu'est-ce qui est normal dans une telle situation ? fit-elle en relevant à deux mains les cheveux qui lui tombaient sur le front. Combien de personnes ont vécu ce que nous avons vécu ? Il n'y a pas de normes en la matière. Chacun vit le drame à sa façon, toi tu te raccroches à des *petites choses* et c'est très bien comme ça.

— Si tu le penses vraiment...

A ces centaines de kilomètres de là, Eléna devait guetter la sonnerie du téléphone.

— Si je peux te laisser seule une heure, dit Jessica, j'aimerais maintenant aller chez les Mallory. Ça me rassurerait de savoir que Ricarda est chez eux. Et il faut que j'appelle Eléna.

— Mais tu vas revenir ?

— Bien sûr. Ecoute, je te propose, pendant ce temps, de t'allonger et de te reposer un peu. Tu as l'air très fatiguée. Dès mon retour, nous irons dîner ensemble quelque part. D'accord ?

— D'accord.

Elle avait loué une voiture d'entrée de gamme qui bringuebalait sur les petites routes de campagne sans que la suspension absorbe les chocs. En songeant à son bébé qui devait être aussi secoué qu'elle, elle fut effrayée et prit la résolution d'accorder désormais plus d'attention à son bien-être. Pour commencer, ce soir, elle ne boirait pas de vin. Elle soupira. Elle aspirait à un peu de détente.

Elle avait demandé à la jeune fille de la réception de lui indiquer le chemin de la ferme Mallory. C'était la même jeune fille qu'en avril et elle avait toujours autant de boutons. Elle avait dévisagé Jessica, fascinée. Le crime de Stanbury, le séjour des survivants du drame au Fox and The Lamb, la présence constante de la police, de Scotland Yard même, avaient, pour la première fois de son histoire, mis un peu d'animation et de suspense dans la vie du village et de ses habitants. Puis Evelin était revenue, et ensuite Jessica. A son expression, Jessica vit que la jeune fille n'espérait rien tant qu'une nouvelle édition d'événements palpitants et elle en conçut aussitôt une vive antipathie à son égard.

— Je m'appelle Prudence, dit la jeune fille en affectant un ton confidentiel et à l'évidence sans rien percevoir de l'agacement qu'elle suscitait. C'est tout de même très mystérieux, cette histoire. L'innocence de Mme Burkhard a finalement été prouvée, alors ?

— Oui, répondit laconiquement Jessica.

Prudence s'essaya, avec un succès relatif, à la compassion.

— Pauvre Mme Burkhard ! Ça doit être terrible d'être soupçonnée d'avoir tué cinq personnes ! Elle est tout de même restée quatre semaines en prison. Et sans savoir si on la croirait un jour.

— Personne n'est à l'abri de ce genre de situation. Pourriez-vous maintenant m'expliquer comment je...

Prudence n'avait pas l'intention de lâcher si facilement une proie dont elle était susceptible de tirer des informations.

— C'est terrible que ce type rôde toujours en liberté. Je viens juste d'entendre un nouvel avis de recherche de la police à la radio. Ça fiche sacrément la trouille. Je veux dire : il est complètement cinglé. Vous croyez que c'est un tueur en série ?

— J'aimerais... reprit Jessica.

— Heureusement que les journalistes n'ont pas encore appris que Mme Burkhard était là, dit Prudence, qui à l'évidence pensait le contraire. En fait, ils attendaient devant la prison et son avocat doit avoir monté une super mise en scène pour les induire en erreur. Apparemment, ils ont cru qu'elle était transférée à Londres. Une chance. Parce que vraiment, ça doit être terrible, dans une situation pareille, d'avoir, en plus, une meute de journalistes qui vous embêtent !

Jessica était bien certaine que le premier journaliste qui se renseignerait au Fox and The Lamb, pour peu qu'il s'adressât à

Prudence, obtiendrait sans peine les quelques allusions à peine voilées qui rameuteraient toute la presse du Royaume-Uni. Elle espéra que l'avocat d'Evelin déposerait bien dès le lendemain une demande de restitution de son passeport. Plus elles partiraient vite, mieux cela vaudrait.

Elle parvint enfin à arracher à Prudence une description du chemin à suivre (« Il y a plusieurs possibilités. Vous en préférez sûrement une qui ne passe pas par Stanbury House, non ? A votre place, je ne pourrais pas supporter de m'approcher de l'endroit, ne serait-ce que de loin ! ») et s'engagea dans la direction qu'elle lui avait indiquée. Il faisait chaud et encore très clair pour une fin de journée. La végétation s'était beaucoup développée au cours du mois écoulé. Le feuillage vert tendre du printemps avait cédé la place aux épaisses feuilles bien vertes de l'été. Dans les champs, le blé commençait à pousser. Des coquelicots semaient leurs taches rouges au bord des chemins creux. Même les paysages plutôt âpres de cette campagne du Nord avaient pris de l'ampleur et des couleurs. Le ciel était d'un bleu transparent.

Comme c'est beau, ici, songea Jessica en s'étonnant elle-même qu'une région à laquelle étaient attachés tant de souvenirs douloureux puisse lui inspirer un sentiment de plénitude. Au détour d'une route, elle dut s'arrêter pour laisser traverser un troupeau de moutons. Elle essaya d'imaginer Ricarda dans ces paysages romantiques qui à l'automne pouvaient si vite se transformer en vastes étendues sombres et désolées. Ricarda en femme d'agriculteur. Toute la journée à parcourir les champs en bottes de caoutchouc. Ricarda nourrissant les poules, réparant les clôtures, préparant de solides repas qui tenaient au corps. Peu ou pas d'occasions d'aller au cinéma, au théâtre ou au concert. Curieusement, elle n'eut pas de mal à intégrer Ricarda dans le tableau, elle y prenait sa place presque naturellement.

Dans la lumière déclinante du soir, la ferme, bien que très isolée, paraissait accueillante et chaleureuse. Jessica ne vit personne quand elle pénétra dans la cour en voiture et s'arrêta. Ce n'est que lorsqu'elle descendit qu'elle découvrit un chien noir qui sommeillait sur un carré d'herbe entre deux étables. Il redressa la tête, agita la queue, mais ne quitta pas sa place. Son museau gris et le voile laiteux qui opacifiait ses yeux trahissaient un âge avancé. Il devait avoir décidé qu'il n'entrait plus dans ses fonctions de garder la maison.

Elle se dirigea vers la porte et actionna le heurtoir. Un temps assez long s'écoula avant qu'elle n'entende des pas, puis que la porte s'ouvre sur une femme menue à l'expression apeurée. Ses cheveux étaient ternes, son visage vierge de tout maquillage et on devinait à ses yeux qu'elle pleurait beaucoup.

— Oui ? fit-elle d'un ton méfiant.

Jessica lui tendit la main.

— Je suis Jessica Wahlberg. Une... parente de Ricarda.

Jessica, qui observait le visage de la femme qui lui avait ouvert la porte, vit un éclair d'effroi passer dans ses yeux. Cette femme connaissait Ricarda.

— Je suis Gloria Mallory. Vous voulez parler à mon fils ?

— En fait, c'est à Ricarda que j'aimerais parler.

Sans tenir compte de sa réponse, Gloria Mallory se retourna et appela :

— Keith ! Keith, c'est pour toi !

Un jeune homme surgit, grand, large d'épaules, avec un visage ouvert et sympathique. Il plut d'emblée à Jessica.

— Oui ?

— Cette dame voudrait... dit timidement Gloria Mallory en reculant pour laisser passer son fils.

— Oui ? répéta Keith.

— Je suis Jessica Wahlberg. Vous êtes Keith Mallory ?

— Oui.

Il fut aussitôt sur ses gardes. Non qu'il se montrât hostile, mais c'était comme s'il avait reculé d'un pas. Son visage se ferma.

— Keith, sa mère et moi-même nous inquiétons beaucoup pour Ricarda. Elle a disparu, alors qu'elle était déjà très fragilisée. Il est important que nous la trouvions.

— Et pourquoi venez-vous chez moi ?

— Vous êtes très proches. Nous avons pensé qu'elle chercherait peut-être à vous rejoindre.

— Elle n'est pas ici, affirma Keith.

— Keith, s'il vous plaît, dites-moi la vérité. Nous ne voulons aucun mal à Ricarda. Nous sommes, sa mère et moi, seulement très inquiètes. Vous le comprendrez aisément.

Pour la première fois depuis le début de la conversation, un éclair de rejet brilla dans les yeux de Keith.

— Vous devriez peut-être, pour changer, vous mettre à la place de Ricarda. On lui en demande beaucoup ces temps-ci. Le divorce de ses parents, le remariage de son père. Ces vacances invraisemblables, ici, à Stanbury, au milieu d'une bande de détraqués qui voudraient qu'elle ne bouge pas de la maison. Et pour finir, ce massacre, auquel on a peine à croire, et la mort de son père. Il y en a beaucoup qui auraient craqué depuis longtemps.

— C'est exactement ce que je viens de dire. Elle est trauma-tisée. Elle a besoin d'être aidée. Aujourd'hui, elle n'est pas en état de se débrouiller toute seule.

— Peut-être aussi qu'elle n'est pas en état de supporter sa soi-disant famille plus longtemps. Ne serait-ce pas possible ? Sa mère qui ne la lâche pas. Sa belle-mère qui lui a pris son père. Et...

Son regard glissa sur son ventre, s'y attarda une seconde.

— ... encore moins ce futur petit frère ou cette future petite sœur dont elle craignait qu'il ou elle ne l'éloigne encore plus de son père. Tirer un trait est parfois une question de survie.

Jessica ravala la remarque acerbe qu'elle avait sur le bout de la langue et porta son attention sur Gloria Mallory, qui était restée derrière son fils et avait suivi la conversation.

— Madame Mallory, vous non plus ne savez pas où se trouve Ricarda ?

Gloria haussa imperceptiblement les épaules. Jessica se demanda pourquoi elle paraissait aussi mal à l'aise.

Elle se tourna à nouveau vers Keith.

— Keith, je suis descendue au Fox and The Lamb. Si vous appreniez quelque chose sur Ricarda, je vous en prie, venez me le dire ou téléphonez-moi. Nous ne voulons rien faire qui puisse nuire à Ricarda. Mais elle a quinze ans. Elle est mineure. Nous ne pouvons pas fermer les yeux et faire comme si sa disparition ne nous concernait pas.

Keith hocha la tête, impassible. Jessica n'aurait pu dire si ses mots l'avaient touché.

Elle regagna sa voiture et se glissa derrière le volant. Tout en manœuvrant pour quitter la cour, elle observa une nouvelle fois

475

la maison. C'était une belle bâtisse en granit gris dont les fenêtres carrées étaient peintes en blanc. Elle imagina les fleurs que l'on pouvait planter devant, et comme ce serait joli de peindre la porte en un rouge lumineux.

Un bel endroit pour Ricarda, songea-t-elle.

Quand elle fut hors de vue, elle s'arrêta sur le bas-côté de la route, sortit son portable et composa le numéro d'Eléna. Ainsi qu'elle s'y attendait, Eléna, qui devait se tenir à proximité immédiate du téléphone, décrocha presque aussitôt.

— Oui ?

— Eléna, c'est moi, Jessica. Je sors à l'instant de la ferme des Mallory...

— Alors ? Vous avez pu parler à Ricarda ? Elle est bien là ?

— Je ne lui ai pas parlé et je ne l'ai pas vue. Keith a prétendu qu'il ne savait pas où elle était. Pourtant je pense qu'elle est chez lui. Je ne peux pas vous expliquer pourquoi... mais j'en ai la certitude. Cela tient peut-être à l'impression de malaise qu'ils donnent, lui et sa mère.

— Mais...

— Keith a sans doute décidé de couvrir Ricarda, mais il va réfléchir à ce que je lui ai dit. Et sa mère encore plus. J'ai insisté sur le fait qu'elle était mineure et que nous ne pouvions pas rester sans réagir. Je crois que Mme Mallory a compris que son fils risquait d'avoir des ennuis si Ricarda était découverte chez lui. Elle va certainement lui mener la vie dure jusqu'à ce qu'il prenne contact avec moi.

— Mais ce ne sont que des impressions. Vous ne croyez pas que je devrais tout de même contacter la police ?

— Vous pouvez bien sûr signaler sa disparition. Mais ce serait peut-être mieux de ne pas dire que vous pensez qu'elle est ici, en Angleterre, du moins dans un premier temps. Si Interpol débarque à la ferme pour la ramener chez vous, je crains que ça ne se passe pas très bien. Il risque d'être ensuite difficile de renouer le dialogue avec elle.

— Sûrement. Mais si j'appelle aujourd'hui la police et tais l'essentiel... je...

Eléna paraissait déchirée.

— Ecoutez, il faut que je réfléchisse à tout ça ! déclara-t-elle avec une soudaine détermination dans la voix. Et ne vous mettez pas martel en tête avec cette histoire. Je crois que je vais appeler deux ou trois compagnies d'aviation. Après tout, Ricarda a pris l'avion, son nom doit bien figurer sur une liste de passagers. Je vous remercie d'être allée chez les Mallory. Et espérons que votre impression est la bonne.

— Je vais y retourner demain. Je ne vais pas lâcher le morceau aussi vite.

— Oui. C'est bien ainsi que je vous imaginais... Dites-moi, comment va Evelin ?

— Je la trouve encore un peu sous le choc. On dirait qu'elle ne réalise pas ce qui s'est passé. C'est une bonne chose qu'elle ne soit pas seule en ce moment.

— Certainement. Au fait, Barney va bien. J'ai réussi à me détacher une heure du téléphone, autant dire un tour de force, et j'ai fait une longue promenade avec lui. Depuis, il m'aime. Demain, je l'emmènerai avec moi au bureau.

— Merci pour votre aide, Eléna. Je vous rappellerai.

Après avoir pris congé d'Eléna, Jessica composa le numéro de Léon. Elle laissa sonner longtemps. Personne ne décrocha.

Qu'est-ce qu'il fabriquait ? Il n'était tout de même pas parti en vacances. Il n'avait pas le premier centime à investir dans un voyage.

Après tout, elle n'avait aucune raison de s'affoler pour Léon. Elle posa son portable sur le siège voisin et redémarra.

Evelin l'attendait.

Réussiraient-elles à parler ? Ou bien y aurait-il entre elles le silence qui les avait toujours éloignées ?

7

C'était l'endroit où il avait rencontré Evelin. L'endroit d'où il avait regardé la maison pour la dernière fois. Tout était comme dans son souvenir, rien n'avait changé. Seule l'herbe avait beaucoup poussé et la pelouse s'était transformée en une prairie sauvage. Steve, le jardinier, ne devait pas être certain que ses services soient encore désirés, à moins que toute envie de fréquenter la propriété ne l'ait quitté.

Mais, hormis la hauteur de l'herbe, qu'est-ce qui aurait pu changer ? On avait peut-être quelque part au fond de soi le vague sentiment que lorsqu'une maison était le théâtre d'une telle tragédie, ses murs devaient en garder la trace. Bien sûr, il n'en était rien. La maison était là, intacte dans le soleil du matin, paisible, en harmonie avec son cadre. Il en connaissait chaque cheminée, chaque croisée de fenêtre, chaque pierre branlante de la balustrade. Rien n'était différent.

Tout était différent.

Il regardait la maison, en proie à un désespoir profond, à la souffrance de l'amoureux, du passionné qui sait, s'il ne veut pas sombrer, qu'il doit renoncer à l'objet de son amour. Il était venu faire ses adieux. C'était un déchirement car il savait qu'au-delà de ce qu'il perdait il n'y avait rien. C'était le vide, le néant absolu. Comment vivre avec ce vide ?

Le matin était beau comme seul un matin de mai pouvait l'être, lumineux, frais, avec dans l'air la promesse d'une journée délicieusement chaude et ensoleillée. La terre conservait encore la fraîcheur de la nuit, et des perles de rosée brillaient sur les herbes hautes et les feuilles, mais l'air était déjà doux et le ciel d'un bleu profond.

C'était un jour à dresser la table du petit déjeuner sur la terrasse. Il imagina que quelqu'un ouvrait les portes-fenêtres de la salle à manger, puis que toute la famille arrivait, une famille nombreuse, pleine de vie, avec des chiens qui sautaient et couraient autour de la maison en aboyant.

Il éprouvait le désir intense d'animer l'image, d'emplir la maison et le jardin de visages, de cris et de rires. C'était un rêve ; jamais, dans la réalité, il n'y parviendrait. Même s'il avait une chance d'obtenir un jour la maison ou qu'on lui accorde le droit de l'occuper de temps à autre, il ne serait pas capable de fonder une famille et de prendre le petit déjeuner sur la terrasse, au soleil, entouré de sa femme, de ses enfants, de ses chiens, tout en réfléchissant à la façon dont ils allaient employer leur journée. Il n'était pas fait pour ça. Il n'y parviendrait pas, quel que soit son désir de réussir.

Et il ne se rapprocherait pas de son père. Son père était mort. Son père ne pouvait plus lui parler. Les murs de sa maison ne parleraient pas à sa place.

L'image soudain lui apparut avec une redoutable netteté. Il se vit vieillir, lentement, seul dans une grande maison, cherchant toujours un mort, tandis que la vie, inexorablement, s'écoulait.

Qu'avait fait de lui la recherche de ce mort ? A quoi l'avait-elle conduit ? Dans quelle situation l'avait-elle mis ?

Il était fatigué. Il avait faim. Il était poursuivi, chassé, acculé. Il se rendait compte trop tard combien était trompeur le sens qu'il avait cru donner à sa vie lorsqu'il s'était lancé dans son histoire avec Kevin McGowan. Il savait désormais que c'était une illusion, mais le lieu de son combat n'en resterait pas moins un trou noir. Un gouffre qui lui faisait peur mais dans lequel il faudrait pourtant qu'il regarde, dans lequel il faudrait pourtant qu'il descende. Ce gouffre était sa vie.

Sa fichue vie, ratée, pourrie, à demi écoulée. Mais sa seule vie.

De son passé d'apprenti comédien, il lui était resté une façon de raisonner en termes de mise en scène, comme s'il jouait dans une pièce de théâtre ou un film. Là, le moment était venu de tirer une dernière longue bouffée de sa cigarette, de jeter le mégot encore incandescent par terre et de l'écraser avec ostentation. Un dernier regard à la maison, l'homme se détourne, il part.

Sauf qu'il n'avait pas de cigarette. Il n'avait strictement plus rien. Et surtout aucun metteur en scène pour le diriger.

N'avait-il pas une petite voix intérieure ? Une petite voix qui lui soufflait que la meilleure chose à faire serait de se rendre ? Ou sinon la meilleure chose, du moins la seule ? L'absence d'alternative ne faisait guère de doute. D'ailleurs, n'était-ce pas pour cette raison qu'il était venu une dernière fois voir la maison ? Parce qu'il y avait longtemps qu'il l'avait compris et même accepté ?

Il ne put s'empêcher de sourire à l'idée d'aller au village, d'entrer dans le magasin de la sœur de Mme Collins et de demander à la vieille commère d'avoir l'amabilité d'appeler la police.

Pas maintenant. Après. Plus tard.

Il traversa la pelouse, sans hâte. S'assit sur un banc à côté de la maison.

Fermer les yeux et jouer encore un peu avec l'illusion d'avoir le choix.

8

Jessica dormit mal et se réveilla aux premières lueurs de l'aube. A six heures et demie, n'y tenant plus, elle se leva, prit une douche et s'habilla. Dehors, une merveilleuse journée s'annonçait. Elle hésitait à réveiller Evelin pour lui proposer une promenade dans la campagne quand l'idée de commencer la journée en compagnie d'une femme aussi déprimée lui sembla au-dessus de ses forces. Qui pouvait dire combien de temps elle allait devoir rester avec Evelin à Stanbury ? La soirée de la veille avait été pénible. Elles avaient dîné ensemble dans la salle à manger de l'auberge. Jessica avait parlé de Léon, de son nouvel appartement, du cabinet d'avocats dans lequel il allait travailler. Elle n'avait rien dit des sentiments qu'il lui avait avoués, mais de toute façon, elle n'avait pas eu l'impression qu'Evelin portât autre chose qu'un intérêt minimal à son récit. Une ou deux fois, elle avait essayé de la faire parler de ce qu'elle avait vécu en prison, mais Evelin avait toujours évité de répondre. Leur conversation s'était résumée à un échange difficile de menus propos. Elles avaient parlé du temps, de la nourriture anglaise, s'étaient plaintes à demi-mot de l'indélicatesse de Prudence qui derrière son comptoir faisait des efforts visibles pour saisir quelques bribes de leur conversation.

En passant dans le couloir, devant la porte de la chambre d'Evelin, elle s'arrêta et tendit l'oreille. Tout était silencieux. Soulagée, elle gagna l'escalier et descendit au rez-de-chaussée.

Elle était la première dans la salle à manger, mais d'après ce qu'elle avait pu observer, hormis elle et Evelin, il n'y avait qu'un seul client dans l'hôtel, un monsieur d'une soixantaine d'années qui portait en permanence des chaussures de marche et une affreuse chemise à carreaux rouge et blanc. A cette heure, lui aussi devait encore dormir.

Quelques minutes s'écoulèrent puis Prudence, l'air mal réveillée, apporta un grand pot isotherme de café chaud qui aussitôt réveilla les sens de Jessica.

— Qu'est-ce que vous voulez pour votre petit déjeuner ? demanda-t-elle en bâillant.

La jeune femme commanda des toasts et des œufs brouillés. Prudence regagna la cuisine en traînant les pieds. Jessica but son café à petites gorgées. Tout en réchauffant ses doigts sur la faïence de l'épaisse tasse ventrue, elle réfléchit à la façon dont elle allait organiser sa journée. A vrai dire, sa réflexion consistait essentiellement à se demander si elle serait capable de retourner à Stanbury House. C'était un sentiment étrange de demeurer dans cette région si familière et de ne pas se rendre une seule fois dans la vieille maison, qui, en dépit du drame qui s'y était joué, était un endroit où se trouvait une part d'elle-même.

Je verrai bien, le moment venu, décida-t-elle.

Elle mangea un toast avec des œufs brouillés à peine cuits et non salés, et, malgré l'heure matinale, tenta une énième fois de joindre Léon au téléphone. Toujours vainement. Cette fois, elle eut quelque peine à refouler l'inquiétude qu'elle sentait monter en elle.

Elle en était à sa deuxième tasse de café quand Gloria Mallory apparut sur le seuil de la salle à manger. Elle fouilla la pièce du regard, aperçut Jessica et vint vers elle, une expression de soulagement sur le visage.

— Il n'y a personne à la réception, dit-elle en guise de bonjour, alors je me suis dit : autant regarder si vous n'étiez pas déjà descendue. J'ai de la chance, si tôt le matin.

— Asseyez-vous. Voulez-vous un peu de café ?

Gloria secoua la tête, mais accepta de s'asseoir.

— Je vous remercie. Je n'ai que très peu de temps. Mon mari...

— Vous vous en occupez toute seule ?

— Mon fils et ma fille m'aident. Mais ils sont tous les deux très pris par les travaux de la ferme, si bien que je dois souvent me débrouiller seule. C'est très difficile… il ne peut pratiquement rien faire par lui-même. Et il n'a plus toute sa tête. On ne peut rien lui expliquer. C'est difficile… vraiment difficile.

Jessica, qui devinait le but de sa visite, la regardait avec compassion, attendant la suite.

— Mon fils ne sait pas que je suis ici. Je crois que sinon il serait très en colère. Mais je ne pouvais pas le garder pour moi…

— Ricarda est chez vous ?

— Elle est arrivée hier, quelques heures avant que vous n'arriviez vous-même. Elle était complètement épuisée. Elle a pris tous les moyens de transport possibles pour rejoindre Stanbury et, à la fin, elle a terminé à pied. Quand vous êtes passée à la maison, elle dormait.

— Merci, madame Mallory, dit Jessica en lui pressant brièvement la main. Merci de me l'avoir dit.

— J'imagine ce que la mère de Ricarda et vous-même avez traversé. J'ai moi aussi des enfants. Je n'ai pas dormi de la nuit et, ce matin, j'ai su que je devais vous dire que Ricarda allait bien.

— Je peux lui parler ?

Gloria hésita.

— Je n'ai pas l'intention de la ramener chez elle de force, se hâta de préciser Jessica. Je ne veux la contraindre à rien. J'aimerais seulement lui dire que toutes les voies lui restent ouvertes et qu'il faut qu'elle se donne le temps de décider.

— Je crois qu'elle aime beaucoup mon fils. Et Keith partage ses sentiments.

— C'est la meilleure chose qui puisse arriver à Ricarda aujourd'hui. Cela ne vous pose pas de problèmes qu'elle vive chez vous, au moins momentanément ?

— Je la connais à peine. Mais elle paraît rendre mon fils heureux. Donc c'est bien.

Jessica se leva.

— Je vais mettre d'autres chaussures et je vous accompagne à la ferme.

— Eh bien, je…

— S'il vous plaît.

— Entendu, se résigna Gloria.

Jessica avait glissé un mot sous la porte d'Evelin. *Suis retournée voir Ricarda chez les Mallory. Je serai de retour pour déjeuner.*

Elle avait mis ses baskets, jeté une veste sur ses épaules car il faisait encore très frais. Son téléphone portable était dans son sac, Evelin pourrait la joindre à tout instant.

Gloria Mallory conduisait une Jeep rouillée dont on avait du mal à imaginer qu'elle puisse encore rouler.

— Vous ne préférez pas prendre votre voiture ? proposa-t-elle. Pour le retour...

— Je reviendrai à pied, déclara Jessica. J'avais prévu de faire une promenade.

Le ciel était transparent, l'air doux et frais comme de la soie.

— C'est une si belle journée.

— C'est bien vrai. Ici, dans le Yorkshire, nous avons du mauvais temps plus souvent qu'à notre tour, mais parfois également des journées comme celle-là. Ça compense !

Elle jeta un regard de côté à Jessica.

— Votre bébé est pour quand ? demanda-t-elle.

Elle n'a pas les yeux dans sa poche, songea Jessica.

— Octobre, répondit-elle.

— Ce n'est pas une période facile pour vous, n'est-ce pas ? Je veux dire... après ce qui s'est passé... là-bas, à Stanbury House...

— Je ne suis pas certaine d'avoir tout à fait réalisé. Parfois, j'ai l'impression que je ne réaliserai jamais complètement. Et à d'autres moments, j'ai peur de m'effondrer. Je crois qu'alors le cauchemar commencera vraiment.

— Vous devez être forte pour votre enfant.

— Je sais.

— Que va devenir la maison ?

— Elle ne m'appartient pas. La personne qui théoriquement en hérite, le mari de Patricia Roth, a perdu toute sa famille dans le... drame. Je ne sais pas ce qu'il a l'intention de faire. Pour le moment, il essaye de reprendre pied.

En songeant à Léon qu'elle ne parvenait pas à joindre, elle fut prise d'inquiétude. Ces dernières semaines, il était passé par des phases euphoriques, mais aussi par de grands moments de déprime où il se réfugiait dans l'alcool. Son silence n'était pas normal.

— C'est peut-être encore un peu tôt pour décider, dit-elle finalement.

Elles demeurèrent silencieuses le reste du trajet. Quand elles entrèrent dans la cour, Keith sortait juste de la grange. Quand il vit qui était à côté de sa mère dans la voiture, il se figea.

Jessica descendit et alla vers lui.

— Keith, je sais que Ricarda est là, dit-elle. Je voudrais lui parler. Et n'en veuillez pas à votre mère. Ni moi ni Eléna n'avons fait de mal à Ricarda. C'est dur de nous laisser comme ça nous inquiéter.

— Je veux que Ricarda reste ici, dit Keith.

— Je ne veux pas vous la prendre, assura Jessica.

Ils se mesurèrent un instant du regard. Puis Keith acquiesça.

— Elle est dans la cuisine. La deuxième porte à droite dans le couloir.

— Merci, dit Jessica.

Gloria Mallory avait disparu. Jessica entra dans le couloir sombre et bas de plafond, ouvrit une porte rustique en bois brut. On accédait à la pièce située en contrebas par deux marches en pierre. C'était une cuisine chaleureuse avec une grande table de bois et des immortelles sur le rebord de la petite fenêtre peinte en blanc. Devant l'imposante cuisinière, Ricarda, une cafetière émaillée à la main, se servait une tasse de café. Elle ne parut pas surprise de voir sa belle-mère.

— Je savais bien que tu ne lâcherais pas, dit-elle. Tu es venue en Angleterre exprès pour moi ?

— J'aurais pu. Mais à l'origine, c'est à cause d'Evelin que je suis venue. Elle a été libérée de prison et se sentait très seule.

— Ah bon. Alors ce n'était pas elle ?

— Non. Pour autant qu'on le sache. Ils soupçonnent Phillip Bowen. Son alibi était faux. Un mandat d'arrêt a été lancé contre lui.

— Phillip Bowen, répéta Ricarda.

Elle paraissait ne ressentir aucune émotion, comme si elle s'était trouvée dans une sorte d'état second.

— Oui, il traînait constamment autour de la maison, n'est-ce pas ? J'ai dit qu'il était là, la nuit avant que ça arrive ? Quand je suis partie retrouver Keith. Il était devant la grille.

— Au milieu de la nuit ? fit Jessica, surprise. Non, tu ne l'as pas dit. Qu'est-ce qu'il faisait là ?

Ricarda haussa les épaules.

— Il a dit qu'il réfléchissait.

— Tu l'as dit à la police ?

— Ça vient seulement de me revenir.

— Mais tu devrais...

Une vive impatience se peignit sur le visage de Ricarda.

— Ça m'est égal. Ça ne m'intéresse plus, toute cette histoire. Je vis autre chose.

— Avec Keith ?

— Avec Keith. On va rester ensemble.

— Je comprends que ça t'apparaisse aujourd'hui comme la solution à tous tes problèmes. Mais pense que tu es encore très jeune, que ce que tu viens de vivre est insensé et que tu n'as pas le début d'une formation. Tu vas être dépendante de ce jeune homme et...

— Excuse-moi, l'interrompit Ricarda, mais, pour tout te dire, je n'ai aucune envie d'écouter tes discours. J'ai ma vie, tu as la tienne. Mon père était notre unique lien. Maintenant qu'il est mort, nous n'avons plus aucune raison ni de nous rencontrer, ni de discuter ensemble.

Jessica voyait le visage fermé et tendu, le regard dur dans lequel Ricarda s'efforçait de mettre toute la haine dont elle était capable, et pourtant elle éprouvait un élan d'affection presque violent pour cette jeune fille récalcitrante qui était une part d'Alexander et qui lui rendait et se rendait à elle-même la vie si difficile, sans doute faute de trouver une autre voie au milieu du chaos de ses sentiments. Elle avait envie de s'approcher de Ricarda et de la serrer dans ses bras, mais elle savait qu'elle se ferait repousser.

— Tu n'as pas besoin d'être sur la défensive. Je ne suis pas venue te chercher et je ne suis pas venue pour te forcer à faire quoi que ce soit. Je veux simplement que tu saches que ma porte te sera toujours ouverte. Et bien sûr, celle de ta mère aussi. Et je voudrais aussi te donner un conseil, auquel tu devrais réfléchir, même s'il vient d'une belle-mère que tu détestes : ne te rends pas dépendante de Keith. Arrête le lycée, prends une année de réflexion, reste ici avec lui, teste la vie dans un élevage de moutons du Yorkshire. Et réserve-toi la possibilité de reprendre des études dans un ou deux ans pour apprendre un métier. Tu épouseras Keith, tu fonderas une famille. Mais construis d'abord ton indépendance. Un jour tu comprendras à quel point c'est important.

— Tu as fini ? fit Ricarda.

— Oui. Oui, je crois que j'ai fini, soupira-t-elle en ouvrant les mains dans un geste d'impuissance. C'est tout ce que je voulais te dire.

Ricarda ne répondit pas. Jessica laissa passer un instant, mais rien ne vint. Elle comprit que l'adolescente attendait que sa belle-mère quitte la cuisine et ne se mêle plus de ses affaires.

— Au revoir, Ricarda, et bonne chance.

La jeune fille garda le silence.

Jessica se détourna et sortit de la cuisine. Elle se hâta vers la porte et ne respira que lorsqu'elle fut dehors au soleil. La froideur de Ricarda était si palpable qu'elle la ressentait jusqu'au fond d'elle-même. Elle avait le cœur serré, un frisson de tristesse autant que de froid la parcourut.

Dès que j'aurai un peu marché, ça ira mieux, décida-t-elle.

Keith et sa mère n'étant visibles nulle part, Jessica renonça à leur dire au revoir. Elle appela Eléna à son bureau, apprit qu'elle était en réunion. Elle laissa un message demandant qu'elle la rappelle et remit son téléphone dans son sac. Le soleil l'éblouissait. Elle était fatiguée, oppressée. Il fallait qu'elle marche, elle ne parviendrait pas, sinon, à se libérer de ce sentiment d'abattement absolu qui ne voulait pas la quitter. Un coup d'œil à sa montre lui apprit qu'il était à peine neuf heures et demie. Dans le mot qu'elle lui avait laissé, elle avait dit à Evelin qu'elle serait de retour pour déjeuner.

Elle avait beaucoup de temps devant elle.

Elle cacha ses yeux derrière des lunettes de soleil et se mit en route.

9

La dalle de pierre ne voulait pas bouger. Elle avait beau pousser, tirer, elle n'était pas encore parvenue à la déplacer d'un millimètre. Elle n'était tout de même pas devenue plus lourde ? Ou bien était-ce elle qui était moins forte ?

L'odeur était épouvantable. Elle avait du mal à contenir les soubresauts de son estomac et se vit plusieurs fois sur le point de vomir. La chaleur rendait les choses encore pires. Comment avait-elle fait la première fois ?

Elle décida de marquer une pause. Elle se redressa en gémissant et en se tenant les reins. Elle était en nage, sa chemise de jean noir collait à sa peau. Elle faillit un moment céder à la panique en songeant que peut-être elle ne réussirait pas, qu'elle serait obligée de renoncer, qu'elle n'y arriverait pas seule.

Pourtant, la première fois, elle y était bien arrivée seule. Elle devait s'y être prise autrement.

Elle s'assit dans l'herbe et s'appliqua à inspirer et expirer pour clarifier ses idées. Il fallait qu'elle réfléchisse. Il y avait forcément un moyen.

Une brise légère et douce apportait un peu de fraîcheur et l'air était chargé d'une puissante odeur de fleurs.

Pouvait-il y avoir une journée plus belle que celle-ci ?

Elle ferma les yeux.

10

Jessica avait surestimé ses forces. Elle aurait dû regagner le village par le chemin le plus court, et c'eût déjà été une course épuisante. Sa grossesse commençait à se faire sentir, de surcroît le soleil était à présent haut dans le ciel et la fraîcheur du petit matin avait cédé la place à des températures estivales.

Elle avait dessiné un grand arc de cercle pour rejoindre l'endroit où elle avait repêché Barney dans le ruisseau et rencontré Phillip Bowen pour la première fois. Entre-temps Eléna, qui l'avait rappelée, s'était montrée soulagée d'avoir la confirmation que Ricarda se trouvait chez Keith Mallory et allait bien.

« Vous avez raison, je ne vais rien entreprendre pour l'instant, avait-elle dit. Je vais peut-être lui téléphoner. Ou venir la voir. Je suis heureuse qu'elle aille bien. Je vous remercie, Jessica. Sincèrement. Je n'oublierai jamais ce que vous avez fait pour moi. »

Assise dans l'herbe au sommet de la colline, elle observait rêveusement les vaguelettes du petit ruisseau qui, dans la vallée, se hâtait en murmurant vers une destination inconnue. Une odeur de miel et d'été flottait dans l'air.

Elle constata, presque avec étonnement, qu'elle aimait ce pays. Cette région. Les prairies, les vastes horizons. L'âpreté des hautes landes, la douceur des vallons fleuris. Les moutons. Les murets de pierre qui quadrillaient les pâtures. Les routes étroites, les fleurs sauvages le long des bas-côtés. Les villages en granit gris. Elle découvrait qu'en dépit de ce qui s'était passé, l'endroit lui apportait une paix intérieure presque parfaite.

Elle ressentit une pointe d'envie en songeant à Ricarda qui

désormais vivrait ici. Qui évoluerait avec cette nature, qui se l'approprierait et en ferait une part d'elle-même. Qui braverait les longs hivers froids et souvent enneigés, et accueillerait le retour du printemps le cœur plein d'espoirs et de désirs, qui l'été, par de belles journées comme celle-ci, marcherait pieds nus dans l'herbe grasse des vallées et à l'automne affronterait les premières rafales de vent qui balayeraient la lande. Avec quelle détermination elle avait choisi sa voie, avec quel sûr instinct elle avait su ce dont elle avait besoin et où elle trouverait un foyer !

Si seulement j'avais les mêmes certitudes, songea Jessica.

Elle regarda sa montre. Presque onze heures. Il commençait à être temps d'y aller. Un brusque malaise l'avait envahie. En réfléchissant, elle comprit que c'était l'idée de ne pas revoir Stanbury House qui la tourmentait et qu'elle avait fait ce détour uniquement parce qu'elle souhaitait retourner à la maison mais n'était pas certaine d'en être capable. Il lui aurait été impossible de rentrer directement au village.

A nouveau, elle regarda sa montre, comme si l'heure avait pu considérablement changer en l'espace d'une minute. En ne restant que peu de temps sur place, elle pourrait être de retour à l'hôtel pour une heure.

Et que risquait-elle ? Si elle ne supportait pas de voir la maison, elle n'aurait qu'à faire demi-tour et s'en aller.

Elle redressa la tête et prit la direction qui lui était si familière.

Une demi-heure plus tard, elle arrivait en vue du domaine. Elle entra par le fond du parc, traversa le petit bois qui à cet endroit marquait les limites de la propriété, et, quand les arbres s'éclaircirent, elle se trouva face à la maison. Dans son écrin de verdure, avec la grande prairie qui s'étendait à ses pieds, c'était une apparition merveilleuse, un rêve, l'image parfaite d'un autre temps. La terrasse, qui le matin était toujours dans l'ombre, se trouvait à présent baignée de soleil. C'était une journée à ouvrir les parasols et à s'installer dans une chaise longue avec un bon livre. Il y avait dans l'air comme un parfum de Méditerranée, une atmosphère à laquelle il était rarement donné de goûter dans les confins de l'Angleterre, mais qui avait alors une saveur toute particulière.

Elle quitta en hésitant le couvert des arbres. L'herbe, haute, lui arrivait presque aux genoux. Maintenant qu'elle regardait plus attentivement, elle vit que la belle image romantique présentait les tout premiers signes de délabrement. Ou plutôt les premiers signes d'un abandon. Mais de là au délabrement, ce ne serait plus long. Elle espéra que Léon déciderait vite de ce qu'il souhaitait faire de la maison. Qu'elle ne tombe pas en ruine. Vitres brisées, murs qui s'effritaient, puis les broussailles qui envahissaient la terrasse, qui s'insinuaient dans les moindres failles. Elle voyait presque la maison se transformer sous ses yeux et en ressentait une tristesse inattendue.

Lentement, elle traversa la pelouse et se dirigea vers la terrasse. Les gros pots de terre cuite dans lesquels, le jour de sa mort, Patricia avait planté des fuchsias, des marguerites et des géraniums étaient toujours disposés le long de la balustrade. Les fleurs et les feuilles de toutes les plantes pendaient tristement, la terre des pots était sèche comme de la poussière. Il y avait sans doute longtemps qu'il n'avait pas plu et personne ne se souciait d'elles. Suivant une impulsion soudaine, Jessica pivota sur ses talons et se dirigea vers la cabane à outils sur le côté ouest de la maison. Un grand arrosoir y était entreposé et il y avait un robinet d'eau dans l'entrée de la cave. L'eau n'avait certainement pas été coupée. Elle arroserait copieusement les malheureuses plantes, et, avec un peu de chance, si l'été n'était pas anormalement sec, elles survivraient jusqu'à l'automne. Cela lui paraissait soudain très important.

Elle contourna l'angle de la maison et, stupéfaite, vit une silhouette assise dans l'herbe à quelques mètres de la cabane à outils. Résistant à son désir de prendre ses jambes à son cou, et sa frayeur passée, elle reconnut Evelin. Elle plissa le front. Evelin avait-elle, elle aussi, éprouvé le besoin de revoir Stanbury House ?

— Evelin ? appela-t-elle à mi-voix.

Evelin tourna la tête. Elle ne parut ni effrayée ni même surprise.

— Ah, Jessica. Tu voulais toi aussi revoir la maison une dernière fois ?

Jessica la rejoignit. Le tableau délicieusement bucolique était parfait. La prairie en fleurs, l'ombre légère de vieux pommiers noueux, Evelin assise dans l'herbe… Elle tenait sur ses genoux un paquet de feuilles dans une chemise verte en plastique transparent. La vue du paquet de feuilles rappela confusément quelque chose à Jessica, mais c'était trop loin dans sa mémoire pour que le souvenir se précise.

— Tu es venue à pied ? demanda-t-elle à Evelin.

Evelin secoua la tête.

— J'ai pris ta voiture. Tu m'en veux ? La clé était sur la table, dans ta chambre. En fait, je suis entrée pour voir si tu étais là. Comme tu n'étais pas encore revenue…

— Il n'y a aucun problème. Tu peux bien sûr te servir de la voiture. Je suis même contente que tu aies pris cette initiative : je ne vais pas avoir besoin de rentrer à l'hôtel à pied.

Elle s'assit à son tour dans l'herbe et allongea les jambes devant elle.

— Quelle chaleur, aujourd'hui ! Je suis lessivée. Je me suis encore embarquée dans un périple sans fin et je ne suis pas aussi en forme que je le croyais.

— Tu as vu Ricarda ?

— La mère de son ami est passée tôt ce matin à l'hôtel pour me dire que Ricarda était chez eux depuis hier. Cette fois, je l'ai vue. Nous avons parlé. Enfin… j'ai parlé. Elle est toujours aussi glaciale et distante à mon égard. Mais je suis rassurée. Elle va bien, elle est heureuse d'être là où elle est. Elle s'est choisi une voie qui va peut-être lui permettre de se reconstruire. Je crois qu'il faut respecter son choix.

— Je suis heureuse pour elle. Je l'ai toujours beaucoup aimée.

— Elle s'est trouvé un garçon vraiment charmant. C'est de bon augure pour la suite. Tant mieux.

Evelin sourit.

— Oh, oui. C'est important, un bon départ. Très important.

Jessica leva la tête et regarda le ciel d'un bleu irréel. Avec le soleil qui tombait presque à la verticale, les feuilles du pommier étaient d'un vert clair lumineux. Voilà un mois, il était encore couvert de fleurs neigeuses.

Comme c'est bon, songeait Jessica. Comme c'est bon, malgré tout, de vivre. Comme c'est bon que nous ne soyons pas mortes.

— Nous nous en sortirons, assura-t-elle. Toi, moi, Ricarda,

Léon... Nous quatre qui avons survécu, nous nous en sortirons. Nous nous en remettrons.

— Tu crois que nous avons, chacun, encore une chance ?

— J'en suis certaine. On a toujours un avenir pour peu que l'on soit prêt à s'y intéresser un peu. A ne pas baisser les bras.

Elle se tourna vers Evelin.

— As-tu déjà une idée de ce que tu vas faire dans l'immédiat ?

— Je ne sais pas si c'est bien par rapport à Tim... J'aimerais bien vendre la maison. Je ne m'y suis jamais sentie à l'aise. J'aimerais une vieille maison tarabiscotée, peu pratique, avec un jardin sauvage. Et puis j'aimerais avoir à nouveau un chien, ou peut-être deux.

— Je trouve que c'est une excellente idée, dit Jessica avec un enthousiasme sincère. C'est formidable, un chien. Et je parle en connaissance de cause.

Evelin parut soulagée que Jessica ne considère pas comme une trahison son idée de vendre la maison.

— Oui. A l'époque, quand mon chien est mort, j'aurais dû tout de suite en reprendre un... mais Tim était contre et...

Elle haussa les épaules.

— Enfin, c'est comme ça. Je vais réaliser mon vœu aujourd'hui, voilà tout. Et tu sais quoi ? Dans le jardin de la maison que je vais acheter, il faudra absolument qu'il y ait des pommiers. Comme ici.

— Je viendrai très souvent te rendre visite. Si tu le veux bien.

— Naturellement. Je ne voudrais pas que notre amitié s'arrête comme ça, Jessica. Ce serait bien que nous puissions continuer à nous voir.

— Je le souhaite aussi, Evelin. Nous ne nous perdrons pas de vue.

Elles se turent et s'abandonnèrent, les yeux fermés, à la chaleur du soleil et au parfum des fleurs.

Jessica ne rouvrit les yeux que lorsqu'une grosse abeille bourdonna autour de son visage. Elle chassa l'insecte et se redressa.

— Tu écris une lettre ? interrogea-t-elle avec un regard aux feuilles posées sur les genoux d'Evelin.

A son tour, Evelin ouvrit les yeux.

— Non. Je lisais quelque chose.

— Ne t'interromps pas pour moi. Je...

Evelin secoua la tête.

— Tu ne me déranges pas du tout. D'ailleurs, je voulais te parler de ces textes.

— Des textes de toi ?

— De Tim. Les textes qu'il cherchait partout le matin du... drame.

Aussitôt elle comprit pourquoi la vue du paquet de feuilles dans la chemise en plastique transparent l'avait fait réagir. Elle entendait encore Tim qui s'en prenait à tout le monde : « Mais enfin, elles ne se sont quand même pas envolées ! Où sont ces fichues feuilles ? »

— Où les as-tu trouvées ? Tim les a cherchées comme un dingue !

— Je les avais cachées, admit Evelin d'un ton égal. Et je viens d'aller les rechercher.

11

— Dans la fosse septique ? Mais comment as-tu pu avoir une idée pareille ?

— Ça m'est venu comme ça, dans l'urgence. Je me suis dit que personne n'irait les chercher là.

— Effectivement. Il y avait peu de chances. Mais, Evelin, comment as-tu fait pour déplacer la dalle ?

— Mon Dieu, c'était lourd à un point... J'ai trouvé une barre de fer dans l'appentis. Je m'en suis servie pour faire levier, et, au bout d'un moment, j'ai réussi à la soulever et à la déplacer. J'ai collé la chemise de plastique sur la face intérieure de la dalle avec des dizaines et des dizaines de morceaux de ruban adhésif. Curieusement, ça a tenu. Mais je ne voulais pas qu'elle reste là. C'est pour ça que je suis venue.

— Et tu as récupéré la chemise de la même façon ?

— Au début, j'ai essayé avec mes mains, mais il n'y avait rien à faire. Puis je me suis souvenue de la barre de fer. Là, ça a marché.

— Mais je ne comprends pas...

— J'ai trouvé ces documents la veille du drame, le soir. Tim préparait son mémoire et je savais que ça lui prenait beaucoup de temps. Ce soir-là, il travaillait dans notre chambre. Il a commencé à imprimer quelques pages, puis Léon a frappé à la porte. Il voulait lui parler, sans doute à propos de l'argent que Tim lui avait prêté. Tim était très remonté contre Léon, il voulait absolument récupérer son argent. Il a tout laissé en plan et suivi Léon dans sa chambre. Je lisais allongée sur le lit, et il y avait tous les papiers devant moi, sur la table... Je n'aurais pas dû, bien sûr, mais ça a été plus fort que moi. Je me suis levée, je suis allée jusqu'à la table et j'ai commencé à lire...

— Et alors ?

— Il s'agissait de ces études de caractère dont il avait parlé le premier soir, en arrivant. Tu te rappelles ? Ce sont des études très particulières. C'est vous qui en constituez le sujet.

— Nous ? Comment ça ?

— Tim avait un côté assez sadique dans sa façon de parler des autres, ou plutôt de taper sur le dos des autres, tu le sais. Il nous a assez souvent raconté ses histoires. Mais je suis bien certaine que ses amis de cœur Léon et Alexander ont toujours pensé que jamais il ne se permettrait de parler d'eux ou de leurs femmes de cette manière. Qu'il exerçait cette passion douteuse au détriment d'étrangers, certes, mais que jamais il ne le faisait au détriment de personnes qui lui étaient si proches.

— Et c'était le cas ?

— Plutôt deux fois qu'une. Il vous a tous consciencieusement démolis. Et il a sûrement adoré ça. Au fond, vous étiez prédestinés à être ses victimes. Il connaissait toutes vos petites faiblesses, vos défauts, vos difficultés... Il s'est vautré là-dedans. Sans se priver.

Jessica avala sa salive. Elle n'était guère surprise d'apprendre que Tim était déloyal, car elle n'avait jamais pensé autre chose de lui. Mais ça lui faisait mal, même après coup, d'apprendre qu'Alexander avait été trahi par son ami. Il avait cru avoir un ami qui en réalité n'avait jamais existé.

Un tissu de mensonges. Tout n'avait donc été qu'un tissu de mensonges.

Elle désigna le paquet de feuilles.

— Et tu as tout lu ?

— Non. Tant s'en faut. Tim est revenu assez vite. Il n'est pas resté longtemps avec Léon. J'ai juste eu le temps de me réinstaller sur le lit et de mettre ma curiosité en sourdine. Tim était furieux, il enrageait contre Léon. Apparemment, Léon venait de proposer de le rembourser en plusieurs fois et Tim se voyait parti pour attendre des années avant de récupérer le tout. Il jurait à tout bout de champ, n'arrêtait pas de répéter qu'il avait été trop bête de prêter tant d'argent à une nullité comme Léon. Il a fourré

tous ses papiers dans le tiroir de la table et l'a fermé d'un coup
sec.

« Ce soir-là, je n'ai rien pu faire. Mais le lendemain matin, dès
que Tim est descendu, je suis allée prendre les feuilles dans le
tiroir. Je voulais m'installer quelque part dans un coin et les lire
tranquillement, mais Tim a malheureusement décidé de retra-
vailler ses charmants portraits. Tu te souviens qu'il était prêt à
retourner toute la maison pour les retrouver. Je ne pouvais pas
courir le risque d'être prise la main dans le sac. Il fallait d'urgence
que je trouve une cachette. C'est là que...

— ... que tu as eu l'idée de la fosse septique. C'est vraiment
une cachette épouvantable !

— Mais sûre. Même la police ne l'a pas découverte. Et Dieu
sait s'ils ont cherché.

— Pourquoi n'as-tu pas tout simplement remis les textes de
Tim dans le tiroir ? Ou n'importe où dans votre chambre ? Pour
l'essentiel, tu savais bien ce qu'il écrivait sur les uns et les autres.
Tu tenais à ce point à connaître les moindres détails ?

— Non. Ça ne m'intéressait pas plus que ça.

— Pourquoi, alors ?

— Je voulais vous les donner. Je voulais surtout que Léon et
Alexander les aient entre les mains. Je voulais qu'ils les lisent.

— Mais quel bénéfice en aurais-tu tiré ?

Evelin la regarda. Les traits de son doux visage qui jusque-là
n'avaient révélé que de la souffrance, jamais de la colère, laissèrent transparaître une profonde amertume et quelque chose qui
ressemblait à un refus implacable de pardonner.

— J'aurais obtenu justice, dit-elle. Oui, j'attendais qu'on me
rende justice. Vous n'auriez pas pu continuer à ignorer quel genre
d'homme était Tim. Et vous auriez été obligés de me regarder.
Peut-être qu'alors l'un de vous m'aurait enfin apporté son aide.

12

Evelin – Document VI
par
Timotheus Burkhard

J'ai fait la connaissance d'Evelin en mars 1991. Par un jour extrêmement froid où il s'est soudain mis à neiger alors que l'on se croyait définitivement sorti de l'hiver. C'était l'un de mes premiers séminaires : « La conscience du moi, les autres et les exigences du quotidien, comment faire face positivement, méthodes et exercices ». Ainsi que je l'avais prévu, les participants ont débarqué en masse. C'est surprenant de voir le nombre de personnes qui traînent avec eux un manque de confiance en soi. Et au moins aussi surprenant de voir avec quelle constance ils sont prêts à débourser des sommes conséquentes pour être libérés du problème.

Evelin était assise au dernier rang. Je l'ai remarquée car elle était encore plus timide, plus réservée et plus anxieuse que le reste du groupe – et, Dieu sait que c'était déjà une assemblée de trouillards de la plus belle eau. A ce propos, j'ai remarqué, à cette époque, que travailler avec des ratés – et, en tant que thérapeute, on a constamment affaire à des ratés – libérait chez moi une formidable agressivité. Je me suis demandé, une fois, une seule, si j'avais choisi le bon métier. Il m'est rapidement apparu que je ne pourrais jamais m'en défaire. Ça m'apporte aussi quelque chose de voir leurs visages apeurés et pleins d'espoir. Ils attendent tellement de moi ! Certains sont prêts à étonnamment s'humilier pour que je les aide. Ils se déboutonnent complètement, donnent toutes sortes de détails sur les domaines les plus intimes de leur vie. J'écoute tout ça, parfois ça me donne envie de hurler de dégoût, de mépris – et aussi de haine, et en même temps, j'ai conscience que c'est un élixir de vie auquel je ne peux pas renoncer.

J'ai tout de suite compris qu'Evelin n'avait peur de rien autant que de se distinguer des autres. Je l'ai donc tout de suite désignée pour le premier rôle que j'avais mis au point. Elle est devenue hagarde, est passée du rouge au verdâtre. Elle m'a supplié du regard comme un animal pris au piège sans espoir de fuite et je me souviens encore que j'ai prié intérieurement pour que personne ne remarque mon érection, qui, ainsi que le veut la physiologie, échappait totalement à mon contrôle.

Quand Evelin comprit qu'elle n'avait pas le choix, elle est venue me rejoindre, les jambes tremblantes ainsi que tout le monde pouvait le constater. Je me suis choisi un deuxième participant, un jeune homme doté d'oreilles surdimensionnées qui étaient vraisemblablement la cause de ses difficultés à aller vers les autres. Il serait lui aussi volontiers rentré sous terre, mais il ne paraissait pas aussi désemparé qu'Evelin. Ils se sont tous les deux soumis, accablés, à l'exercice que je leur imposais et je les observais – pour être honnête, je dois dire que je n'observais qu'Evelin. Elle me fascinait.

A l'époque, il y a douze ans, elle était une jeune personne indéniablement séduisante. Vingt ans, blonde, très mince. Elle avait de jolies jambes et aurait pu tirer quelque chose de son physique si elle n'avait pas eu cet air de chien battu. D'un autre côté, je ne l'aurais pas trouvée aussi excitante. Et elle ne m'aurait pas mis en rage à ce point. A vrai dire, je ne l'aurais sans doute pas remarquée du tout. Les femmes sûres d'elles ne m'ont jamais intéressé, elles sont toutes aussi ennuyeuses les unes que les autres.

Pendant le jeu de rôle, Evelin transpirait épouvantablement. Elle portait un sweat-shirt gris. De grosses auréoles humides s'agrandissaient sous ses aisselles. Son visage était rouge vif et brillait comme un phare. Elle était au bord des larmes.

Brusquement, j'ai eu peur d'être allé trop loin. Si jamais, après cette expérience, elle ne revenait plus ? A la fin des deux heures, je lui ai à nouveau demandé de venir me rejoindre. Tandis que les autres se hâtaient vers la sortie, je me suis presque collé à elle et j'ai pris sa main droite dans mes mains. Elle transpirait encore abondamment.

« Evelin, je sais que ça a été très dur pour vous aujourd'hui, ai-je dit d'une voix douce en la regardant au fond des yeux. Mais vous êtes à l'évidence la participante qui a le plus de problèmes, je m'en suis immédiatement rendu compte. C'est pour cette raison que je m'intéresse à vous. Comprenez-vous ? »

Elle a hoché la tête en retenant ses larmes.

Je m'efforçais de ne pas me laisser dominer par la répulsion que m'inspirait la main moite et molle qui tressautait comme un poisson à demi mort dans mes mains.

« Vous ne devez surtout pas renoncer. Je pense que vous vous trouvez actuellement à une période très difficile de votre vie et il est, précisément maintenant, d'une importance capitale que vous preniez les bons aiguillages. »

Elle pouvait à peine me regarder dans les yeux. Elle avait bien évidemment déjà décidé de ne plus remettre les pieds dans cet horrible séminaire.

« Qu'est-ce qui vous a incitée à venir ? demandai-je d'un ton neutre.

— Mon... mon thérapeute, répondit-elle d'une toute petite voix. Il pense que je dois essayer d'avoir plus de relations sociales. Je lui ai dit que ça m'était difficile parce que les autres me font peur. Ils sont forts et tellement sûrs d'eux... et... Nous avons réfléchi et pensé que ce serait peut-être un bon début d'essayer de me lier à des gens qui avaient les mêmes problèmes que moi. Je suis alors tombée par hasard sur l'annonce de ce séminaire et...

— ... et vous avez décidé de prendre le taureau par les cornes. C'est une décision très courageuse. Ne serait-ce pas dommage de retomber tout de suite dans la faiblesse ? »

Je pressai un peu sa main. Je lui souris. Elle aspirait à ce que l'on s'intéresse à elle, à ce qu'on l'aime ; le désir d'être appréciée et aimée la rongeait littéralement. Si elle parvenait à être convaincue de trouver un peu des deux chez moi, c'était gagné.

Elle revint. Je la laissai quelques heures en paix, bien que ce me fût extrêmement difficile, mais il fallait qu'elle se sente en sécurité. Quand j'ai constaté, sans doute possible, qu'elle se détendait, je l'ai fait intervenir, alors qu'elle ne s'y attendait pas du tout, dans un exercice très difficile. Elle a complètement échoué et, ainsi qu'elle me l'a confié après coup à travers ses larmes, vécu une expérience affreusement humiliante. Mais je l'ai vivement félicitée, je lui ai dit que j'étais très content d'elle et, pendant les heures suivantes, quand mon regard croisait le sien, je lui souriais. Elle a commencé à me rendre timidement mes sourires. Il se produisit ce que j'avais prévu : elle eut besoin de moi, je devins le centre émotionnel de sa vie.

Nous nous sommes mariés en juillet 1992, presque un an et demi après notre première rencontre. Léon et Alexander, à ma demande, ont joué les témoins. Sinon, il n'y avait personne. Evelin n'avait pas d'amis et elle n'avait plus de famille. Son père était mort d'un infarctus des années auparavant, m'avait-elle dit, et sa mère, qui n'avait jamais pu surmonter le choc, souffrait depuis de troubles dépressifs sévères et était internée dans une clinique psychiatrique.

« Allons la voir pour la mettre au courant ! » proposai-je peu avant le mariage.

Evelin a refusé. C'était pour elle hors de question. Dès que j'ai insisté, elle s'est mise à pleurer, si bien que j'ai momentanément laissé tomber l'idée.

Après le mariage, j'ai commencé à me demander de plus en plus souvent pourquoi j'avais cru devoir à tout prix épouser Evelin. Elle était très mignonne, mais il y avait des femmes beaucoup plus séduisantes qu'elle. Ce n'était donc pas pour son physique, sûrement pas. Je crois que ce qui m'attirait chez elle, me rendait même proprement dingue, était le fait qu'elle était dépendante de moi, que je pouvais sans relâche tester mon pouvoir sur elle. Elle était à ma merci. Qu'un jour se passe bien ou mal pour elle dépendait uniquement de moi. Je n'avais qu'à me montrer froid et distant au petit déjeuner pour qu'aussitôt elle se transforme en un chien-chien pleurnichard qui quémandait un peu d'affection. Elle rampait littéralement derrière moi, empressée de tout faire pour voir un sourire apparaître sur mes lèvres ou que je lui dise un mot gentil. Quand l'envie m'en prenait, je lui donnais brusquement ce qu'elle voulait – et j'avais alors une femme éperdue de reconnaissance et de soulagement qui, si je le lui avais demandé, aurait léché les semelles de mes chaussures. Je dois dire que parfois je prenais un plaisir tout particulier à la laisser mijoter quelques jours et à observer les effets de mon traitement. En vingt-quatre heures, elle se transformait en loque, on la voyait de minute en minute s'effondrer un peu plus. Elle arrivait à un stade où elle ne pouvait plus tenir une salière tellement elle tremblait. Elle ne pouvait plus répondre au téléphone parce que sa voix se brisait à peine avait-elle dit « Allô ? ». Finalement, elle s'enfermait dans la salle de bains et vomissait tripes et boyaux.

Et moi ?

Je savais que ça ne me coûterait pas plus de mettre un terme à son tourment que d'allumer ou éteindre la lumière, et que j'étais seul à décider de l'instant où je le ferais. Ça me rendait... comment dire ? Accro. J'en dépendais comme d'une drogue. C'était un jeu, un coup de fouet, et c'était absolument génial. J'en avais besoin encore et toujours.

C'est pour cette raison, je pense, que j'ai épousé cette femme. Elle fait partie de ces gens qui sont nés victimes. Et le restent leur vie durant. Dans un sens, et parfois ça m'effraie, je suis autant dépendant d'elle qu'elle de moi. Je ne supporterais pas de la perdre.

Ce qui du premier jour de notre mariage m'a énervé, et m'énerve aujourd'hui encore, est son attachement au docteur Wilbert, son thérapeute. Quand nous avons été mariés, je lui ai dit que, maintenant qu'elle avait un psychologue à demeure, elle pouvait cesser de voir ce Wilbert. Je lui ai offert un chien, un magnifique berger, afin qu'elle ait quelque chose dont elle puisse prendre soin, auquel elle puisse consacrer du temps. J'espérais que ça l'aiderait à couper le cordon avec Wilbert. Elle n'a pas réussi. Au cours de ces dernières années, et parce que j'insistais lourdement, elle a plusieurs fois réessayé de couper, mais elle a constamment rechuté. Je crois qu'il lui est même arrivé de le voir en cachette. Je ne pouvais pas courir le risque de lui dire qu'elle n'avait qu'à se faire prendre en charge par moi, car cela aurait été contraire à toutes les règles déontologiques. Elle en aurait à coup sûr parlé à Wilbert et je ne pouvais pas me permettre d'être considéré comme un outsider par mes confrères. La plupart ne peuvent déjà pas me sentir. Il faut dire que ça marche super bien pour moi. Je m'en mets plein les poches. Mes patientes se cramponnent à moi. Ça fait des envieux.

Un problème a pesé de manière croissante sur notre quotidien : la haine, issue du mépris que j'éprouve pour les personnalités faibles et contre laquelle je dois constamment lutter, y compris avec mes patients. Si ces gens provoquent chez moi ce titillement qui donne à ma vie la peine d'être vécue, ils déclenchent aussi inévitablement de la colère et du rejet, je dirais même du dégoût, oui, un profond dégoût. Le phénomène est récurrent et ce métier que j'aime tant en devient pour moi souvent difficile. Il m'arrive parfois de ne quasiment plus supporter de me trouver dans la même pièce que ces mollassons, tant la répulsion pour ainsi dire physique que j'éprouve est violente. En règle générale, je n'ai cependant que cinquante minutes à tenir ; quant aux séminaires, ils ne durent jamais plus de deux heures d'affilée. Ça me donne le temps et l'opportunité de me ressourcer.

Mais Evelin, la plus molle de tous les mous, je l'avais constamment sur le dos. Du matin au soir, le week-end, la nuit, pendant les vacances. Elle était ma femme ! Elle est ma femme. Je ne peux pas la congédier au bout de cinquante minutes, ouvrir grand la fenêtre, respirer à fond et laisser lentement le dégoût et la haine s'éteindre.

Dégoût et haine. Oui. C'est ce que j'ai de plus en plus souvent éprouvé pour Evelin au cours des premières années de notre mariage. C'est ce que j'éprouve aujourd'hui pour elle. Parfois, la haine et le dégoût sont plus forts que le plaisir que me procure sa dépendance. Dans ces moments, le sentiment d'avoir fait une mauvaise affaire avec ce mariage me rend malade. En même temps, je me dis que je n'aurais probablement jamais pu épouser une personne structurée différemment. Pas la peine que je me raconte des histoires : en fin de compte, c'est une excitation sexuelle que me procurent ces femmes fragiles et psychiquement instables. Et je suis bien certain que je ne serais jamais passé devant monsieur le maire avec une femme qui ne m'aurait pas procuré cette excitation. Si cela n'avait pas été Evelin, c'est sa sœur jumelle que j'aurais choisie. Et mon dilemme aurait été le même.

C'est peut-être moi, le problème. Pas Evelin.

Quoiqu'elle soit déjà un cas spécial. Très spécial. Si le docteur Wilbert était, et est toujours, son grand confident, il n'en restait pas moins que nous discutions nous aussi et qu'en tant que psychologue j'ai suffisamment de métier pour savoir obtenir des gens ce que je veux. D'une manière générale, intellectuellement, Evelin n'est pas du tout à ma hauteur et, en matière d'argumentation ou de faculté de persuasion, encore moins. Au bout du compte, elle ne pouvait pas faire autrement que répondre à mes questions.

IIe partie

Le père d'Evelin était écrivain. L'un de ceux que personne ne connaît mais qui, même en l'absence de succès, est trop imbu de lui-même ou trop passionné pour ne pas persévérer dans un art qui ne le nourrit pas. De sa famille, il avait hérité une maison et une somme d'argent non négligeable, si bien que, même sans revenus propres, il put bon an mal an entretenir sa femme et sa fille. La maison était une antique villa complètement délabrée avec un parquet qui craquait, des fenêtres qui ne fermaient pas correctement, une plomberie défectueuse et tout autour un jardin qui aurait mérité le nom de forêt vierge. Pour d'obscures raisons, Evelin vouait un attachement sans borne à cette vieille bicoque et elle n'a jamais cessé de la regretter. Elle voulait à toute force que nous achetions une maison de ce genre, lubie à laquelle je me suis naturellement opposé avec véhémence, et succès.

L'ennui, avec le père d'Evelin, n'était pas tant son échec professionnel que ce que l'accumulation de frustrations avait fait de lui. Il commença à boire et devint de plus en plus violent. Sa violence ne s'exerçait pas contre Evelin, mais contre son épouse. Je n'ai jamais rencontré ma belle-mère, mais d'après ce que j'en ai appris, elle devait être une brave petite femme humble et docile. Jolie, peu sûre d'elle et complètement soumise à son incapable de mari. Une de ces femmes qui leur vie durant croient devoir remercier le ciel d'avoir trouvé un mari, même si c'en est un qui les rend malheureuses. Elle a sans aucun doute fortement imprégné l'image qu'Evelin s'est forgée de la femme, tout comme le modèle de couple qu'elle a intériorisé.

Le père d'Evelin avait des crises de folie d'une ampleur qui devait être réellement inquiétante. Il lançait autour de lui tous les objets qui lui tombaient sous la main, jusqu'aux chaises et même les tables. Il s'accrochait aux rideaux pour les flanquer par terre, brisait les portes vitrées des placards, arrachait les câbles électriques et les prises des murs. Il y eut sans doute des moments où on devait avoir l'impression qu'une bombe était tombée sur la villa. Saoul comme un cochon, il s'en prenait à Dieu et au monde parce qu'une fois de plus un quelconque éditeur avait refusé une de ses œuvres. Il fallait toujours de nouveaux exutoires à sa formidable colère. Venait alors le tour de sa femme.

Dans un sens, je comprends ce type. Le monde allemand de l'édition s'était ligué contre lui, et elle, naïve et bécasse, ne comprenait rien à son drame. Sa façon d'être gentille et résignée ne faisait que l'énerver un peu plus. Elle lui souriait timidement, toujours au mauvais moment, disait d'une voix tremblante quelque chose qui tombait complètement à côté... Pas étonnant qu'il ait fini par lui en balancer une. Et une fois qu'il avait commencé... Quand il avait tout cassé dans la maison, il lui restait encore une chose à démolir : son épouse.

La mère d'Evelin.

Cette femme doit aujourd'hui être un témoin remarquable de l'art de la chirurgie car il n'y a pour ainsi dire rien chez elle que des médecins n'aient rafistolé après que son mari l'eut réduite en miettes : os du nez écrasé, toutes les paires de côtes, doigts, poignets et clavicules cassés, dents déchaussées... Un déchirement de la rate, plusieurs traumatismes crâniens, un tympan éclaté lui ont valu toute une succession d'hospitalisations en urgence, et, pour finir, elle a failli se vider de son sang, un couteau planté dans la cuisse. Je suppose que les médecins l'ont fortement encouragée à porter plainte contre son mari, mais attendu qu'il n'a jamais été inquiété, elle a dû le couvrir avec une belle constance. Ce type de femme est comme ça. J'en ai suffisamment parmi mes patientes. Elles seraient capables de se traîner sur les genoux à l'hôpital avec une balle dans le ventre et d'expliquer qu'elles se sont accidentellement blessées en nettoyant une arme.

Ce n'est bien évidemment pas Evelin qui m'a raconté tout ça. Elle, elle n'en avait que pour la vieille baraque si romantique avec tous ses recoins et son merveilleux jardin, et elle tenait pour certain que son père était un grand génie méconnu de la littérature.

« Il n'avait jamais d'argent, dit-elle un jour, et je crois que c'est ce qui a rendu maman dépressive. »

Tu parles ! A ce que je sais, la vieille n'est pas du tout dépressive. J'ai tout de même quelques relations dans le milieu, j'ai pris mes renseignements. Ma belle-mère est dans un asile d'aliénés, voilà la vérité. Mon beau-père lui a bousillé sa cervelle de moineau et il a fallu l'enfermer parce qu'elle était en passe de devenir un danger pour la communauté. Elle ne sait plus qui elle est, marmonne des trucs sans queue ni tête, et, si elle en avait la possibilité, mettrait le feu à tout ce qui l'entoure : maisons, voitures, arbres, animaux. Elle s'est construit tout un délire sur le pouvoir purifiant du feu. Heureusement, aucun médecin au monde ne la laissera sortir d'où elle est.

Il y a quelques années – ce doit être peu de temps avant qu'elle ne tombe enceinte –, le bon docteur Wilbert a amené Evelin à un tournant décisif de sa thérapie. Elle s'est brusquement souvenue de l'enfer dans lequel elle avait grandi, ou plutôt elle a cessé d'en refouler le souvenir. Apparemment, elle ne cessait de répéter que pour l'essentiel elle avait passé son enfance dans la cuisine de la maison familiale. En l'occurrence, « pour l'essentiel » signifie pratiquement tout le temps hormis les heures à l'école. A présent qu'elle est un tas de graisse, ce type de déclaration porte à sourire, mais, ainsi que je l'ai dit, je l'ai connue mince, et, sur les quelques photos qui existent de son enfance, elle paraît presque sous-alimentée. Il est donc peu probable qu'elle se soit empiffrée, à moins qu'elle ait alors souffert de boulimie, ce que j'ai un temps supposé, à tort, je dois le reconnaître.

Toujours est-il qu'il apparut que le fait que, dans cette maison, on pouvait accéder au jardin par la cuisine – ce qui est le cas dans la plupart des maisons anciennes – était d'une importance capitale. Au cours de ses heures de thérapie, Evelin établissait un lien entre ses séjours dans la cuisine et le romantique escalier de pierre qui de là menait au jardin. Mais il lui fallut des années pour comprendre qu'elle voyait dans cet escalier le seul endroit par où s'enfuir quand son père perdait le contrôle de lui-même et en quelques minutes transformait sa mère en une pauvre femme brisée, gémissante et suppliante. Evelin, tremblante, se tenait dans la cuisine, les yeux rivés sur la porte, prête à bondir.

C'est ainsi que ça se passait. Maintenant, elle le savait. Et il fallait qu'elle vive avec.

A cette époque, le rythme de ses visites chez Wilbert s'est intensifié, à tel point que je me suis sérieusement demandé si je n'allais pas lui interdire de le voir. J'aurais pu l'y amener ; en la sevrant d'amour, on l'amenait à tout, mais maintenant que le mécanisme de refoulement ne fonctionnait plus, elle allait franchement mal et je me suis dit que Wilbert n'avait qu'à récolter les fruits de ce qu'il avait semé, qu'il n'y avait pas de raison que je me bagarre toute la journée avec une bonne femme dépressive et détraquée qui n'arrêtait pas de pleurer. A présent, les souvenirs de son enfance et de son adolescence jaillissaient comme des torrents et j'en avais moi-même parfois le tournis. Je savais qu'il avait dû se passer beaucoup de choses, ce n'est pas par hasard qu'une jeune femme est à ce point timide, coincée et prête à s'offrir en sacrifice sa vie durant, mais je commençais à avoir un peu peur. Ce vieux charlatan de Wilbert devait réussir un tant soit peu à tirer de là l'épave qu'était devenue Evelin. Je n'avais vraiment aucune envie de me retrouver avec un clone de ma belle-mère sur le dos !

Elle n'allait certes pas bien ; cependant, le travail sur son enfance dut lui apporter une certaine libération et probablement dénouer quelques blocages. Toujours est-il qu'elle se trouva subitement enceinte alors qu'il y avait des années qu'elle l'avait vainement espéré. Elle en perdit presque le sens commun de bonheur et je dois dire que, lorsque je l'ai appris, je me suis, moi aussi, réjoui. Je n'avais pas planifié d'avoir des enfants, mais je n'avais rien contre, non plus. Evelin, cependant, commença à évoluer dans un sens qui me déplaisait de plus en plus : à mesure que le bébé grandissait dans son ventre, elle s'éloignait de moi. C'était comme si l'enfant à naître était en train de prendre ma place, la place de personne référente. Il devint son point d'ancrage, son fournisseur de tendresse, l'objet de son affection, de son amour, de toute son attention. Elle chantait au petit être des chansons, lui parlait, se comportait de façon absolument débile, mais ce qui m'énervait le plus, c'était le fait, en ce qui me concernait, qu'elle ne se souciait plus du tout de moi. Elle avait toujours tourné autour de moi comme un petit chien apeuré, essayant de sonder mon humeur pour se conduire en conséquence et ne pas m'irriter ; un comportement très caractéristique des femmes qui ont grandi dans un milieu marqué par la violence. Voilà que du jour au lendemain mon état n'avait plus d'importance, elle s'intéressait à peine à moi. Elle se réveillait en pensant au bébé et s'endormait en pensant à lui. Je ne l'atteignais plus. Elle s'était dérobée à moi.

J'éprouvais de grandes difficultés à accepter la situation. Je me sentais frustré, déstabilisé et j'avais le sentiment que notre relation prenait un tour très négatif. Qui sait ce qu'il serait advenu de notre couple ? Mais le destin est intervenu. Au sixième mois de grossesse, Evelin a perdu son bébé.

Elle était de nouveau à moi.

Evelin, naturellement, a eu beaucoup de mal à surmonter cette perte. Au début, j'ai considéré que c'était normal, mais au bout d'un an, elle était aussi désespérée qu'au lendemain de l'intervention d'urgence au cours de laquelle on lui avait sauvé la vie, au prix de celle de son bébé. Vivre au quotidien avec elle devint chaque jour plus pénible et moins attrayant. Elle pleurait encore plus qu'auparavant et noyait son chagrin dans des orgies de nourriture et de shopping. En d'autres termes, soit elle s'asseyait devant le frigo (la cuisine l'avait rattrapée, elle était redevenue son lieu de prédilection) et se fourrait dans la bouche tout ce qu'elle pouvait, soit elle faisait l'une après l'autre les plus belles boutiques de la ville et s'achetait plus de fringues qu'un être humain ne pourra jamais en porter. En bref : elle devint grosse et me coûta cher. En ce qui concerne le dernier point, ça ne me contrariait pas outre mesure, je gagne énormément d'argent et je trouve flatteur que ma femme porte des vêtements dont on voit au premier coup d'œil qu'ils ont coûté une fortune. J'étais en revanche beaucoup plus agacé, et je le suis aujourd'hui encore, par la perte du peu de séduction qu'il lui restait. Elle a complètement dérapé. Elle peut se mettre n'importe quoi sur le dos, elle est toujours aussi grosse et moche. Elle est soumise et dévouée, et de ce fait toujours un objet passionnant, mais je suis également un homme. J'aimerais bien aussi, de temps en temps, *regarder* ma femme avec plaisir.

IIIᵉ partie

Je commence à me faire du souci.

Ainsi que je viens de l'expliquer, du jour où elle a perdu son bébé, Evelin a changé, ce qui, au début, s'est essentiellement traduit par des manifestations extérieures : achats compulsifs, débordements alimentaires. Son état dépressif, naturellement, s'est aggravé, mais ce n'est pas autrement étonnant. Depuis six bons mois, il y a cependant autre chose, autre chose que même moi, qui suis pourtant très familiarisé avec les différents aspects de la psyché humaine, j'ai quelque peine à cerner.

Je pourrais peut-être le décrire ainsi : quelque chose travaille à l'intérieur d'Evelin. Quelque chose, dans sa tête, a été heurté, un concept, une idée, une image, une façon de percevoir les choses. Ce quelque chose s'est mis en mouvement et évolue. Sans doute Evelin ne peut-elle plus le diriger ; en tout cas, je présume qu'elle ne peut pas le stopper.

C'est très net. Je vois le changement dans ses yeux. Je l'entends dans sa voix. Oui, je peux presque le sentir. Evelin sent autrement. Avant, elle sentait la peur, ce qui était pour moi un puissant stimulant, mais maintenant, il y a quelque chose de nouveau dans son odeur. Il est possible que ce soient les premiers signes d'une rébellion.

Rébellion et Evelin sont deux concepts qui s'excluent et c'est peut-être pour cette raison que je commence à me sentir aussi mal. Il existe des animaux qui, lorsqu'ils sont maltraités de façon récurrente, arrachés à leur milieu naturel et acculés à la dépression, planifient leur suicide. Ils décident de mourir et mettent cette décision en application avec un étonnant esprit de conséquence. Ils arrêtent de manger et de boire, se couchent dans un coin et attendent la mort. Privés de liberté, privés de droits, opprimés, ils reconquièrent ainsi leur droit à la décision et leur dignité. Ils savent d'instinct qu'en l'absence apparente de toute perspective, il leur reste ce choix. Ils triomphent de leurs bourreaux. Ils leur soustraient tout pouvoir sur eux.

Je crois voir quelque chose d'identique chez Evelin. Il est clair qu'elle n'attend plus rien de la vie, et il est possible que ses pensées l'entraînent dans une direction censée lui apporter la délivrance, et à moi toutes sortes de tourments. Elle s'imagine peut-être qu'en se suicidant elle résoudrait son principal problème – sa difficulté à vivre –, et en même temps – et en dépit de sa naïveté, je la crois tout à fait capable de pensées aussi perfides – m'assènerait un coup dont je mettrais des années à me remettre : elle me retirerait tout contrôle sur elle. Elle me serait inaccessible. Je devrais vivre avec le sentiment d'être un perdant, sans possibilité de retourner la situation à mon avantage. Au bout du compte, ce serait elle la gagnante.

Je l'observe très attentivement. En permanence et tous les sens en alerte. Il va de soi que je ne cesse de lui dire ou de lui signifier *qui* elle est et *ce qu'*elle est. Je crois que je ne pourrais jamais arrêter, même dans cent ans. Peut-être aussi qu'en ce moment je suis titillé par l'envie de pousser une situation jusqu'à l'extrême. Je vais au bout de la provocation. A quel moment vais-je trop loin ? A quel moment fera-t-elle le geste que je redoute et que pourtant je concours à provoquer ?

Cela m'apporterait-il une satisfaction d'être celui qui appuie sur le bouton ? Le suicide d'Evelin serait-il alors un suicide ? Ne serait-ce pas moi qui, en réalité, l'aurais induit ?

Je peux dire des choses qui la poussent à la folie. Si je le fais, pourrai-je alors penser que je l'ai, jusqu'au bout, manipulée ?

Ce genre de chose est très difficile à prévoir. Incroyablement difficile.

13

Cette plongée dans les pensées d'un fou était un gouffre béant qui lui donnait le vertige.

Jessica était assise sous les pommiers, dans l'herbe, par une journée de mai d'une perfection presque irréelle. Des abeilles bourdonnaient autour d'elle, des papillons voletaient dans l'air, des coccinelles escaladaient des brins d'herbe.

Mais elle avait vu le mal dans toute sa terrifiante nudité.

En ce qui concernait Léon et Alexander, ses amis, Tim avait craché son venin, il les avait ridiculisés, humiliés, abaissés, il avait fouillé leurs plaies, pris plaisir à analyser leurs points faibles, se montrant tour à tour cynique, grossier, agressif ou simplement abject. Du haut de sa détestable supériorité, et avec des ricanements hideux que l'on devinait à chaque ligne, il avait disséqué le matériel qui s'offrait si généreusement à lui. Si au milieu de tout cela, il avait éprouvé un sentiment pour ses amis, c'était le mépris. Un mépris glacial, profond, qui donnait la chair de poule.

« Je ne crois pas que j'aie trop envie de les lire », s'était-elle défendue quand Evelin lui avait posé la chemise verte sur les genoux et s'était levée.

Evelin avait insisté, avec une fermeté inhabituelle qui ne laissait pas de place au refus.

« Lis-les. Je voudrais qu'au moins toi tu les lises. Que quelqu'un sache à qui vous aviez affaire.

— Tu as déjà tout lu ?

— Non. Mais j'en sais assez. Quand on a lu les premières pages, on connaît la suite.

— Où vas-tu ?

— Il y a dans la maison quelques objets personnels que je voudrais récupérer. On va rentrer en Allemagne ce soir ou demain, et je ne reviendrai certainement pas.

— Tu as encore ta clé ? La police n'a toujours pas levé les scellés, tu sais. »

A la surprise de Jessica, Evelin, qui d'ordinaire n'aurait même pas songé à enfreindre la loi, avait haussé les épaules avec désinvolture.

« Et alors ? Je veux ce qui m'appartient, rien d'autre. De toute façon, en ce qui me concerne, la police a des choses à rattraper. »

Elle était partie en direction de la maison, en se tenant plus droite que d'habitude, et Jessica s'était fait la réflexion que l'idée de démasquer son mari lui donnait du courage. Elle puisait de la force dans la justice qu'elle espérait en obtenir.

Tim était psychopathe, Jessica en avait à présent la certitude. Le malaise qu'elle avait toujours éprouvé en sa présence ne l'avait pas trompée. Son comportement était pathologique. Son obsession de vouloir commander et manipuler les gens confinait au trouble mental. Il se prenait pour un grand psychologue – en réalité il était dominé par ses névroses, ses pulsions et ses angoisses. Ce n'était pas d'amis ou d'épouse qu'il avait eu besoin, mais de victimes. Et ces victimes, il fallait nécessairement qu'elles soient autour de lui, qu'il puisse en permanence s'assurer de leur présence. Jessica était désormais presque convaincue que c'était Tim qui avait induit et entretenait la contrainte au sein du groupe, même s'il s'y était pris de façon assez subtile pour qu'on ne s'en rende pas compte. Léon et Alexander avaient constitué un matériau idéal, très exactement ce qu'il lui fallait pour assouvir ses besoins. Léon, castré par sa femme et en échec professionnel, Alexander, qui à quatorze ans tremblait encore devant son père et que les femmes quittaient.

Victimes destinées au sacrifice, tout comme Evelin. Des êtres qui ne parvenaient pas d'eux-mêmes à prendre leur vie en main. Tim s'était délecté. Il volait à leur secours, les abreuvait de conseils paternels, parfois aussi les aidait très concrètement, comme dans le cas de Léon, à qui il avait consenti un prêt important, pour ensuite mieux l'humilier. Elle les voyait encore marcher dans le parc, le soir de leur arrivée. Léon – aujourd'hui elle le savait – tentant désespérément de convaincre Tim de lui accorder un délai supplémentaire. Et Tim, le visage fermé, silencieux, laissant Léon s'enfoncer, sans l'aider d'un mot gentil ou d'un geste amical. Quelle jouissance ce dut être pour lui ! Jessica le soupçonnait même d'avoir volontiers renoncé à revoir son argent quand la contrepartie était aussi excitante.

Mais c'était sur Evelin qu'il s'était déchaîné, qu'il avait poussé la perversion à son maximum. Une jeune femme qui après une enfance et une jeunesse particulièrement douloureuses s'en remettait à lui pour réapprendre à vivre, pour guérir ses peurs et ses angoisses, et lui qui ne voyait en elle que la victime parfaite, l'être qu'il attendait pour nourrir ses propres névroses, pour satisfaire ses pulsions perverses.

Il lui parut inconcevable qu'un homme qui croit déceler chez sa femme – ou chez toute autre personne – de graves tendances suicidaires y voie en premier lieu un risque potentiel pour lui : le risque de perdre une victime qui par ce geste ultime et désespéré tenterait d'échapper à sa tyrannie. En même temps, dans sa folie, Tim s'était beaucoup préoccupé de l'étendue de son pouvoir. Réussir à pousser sa femme au suicide eût été pour lui la confirmation qu'Evelin était bien sa créature et qu'elle l'avait été jusqu'à son dernier souffle.

Jessica rangea les textes dans la chemise avec un frisson de dégoût. Elle n'avait pas lu la partie intitulée *Jessica – Document V*. Elle ne voulait pas savoir ce que Tim avait pensé d'elle. Elle ne voulait pas se voir obligée de vomir.

Elle se leva. Elle était si longtemps restée assise dans l'herbe que tous ses muscles étaient endoloris. Elle prit une longue inspiration et se détendit.

Combien de temps s'était-il écoulé ? Elle regarda sa montre. Une heure moins dix. Elle avait lu presque une heure. Evelin n'était pas réapparue.

La maison, parfaitement silencieuse, lui parut soudain menaçante. Elle se détachait, massive, sombre et austère sur le bleu du ciel. Rien ne bougeait derrière les fenêtres, pas une ombre ne passait, pas un rideau ne frémissait. Tout paraissait vide et abandonné. Comme s'il n'y avait personne.

Elle se demanda ce qu'Evelin mettait tant de temps à emballer.

« Quelques objets personnels », avait-elle dit. Pourquoi n'était-elle pas encore revenue ? S'était-elle assise quelque part et regardait-elle devant elle en se souvenant de ce qui s'était passé dans la maison ? Errait-elle de pièce en pièce comme une somnambule, hantée par les voix et les images qui avaient animé les lieux ?

Soudain, la peur s'empara d'elle. Et si Tim avait eu raison ? Si Evelin songeait effectivement à se supprimer ? Si elle avait depuis longtemps vécu avec cette idée et seulement attendu que... que quoi ?

Jessica regarda les textes qu'elle tenait toujours à la main. Et si Evelin avait seulement attendu une occasion de récupérer les documents et de les transmettre ? Peut-être n'avait-elle pas voulu partir sans que soit révélée la vérité sur son bourreau. Evelin, malheureuse et si déprimée qu'elle finissait par se pendre – mais qui auparavant veillait à ce que l'homme qui l'avait poussée à se suicider soit percé à jour.

Jessica aurait voulu se précipiter vers la maison, ouvrir la porte, monter les marches quatre à quatre. Son corps refusait de lui obéir. Paralysée, les pieds rivés dans l'herbe, elle regardait la maison, tenaillée par une image qu'elle ne pouvait chasser de son esprit : Evelin à l'intérieur, Evelin qui n'avait jamais eu l'intention de rassembler ses affaires, qui ne s'était jamais tenue aussi droite, qui n'était jamais partie d'un pas aussi sûr, qui avait eu la voix ferme, une expression déterminée dans les yeux, Evelin transformée.

Mon Dieu, je ne peux pas y aller, songea-t-elle, épouvantée. *Je ne peux pas entrer dans cette maison et découvrir que quelqu'un est mort. Pas une deuxième fois. C'est au-dessus de mes forces. Pas de deuxième cauchemar alors que le premier est encore si présent...*

Elle respira à fond, tenta de retrouver son calme et de mettre de l'ordre dans ses pensées. Elle était en train de craquer et ce n'était pas le moment.

Je ne sais même pas si elle s'est fait quelque chose. Je l'imagine. En réalité, rien ne le prouve.

Elle se laissait abuser par son imagination. Qu'avait-elle besoin d'ajouter foi aux délires verbaux d'un psychopathe pervers ?

Mais elle est dépressive. Je le sais. Depuis le début. Je me suis toujours fait du souci pour elle. Je n'ai jamais compris pourquoi les autres ne s'en rendaient pas compte.

Elle éleva la voix, appela plusieurs fois Evelin. Rien ne bougea, personne ne répondit. Le vent bruissait dans les arbres.

Jessica était incapable de se diriger vers la maison et d'y entrer. On avait dû lui jeter un sort. Elle se mit à transpirer, elle eut l'impression de ne plus avoir de jambes. Impossible d'ébaucher un mouvement.

Si seulement quelqu'un avait été là ! N'importe qui, Léon, ou même Ricarda. Quelqu'un qui lui aurait donné du courage, qui en quelques mots aurait déjoué les pièges de son imagination.

Qu'est-ce que tu vas inventer ? Evelin est dans sa chambre, au premier étage, elle rassemble ses affaires, fouille un peu partout dans ses placards, feuillette des livres, regarde de vieilles photos… Elle a oublié l'heure. Va la retrouver et dis-lui que tu as envie de rentrer à l'hôtel.

Mais il n'y avait personne. Personne pour lui donner du courage. Elle était seule, exactement comme cet autre jour. *Elle était une fois de plus complètement seule.*

Du revers de la main, elle essuya la sueur glacée de son front. Elle pouvait rester où elle était et attendre qu'Evelin revienne, mais, si son amie était en train de mettre fin à ses jours, toute sa vie elle se reprocherait de n'avoir rien tenté pour la sauver. Pouvait-on vivre avec un tel poids sur la conscience ?

Soudain, il lui vint une idée à l'esprit et elle retint sa respiration. Comment avait-elle pu oublier le docteur Wilbert ?

Elle le revoyait dans son cabinet, le matin où il l'avait reçue. Sincèrement soucieux du sort d'Evelin. Il lui avait demandé de le prévenir sans délai si elle était libérée de prison.

« Je voudrais être là », avait-il dit. *Craignait-il, lui aussi, une tentative de suicide ?*

Elle aurait pu se gifler d'avoir oublié de lui téléphoner. Week-end ou pas, elle aurait dû l'appeler. Si ça se trouve, il l'aurait accompagnée. Et elle n'aurait pas été aussi terrifiée à l'idée de ce qu'elle avait toutes les chances de découvrir dans la maison.

Elle fouilla dans son sac, sortit son portable, fouilla encore. Si elle avait la poisse, la carte de visite était chez elle, sur son

515

bureau. Si elle avait de la chance, elle se trouvait quelque part dans son sac.

Elle la trouva dans une poche latérale, en piteux état, et la sortit. *Docteur Edmund Wilbert* – l'homme qui connaissait Evelin sans doute mieux que son mari. Il pourrait peut-être, même de loin, lui apporter une aide quelconque.

Une heure moins deux. S'il interrompait ses consultations lors du déjeuner, elle avait tout juste le temps de le joindre.

L'indicatif de l'Allemagne. L'indicatif de Munich. Puis son numéro. La sonnerie retentit. Elle prit une longue inspiration. Ce n'était pas occupé. Pourvu qu'il soit là.

— Docteur Wilbert, dit une voix.

Elle en aurait pleuré de soulagement.

— Docteur Wilbert, qui est à l'appareil ? répéta-t-il avec une pointe d'impatience dans la voix.

— Bonjour, docteur Wilbert. Je suis Jessica Wahlberg. Je ne sais pas si vous vous souvenez encore de moi, je...

— Je me souviens fort bien de vous. Vous êtes l'amie d'Evelin. Que s'est-il passé ? demanda-t-il d'une voix tendue, comme s'il avait deviné, à son ton, qu'elle était inquiète.

— A vrai dire, je ne sais pas s'il s'est passé quelque chose, je me fais peut-être seulement des idées... hésita Jessica, qui se sentait brusquement stupide. Je suis en Angleterre, poursuivit-elle. Je suis venue chercher Evelin.

— Elle a été libérée ?

— Oui. Ils ont maintenant le véritable coupable. Enfin, ils ne l'ont pas encore arrêté, mais il semble bien que ce soit lui. Evelin n'attend plus que son passeport...

— Madame Wahlberg...

Croyant percevoir une nouvelle pointe d'impatience dans sa voix, elle l'interrompit :

— Je sais, nous étions convenus que je vous prévienne dès qu'Evelin serait libérée. Tout s'est passé si vite et de façon si inattendue que... eh bien, j'ai tout simplement oublié de vous appeler. Mais là, j'ai réellement besoin de votre aide. C'est... Tim, le mari d'Evelin, qui est mort lors de... du drame, a dressé des sortes de portraits psychologiques de différentes personnes de son entourage, notamment d'Evelin. Ce sont des textes sur

516

lesquels il travaillait pour sa thèse. Je viens d'en lire quelques pages. Il pensait qu'Evelin était sur le point de se suicider. D'après ce que j'ai compris, peu de temps avant sa mort, il la poussait lui-même à cela. C'était vraiment un type passablement dérangé. Mais... en ce qui concerne les tendances suicidaires d'Evelin, il avait sans doute raison, d'autant que je crois avoir compris que vous-même partagiez cette évaluation et...

Elle reprit sa respiration.

— Et... eh bien, Evelin est depuis presque une heure dans la maison, elle ne se manifeste par aucun signe, aucun bruit, et je n'ai pas le courage d'aller voir ce que... Je sais que je devrais le faire, mais...

Elle laissa sa phrase inachevée, prit une longue inspiration parce qu'elle avait oublié de respirer au milieu de ses explications. Elle s'attendait qu'il réplique : « Oui. Et que pensez-vous que je puisse faire pour vous, depuis Munich ? »

Au lieu de cela, il demanda :

— Où vous trouvez-vous exactement ?

— A Stanbury House. Je voulais revoir la maison, et je suis tombée sur Evelin. Elle avait caché les documents dont je vous ai parlé et voulait les récupérer. Elle me les a donnés pour que je les lise, puis elle est partie prendre quelques affaires dans la maison. Mais ça fait une éternité qu'elle a disparu et... Docteur Wilbert, elle a vécu un calvaire. Pendant des années, il l'a méthodiquement maltraitée, il a pris un plaisir pervers à la faire souffrir. Je ne peux pas m'empêcher de penser que...

Il l'interrompit. Sa voix était encore plus tendue qu'au début de leur conversation.

— Etes-vous complètement seule avec elle ? Dans cette propriété isolée ?

— Oui. C'est pour cette raison que... je suis très inquiète, docteur Wilbert. Et je ne sais pas quoi faire.

— Jessica, je voudrais maintenant que vous m'écoutiez. Ne posez pas de questions et faites ce que je vous dis : partez. Faites en sorte de partir aussi vite et aussi discrètement que vous le pouvez. Dépêchez-vous. Je vous en prie.

Elle avala péniblement sa salive. Elle entendit le sang battre à ses oreilles.

— Docteur Wilbert, vous ne pensez tout de même pas que...

— Elle est dangereuse, Jessica. Si j'avais su qu'on la libérerait... bon Dieu, je ne vous aurais jamais laissée partir là-bas. Il faut maintenant que vous vous mettiez en sécurité. Vous me comprenez ?

— Oui, murmura-t-elle dans un souffle. Docteur Wilbert...

— Je pense que c'est elle. Je ne sais pas pourquoi elle a été libérée, mais je suis presque sûr que c'est elle qui a commis ces meurtres. Je la connais depuis quinze ans. J'ai été au-dessous de tout en ne prenant pas les mesures qui s'imposaient pour l'empêcher de nuire – et en ne vous prévenant pas expressément. Mais il n'est pas trop tard. Je vous en conjure, sauvez-vous ! Faites tout pour quitter cet endroit. Soyez prudente, et dépêchez-vous. Je vous en prie !

14

Quelque part dans la maison, une horloge sonna un coup. Déjà une heure, et elle n'avait pas encore ouvert un placard. Elle tournait en rond, les bras ballants. Comme le temps passait vite, parfois ! Elle aurait aussi bien pu n'être là que depuis quelques minutes. Et cela faisait plus d'une heure qu'elle traînait.

Jessica devait commencer à s'inquiéter.

Evelin ferma les yeux, passa une main sur son visage. Trop d'idées noires l'accablaient, surtout depuis qu'elle était revenue. Elle n'aurait peut-être pas dû revenir, mais c'était important qu'elle récupère les textes de Tim, et en profiter pour prendre les quelques affaires personnelles qu'elle souhaitait emporter n'était pas une mauvaise idée. Elle ne reviendrait pas à Stanbury. Jamais. C'était tout un pan d'une vie qu'elle voulait oublier.

Figée au milieu de leur chambre, à elle et Tim, elle examinait l'environnement familier : le grand lit à baldaquin, les dizaines de bougies sur le marbre de l'ancienne table de toilette, les rideaux de brocart qui donnaient à la pièce un aspect un peu austère. A vrai dire, elle n'avait jamais aimé ces rideaux. Pourquoi les avait-elle achetés ?

C'est Tim, bien sûr, qui les avait choisis. Il avait découvert le tissu dans un magasin chic de Leeds, noté les dimensions exactes des fenêtres sur un papier, puis envoyé Evelin les faire coudre selon ses instructions. Ça lui avait coûté les yeux de la tête, naturellement, mais que n'aurait-il fait pour épater ses amis, pour leur montrer une fois de plus qu'il gagnait plus d'argent qu'eux ? Evelin trouvait beaucoup plus jolis les rideaux jaune pâle et d'une finesse aérienne que Patricia avait choisis pour sa chambre, mais elle n'avait rien dit. A cette époque, il y avait longtemps qu'elle avait accepté que Tim décide de tout. Et elle n'aspirait à rien d'autre qu'à préserver l'affection de Tim – ou tout au moins sa bienveillance.

Sur la table de toilette, les bougies fichées dans des petits bougeoirs argentés n'avaient pas été allumées depuis bien longtemps, à vrai dire plusieurs années. Elles n'avaient jamais été changées, c'étaient les premières et seules qu'elle ait jamais achetées. Le premier été qui avait suivi leur mariage, lors de son premier séjour à Stanbury, il lui avait pris l'envie de mettre une touche de romantisme dans leur vie, mais elle s'était vite rendu compte qu'elle s'était surtout attiré une menace potentielle supplémentaire. Si Tim était mal luné, les bougies allumées pouvaient le mettre dans une colère noire. Sans doute étaient-elles déjà à ses yeux l'expression d'une trop grande autonomie. Evelin n'avait pas loisir de faire quoi que ce fût qui s'écartât un tant soit peu de la stricte routine quotidienne. Pour Tim, c'eût été de la rébellion.

Il ne fallait pas qu'elle replonge dans ses souvenirs. Jessica attendait. Elles déjeuneraient ensemble au village, puis elle téléphonerait à son avocat. Il y avait peut-être du nouveau concernant son passeport. Ce serait tellement bien de pouvoir enfin rentrer !

Elle ouvrit l'armoire d'un geste décidé, ignora les vêtements de Tim qui étaient suspendus côté penderie ou pliés sur les étagères. Ça ne la concernait plus, elle ne s'en encombrerait pas pour prendre l'avion. Quoi que Léon décide de faire de la maison, il pourrait toujours les jeter avec le reste.

Sa valise était rangée dans le bas de l'armoire. Elle la sortit, la posa sur le lit et l'ouvrit. Sans se soucier d'ordre, elle fourra dedans en vrac linge, chaussettes, pull-overs, pantalons, quelques chemises de nuit. Egalement les robes d'intérieur informes dont elle avait toujours espéré qu'elles dissimuleraient son obésité mais qui ne la faisaient paraître que plus grosse et plus difforme.

« Tu as l'air d'une grosse vache, lui avait dit Tim. Et dans ces trucs, tu as l'air d'une grosse vache qui s'est fourré un vieux rideau sur le dos. »

Ce n'était peut-être pas si mal vu. Tim pouvait être méchant, mais ce qu'il disait était souvent juste.

Encore Tim. Elle laissa tomber les robes d'intérieur, pressa ses deux mains contre ses tempes. Elle ne voulait plus penser à lui mais il ne cessait de revenir se glisser dans ses pensées. Douze ans de vie commune ne se laissaient pas oublier si facilement. Tant d'heures, de minutes, de secondes. Tant d'images, tant d'événements qui s'étaient gravés dans sa mémoire. Etait-il possible qu'ils s'effacent un jour ?

Tim qui fronçait les sourcils. Tim qui se moquait. Tim qui riait. Tim qui traversait la pelouse. Tim qui portait une tasse de café à ses lèvres. Tim dont les yeux s'étrécissaient quand il jetait son dévolu sur une proie. Tim et la façon dont il la regardait quand il voulait coucher avec elle. Tim qui s'allongeait sur elle dans le lit. Tim qui lui tenait la main quand on la poussait sur un brancard dans les couloirs de l'hôpital et...

Un cri étouffé lui échappa. C'était précisément ce qu'elle avait redouté. Elle vivait dans la peur que les images de cette nuit-là la rattrapent. Sinon, elle aurait peut-être pu penser à Tim, réfléchir à leur relation, la comprendre, l'accepter, mais elle savait bien que l'épouvante qui la prenait quand elle était confrontée à ce souvenir était toujours à l'affût quelque part dans sa tête. Les flots de sang qui ruisselaient le long de ses jambes. Sa panique quand elle comprenait que cela signifiait quelque chose de très grave. Le trajet jusqu'à l'hôpital, elle gémissant doucement, Tim jurant à chaque feu rouge. La procédure d'admission aux urgences, le formulaire qu'on lui demandait de remplir, et, pendant qu'elle s'accrochait au comptoir et cherchait à se souvenir du nom de sa mutuelle, la flaque de sang, par terre, qui s'élargissait. Tim était encore en train de chercher une place de parking. Elle était seule, désemparée, avec la certitude que n'importe quelle autre femme en train de perdre son bébé aurait su quoi faire en arrivant la nuit aux urgences, tandis qu'elle, elle faisait tout de travers, inondait de sang le sol autour d'elle, était incapable d'expliquer à quelqu'un que son état était grave et avait besoin d'être traité en urgence. Tim surgit, essoufflé, et resta sidéré de la voir debout au comptoir, puis qui fondait en larmes et disait : «Je ne me souviens plus de là où je suis assurée.» De l'autre côté du comptoir, l'infirmière, imperturbable, entrait des données dans son ordinateur.

Tim avait réveillé tous ces endormis. Il avait fait un bel esclandre, ordonné à l'infirmière de se dépêcher d'aller chercher un médecin et de préparer un lit pour qu'Evelin puisse enfin s'allonger. Et brusquement, une nuée d'infirmières était apparue, puis plusieurs médecins avaient été là et un anesthésiste qui voulait savoir à quand remontait son dernier repas, ce dont elle ne parvenait pas non plus à se souvenir.

« Je dois vous opérer », annonça un médecin qui avait un bon visage sympathique, le teint pâle et les traits tirés.

Et elle avait demandé à voix basse :

« Et mon bébé ? »

Il n'avait pas répondu, mais elle avait lu dans ses yeux qu'il n'y avait pas le moindre espoir pour son bébé.

Elle perçut un léger gémissement et il lui fallut quelques secondes pour comprendre que c'était d'elle qu'il provenait. Tant d'années s'étaient écoulées depuis, pourtant la douleur était toujours là, intacte, qui ne s'était pas atténuée. Evelin se souvint que Tim était à son chevet quand elle s'était réveillée de l'anesthésie.

« Il faut que j'aille aux toilettes », avaient été les premiers mots qu'elle avait prononcés.

Tim avait répondu :

« Non, ma chérie, c'est seulement une impression. Ils t'ont posé une sonde urinaire. Elle doit appuyer sur la vessie. »

Elle avait presque pleuré devant son refus de la croire.

« Je t'en prie. J'ai très envie. S'il te plaît, fais quelque chose. »

Il était allé chercher une infirmière. Evelin l'avait suppliée de lui enlever la sonde. Elle avait commencé par refuser, puis, quand elle avait compris qu'Evelin était au bord de l'hystérie, elle avait cédé. C'était absurde. Cette jeune femme avait perdu son bébé, elle était anéantie, son avenir n'était qu'un trou noir et elle mettait la moitié de l'unité de soins intensifs sens dessus dessous pour une sonde urinaire. La sonde enlevée, Evelin avait tenu à se rendre aux toilettes, ce que l'infirmière, excédée, avait fini par accepter après quelques minutes de négociation.

« Mais surtout, ne vous enfermez pas ! avait-elle exigé. Le mieux, c'est que votre mari vienne avec vous. »

Traînant derrière elle la potence à roulettes de sa perfusion et s'appuyant sur Tim, très attentionné, qui marchait à côté d'elle, Evelin avait donc clopiné avec son ventre tout juste recousu devant les lits d'autres femmes fraîchement opérées qui, ainsi qu'on l'attendait d'elles, dormaient toutes paisiblement. Elle ne se serait jamais crue capable d'essayer de faire pipi avec Tim debout à côté d'elle, mais soudain, ça lui était complètement égal. Au contraire, il était prévenant, attentif, presque tendre. Plus tard, il lui était arrivé de penser que ces brefs moments avec lui dans l'unité de soins intensifs avaient été parmi les meilleurs de leur mariage.

Sa vessie, naturellement, était vide et elle n'avait pas pu uriner. Elle avait alors recommencé à pleurer tandis que Tim, sans un reproche, la raccompagnait à son lit et l'aidait à se recoucher.

« Et le bébé ? » demanda-t-elle.

Il avait délicatement écarté les cheveux qui lui retombaient sur le front.

« Ils n'ont pas pu le sauver. Il n'est malheureusement plus en vie. »

Après son départ, elle n'avait pu dormir un seul instant. Allongée sur le dos, elle fixait l'obscurité qu'éclairait faiblement une veilleuse et écoutait le souffle régulier de ses compagnes de chambre. Une infirmière venait régulièrement prendre sa tension, très étonnée de trouver chaque fois Evelin bien réveillée.

« C'est bizarre, vous devriez au moins somnoler, les effets de l'anesthésie ne sont pas dissipés. Essayez donc de vous détendre un peu. »

Elle n'avait pas pu. Comment aurait-elle pu dormir ou se détendre quand elle ne savait pas comment elle allait pouvoir continuer à vivre ?

La fin avait été si brutale et si douloureuse qu'il lui avait fallu un certain temps pour assimiler l'idée de la perte. Elle se rappelait que la souffrance s'était aggravée à mesure que le temps passait, bien pire qu'au début, que la première nuit. Tout l'attisait, le quotidien morne et accablant, les heures interminables qu'il fallait à un jour pour devenir un soir, les menues activités, toutes inutiles, dans lesquelles elle fuyait pour oublier et qui ne lui apportaient aucun oubli. Chaque femme qui la croisait en se dandinant avec un gros ventre, chaque poussette qu'elle voyait dans la rue la ravivait – et, par un mauvais coup du sort, il y avait soudain des milliers de poussettes dans la rue. Que des gens, près d'elle, parlent de leurs enfants, qu'une invitation à un baptême arrive, et elle souffrait.

La sollicitude de Tim n'avait guère duré plus de deux jours. Le drame avait à peine eu lieu que leur relation était retombée dans le jeu pervers du tourment et du désespoir.

Arrête d'y penser. Arrête !

Elle ferma les portes de l'armoire bien qu'il y restât encore toute une collection de ces cache-poussière informes dont elle s'enveloppait. C'était peut-être l'occasion de s'en séparer. Après tout, n'avait-elle pas décidé de devenir une de ces jeunes femmes minces et séduisantes dont les magazines féminins vantaient les avantages ? Il est vrai que le charme de toutes ces femmes ne reposait pas que sur leurs jolis minois, mais aussi sur leur aptitude à faire carrière dans une profession si possible originale ou à élever tambour battant une kyrielle de beaux enfants, ou mieux encore à mener les deux de front. Evelin partait avec un sérieux handicap. Elle n'avait pas de famille, elle n'avait pas de métier. Elle n'avait même plus de mari.

Au moins, elle avait de l'argent. Il y avait des femmes qui estimaient que faire un « beau » divorce ou s'enrichir par veuvage valait une belle carrière. Vue sous cet angle, sa vie n'était pas si mal réussie.

Elle regarda par la fenêtre et vit Jessica descendre l'allée qui menait à la route.

Ça alors ! Ce n'était pas du tout ce dont elles étaient convenues. Elles devaient rentrer ensemble en voiture. Et même si Jessica, qui était une marcheuse passionnée, avait subitement changé d'avis, ça ne lui ressemblait pas de s'en aller sans rien dire.

Elle pivota sur ses talons et se précipita hors de la chambre. Elle avait beaucoup maigri en prison. Elle s'en rendit compte à l'agilité de ses mouvements et à la vitesse à laquelle elle dévala les escaliers. Elle traversa le vestibule, ouvrit grand la porte, elle fut dehors. Dans la chaleur, le parfum des fleurs, le soleil. Un gros bourdon velu passa en vrombissant tout près de sa tête.

Elle rattraperait Jessica.

De la fenêtre, elle avait remarqué qu'elle ne se déplaçait pas avec la même légèreté que d'habitude. Il y avait quelque chose de lourd dans sa démarche, de lent, d'appliqué.

Un souvenir germa dans sa mémoire. Le soir d'avant le drame. Les fauteuils devant la cheminée, dans le salon. Alexander. Il avait dit que...

Comment avait-elle pu refouler ce souvenir ?

Elle gémit doucement. La souffrance était à peine supportable.

Jessica nourrissait le mince espoir qu'Evelin avait laissé la clé de contact sur la direction. En faisant le tour de la maison, elle avait découvert la petite voiture anglaise qu'elle avait louée, garée devant l'entrée. Un bref coup d'œil à la façade : là non plus, rien ne bougeait derrière les fenêtres.

Les portières de la voiture n'étaient pas verrouillées. Malheureusement, il n'y avait pas de clé sur le contact. Evelin l'avait enlevée.

Un œil sur la porte d'entrée, elle fouilla la boîte à gants, les vide-poches des portières, celui placé entre les sièges avant. Rien, naturellement. Il y avait une petite chance qu'Evelin ait posé la clé sur la console de l'entrée, ou même qu'elle l'ait accrochée au tableau des clés, dans la cuisine, avant de monter au premier. Jessica imagina un instant se faufiler dans la maison pour aller voir, puis renonça. C'était risqué et le résultat était sans garantie. Une fois sur place, Evelin avait dû parer au plus pressé et aller récupérer les textes de Tim dans la fosse septique. Selon toute vraisemblance, elle avait machinalement glissé la clé dans l'une de ses poches, où il y avait quatre-vingt-dix-neuf chances sur cent pour qu'elle se trouve encore.

Les textes de Tim.

Elle avait toujours à la main la chemise verte en plastique transparent. Les abominations que Tim s'était délecté à écrire étaient la dernière chose dont elle avait besoin pour rentrer à pied au village. Elle posa la chemise sur le siège passager avant et ferma doucement la portière. C'est seulement à cet instant qu'elle prit conscience de se mouvoir dans une sorte de transe depuis que le docteur Wilbert lui avait parlé. Son cœur battait à grands coups, ses paumes étaient moites. Elle avait une peur effroyable, mais elle parvint à refouler la panique qu'elle sentait poindre et à garder les idées claires. Ce n'était pas le moment d'agir sans réfléchir.

Elle refréna son envie de partir en courant : des mouvements trop brusques risquaient d'attirer l'attention. Et puis, ce jour-là, sa grossesse lui pesait. Peut-être à cause de la chaleur, ou de l'angoisse, ou bien des deux. Le chemin jusqu'au village était long. Elle ne pouvait pas prendre le risque d'épuiser toutes ses forces.

D'un pas mesuré, elle traversa la cour et s'engagea dans l'allée qui descendait vers l'entrée du parc. Dès qu'elle serait hors de vue, elle pourrait marcher plus vite. Si seulement ses jambes n'étaient pas si enflées, si seulement chaque mouvement ne commençait pas à l'essouffler ! Si seulement il ne faisait pas si chaud ! Si, si, si... Elle s'immobilisa un instant, releva les cheveux qui lui tombaient sur le front. Si seulement elle n'était pas tombée dans ce cauchemar...

Elle reprit sa marche. Quand elle entendit des pas se rapprocher derrière elle, elle sut qu'elle avait perdu.

15

— Tu aurais tout de même pu dire quelque chose, protesta Evelin. On voulait rentrer ensemble en voiture. Pourquoi pars-tu comme ça ?

— Ah, tu sais bien comme je suis, répliqua Jessica avec légèreté. Tout d'un coup, ça m'a pris, j'ai eu envie de marcher. Je me suis dit que, si je t'en parlais, tu te sentirais embarrassée. Alors je suis partie.

Elles revinrent lentement vers la maison. Le soleil à son zénith devenait de plus en plus chaud. Jessica essuya une nouvelle fois son front moite. Elle était en nage des pieds à la tête.

Evelin l'observa de côté.

— Tu n'as pas l'air en forme, constata-t-elle. Quelque chose ne va pas ?

— Il fait très chaud, tu ne trouves pas ? On se croirait en juillet ou en août.

— Moi, ça ne me gêne pas tant que ça, remarqua Evelin.

— J'ai déjà beaucoup marché, aujourd'hui. C'est peut-être pour ça.

— Raison de plus pour que tu rentres en voiture avec moi !

Evelin paraissait soucieuse. Jessica, troublée, hésitait à croire qu'elle se trouvait en présence d'une folle dangereuse. Wilbert pouvait se tromper. Il n'avait aucune preuve de ce qu'il avançait.

— Ecoute, Jessica, attends-moi ici, proposa Evelin. Je monte vite chercher mon sac, je redescends et on y va. D'accord ?

— D'accord, répondit Jessica.

Elle se tenait à quelques mètres de l'auge à moutons devant laquelle elle avait trouvé Patricia agenouillée... Elle eut un haut-le-cœur, secoua la tête et ferma brièvement les yeux pour chasser l'image de son esprit.

Evelin, qui marchait déjà vers la maison, s'arrêta et se tourna vers Jessica.

— Les textes... tu les as lus ? demanda-t-elle en hésitant.

Jessica acquiesça.

— Oui. Et je dois dire que Tim s'est bien moqué de nous avec cette prétendue histoire de thèse. Nous disséquer comme ça lui servait surtout à satisfaire un besoin quasi pathologique de se mettre, par contrecoup, en valeur. C'est de la masturbation intellectuelle, rien d'autre.

Evelin attendit, mais, comme Jessica n'ajouta rien, elle hocha elle aussi la tête, très lentement, pensivement, puis elle pivota sur ses talons et gagna la maison. Elle disparut dans l'obscurité du hall en laissant la porte ouverte derrière elle.

Jessica serra ses paumes humides l'une contre l'autre. Elle ne voulait plus tenter de s'enfuir. Evelin pouvait revenir d'une minute à l'autre. Elle lui avait paru inoffensive, amicale même. Peut-être n'avait-elle aucune raison de s'inquiéter. Tout irait bien. Elles prendraient la voiture et en dix minutes elles seraient à l'hôtel.

Ce serait la fin du cauchemar.

Elle fit quelques pas devant la maison en prenant soin de ne pas regarder l'auge à moutons. Pour essayer de se rassurer, elle se répétait qu'elle n'avait pas à avoir peur, mais tous les poils de ses bras étaient hérissés et elle eut froid en dépit du soleil et de la chaleur. La supplication du docteur Wilbert résonnait dans sa tête.

« Partez... aussi vite que vous le pouvez ! »

A bout de forces, elle se laissa tomber sur un banc placé à la limite de la cour pavée et du jardin, d'où on avait une jolie vue sur la forêt et, au loin, sur les collines. Elle posa la main sur son ventre. Si seulement il voulait bien commencer à bouger ! Ce devait être formidable de sentir son bébé bouger pour la première fois.

Elle se pencha en avant pour masser ses chevilles enflées. Quelque chose, dans l'herbe, retint son regard. Elle se figea, écarquilla les yeux.

C'était bien une tresse de brins d'herbe. De brins d'herbe fraîchement arrachés. Il n'y avait certainement pas quatre semaines qu'elle était là.

Elle ne connaissait qu'une personne qui tressât des brins d'herbe de cette façon.

Elle se redressa, regarda autour d'elle. Rien. Pas un mouvement, pas un bruit.

Il était venu. Il n'y avait pas longtemps, au maximum quelques heures.

Peut-être était-il encore là.

Peut-être était-ce de lui qu'il fallait se méfier. Peut-être pourrait-elle au moins essayer d'en convaincre Evelin. Si Evelin se sentait en sécurité, elle serait moins dangereuse.

Peut-être.

Il y avait deux heures, à quelques brèves interruptions près, qu'il croupissait dans l'entrée de cette cave et il commençait à se maudire d'avoir été assez bête pour ne pas se montrer tout de suite. S'il se manifestait maintenant, il aurait l'air d'une espèce de satyre sortant du bois, ce qui avait toutes les chances d'aggraver son cas. C'est du moins ce qu'il pensait. Il se ferait pincer en train de rôder une fois de plus autour de Stanbury House. D'un autre côté, il était déjà en si mauvaise posture qu'il pouvait difficilement aggraver son cas.

Quand il avait entendu la voiture arriver, il se tenait sur la terrasse et regardait le parc. Le temps lui avait paru trop court pour traverser la pelouse en courant et se cacher de l'autre côté dans les bois. Il avait sauté par-dessus la balustrade, et s'était réfugié dans le petit escalier en soubassement qui menait à la cave et communiquait avec la maison par une porte en acier, naturellement verrouillée. L'endroit était frais et humide, de la mousse poussait dans les lézardes du mur, et il flottait dans l'air une vague odeur d'humus et de décomposition. Il avait attendu quelques minutes en retenant son souffle, puis il avait monté quelques marches et fouillé des yeux les abords de la maison. Il avait vu Evelin se diriger vers la cabane à outils et disparaître entre une haie de ronces et les pommiers. C'eût été le moment de sortir de sa cachette et de filer, mais la curiosité l'avait retenu. Qu'est-ce qu'Evelin faisait là ? Il l'avait suivie et l'avait vue suer sang et eau pour déplacer la dalle de la fosse septique. Il avait observé ses efforts avec la fascination que l'on met à essayer de comprendre les faits et gestes d'un animal extraordinaire. Qu'est-ce qu'elle fabriquait ? Puis, d'un coup, quand il l'avait vue détacher de la face intérieure de la dalle une chemise en plastique vert, collée au ciment par du ruban adhésif, il avait compris qu'elle s'était servie de la fosse comme cachette.

Que pouvait-il y avoir dans cette chemise de si important qu'elle ait été la cacher dans un endroit pareil ?

Evelin s'était assise dans l'herbe, avait ouvert la chemise, commencé à lire des pages prises au hasard. Il regardait son dos, large, qui paraissait si doux et pourtant se raidissait. Plusieurs minutes s'étaient ainsi écoulées, puis il s'était arraché au spectacle et aux pensées qui tournaient dans sa tête. A pas de loup, il avait entamé une marche arrière avec l'intention de faire le tour de la maison et de prendre le chemin qui menait au village quand soudain, au-delà de la pelouse, il avait aperçu quelqu'un sortant de la forêt et se dirigeant vers la maison. En trois bonds, il avait regagné sa cachette, mais il avait tout de même regardé derrière lui avant de se précipiter dans le petit escalier et avait reconnu Jessica. S'il y avait quelqu'un qu'il ne s'attendait pas à voir, c'était bien elle. Sa pâleur et sa fatigue, évidentes même de loin, l'avaient effrayé.

Quand il avait à nouveau risqué un œil, elle était assise sous les pommiers et plongée dans la lecture des mystérieux documents. Evelin avait disparu. N'ayant pas entendu le moteur de la voiture, il supposa qu'elle était quelque part à proximité. Il était peu vraisemblable qu'elle soit dans la maison. La police n'avait pas levé les scellés et Evelin n'était pas du genre à faire fi d'une interdiction officielle. Elle devait attendre Jessica, assise quelque part devant la maison. Ce qui signifiait que les cartes qu'il avait en main n'étaient pas fameuses. Il ne pouvait traverser l'immense pelouse qui le séparait de la forêt qu'en espérant que Jessica n'allait pas se retourner ou Evelin surgir au coin de la maison.

De quoi ai-je peur ? se demanda-t-il. J'ai de toute façon

l'intention d'aller chez les flics. Que je sois découvert ou pas ne va pas changer grand-chose.

Certes. Mais en même temps qu'il se faisait cette réflexion, il comprit qu'il attachait de l'importance au fait de se rendre de lui-même à la police.

Il jura intérieurement. Qu'est-ce que ces deux bonnes femmes avaient besoin de venir ici ? Et qu'est-ce qu'elles lisaient de si fascinant qu'elles en oubliaient l'heure ?

Il avait hésité à se montrer à Jessica. Elle était posée, mesurée. Il aurait sans doute pu lui parler. Mais quelque chose l'avait retenu, un sentiment, peut-être une sorte de timidité, qu'il n'éprouvait qu'en face d'elle. Jessica était une femme qui l'avait impressionné. Sa simplicité, sa transparence, son intelligence ouverte et attentive aux autres lui en imposaient. Elle savait voir au-delà des apparences, elle affrontait la réalité. Au fil de leurs rencontres – peu nombreuses mais il en gardait le souvenir d'échanges d'une remarquable intensité –, il avait compris qu'elle n'était pas heureuse, que sa vie n'était pas celle qu'elle avait imaginée. Il la devinait dans un état d'esprit qui lui interdisait de se cacher la vérité sur son couple, dût-elle en arriver à la conclusion que son mariage était un échec.

Il se sentait très attiré par elle. Parfois, il jouait avec l'idée de ce qui aurait pu être s'il l'avait rencontrée dans d'autres circonstances. Si elle n'avait pas été la femme d'un autre et passé ses vacances dans la maison de son père, une maison qu'il voulait, pour laquelle il était prêt à se battre. La situation ne leur avait pas permis de nouer des liens personnels. Il rêvait à un soir de printemps à Londres, un de ces soirs où même en ville flotte une odeur mêlée de fleurs et de terre humide. Eux deux dans un bistrot, dehors un ciel bleu pâle, dedans une musique nostalgique et un barman nonchalant, et chaque nouvel arrivant qui franchissait la porte amenant avec lui un peu de cette odeur si particulière qui régnait à l'extérieur. Ils buvaient du vin blanc et sentaient que quelque chose était en train de commencer, dont ils garderaient, de quelque façon qu'il finisse, le souvenir leur vie durant.

Mais le sort en avait décidé autrement, et il avait beau brûler d'envie de lui ouvrir son cœur, il se rendait compte que cela ne ferait que compliquer la situation. Il se rappela à la raison. Ce soir de printemps dans un bistrot londonien n'existait que dans sa tête. Ils étaient dans le Yorkshire, et l'un et l'autre, à des titres divers, impliqués dans un crime épouvantable, un drame qui n'avait apporté que de la souffrance, de la peur. Il n'y aurait pas de suite heureuse à leur histoire. Pas de bistrot, pas de vin blanc, pas de plongée dans les yeux de l'autre, pas de promesse d'avenir. La réalité se cantonnait au terre-à-terre avec une obstination têtue. Phillip se cachait dans un escalier humide et sombre pour échapper à la police qui le recherchait dans tout le pays, et elle, assise dans l'herbe, lisait quelque chose qui devait avoir un lien avec son défunt mari, et – du moins avait-il cru le déceler en l'observant – à la fois la fascinait et l'inquiétait. Et quelque part dans les parages, il devait y avoir Evelin, cette grosse femme triste qui deviendrait à coup sûr hystérique si elle l'apercevait.

A un moment où il ne regardait pas, Jessica avait quitté sa place et disparu, mais il était certain de n'avoir toujours pas entendu de voiture. Il jura à nouveau.

Qu'est-ce qu'elles fabriquaient ?

Il monta quelques marches et inspecta son environnement immédiat. Le jardin écrasé de soleil était désert, silencieux. S'il parvenait à atteindre la forêt sans se faire remarquer, il pourrait contourner de loin la maison et...

Il cessa brutalement d'échafauder des plans.

Jessica.

Elle était assise au soleil sur le banc vermoulu où lui-même était assis deux heures plus tôt et... oui, elle regardait quelque chose à ses pieds, avec intensité. Toute son attention était focalisée sur ce qu'elle venait de découvrir, on aurait dit que plus rien n'existait sauf cette chose mystérieuse. Restait à savoir si cela suffirait pour qu'il puisse traverser la prairie. Il calculait ses chances quand elle se redressa et regarda autour d'elle.

Il plongea aussitôt dans sa cachette. Il était presque sûr qu'elle ne l'avait pas vu.

16

Quand Jessica entendit des pas derrière elle, sans se retourner, elle dit :

— Evelin, il faut qu'on parte. Je crois que Phillip Bowen est ici, ajouta-t-elle en baissant la voix, ou tout près d'ici.

— Phillip Bowen ? fit Evelin en traînant un peu sur les mots.

Jessica se pencha en avant, ramassa une tresse de brins d'herbe. Elle se leva et se tourna vers Evelin.

Elles se tenaient dans un courant d'air ; le vent qui dégageait les cheveux de son visage plaqua son grand tee-shirt blanc sur son ventre.

Jessica vit sur quoi se posait le regard d'Evelin. L'espace d'un instant, la courbe doucement arrondie de son ventre se dessina. Evelin releva les yeux. Quand Jessica croisa son regard, elle y reconnut la folie et sut que le docteur Wilbert avait raison. Evelin. C'était Evelin qui avait mis un terme de façon aussi effroyable au silence de Stanbury.

Transformer Phillip Bowen en ennemi commun faisait d'elle et Evelin des alliées. En une fraction de seconde, elle décida de continuer à feindre d'y croire. C'était peut-être sa seule chance de s'en sortir.

— Ces tresses de brins d'herbe, il ne peut pas s'empêcher d'en fabriquer dès qu'il a de l'herbe à portée de main, dit-elle. Il était ici il n'y a pas longtemps.

Le regard vitreux, Evelin fixait la paume ouverte de Jessica.

— Il était tout le temps là.

— Oui, mais c'était il y a des semaines. L'herbe serait complètement sèche. Cette tresse est récente. Elle vient d'être faite…

Elle jeta la tresse par terre et fit un mouvement vers la voiture.

— Viens, Evelin, il faut qu'on parte, je t'en supplie. Phillip est dangereux. Tu as emballé tout ce que tu voulais ? Tu as les clés de la voiture ? Veux-tu que je conduise ?

Evelin ne fit pas un mouvement.

— Evelin, insista Jessica, je t'en prie, viens...

— Tu sens déjà ton bébé ? demanda Evelin d'une voix dénuée d'émotion. Il bouge déjà ?

— Si tu veux bien, on en parlera quand on sera dans la voiture, répondit Jessica d'un ton aussi dégagé que possible. Pour le moment, il faut qu'on parte avant que Phillip Bowen surgisse de nulle part. Je t'en prie, Evelin, il est possible qu'il soit tout près d'ici, et il est capable de tout !

— Moi, je sentais mon bébé. Il donnait des coups de pied. Il était vivant.

Jessica se rendit compte qu'elle ne l'atteignait plus. Evelin avait glissé dans un état où il lui était égal que Jessica la démasque. Tout lui était égal.

Sauf le souvenir de son bébé.

— Que tu n'aies pas eu d'autre enfant tenait peut-être à Tim, reprit Jessica. Mais tu vas rencontrer quelqu'un d'autre, tu pourras avoir des enfants avec lui et...

— Je n'aurai pas d'autre enfant, dit Evelin. Quelque chose a été abîmé, à l'époque. Définitivement.

Pas un frémissement n'animait ses traits, pas un éclair de vie ne brillait dans ses yeux.

— Qu'est-ce qui a été abîmé ? Tu as fait une fausse couche. C'est assurément une épreuve, mais ça arrive à beaucoup de femmes et ça ne les empêche pas d'être à nouveau enceintes un jour et d'être très heureuses !

Un changement apparut dans le regard d'Evelin. Jessica n'aurait pas su dire quoi. Peut-être un soupçon de vie. Un soupçon de colère.

— Ça arrive à beaucoup de femmes ?

Elle fit un pas vers Jessica. Elle sentait fortement la transpiration.

— Ça arrive à beaucoup de femmes ? Tu en es sûre ? Tu es sûre que ça arrive à beaucoup de femmes *qu'à six mois de grossesse*

leur mari frappe si violemment leur ventre qu'elles perdent leur bébé et
manquent mourir d'hémorragie ?

Elle avait parlé très fort ; le silence qui suivit, immense, absolu, que seule troublait la respiration des deux femmes, parut presque inquiétant.

— Il n'y avait aucune raison, commença Evelin.

Elle parlait d'un ton monocorde. On aurait pu croire que rien de ce qu'elle disait ne la touchait. Elle se tenait immobile, toujours à la même place.

— Il ne s'était rien passé. Il est rentré à la maison. C'était un vendredi soir, tôt, il avait été toute la journée en séminaire. Je ne l'avais pas entendu rentrer. J'étais au premier dans la chambre du bébé, je rangeais des grenouillères dans l'armoire. J'allais bien. Ma grossesse évoluait au mieux et je me réjouissais infiniment de la venue du bébé. Avec le bébé, Tim et moi deviendrions une vraie famille. Et le bébé m'appartiendrait. Pour la première fois de ma vie, il y aurait un être sur terre que je pourrais considérer comme une part de moi-même.

— Je te comprends, dit prudemment Jessica.

Elle se demandait à quel point Evelin représentait un danger. Ses autres victimes, elle avait pu les tuer parce qu'elle les avait surprises en les attaquant par-derrière. Un coup de couteau, un seul, rapide...

Comment Evelin avait-elle pu faire ça ?

C'était inconcevable. Pourtant, à présent qu'elle était face à elle, qu'elle voyait son regard, Jessica ne doutait plus de sa culpabilité. Evelin était folle, même s'il était possible de vivre longtemps à ses côtés sans s'en rendre compte parce que sa démence prenait habituellement l'apparence d'un état dépressif profond. Peut-être avait-elle été normale jusqu'à ce qu'elle perde son bébé, mais Jessica en doutait. D'après ce qu'elle savait de son enfance, quelque chose devait être brisé chez Evelin depuis bien plus longtemps.

Les bras d'Evelin pendaient mollement le long de son corps, ses mains disparaissaient dans les plis de l'immense chemise en jean noir, beaucoup trop large, qu'elle portait. Jessica ne pouvait pas voir si elle tenait un couteau ou pas. Si elle en avait un, elle était en position de faiblesse. Ses chances étaient quasi inexistantes.

— Il est monté au premier et brusquement il est apparu dans l'encadrement de la porte, poursuivit Evelin. Je me suis tournée vers lui, j'ai dit « Salut » ou « Bonsoir ». Lui a dit que c'était vraiment un tableau idyllique, la future maman dans sa kitschissime chambre d'enfant. Quand il a dit *kitschissime*, j'ai compris qu'il allait chercher à m'humilier. Qu'il insisterait, en rajouterait, ne lâcherait pas jusqu'à ce que je pleure. D'ordinaire, je le laissais parler. Je savais que c'était chez lui un besoin, et de toute façon, je n'avais pas le choix. Sa violence faisait depuis longtemps partie de ma vie. C'était comme avec mon père. Il n'y avait qu'à attendre que ça passe, et essayer ensuite de se remettre d'aplomb, de recoller les morceaux, physiquement ou moralement.

« Mais ce soir-là… c'était différent. Du jour où j'ai été enceinte, quelque chose en moi a commencé à changer. Je ne sais pas exactement à quoi ça tenait. Peut-être au sentiment qu'une vie se développait en moi, qu'un miracle incroyable était en train de se produire, et que c'était moi qui rendais ce miracle possible. Je me sentais forte. Mon abnégation disparaissait à mesure que les jours passaient. Je n'acceptais plus de le laisser m'humilier.

« Je lui ai dit que j'allais m'occuper du dîner. J'ai voulu sortir de la chambre, mais il m'en a empêchée.

« Il a dit : "Je parle avec toi !" Je lui ai répondu qu'il avait simplement fait une constatation, que je ne considérais pas cela comme une conversation.

« J'ai voulu passer de force. Là, il m'a attrapée par les cheveux et il a tiré si fort ma tête en arrière que j'ai cru qu'il allait me casser la nuque. Il me faisait extrêmement mal, j'ai crié. Il était hors de lui.

« "Ne me parle pas sur ce ton ! hurlait-il. Plus jamais tu ne me parleras sur ce ton !"

« Et il a commencé à me donner des coups de poing dans le ventre. Deux fois, trois fois. Je suis tombée, je me suis mise en boule pour essayer de protéger le bébé. Il était au-dessus de moi et il s'est mis à me donner des coups de pied. Il n'arrêtait pas. Je poussais des hurlements de douleur et de peur, et lui criait : "Toi et ton sale môme, je vais vous apprendre un peu ! Je vais vous apprendre à me parler sur ce ton !"

« Quand enfin il s'est arrêté, j'étais au bord de l'évanouissement. Je ne pouvais plus me redresser tellement j'avais mal, mais j'ai réussi à me traîner jusqu'à la salle de bains. Là, je me suis rendu compte que je commençais à saigner, et ça s'aggravait de minute en minute. Quand je me suis mise debout, le sang coulait le long de mes jambes. Tim a surgi sur le seuil de la salle de bains. Il était très calme. Il a dit : "Il faut qu'on aille à l'hôpital. Je crois que tu es en train de faire une fausse couche."

« Je l'ai laissé me conduire à la voiture, il me soutenait, il était prévenant.

« Il a dit : "Aussi, ça m'aurait étonné, telle que je te connais, que tu réussisses à mener une grossesse à terme !"

« A l'hôpital, il a expliqué que j'étais tombée dans l'escalier et que mon ventre avait violemment heurté un barreau de la rambarde. Ils m'ont opérée, ils ont cureté ce qui restait du bébé. Deux jours après l'opération, un médecin est venu me demander si cette histoire de chute dans l'escalier était vraie. J'avais un énorme hématome sur le ventre, il disait que ça ne ressemblait pas à une chute. J'ai dit que c'était vrai, que ça s'était passé exactement ainsi que mon mari l'avait expliqué. Il a insisté mais j'en suis restée à cette version. Pourquoi ?

Evelin haussa les épaules.

— A quoi bon dire autre chose ? Tout était mort en moi. Ce qui me restait, c'était Tim. Sans lui, je n'aurais pas pu vivre.

— Mon Dieu, Evelin, dit Jessica avec douceur. Evelin, je suis sincèrement désolée. Ce que tu as vécu est absolument épouvantable. Dans ce qu'il écrit, Tim ne présente pas du tout l'événement sous ce jour.

— Et nous n'en avons jamais parlé non plus. Je suis tombée dans l'escalier, maladroite et empotée comme je suis...

— Mais pourquoi ne t'es-tu confiée à personne ? Je comprends que c'était peut-être difficile de t'en ouvrir à ce médecin que tu ne connaissais pas. Mais à tes amis ! Patricia, Léon, Alexander... Et à l'époque, il y avait aussi Eléna. Pourquoi n'en as-tu parlé à aucun d'eux ?

Le regard vide d'Evelin s'emplit d'une sorte d'étonnement.

— Mais ils le savaient, lâcha-t-elle.

Jessica fut tellement abasourdie qu'elle en oublia un instant sa peur.

— Tu le leur avais dit ? Et personne n'est intervenu ?

— Je n'ai rien eu besoin de dire. Ils ont tous défilé les uns après les autres à l'hôpital, et j'ai vu, j'ai senti qu'ils savaient, tous autant qu'ils étaient. Ils me sortaient un petit couplet sur le dramatique accident, mais pas un ne pouvait me regarder dans les yeux. Ils étaient tellement mal à l'aise... Quand j'y repense... Je n'avais jamais vu d'un coup autant de gens culpabilisés et gênés ! Alexander se tortillait comme un asticot, déchiré qu'il était entre son sens moral et sa lâcheté. Bien évidemment, c'est sa lâcheté qui l'a emporté, comme toujours. Patricia n'arrêtait pas de parler, quand on ne fait que jacasser, ça évite de penser, et crois-moi, elle n'a débité que des *conneries* ! Léon m'a apporté le plus gros bouquet de fleurs que j'aie jamais vu et a dit que j'avais déjà retrouvé ma bonne mine, bien qu'il m'ait à peine accordé un regard. Puis l'infirmière est arrivée et il a commencé à la draguer. Finalement, il m'a fait un clin d'œil et a dit qu'il valait mieux qu'il ne revienne pas parce que c'était très dangereux, cet endroit, avec toutes ces jolies filles. Eléna n'est pas venue du tout. Son mariage avec Alexander battait déjà de l'aile et j'imagine qu'elle n'a pas voulu compliquer son affaire en se mêlant de mes malheurs. Et les filles de Patricia m'ont fait des dessins, probablement sur ordre de leur mère. Des fleurs, des oiseaux, du ciel bleu, le tout avec des phrases du style : « Guéris vite, chère Evelin ! » Ça me donnait envie de hurler. C'était exactement comme d'habitude, et comme d'habitude il ne s'était rien passé. Une fois de plus, Evelin n'avait pas eu de chance. C'était bien connu que je n'arrêtais pas de me prendre les pieds dans quelque chose et de tomber. Cette fois, ma maladresse avait acquis une dimension dramatique, voilà tout. On a fourré tout ça sous le paillasson et on est revenu à l'ordre du jour.

— Evelin, ça me fait énormément de peine. Et je te jure que je n'en ai rien su. Je n'ai rien su du calvaire que tu vivais.

Evelin la regarda avec mépris.

— Et comment tu expliquais ça, alors ? Que je me blesse en permanence ? Tu te souviens des derniers jours ici ? Je ne pouvais pas poser le pied par terre tellement j'avais mal. Tu t'imaginais quoi ?

— Je croyais ce que tu disais. Que tu avais couru au-delà de tes forces.

— Oui, parce que la grosse Evelin était trop nulle pour savoir bouger correctement, hein ? Tu te disais : « Mais qu'est-ce que cet hippopotame a besoin de faire du jogging ! » Hein ? C'est bien ce que tu te disais ?

— Non. Je n'ai jamais éprouvé de mépris pour toi. Je me rendais compte que tu étais déprimée, et j'aurais peut-être dû me montrer plus insistante, te forcer à me parler, ne pas te laisser te replier sur toi-même. Je ne sais pas pourquoi je ne l'ai pas fait. J'ai commencé à me rendre compte qu'il y avait quelque chose qui n'allait pas au sein du groupe. Cela a créé des problèmes entre Alexander et moi, et ces problèmes ont sans doute occupé toute la place. Mais... tu ne peux pas t'absoudre de toute responsabilité, Evelin, ajouta-t-elle en secouant la tête, toujours partagée entre la stupéfaction et l'incrédulité. Toi non plus tu n'as rien dit. Tu as fait comme eux. Toi aussi tu as gardé le silence.

Le regard d'Evelin bascula à nouveau dans le vide, le reproche de Jessica glissa sur elle.

« Non, ne replonge pas ! » faillit lui crier Jessica, au bord du découragement.

Elle devinait que, tant qu'Evelin restait dans la réalité, tant qu'elle avait conscience d'une présence, elle était manipulable. Quand son visage ne reflétait plus que ce vide absolu, elle devenait dangereuse.

— Tu as tout fait pour protéger Tim, reprit-elle. Si bien que, même si les autres étaient au courant, peut-être hésitaient-ils à intervenir, faute d'être sûrs que tu le veuilles. Tu as soutenu tous les mensonges. Accident de jogging, maladresse au tennis, chute dans les escaliers, porte de placard dans la figure. Tu portais des pull-overs à col roulé, même quand il faisait chaud, sans doute parce que personne ne devait voir les marques sur ton cou. Tu as joué le jeu, Evelin ! Si tu n'avais pas été sa meilleure alliée, Tim n'aurait jamais pu faire ça. Tu lui as bigrement facilité la tâche. Et tu as bien compliqué celle de ses amis. Tu n'as pas crié. Tu ne t'es pas défendue !

Le regard d'Evelin était dénué de toute expression, sa voix avait repris son ton monocorde.

— Si, dit-elle, je me suis défendue. Contre vous tous. A la fin, je me suis défendue.

Elle leva lentement le bras droit. Dans sa main, Jessica reconnut avec horreur l'un des couteaux à découper qui étaient accrochés dans la cuisine au-dessus de l'évier. La lame étroite, courbe, aiguisée comme un rasoir. Le jumeau du couteau avec lequel, cinq semaines auparavant, toutes les personnes qui se trouvaient sur la propriété avaient été massacrées. Par une femme à qui des années d'humiliation avaient fait perdre la raison – et tout contrôle de ses actes. Par une femme dans laquelle elle ne retrouvait rien de la douce Evelin qu'elle avait connue.

Continue à lui parler, lui disait une petite voix intérieure, tire-la du néant, fais-la revenir. C'est ta seule chance.

— Qu'est-ce qui s'est passé, Evelin ? demanda-t-elle. Ce jour-là, qu'est-ce qui s'est passé ?

Evelin rit. D'un rire creux et bref qui sonnait faux.

— Tu veux dire : qu'est-ce qui s'est passé *la veille* ? lança-t-elle en retour. C'est plutôt ça que tu devrais demander. N'as-tu pas annoncé, sur un ton triomphant, rayonnante de bonheur, que tu étais enceinte ?

— Non, rectifia Jessica. Je n'ai rien annoncé. C'est Alexander qui l'a fait. Et il n'était ni rayonnant de bonheur ni triomphant. Nous étions tous très mal après cette impossible sortie de Patricia à propos du journal de Ricarda, et Alexander a essayé de sauver la situation en lâchant la nouvelle.

Ce fut comme si Evelin ne l'avait pas entendue.

— Je suis allée me coucher en larmes, désespérée. Dans mon entourage immédiat, il y avait une femme qui attendait un bébé. Je ne pourrais pas m'y soustraire, j'assisterais à sa grossesse, à son bonheur quand le bébé serait là. Moi qui depuis des années change de trottoir pour ne pas croiser une femme avec une poussette. Qui me réfugie dans les entrées d'immeuble quand je vois une femme enceinte parce que ça me fait trop mal. Sais-tu ce que l'on ressent quand on perd un bébé ? C'est comme si on te coupait une partie du cœur. Et si tu n'as pas d'autre enfant, jamais tu ne retrouves cette partie de ton cœur. Tu gardes en toi une plaie à vif. Il te reste une immense tristesse dont tu sens bien que jamais elle ne te quittera, même après des décennies. Et brusquement tu vois partout de ces femelles enceintes bouffies d'orgueil qui se pavanent dans les rues et qui t'écrasent de leur mépris avec leur gros ventre. Parce qu'elles, elles font ce pour quoi les femmes sont sur terre. Elles procréent. Elles s'acquittent de leur devoir. La conservation de l'espèce. C'est leur boulot. Leur boulot imbécile et débilitant. Mais au moins, elles donnent satisfaction, elles.

— Evelin, implora Jessica, les femmes ne sont tout de même pas sur terre uniquement pour ça ! Pour l'amour du ciel, ne te rabaisse pas et ne rabaisse pas les autres femmes à ça. Dans quel monde obscurantiste veux-tu nous faire retourner ? Celui où les mères enseignaient à leurs filles qu'elles ne devaient avoir d'autre but dans la vie que satisfaire au devoir conjugal et donner un héritier à leur époux ? Tu oublies tout ce pour quoi les femmes se sont battues depuis !

Les yeux d'Evelin retrouvèrent un peu d'éclat.

— A quoi veux-tu donc que je sois bonne ? Hein ? A quoi ?

Que répondre à une femme qui avait tué cinq personnes ? La question décontenança Jessica ; pourtant, quand elle répondit, elle était convaincue que ce qu'elle objectait était vrai.

— Tu es Evelin. Et que tu existes, que tu sois ce que tu es, est important en soi. Au-delà de ça, tu peux faire mille choses intelligentes de ta vie. Depuis six ans, tu es aveugle à toutes ces possibilités parce que tu ne penses qu'au bébé que tu as perdu. Mais ce n'est pas parce que tu n'as pas conscience de ce dont tu es capable que tu es bonne à rien.

Une moue de mépris étira les lèvres d'Evelin.

— Tu parles ! fit-elle. Mon thérapeute me sert les mêmes sornettes. Soit dit en passant, il est l'heureux père de trois enfants. Comme tu seras bientôt l'heureuse mère d'un beau bébé. Ça ne vous en coûte pas trop de dire à la pauvre défavorisée qu'elle n'a qu'à positiver son destin. Qu'est-ce qui vous permet d'être aussi sûrs qu'à ma place vous feriez ça très bien ?

— Nous ne sommes sûrs de rien.

Elle vit alors le regard d'Evelin se voiler à nouveau et, à son désespoir, comprit que son ancienne amie était repassée de l'autre côté de la barrière.

— Tim est monté à son tour, enchaîna Evelin, reprenant son récit là où elle l'avait interrompu et sur le même ton monocorde. Je ne dormais pas, j'essayais de lire pour penser à autre chose. Tim s'est assis devant son ordinateur et « remis à sa thèse », comme il disait. Puis Léon est arrivé, Tim est parti avec lui et j'ai lu ce qu'il avait écrit. Je te l'ai déjà raconté. Quand Tim est revenu, il faisait une tête que je ne connaissais que trop bien. Sa tête de quand il a décidé d'être sadique. Il ne me lâcherait pas avant de m'avoir démolie, je le savais. Il a commencé à marcher de long en large dans la chambre, s'est déshabillé en jetant ses affaires aux quatre coins de la pièce. Il est allé dans la salle de bains, s'est lavé les dents en faisant gicler de l'eau partout, il a claqué le verre à dents sur la tablette du lavabo. Il était agressif, ne se contrôlait plus. Je savais que ça allait mal se terminer pour moi. Il est finalement revenu dans la chambre, s'est jeté dans le fauteuil, m'a considérée d'un air glacial et a dit : « Alexander a de la chance. Il va à nouveau être père. Il a la main heureuse, avec ses femmes. Tu veux que je te dise ? L'idée de ne jamais avoir d'enfants parce que tu es incapable d'en mettre un au monde m'est de plus en plus insupportable. »

J'étais atterrée. Il n'était jamais allé aussi loin. Il ne cessait de me répéter que j'étais incapable, nulle, un gros tas, laide et totalement dénuée d'attraits, mais le sujet *bébé* avait toujours été tabou. Jamais nous n'en parlions, et jamais il ne s'en était servi contre moi.

J'en ai eu le souffle coupé, j'ai cru que je ne pourrais plus respirer, que j'allais mourir sur place. Je n'ai rien pu répliquer. Il a lancé ses sandales à travers la pièce et a dit sans me regarder : « Peut-être que je vais m'en prendre une autre pour ça. Une qui sera capable de me donner un enfant. Il y en a suffisamment qui y arrivent très bien. Il pourrait grandir avec nous. » Il a dit ça comme on annoncerait qu'on va faire des courses ou arroser le jardin. Sur un petit ton tranquille, anodin. Comme s'il ne se rendait pas compte de ce que ça pouvait me faire.

— Bien sûr qu'il s'en rendait compte ! intervint Jessica avec vivacité. C'était même l'unique but de l'exercice ! Cette histoire

542

d'enfant n'était qu'un prétexte pour te blesser. Du reste, je doute fort que quelqu'un d'aussi narcissique que lui, d'aussi pathologiquement infatué de lui-même puisse jamais supporter d'avoir des enfants. Tu savais bien que ce n'était pas sérieux. Et si ça n'avait pas été le bébé, il aurait trouvé autre chose. Forcément. Il l'écrit noir sur blanc dans ces espèces d'essais infâmes. C'est uniquement pour le plaisir de pouvoir te tourmenter qu'il t'a épousée.

— Je n'ai pas dormi de la nuit. J'avais le cœur qui tambourinait. Tim ronflait tranquillement à côté de moi. Le lendemain matin, j'étais dans un état... épouvantable, dans une sorte de fièvre, brûlante intérieurement, et en même temps je grelottais de froid. Et j'étais décidée à m'approprier ces textes qui allaient vous ouvrir les yeux. Je les ai cachés dans la fosse septique et j'ai prié pour que Tim n'en fasse pas toute une affaire. Mais naturellement, plus le temps passait, plus il s'énervait et je me suis bien rendu compte que j'allais payer le prix fort, même s'il était à cent lieues de se douter que c'était moi qui étais à l'origine de leur disparition. Je me suis réfugiée dans le bois, au-delà de la pelouse. D'où j'étais, j'avais la maison en ligne de mire, et s'il venait, je le verrais tout de suite. Mais lui ne pouvait pas me voir. Ça me donnait la possibilité de lui échapper.

Jessica demeura silencieuse. Elle observait Evelin, prête à réagir au moindre frémissement de ses traits.

— Et Phillip Bowen est arrivé, dit Evelin tandis qu'un sourire étirait ses lèvres, un sourire inquiétant, cruel. Et il m'a montré la voie.

— Il t'a montré la voie ? répéta Jessica tout en réfléchissant au moyen de s'enfuir.

Evelin était en train de basculer dans la folie, c'était manifeste. Elle ne serait bientôt plus du tout accessible à la raison. A partir de quand verrait-elle également en Jessica une ennemie, une ennemie qui était depuis le début alliée à ses autres ennemis ?

Deux mètres à peine les séparaient, avec entre elles le banc qui n'offrirait aucune protection à Jessica. Elle pouvait partir en courant vers la forêt, en direction d'un endroit où sur des kilomètres il n'y avait ni maison, ni village, ni ferme. Elle pouvait essayer de passer devant Evelin et courir vers Stanbury, mais en admettant qu'elle réussisse, combien de temps tiendrait-elle ?

543

Serait-elle plus rapide qu'Evelin ? Elle était enceinte et fatiguée. Evelin n'était pas enceinte, et elle était reposée. En contre-partie, Evelin était encore proche de l'obésité, peu sportive, et elle manquait d'entraînement. Mais elle était mue par une folie susceptible de lui donner des forces insoupçonnées. Cela valait aussi pour un éventuel corps-à-corps. Et elle avait un couteau.

Mon Dieu, aidez-moi ! suppliait intérieurement Jessica en rete-nant les larmes qui lui brûlaient les yeux. Aidez-nous, moi et mon bébé ! Donnez-moi le moyen de l'atteindre ! Si elle retrouve un peu de raison, je pourrai lui parler. Mais que dois-je dire ? Que dois-je dire pour la faire revenir parmi nous ?

Jessica amorça un recul à peine perceptible. Evelin ne fit pas un mouvement. Le sourire dément qui tordait ses lèvres s'était figé sur son visage. Elle était comme hypnotisée.

— Tim cherchait ses textes. Il était hors de lui. Il s'est avancé sur la pelouse et m'a appelée. Je me souviens encore de la peur qui m'a prise... C'était terrible. Je me suis mise à transpirer, j'ai commencé à trembler. Je crois que Phillip Bowen s'en est rendu compte. Il a posé la main sur mon bras, m'a regardée d'une façon très particulière – il y avait dans son geste quelque chose comme un peu de compassion et de la compréhension. En tout cas, c'était plus qu'aucun de vous ne m'a jamais donné au cours de toutes ces années. Puis il a dit : « Vous n'avez pas à accepter qu'il vous parle sur ce ton. Personne n'a le droit de vous parler ainsi. Et surtout pas votre mari. » C'étaient des mots tout simples, bien plus clairs et plus compréhensibles que tout ce que le docteur Wilbert m'avait raconté jusque-là, et brusquement ce fut comme si quelqu'un avait allumé la lumière. Tout était lumineux et j'ai compris ce que j'avais à faire. Je ne me laisserais plus traiter de cette façon. Tim ne me parlerait plus sur ce ton. Plus jamais.

— Tu l'as tué, dit Jessica en reculant d'un centimètre.

Evelin acquiesça. De la fierté et un soupçon de suffisance se mêlaient à son sourire.

— Je l'ai rejoint et lui ai demandé ce qu'il voulait. Il m'a répondu qu'au lieu de me vautrer comme un gros tas au soleil, il me prierait de bien vouloir l'aider à chercher ses textes. Je l'ai suivi dans la maison. Dans le hall, il s'est arrêté, a réfléchi, puis a déclaré qu'il n'avait pas encore fouillé dans la cuisine. Je lui ai demandé pourquoi il aurait rangé son dossier dans la cuisine. Là, il m'a crié en pleine figure : « Eh bien, même si on doit démonter toute cette cuisine, même si on doit démolir toute cette fichue baraque, on va maintenant chercher jusqu'à ce qu'on trouve ! »

Nous sommes allés dans la cuisine. Il a ouvert tous les tiroirs, tous les placards, il a tout retourné. Je savais que son dossier n'était pas là mais je l'aidais quand même. Puis mon regard est tombé sur les couteaux suspendus au-dessus de l'évier, et presque simultanément sur Tim, agenouillé devant un placard bas dans lequel il fouillait. J'ai décroché un des couteaux, je me suis approchée de lui et je me suis penchée. Sans tourner la tête, il a dit : « Fiche le camp ! Tu me caches toute la lumière ! » Au lieu de m'écarter, je me suis penchée un peu plus et je lui ai ouvert la gorge. Il n'a pas émis un son. Il s'est effondré sur le ventre et n'a plus bougé.

— Puis tu es sortie de la cuisine et tu as tué tous ceux que tu as rencontrés.

Evelin paraissait brusquement fatiguée. Une expression d'effort intense se peignit sur son visage.

— J'ai tellement de mal à me souvenir ! Ce qui s'est passé est dans le brouillard. Ah, si, je vois Patricia. Elle est penchée sur l'auge transformée en jardinière de la cour, n'est-ce pas ? Je la tue et je continue. Je vais dans le parc. Je vois quelqu'un assis sur un banc. Un homme. Je ne le vois que de dos. Il ne m'entend pas arriver. Il est plongé dans ses pensées. Je crois que même si je criais, il ne m'entendrait pas.

— Alexander, murmura Jessica.

Elle eut soudain la bouche sèche, ses oreilles commencèrent à bourdonner.

— Tais-toi, Evelin, je t'en prie...

Il n'était pas certain qu'Evelin fût même en état de l'entendre.

— Je l'ai tué. C'était si simple. C'est tellement facile de les tuer. Ça ne me coûte rien, ne me demande aucun effort. Ils ne se défendent pas. Ils meurent, point final. Je ne comprends pas pourquoi j'ai attendu aussi longtemps. Tant d'années. Tant d'années à souffrir parmi eux. Alors que c'est si facile de les tuer... Si facile, répéta-t-elle en secouant la tête comme si elle ne parvenait toujours pas à le croire.

545

— Pourquoi Diane ? demanda Jessica d'une voix blanche. Pourquoi Sophie ? Pourquoi deux petites filles ?

Evelin parut à nouveau faire un effort intense pour se souvenir.

— Elles se moquaient de moi. Continuellement. Dès qu'elles me voyaient arriver, elles se mettaient à chuchoter. Je sais bien qu'elles me méprisaient. Elles me prenaient vraiment pour de la merde. C'est juste qu'elles aient payé. Qu'elles soient mortes.

Elle regarda fixement Jessica.

Ça y est. D'une seconde à l'autre, elle va se souvenir que je faisais moi aussi partie du groupe.

— Tout de même, Evelin, dit-elle, tu dois bien te rendre compte que tu as mal interprété ce que Phillip t'a dit ce jour-là. Il ne t'a jamais encouragée à tuer ton mari et ses amis. Il t'a incitée à te défendre, à aller trouver Tim, à crier, à lui interdire de te parler sur ce ton à l'avenir, à prendre un avocat et à demander le divorce, à porter plainte contre lui pour coups et blessures, à exiger des dommages et intérêts, une pension d'un montant astronomique. Il t'a incitée à expliquer ce qui se passait à tes amis – que tu peux, si tu le préfères, ne plus appeler des *amis* –, il t'a incitée à les accuser, à les culpabiliser, à leur montrer à quel point ils s'étaient révélés lamentables. Il ne t'a jamais dit de gâcher ta vie en massacrant des gens sans défense. Ils se sont mal comportés avec toi, mais tu ne les as jamais confrontés à l'enfer que tu as vécu. Ils sont morts sans avoir eu à répondre de leur lâcheté, de leur silence, de leur refus de regarder la vérité en face. Tu en tires une réelle satisfaction ?

— Si, ils ont eu à répondre de leurs actes, répliqua Evelin d'une voix dure. Ils ont payé de leur vie ma vie fichue. C'est juste.

— Ta vie n'est pas fichue. Tu es jeune. Il y a des milliers d'hommes sur terre capables de te rendre heureuse. Pourquoi n'as-tu pas fichu un coup de pied dans le derrière de Tim et claqué la porte derrière toi ?

— Ça n'aurait pas suffi. Et puis, arrête de me dire ce que je dois faire ! ajouta-t-elle sur un ton brusquement agressif. Tu ne vaux pas mieux qu'eux ! Tu t'es moquée de moi, tu m'as méprisée. Tu as refusé de m'aider. Tu n'as rien fait de plus que les autres. Tu te donnes des airs d'amie et de confidente, mais en réalité tu te fiches pas mal de moi.

— Je suis venue dès que tu m'as appelée. Je suis là, avec toi, j'accepte de t'écouter, tu m'en sors des vertes et des pas mûres, et pendant ce temps-là, tous les gens que j'ai prévenus de la réouverture de mon cabinet doivent attendre, furieux, devant ma porte. Je ferais ça pour quelqu'un dont je me fiche ?

Aucun mot ne parut atteindre Evelin. Jessica comprit qu'il était inutile d'essayer de lui parler.

— Tu ne penses qu'à ton bébé, qu'à ton sale môme, dit Evelin sur un ton plein de haine. Et tu te crois mieux que les autres parce que tu as un chiard imbécile dans le ventre, alors que mon ventre à moi est mort, définitivement mort !

— C'est stupide, répliqua Jessica.

A cet instant, un éclair de folie s'alluma dans les yeux d'Evelin. En deux pas, elle fut sur Jessica, le couteau bien assuré dans la main.

— C'est à toi, maintenant, dit-elle entre ses dents. Toi et ton sale chiard. C'est votre tour !

Jessica eut la présence d'esprit de faire un bond de côté et Evelin ne rencontra que le vide. Désormais à côté du banc, elle pouvait fuir dans une direction ou dans l'autre. En une fraction de seconde, elle choisit une troisième solution. Face à la démence d'Evelin, elle n'avait de chance dans aucune des deux directions. Elle se rua vers la maison dont la porte était restée ouverte, se jeta dans le hall, claqua la lourde porte derrière elle. La clé n'était pas dans la serrure, mais elle n'avait pas le temps de la chercher. Evelin pouvait surgir d'un moment à l'autre. Elle pivota sur ses talons, traversa le hall et se précipita au premier étage en sautant une marche sur deux.

17

Elle se rendit compte qu'elle avait laissé son sac sur le banc. Son portable était à l'intérieur, impossible donc d'appeler à l'aide par téléphone. Il est vrai qu'elle se trouvait momentanément en sécurité. Réfugiée dans la chambre qu'elle avait partagée avec Alexander, elle avait tourné la clé dans la serrure, puis elle s'était assise au pied du lit, et, déconcertée, avait regardé ses mains qui tremblaient sans qu'elle puisse les contrôler. Dix minutes s'étaient écoulées avant que son cœur se calme et qu'elle puisse à nouveau respirer normalement, pour autant que ce fût possible.

Elle regarda autour d'elle.

Hormis l'odeur de renfermé, signe qu'il y avait longtemps que les fenêtres n'avaient pas été ouvertes, et une fine couche de poussière sur les meubles et les objets, la pièce ne donnait pas l'impression que ses occupants étaient partis – ou avaient été assassinés, précisa Jessica pour elle-même. Le lit était fait. Du côté d'Alexander, quelques centimètres de son pyjama bleu dépassaient de sous l'oreiller. Un de ses pull-overs était posé sur l'accoudoir du fauteuil, une cravate était accrochée à un angle du miroir. Quand elle avait dû s'installer à l'hôtel, Jessica avait emporté en hâte quelques affaires, mais contrairement à son idée première, jamais elle n'avait eu le cœur de revenir prendre le reste avant de rentrer en Allemagne. Elle découvrit une paire de boucles d'oreilles sur la commode, son drap de bain oublié sur le dossier d'une chaise. Sur le rebord de la fenêtre, les jonquilles qu'elle avait cueillies, desséchées, avaient perdu leurs couleurs. L'eau du vase s'était évaporée depuis longtemps.

Elle se leva. Dans la salle de bains, la brosse à dents d'Alexander et son rasoir étaient toujours là. Elle ouvrit le robinet et s'aspergea le visage. Dans la glace, elle vit qu'elle avait le teint gris, jusqu'à ses lèvres, exsangues, et que des auréoles humides se dessinaient sous ses bras.

Jamais elle n'avait eu une tête aussi épouvantable.

Elle regagna la chambre, s'approcha de la fenêtre, regarda dehors. Personne. La cour était vide, tout paraissait calme, le chemin qui descendait vers Stanbury avant de disparaître sous les frondaisons était désert.

Si seulement quelqu'un pouvait arriver !

Mais à qui viendrait l'idée de parcourir des kilomètres en pleine chaleur pour se transporter jusqu'à une maison déserte ? Un touriste, curieux de voir à quoi ressemblait ce que certains journaux anglais avaient baptisé la Maison de l'horreur ? La probabilité était plus que mince. Elle était coincée là, sans doute pour un bon moment. Le téléphone était au rez-de-chaussée, dans le hall. Qui pourrait-elle appeler ? Quel était le numéro de la police anglaise ? L'autre fois, elle avait tout de suite fait les bons gestes, trouvé les bons numéros, mais là elle avait l'impression que son cerveau refusait de fonctionner.

Le seul numéro qui lui vint à l'esprit fut celui de la femme de ménage, Mme Collins. Si elle parvenait à la joindre, elle pourrait lui demander de prévenir la police.

Quel risque prenait-elle en sortant de sa chambre pour descendre téléphoner ?

Elle s'approcha de la porte, tendit l'oreille. Tout était silencieux. La maison était vieille, partout des lattes de parquet craquaient. Evelin ne pouvait pas se déplacer dans une pièce sans qu'elle l'entende, et il était encore moins probable qu'elle puisse monter au premier sans faire le moindre bruit.

Oui, mais quand elle était assise sur son lit et tremblait des pieds à la tête, elle n'avait fait attention à rien. Un troupeau d'éléphants aurait pu traverser la maison qu'elle ne s'en serait pas rendu compte. Evelin pouvait être montée à ce moment-là et l'attendre de l'autre côté de la porte.

Un frisson d'effroi la parcourut et un mouvement de recul involontaire l'éloigna de la porte. Puis elle se ressaisit et tenta de se raisonner. Ce n'était pas le moment de perdre son sang-froid, et elle avait deux lueurs d'espoir. D'une part, si elle s'en référait à ce qui s'était passé la première fois, la crise de démence d'Evelin pouvait cesser aussi vite qu'elle était apparue. Après avoir accompli l'irréparable, Evelin s'était transformée en une misérable loque qui n'aurait pas fait de mal à une mouche. Cette fois, elle n'avait pas pu aller au bout de son geste, mais il était néanmoins possible qu'elle retrouve sa lucidité, laisse tomber le couteau et n'ait plus aucun souvenir de ses pulsions meurtrières.

Sa deuxième lueur d'espoir, c'était Phillip Bowen. Il était venu, et il demeurait une chance infime qu'il soit encore quelque part sur la propriété. Il n'était pas déraisonnable d'imaginer qu'il voie la voiture devant la maison, son sac sur le banc. Il comprendrait alors que des gens étaient là. Restait à savoir s'il oserait se manifester. Il était recherché dans tout le pays et ne pouvait pas se douter que le véritable meurtrier avait baissé le masque devant Jessica. Il avait de bonnes raisons d'avoir peur de se montrer.

Elle se sentait épuisée, tant physiquement que nerveusement, et la faim – elle n'avait rien mangé depuis son lointain petit déjeuner – aggravait encore sa sensation de faiblesse. Par chance, elle pouvait boire à satiété. Dans la salle de bains, elle remplit deux fois de suite le verre à dents d'eau fraîche et but à longues gorgées avides, sans toutefois réussir à tromper sa faim ni parvenir à atténuer sa sensation de faiblesse.

Elle avait beau se dire qu'elle avait des soucis autrement plus graves que de ne rien avoir à manger, elle se sentait tellement faible qu'elle était au bord des larmes. Elle tira de sous l'oreiller le pyjama d'Alexander et y enfouit le visage. Elle retrouva, légère, presque évanouie, l'odeur de son mari, et alors elle commença à pleurer, d'abord très doucement, puis de plus en plus fort, jusqu'à ce que son corps tout entier soit secoué de sanglots. Les larmes qu'elle attendait tant depuis la mort d'Alexander étaient enfin arrivées. Elle se laissa aller sur le lit et pleura, pleura sur Alexander, pleura sur son amour, sur ses déceptions, sur l'impossibilité de communiquer avec lui, de poser les questions qui la hantaient, d'écouter ses réponses. Elle pleura ainsi une heure, puis ses larmes se tarirent. Elle s'assit sur le lit et, lentement, reprit pied dans la réalité.

Il était trois heures et quart. Depuis qu'elle avait eu le docteur Wilbert au téléphone, plus de deux heures s'étaient écoulées. Il devait s'inquiéter qu'elle ne l'ait pas encore rappelé, peut-être essayait-il lui-même de la joindre. Elle lui avait donné son numéro de portable. Aurait-il l'idée de prévenir la police anglaise si Jessica persistait à ne pas donner signe de vie ?

Elle retourna dans la salle de bains, rafraîchit son visage gonflé de larmes, puis revint coller son oreille à la porte de la chambre. La maison était silencieuse. Si Evelin avait sombré dans la même hébétude qu'après avoir commis les meurtres, elle devait être prostrée quelque part et ne bougerait pas sans l'intervention d'une tierce personne. Et si le docteur Wilbert ne pensait pas à prévenir la police, la situation pouvait s'éterniser.

Pleurer avait soulagé Jessica, elle se sentait un peu plus forte et plus sûre d'elle. Elle tourna la clé dans la serrure, très lentement pour ne pas faire de bruit, ouvrit la porte, centimètre par centimètre, tendit l'oreille, à l'affût d'un infime craquement. La cage d'escalier était vide et silencieuse, il y régnait l'odeur diffuse d'humidité, de moisi et d'absence de vie qui s'installait dans les lieux longtemps inoccupés.

Jessica fouilla longuement chaque recoin des yeux, puis elle s'élança à pas de loup dans l'escalier. Dès qu'une marche craquait, elle s'arrêtait, retenait son souffle, regardait autour d'elle : aucune réaction, aucun bruit en écho. Elle vit le téléphone sur la petite table à côté de la porte de la cuisine. Elle réfléchit à ce qui était le plus dangereux : téléphoner de la maison, au risque, en parlant, d'éveiller l'attention d'une personne cachée quelque part dans une des pièces, ou sortir et essayer d'atteindre son sac – et son portable. Dehors, elle serait bien trop en vue. Elle décida d'utiliser l'appareil du hall.

Une fine couche de poussière recouvrait le téléphone, mais par chance, la tonalité retentit dès qu'elle souleva l'écouteur, la ligne n'avait pas été coupée. Elle composa de mémoire le numéro de Mme Collins.

Mon Dieu, faites qu'elle soit là, pria-t-elle. Faites qu'elle soit chez elle !

La ligne n'était pas occupée, c'était déjà ça. Jessica serrait l'écouteur à s'en faire mal aux mains.

Mais pourquoi ne répond-elle pas ? Elle est peut-être dans son jardin. Il faut lui laisser le temps d'arriver. Allez, réponds, maintenant !

— Raccroche, dit Evelin.

Elle se tenait dans l'encadrement de la porte de la cuisine, surgie de nulle part, le couteau toujours à la main. Sa bouche était barbouillée d'une matière indéfinissable qui sentait l'aigre. Elle avait dû céder à son occupation favorite et avaler tout ce qu'elle avait trouvé dans le réfrigérateur. Il y avait des semaines que c'était là, les dates de péremption devaient être dépassées depuis longtemps et tout devait être avarié. Jessica réprima un haut-le-cœur.

— Evelin, articula-t-elle péniblement, je crois qu'il faut que quelqu'un vienne nous chercher.

— Raccroche immédiatement ! répéta Evelin.

Jessica s'exécuta. A l'autre bout de la ligne, la sonnerie retentissait toujours. Mme Collins ne devait pas être chez elle.

— Maintenant, mets-toi à genoux ! exigea Evelin.

Elle était grotesque avec son visage barbouillé, sa chemise maculée de grandes dégoulinades de lait tourné et le couteau à découper dans sa main. On aurait dit la vedette d'un film d'horreur dans une scène de folie.

Jessica voulut gagner la porte mais, d'un bond étonnamment rapide, Evelin se mit en travers de son chemin.

— Tu vas payer, maintenant, dit-elle.

Jessica n'avait à présent qu'une idée en tête : sortir de la maison. Elle fit volte-face, courut à l'autre extrémité du hall et poussa la porte de la cave, dont elle savait qu'une issue donnait sur l'extérieur. Elle se souvint trop tard qu'elle aurait aussi bien pu passer par le salon et la terrasse. Tant pis. Elle claqua la porte et tâtonna à la recherche de l'interrupteur. L'ampoule nue qui pendait du plafond chaulé s'alluma. Jessica entendit qu'on verrouillait la porte derrière elle. Apparemment, Evelin n'avait pas l'intention de la poursuivre.

Soit elle va me laisser mourir de faim ici, se dit-elle, *soit elle va m'attendre à la sortie... dès qu'il lui sera revenu à l'esprit qu'il y a une autre issue.*

Elle regarda autour d'elle et réfléchit. Sa situation s'était aggravée. Elle était à nouveau prise au piège dans la maison, mais cette fois son ennemie pouvait à tout instant la débusquer. Elle ne pourrait pas tenir longtemps dans l'endroit car il était exclu qu'elle dorme et ne pas dormir pendant plusieurs jours était impossible. Elle n'avait qu'une carte à jouer : essayer de gagner le jardin. Avec un peu de chance, Evelin partait du principe qu'elle était enfermée. Si elle misait sur le fait qu'elle ne pouvait pas s'enfuir, elle était peut-être retournée dans la cuisine poursuivre ce qu'elle avait commencé.

Jessica descendit l'escalier de pierre. Elle avait au moins l'avantage d'être libre de ses mouvements. D'en haut, Evelin ne pouvait certainement pas l'entendre se déplacer. Elle se fraya un chemin au milieu du bric-à-brac qui s'était amoncelé au fil des années. Elle découvrit une vieille crosse de hockey qui pourrait lui servir d'arme et s'en empara. Elle se prenait dans des toiles d'araignée, toussait à cause de la poussière qu'elle soulevait. Elle trébucha sur une caisse de vin vide, se raccrocha à un vieux porte-manteau bancal qui bascula et tomba avec un bruit qui lui parut assourdissant.

Elle jura et se figea. Si Evelin se rendait compte qu'elle marchait dans la cave, l'existence de la porte qui donnait sur l'extérieur ne tarderait pas à lui revenir.

Elle demeura quelques minutes immobile, de peur de faire à nouveau tomber quelque chose, puis reprit sa progression dans le dédale de ce qui était devenu un immense débarras. La cave était grande et possédait de multiples pièces. Jessica y était rarement descendue. La seule chose que les amis y entreposaient était le vin et, généralement, c'étaient les maris qui se chargeaient de le choisir et de le remonter. Elle connaissait donc mal les lieux et perdit du temps à explorer chaque recoin avant de trouver la porte.

Elle découvrit ce qui avait dû être la buanderie avant qu'une machine à laver et un sèche-linge soient installés dans la cuisine. Le sol et les murs étaient carrelés, il y avait une arrivée d'eau, et, tendue en travers de la pièce, une corde à linge sur laquelle une pince solitaire avait été oubliée.

Et surtout, il y avait la porte en fer qui donnait sur l'extérieur. Cette fois, Jessica ne tergiversa pas. Chaque seconde d'hésitation augmentait sa peur. Elle empoigna la crosse de hockey et se dirigea vers la porte. La grosse tige d'acier qui servait de verrou étant rouillée, elle dut s'y reprendre à plusieurs fois avant de réussir à la débloquer pour la faire glisser sur le côté. Enfin, elle put pousser la porte et sortir. Elle était dehors, dans la pénombre verdâtre du soubassement. D'un pas décidé, elle s'élança sur les marches rendues glissantes par la mousse. Une ombre obscurcit le carré de ciel bleu au-dessus de sa tête. Elle leva les yeux, une large silhouette venait de surgir en haut de l'escalier. Elle se mit à hurler.

— Non ! Non ! Non !

Elle continua à monter en tenant la crosse de hockey à deux mains, en l'air, prête à l'abattre sur Evelin de toutes ses forces, avec l'énergie du désespoir, mais là-haut, à sa stupéfaction, une poigne de fer saisit l'extrémité de la crosse et la bloqua solidement.

— Jessica, non ! C'est moi, Phillip !

Elle cligna des yeux, puis elle eut un étourdissement et tout se brouilla autour d'elle.

— Phillip !

Sa propre voix lui parvenait de très loin, comme si c'était quelqu'un à plusieurs mètres d'elle.

— Phillip, oh ! Phillip, faites attention, elle est là, quelque part ! Evelin est là !

Elle gravit les deux dernières marches, accepta le refuge des bras de Phillip, mais avant de céder à la tentation de poser la tête sur son épaule et de laisser se dissiper l'effroyable tension de ces dernières heures, elle se redressa et se dégagea.

— Phillip, c'est elle, expliqua-t-elle en hâte. C'est Evelin qui les a tués ! Elle est devenue folle. Elle a un couteau, et elle veut me tuer moi aussi, maintenant. Elle doit être dans la maison en train de...

— Non, tout va bien, dit Phillip. Détendez-vous. Evelin est assise dans l'herbe à côté de la terrasse. Le couteau, c'est moi qui l'ai.

Il ouvrit la main droite. Jessica reconnut le couteau à découper.

— Mais... comment est-ce possible ? demanda-t-elle.

— Je l'ai vue se faufiler vers l'entrée de la cave avec ce redoutable couteau à la main. Comme je savais que vous n'étiez pas loin, j'en ai conclu que vous deviez avoir de sérieux ennuis.

Elle fouilla le jardin des yeux. Grosse chenille noire, Evelin était assise en tailleur dans l'herbe à quelques mètres de la maison. Son visage était toujours barbouillé comme celui d'un enfant. Elle regardait fixement devant elle en se balançant doucement d'avant en arrière, sans prêter attention à Phillip et Jessica. Elle se trouvait dans le même état de sidération que la première fois, lorsque le crime avait été commis.

Jessica la rejoignit, s'agenouilla devant elle. Cette femme avait tué Alexander, massacré cinq personnes, elle venait de lui faire vivre des heures d'angoisse mortelle. Pourtant, à cet instant, elle n'éprouvait pour elle qu'une immense pitié. Elle prit sa main, qui reposait flasque et moite sur ses genoux.

— Evelin, dit-elle avec douceur.

Evelin ne réagit pas. Le visage dénué d'expression, elle fixait un point imaginaire droit devant elle. Un filet de bave s'échappait de la commissure droite de ses lèvres et coulait sur son menton. Elle dégageait une odeur effroyable, mélange de relents de sueur et d'aliments en putréfaction.

Jessica prit un mouchoir en papier dans sa poche et essuya délicatement le visage d'Evelin, sans cesser de lui tenir la main, tant le désir de transmettre un peu de chaleur et de compassion à cette femme brisée l'habitait – et alors même qu'elle avait conscience de pas pouvoir l'atteindre.

Phillip se joignit aux deux femmes.

— Je suis arrivé par-derrière, dit-il. Ça n'a pas été difficile de la maîtriser et de lui prendre le couteau. Ensuite, elle s'est effondrée, le revirement a été quasi instantané. Elle s'est assise dans l'herbe et, depuis, elle est ailleurs.

— Vous étiez là tout le temps ? demanda Jessica.

— Je suis venu ce matin pour voir la maison une dernière fois. Stanbury House... mon père... Je voulais tirer un trait là-dessus. J'avais l'intention de me livrer ensuite à la police. Je n'étais coupable de rien, je n'avais finalement pas grand-chose à redouter et j'en avais assez de me cacher. Puis Evelin est arrivée, ensuite vous, et je ne pouvais plus m'en aller sans me faire repérer. Je tenais à me rendre à la police de mon propre chef, je ne voulais pas être découvert et arrêté. Je me suis caché dans l'entrée de la cave, en bas de l'escalier. A un moment, je vous ai vue sur le banc.

— Je venais de découvrir une tresse de brins d'herbe. J'ai su que vous étiez venu, j'ai pensé que vous étiez peut-être encore là.

— Mes tresses de brins d'herbe ! Croyez-moi ou pas, je ne me rends même plus compte que je les fabrique. Ce sont des traces sacrément parlantes !

— Quand on vous connaît, oui.

— J'étais sur le point de me manifester quand Evelin a brusquement réapparu. Je me suis replié dans ma cachette et j'ai attendu. Quand j'ai à nouveau risqué un œil, vous aviez toutes les deux disparu. Il y avait toujours votre sac sur le banc, et je n'avais pas entendu la voiture démarrer. Je savais donc que vous n'étiez pas partie. Je me suis dit que finalement ça n'avait pas d'importance que vous me découvriez. J'ai traversé le jardin à découvert et coupé en biais par le bois pour rattraper la route de Stanbury. Une fois à Stanbury, je serais entré en contact avec la police. Mais, juste avant d'arriver au village, je… Juste avant d'arriver au village, répéta-t-il en haussant les épaules, j'ai fait demi-tour. Pourquoi ? Je ne sais pas. Quelque chose me tracassait. Un pressentiment, une intuition… Je n'ai pas de meilleure explication. Le jour où le meurtre a été commis, j'ai rencontré Evelin, je lui ai parlé. Elle m'est tout de suite apparue comme quelqu'un d'extrêmement déprimé, son mal de vivre était palpable, mais… en même temps, j'ai perçu chez elle autre chose. Sur le moment, je n'ai pas pu mettre un nom dessus, puis brusquement, c'est devenu une évidence : j'avais deviné chez Evelin une vraie faille, et la pathologie dont elle souffrait allait au-delà de la simple dépression. Bien au-delà. Avec le recul, je dirais que j'avais senti qu'elle était folle. Toujours est-il que d'un coup l'idée de vous savoir seule avec elle dans cette maison isolée m'a mis très mal à l'aise. J'ai refait le chemin en sens inverse, et heureusement que je n'ai pas traîné. Je suis arrivé pour voir Evelin se glisser dans l'escalier de la cave. Elle devait avoir l'intention de se poster derrière la porte.

Jessica sentit un frisson glacé la parcourir des pieds à la tête. Elle avait été si près de se jeter dans la gueule du loup ! Si Phillip n'avait pas été là, c'est Evelin qui l'aurait arrêtée à sa sortie de la cave.

— Je serais peut-être morte à l'heure qu'il est, dit-elle dans un souffle.

Un murmure incompréhensible qui ressemblait à une mélopée sortait de la bouche d'Evelin. Jessica eut l'impression que c'était une berceuse. Peut-être chantait-elle pour son enfant mort.

Elle lâcha la main d'Evelin, qui aussitôt retomba sans vie sur ses genoux.

— Pouvez-vous rester près d'elle ? demanda-t-elle à Phillip. Il faut que je téléphone. Je voudrais prévenir le superintendant Norman, et aussi le psychothérapeute qui la soignait.

— Bien sûr, allez-y. Je ne bouge pas.

Elle se dirigea vers la maison à pas lents. Sa faim s'était évanouie, mais elle aspirait à une douche. Elle aspirait à être chez elle, à retrouver Barney, son cabinet. La normalité.

Elle prit son sac sur le banc, sortit son portable. Plusieurs appels étaient arrivés sur sa messagerie. Sans doute du docteur Wilbert. Elle eut un sourire amer. Wilbert devait être embarrassé et inquiet, mais elle décida de ne le libérer de ses angoisses qu'après avoir informé Norman de ce qui venait de se passer. Wilbert avait poussé le secret professionnel beaucoup trop loin. On ne pouvait pas lui reprocher de ne pas avoir prévu un drame de cette ampleur, mais ensuite, sur la base de ce qu'il savait des troubles dont souffrait sa patiente, il lui avait paru vraisemblable qu'elle soit l'auteur du crime. Il aurait dû s'ouvrir de ses inquiétudes à quelqu'un. Le fait qu'Evelin ait été arrêtée ne le disculpait pas. Etant donné le peu de preuves réunies contre elle, il était patent depuis le début qu'elle risquait d'être libérée, un professionnel comme Wilbert aurait dû le prendre en compte.

Elle trouva la carte portant les coordonnées du superintendant Norman et entra dans la maison. Après le soleil et la chaleur de l'extérieur, la pénombre du hall lui parut glaciale. En passant devant la cuisine, elle s'arrêta et regarda à l'intérieur de la pièce.

Le réfrigérateur était grand ouvert, mais ouvert ou fermé, il y avait des semaines qu'il ne remplissait plus sa fonction : quelqu'un l'avait débranché, peut-être Léon, avant qu'ils quittent la maison, ou l'un des hommes de Norman. Ce qu'il restait de victuailles après la brutale interruption des vacances avait été posé en vrac sur le dessus du meuble et sur la table : un carton de lait entamé, des yaourts, un bocal de cornichons au vinaigre, un saladier de nouilles cuites couvertes d'un moisi cotonneux et bleuâtre, mais dans lequel était pourtant fichée une cuillère. Evelin devait en avoir mangé, de même que du reste de crème au chocolat qui grouillait de vers au point que la surface paraissait trembloter. Des champignons s'étaient formés sur le chocolat en bouteille dont Diane et Sophie raffolaient, sur les confitures entamées. A côté, une croûte de pain piquetée de moisi et dure comme du bois qu'Evelin avait plongée dans le lait tourné pour le battre afin de lui redonner une consistance liquide. Jessica contempla la hideuse nature morte avec dégoût, mais aussi avec un sentiment de profonde tristesse : le tableau était l'expression même de la misère absolue, de la solitude et du désespoir d'Evelin. Elle l'imaginait se gavant de tout ce qu'elle pouvait trouver sans se rendre compte qu'elle avalait du moisi, des vers, des champignons, attentive au seul besoin de remplir le vide en elle pour supporter ce qui lui était arrivé. Et au-delà de la tristesse, il y avait la culpabilité. Une culpabilité qui les touchait tous pour avoir vécu si longtemps aux côtés d'Evelin, des semaines à fermer les yeux, des années sans prendre la moindre initiative pour lui venir en aide.

Je n'ai pas été à la hauteur non plus, songea Jessica. Je me suis peut-être posé plus de questions que les autres, mais ça ne lui a été d'aucun secours. Je n'ai rien fait. Pourtant, la vérité crevait les yeux, il aurait seulement fallu que j'aie le courage de la regarder en face. Un peu plus de courage.

Elle se dirigea vers le téléphone, hésita avant de décrocher : trahissait-elle Evelin une nouvelle fois en appelant le superintendant Norman ? Mais quel choix avait-elle ? Phillip devait être disculpé et Evelin avait besoin d'une aide qu'elle ne trouverait que dans un institut spécialisé. Il était peu probable qu'elle soit incarcérée. Elle serait internée en asile psychiatrique. Comme sa mère. Victime comme elle de la violence et de l'indifférence.

Elle décrocha le combiné et composa le numéro du superintendant Norman.

18

Le téléphone commença à sonner à l'instant où Léon ouvrait la porte de son appartement. Qui l'appelait à une heure aussi matinale ? Pour se maintenir en forme, il avait monté ses quatre étages à pied, à un rythme soutenu, et il était hors d'haleine quand il décrocha.

— Oui ? Allô ?

La surprise se peignit sur son visage.

— Jessica ! Ça fait plaisir de t'entendre ! Pardon ? Ces derniers jours ? Non, je n'étais pas à la maison, je rentre à l'instant.

Il écouta. Sur son visage, la surprise cédait la place à une incrédulité croissante.

— Quoi ? Evelin ? Ce n'est pas possible ! Mais... c'est sûr ? Je veux dire... ce Bowen...

Il attrapa une chaise et s'assit ; la nouvelle le sidérait.

— Bon, bon, si tu le dis... Mais qui s'en serait douté ? Notre bonne et brave Evelin... Comment ? Alors là, non, Jessica ! Je ne suis pas d'accord, n'inverse pas les rôles. C'est elle, la coupable ! Et qu'est-ce que nous aurions dû faire, hein ? Nous ne sommes pas responsables de la vie des autres !

Il commençait à s'échauffer. C'était un peu fort de café de lui demander de se sentir coupable. Sa femme et ses deux filles avaient été assassinées. Il était *victime*, pas *coupable*.

— Ecoute, Jessica, je te le répète, c'était l'affaire de Tim et Evelin, pas la nôtre. Elle n'avait qu'à aller à la police. Qu'est-ce que tu voulais qu'on fasse, quand elle avait toujours de bonnes raisons pour expliquer ses blessures... Oui, bien sûr qu'on le savait, mais elle ne voulait pas qu'on intervienne ! Comment peut-on aider quelqu'un qui ne veut pas qu'on l'aide ? Non, Jessica, vraiment. Tu n'as pas été assez longtemps avec nous pour t'en rendre compte, il y a beaucoup de choses que tu n'as pas vécues. Elle tenait à Tim plus que tout... Malade ? Non, ça, je ne le savais pas. Mais, pour être honnête, je ne passais pas mon temps à m'interroger sur le sort d'Evelin. Si elle avait voulu qu'on l'aide, elle n'avait qu'à nous le demander. Ce n'était pas bien difficile. Pourtant, elle ne l'a pas fait. C'est comme ça. Je n'ai rien à dire de plus.

Il écouta à nouveau un instant, puis il déclara en manière d'apaisement :

— Jessica, on ne va pas se disputer pour ça. L'assassin est sous les verrous, c'est le principal et je suis soulagé. Combien de temps restes-tu en Angleterre ?... Ah. Déjà ? C'est rapide. Bon, eh bien, tu m'appelles dans la semaine, d'accord ? Salut !

Il raccrocha, se leva et marcha de long en large, en réfléchissant. Non, vraiment, Jessica devrait faire un peu attention aux accusations qu'elle portait. Qu'aurait-il dû faire pour Evelin ? Comme s'il n'avait pas eu déjà assez de soucis. Ses dettes, son boulot, ses problèmes cardiaques, son mariage grotesque. Et qui s'en était inquiété ? Personne. Il avait bien fallu qu'il se débrouille tout seul. Comme tout le monde. C'était ça, la vie.

Il passa derrière le comptoir de sa cuisine, mit de l'eau dans la machine à café, prit du café dans le placard. Il avait pris un petit déjeuner chez Nadja, mais il avait le sentiment d'avoir besoin de se remonter. L'appel de Jessica lui avait cassé le moral. Son séjour chez Nadja avait été plus qu'agréable. Il avait passé avec elle le week-end et tout le lundi. Quand il l'avait appelée, elle avait protesté et s'était défendue avant même de le laisser parler : « N'insiste pas, Léon, c'est non ! Je ne travaillerai plus avec toi ! J'ai besoin de gagner de l'argent, moi ! »

Il avait tout de suite mis les choses au point.

« Ne t'inquiète pas, ce n'est pas pour ça que je t'appelle. Je ne suis plus à mon compte. A partir d'août, je travaille dans un autre cabinet. Non, je voulais simplement te voir, comme ça. »

Elle avait alors accepté qu'il vienne chez elle et, toute une soirée, il n'avait parlé que de lui. Elle avait eu connaissance du crime par les journaux, mais, aucun nom n'étant cité, elle n'avait pas fait le rapprochement avec Léon. Elle eut naturellement l'impression que des écailles lui tombaient des yeux.

« Stanbury ! Des vacanciers allemands ! J'aurais dû deviner ! »

Elle s'était montrée intéressée, compréhensive et pleine de compassion, puis ils s'étaient retrouvés au lit et cela avait été aussi réussi et agréable que du temps de leur liaison. Il se voyait assez bien faire un bout de chemin avec Nadja et il avait acquis le sentiment qu'elle y serait plutôt disposée. La vie prenait de nouvelles couleurs. Un nouvel appartement, un nouveau travail, une femme qui paraissait amoureuse. Tout cela promettait un avenir digne de ce nom. Et voilà que Jessica l'agressait au prétexte qu'il aurait laissé tomber Evelin. Pour un peu, elle allait lui gâcher sa matinée.

Il versa trois cuillerées de café moulu dans le filtre. Il faudrait qu'il se couvre la tête de cendres parce qu'il avait survécu ! Il ne manquerait plus que ça. Du reste, les autres n'avaient pas fait mieux que lui, sauf que personne ne pouvait plus leur demander de comptes.

Mais tout de même, qu'Evelin ait envoyé cinq personnes *ad patres*... Ça avait du mal à entrer dans sa tête. L'idée qu'ils avaient vécu tout ce temps à côté d'une telle bombe à retardement... Dépressive, d'accord. Mais folle, complètement détraquée ? Qui l'aurait cru ?

Le café lui parut d'un coup insuffisant. Il lui fallait quelque chose de plus costaud pour encaisser le coup, un cognac par exemple.

Il se servit un verre, mais au lieu de le porter à ses lèvres, il fut pris d'un accès de rage impuissante qu'il ne put contrôler et il le lança de toutes ses forces à travers la pièce. Le verre explosa sur le mur en face de lui et le cognac dégoulina sur le papier peint. C'était réussi. Jessica l'avait vraiment énervé. Coupable ! Jamais il ne reconnaîtrait une quelconque culpabilité. Jamais ! La culpabilité était un sentiment détestable qui bouffait la vie et n'apportait rien à personne. Plus de vingt ans, il avait réussi à ne pas laisser sa responsabilité dans la mort de Marc prendre le dessus. Il n'allait pas maintenant se laisser empoisonner l'existence par Evelin. Plutôt renoncer à voir Jessica. Dire qu'il avait été assez bête pour l'encourager à l'appeler à son retour ! Il était pourtant évident qu'elle allait le bassiner avec cette histoire de « Nous avons été au-dessous de tout avec Evelin ». Mais pas lui ! Qu'elle se cherche quelqu'un d'autre. Si elle mettait le sujet sur le tapis, il lui dirait tout de suite qu'il ne voulait pas parler de ça. Et si elle insistait, il couperait les ponts.

Point final. Et il avait déjà bien assez pensé à tout ça.

Il se servit un deuxième cognac et l'avala d'un trait. Puis un troisième. Et un quatrième.

Avec l'alcool, la vie devenait beaucoup moins dure, les souvenirs perdaient de leur acuité.

Il avait hâte d'être à demain. Il était libre. Il était jeune.

Et c'était très bien comme ça.

— Eh bien, j'aurais parié que c'était Bowen qui avait massacré ces malheureux Allemands, fit Lucy avec une moue désappointée.

Assise sur le canapé de Géraldine, c'était la deuxième fois qu'elle lisait l'article que le *Daily Mirror* consacrait aux derniers développements du « crime du Yorkshire ». L'affaire était considérée comme élucidée et Phillip Bowen lavé de tout soupçon.

— D'après l'article, ce serait bien l'un d'entre eux qui aurait fait le coup. Je ne l'aurais jamais cru.

— Je n'ai jamais pensé que Phillip ait pu faire quelque chose d'aussi épouvantable, déclara Géraldine, qui avait pourtant suffisamment douté. Il a souvent été infect avec moi, mais ce n'est pas un assassin. Je ne pouvais pas me tromper à ce point sur lui.

Elle était assise par terre en tailleur. Ce matin-là, avec ses cheveux courts savamment ébouriffés, elle avait l'air d'une toute jeune fille.

Si elle voulait bien recommencer à travailler, elle serait très demandée, songea Lucy en la regardant.

— Si je peux te donner un conseil, dit-elle à voix haute, n'essaye pas de renouer avec ce Bowen, Géraldine. Votre histoire est terminée. Vous n'êtes pas faits l'un pour l'autre. Consacre-toi à ton travail au lieu de gaspiller ton temps à cavaler derrière un type qui ne veut pas de toi.

Le « oui, oui » de Géraldine fut un peu trop précipité pour

sonner vrai aux oreilles de Lucy. Elle soupira. Géraldine devait déjà être en train d'échafauder un plan pour revoir son Phillip et tenter de s'expliquer avec lui.

— J'aurais un job pour toi, la semaine prochaine, à Milan, dit-elle.

Géraldine, l'air absente, regardait par la fenêtre.

— Au moins, ce n'est plus la peine que je vive claquemurée chez moi. Je peux à nouveau me déplacer librement. Je n'ai plus besoin d'avoir peur.

— Eh bien, je n'en suis pas si sûre. Il n'a tué personne, d'accord. Mais tu peux dire ce que tu veux, il a quand même un grain. Et ça m'étonnerait qu'il te pardonne un jour d'avoir flanqué au feu toute sa doc sur son supposé père. Qui sait de quoi il est encore capable ?

— Ah, Lucy ! Tu ne lui as jamais rien trouvé de bien.

— Ne te figure pas que la vie avec lui va soudain devenir géniale. C'est le même type qu'hier. Il va continuer à se démener pour cette maison de Stanbury, il va passer son temps dans les cabinets d'avocat et les tribunaux. Tout son argent ira là-dedans et il se servira de toi pour renflouer ses caisses. Ce sera comme avant, Géraldine.

Mais Géraldine était à nouveau ailleurs et Lucy comprit qu'elle parlait dans le vide.

Elle soupira. C'était bien comme avant.

Jessica sortit de l'hôtel, fit quelques pas dans la rue et se trouva brusquement devant Ricarda. C'était si inattendu qu'elle sursauta. La matinée, chaude et ensoleillée avec un soupçon de vent, était aussi radieuse que celle de la veille. Sur la terrasse devant l'hôtel, un gros chat s'étirait paresseusement au soleil.

— Ricarda ! s'exclama Jessica, surprise.

Ricarda paraissait intimidée et mal à l'aise.

— Je venais te voir, dit-elle.

— On fait quelques pas ensemble dans la rue ? proposa Jessica. C'est sombre et assez étouffant, à l'intérieur.

Ricarda acquiesça et elles se mirent en route, sans échanger une parole, encore trop étrangères l'une à l'autre pour oser parler librement.

Jamais encore nous n'avons marché ainsi côte à côte, songeait Jessica, il y a même eu des moments où il paraissait impossible qu'on puisse le faire un jour.

Ce fut Ricarda qui la première rompit le silence.

— J'ai appris la nouvelle, dit-elle.

Elles passaient à cet instant devant le magasin de la sœur de Mme Collins. Il était bondé. Nul doute que tout le village s'était retrouvé là pour commenter l'épilogue.

— Je me doute qu'on ne parle que de ça, dit Jessica.

— Oui. Dès hier soir, il en est arrivé de partout chez les Mallory. Apparemment, ils savaient déjà que j'habitais chez Keith et ils devaient penser que je pourrais leur en apprendre un peu plus. En fait, je ne sais pratiquement rien.

— Tu connais Evelin depuis longtemps. Ça fait de toi une très précieuse source d'informations.

— Ils m'ont écœurée. Ils étaient tellement... obscènes. Ils se moquaient pas mal du... de ce qu'il y a forcément derrière. Ils ne pensaient qu'à me faire dire quelque chose qu'ils pourraient ensuite enjoliver et raconter à leur tour à je ne sais qui.

— Tu trouveras des gens comme ça partout. Ils ne sont pas sensibles au drame d'Evelin, ce n'est pour eux qu'un événement propre à les distraire de la monotonie et de l'ennui de leur quotidien. Tu vas être le point de mire du village pendant quelque temps encore. Essaye de ne pas y attacher trop d'importance.

Ricarda hocha la tête. Elle demeura quelques minutes silencieuse, puis demanda à voix basse :

— Tu te doutais que c'était Evelin ?

— Non, pas du tout. Pourtant, quand on y repense, on voit bien que tout colle. Ça devient évident. Tu t'en doutais, toi ?

Ricarda réfléchit brièvement, comme si elle hésitait sur la façon de formuler ce qu'elle pensait.

— Quand j'ai appris que c'était elle, je me suis demandé pourquoi ça ne me surprenait pas vraiment. Tu comprends ce que je veux dire ? Que je ne sois pas étonnée m'a réellement troublée. Puis je me suis rendu compte que... qu'au fond de moi... j'avais toujours eu le vague sentiment que c'était elle. Sauf que je

564

refoulais l'idée parce que je croyais que je n'avais pas le droit de penser ça d'Evelin. J'ai toujours aimé Evelin. Elle était... plus humaine et plus sincère que les autres. J'aurais aimé que ce ne soit pas elle.

— Tu aurais préféré que ce soit moi, n'est-ce pas ?

Elle n'avait pas fini sa phrase qu'elle aurait voulu ravaler ce que Ricarda pouvait prendre comme une provocation.

Mais Ricarda ne lui jeta qu'un regard étonné.

— Non. Je savais bien que ça ne pouvait pas être toi.

— Ah ? Pourquoi ?

— Eh bien, parce que tu étais vraiment la plus normale de toute la bande. Il n'y a rien qui déraille chez toi.

— Nous nous sommes tous un peu trop fixés sur Phillip Bowen. Il venait de l'extérieur. Si ç'avait été lui, ça nous aurait moins touchés.

Là, tu te racontes des histoires, lui dit une petite voix intérieure et elle fut heureuse qu'à cet instant Ricarda regarde droit devant elle et ne puisse lire dans ses yeux.

— Je savais que ce n'était pas Phillip, dit Ricarda. Pourquoi, je l'ignore. Peut-être parce que je sentais que c'était Evelin. C'est pour ça que je n'ai pas dit à l'inspecteur de police que je l'avais vu, la nuit d'avant le meurtre, devant la grille de la maison. Ça l'aurait rendu encore plus suspect.

— Tu disais que tu avais oublié de mentionner le fait devant la police.

— C'est ce que j'ai dit. Mais ce n'était pas vrai. Je n'ai pas arrêté d'y penser. Seulement... quelque chose me conseillait de garder l'histoire pour moi. Ça avait beau être sans importance, ça aurait pu lui créer des ennuis. Et... en fait, je l'aimais bien. Peut-être parce que Patricia le détestait.

Jessica s'arrêta et se tourna vers Ricarda.

— Tu savais beaucoup de choses, n'est-ce pas ? Sur Evelin et ce qui se passait avec son mari, et sur elle et ses rapports avec les autres ?

Ricarda s'arrêta à son tour.

— Oui. Je captais pas mal de trucs, et je ne comprenais pas pourquoi personne ne réagissait. Et même aujourd'hui, c'est...

Elle passa la main dans ses cheveux dans un geste d'impuissance.

— Je veux dire, c'est monstrueux, elle a tué mon père, et mon père, je l'aimais tellement... Pourtant, dans un sens, je la comprends. C'est terrible, tu ne trouves pas ? Après ce qui s'est passé... Je ne peux pas approuver ce qu'elle a fait, bien sûr, mais je peux comprendre pourquoi elle a agi. Et je ne peux pas la haïr. Quand je pense à elle, je n'éprouve pas de colère. Je ressens de la... tristesse. Et un grand vide.

— Je ressens la même chose, dit Jessica, et prudemment elle ajouta : J'aimais moi aussi beaucoup Alexander.

Ricarda parut ne pas savoir comment réagir. Elle détourna les yeux, mal à l'aise, émue, incapable de trouver quoi répondre.

Elle laissa passer un instant, puis déclara :

— En fait, la raison pour laquelle je suis venue, c'est... euh... Pourrais-tu dire à ma mère qu'elle ne s'inquiète pas ? Keith et moi, on va rester ensemble. Et je... j'ai réfléchi. Je vais m'arranger pour aller au collège à Bradford. Je voudrais finir mes études. Keith pense aussi que c'est une bonne idée. Après, je pourrai me marier et avoir des enfants. Ça va sûrement rassurer ma mère.

Jessica sourit.

— Sûrement. Et ça me rassure aussi. Tu es très mûre, très posée pour ton âge, Ricarda. Alexander serait fier de toi.

Ricarda avala sa salive et eut besoin d'un bon moment pour se ressaisir et pouvoir parler.

— Si... Euh, eh bien, si un jour tu es dans la région, je... Tu peux venir me voir, si tu as envie.

— Ça me ferait énormément plaisir de venir te voir. Mais d'ici là, appelle-moi de temps en temps, d'accord ? Juste pour dire comment tu vas.

— Oui, ça peut se faire, approuva Ricarda, et, comme si elle avait peur de laisser l'émotion s'installer, elle demanda précipitamment : Et Evelin ? Qu'est-ce qu'elle va devenir ?

— Il faut que j'en parle avec Léon. Il est avocat, il pourra peut-être intervenir pour qu'elle soit transférée en Allemagne. Elle sera très probablement placée dans un institut psychiatrique. Mais les visites seront peut-être autorisées. J'aimerais rester en contact avec elle.

— Oui, bien sûr.

Elles étaient arrivées à l'entrée du village.

— Bon, il faut que je rentre, maintenant, ajouta-t-elle. Salut, Jessica. Et tu transmets à ma mère ce que je t'ai dit, OK ?

Elle n'attendit pas de réponse, se détourna et partit dans la direction opposée, très droite, un peu raide, confiante dans l'avenir qu'elle s'était choisi.

— Bonne chance, Ricarda, murmura Jessica.

Elle avait marché deux heures, mais cette fois elle avait évité d'emprunter les chemins qui lui étaient familiers. Elle n'éprouvait aucun besoin de revoir la maison ou l'un des lieux qu'elle avait aimé fréquenter, et elle doutait d'avoir envie d'y revenir un jour.

Quand elle regagna le village, fatiguée mais repue de soleil et de grand air, il n'était pas encore midi. Elle avait réservé une place sur un vol en fin de journée et avait donc du temps devant elle. Elle déjeunerait puis appellerait le superintendant Norman. Evelin était incarcérée depuis la veille. Elle voulait lui demander de ses nouvelles, et éventuellement évoquer avec lui les possibilités d'un transfert de son dossier à la justice allemande.

Dans l'épicerie de la sœur de Mme Collins, les clients étaient toujours aussi nombreux et sans doute parlaient-ils tous d'une seule et même chose. Il devait bien y avoir aussi quelques journalistes dans le magasin. La veille, ils s'étaient abattus sur Stanbury comme une nuée de sauterelles et seule la protection de la police leur avait évité, à elle et Phillip, d'être importunés. Ce matin, le village était désert, mais Jessica repéra de loin deux voitures inconnues devant le Fox and The Lamb, et deux hommes et une femme qui faisaient les cent pas à côté, à coup sûr des journalistes. Elle ralentit. Elle n'avait pas envie de parler d'Evelin à des étrangers et elle ne voulait rien dire de la complexité d'une amitié qu'elle retrouverait le lendemain dans les journaux, tronquée, transformée et sortie de son contexte. Malheureusement, elle avait beau fouiller des yeux les alentours de l'hôtel, elle ne détecta aucun policier susceptible de voler à son secours. Elle réfléchit au moyen d'atteindre sa voiture sans se faire remarquer. Les clés étaient sur elle. La voiture elle-même n'était pas garée devant l'hôtel mais dans une ruelle adjacente. C'était un policier qui l'avait ramenée de Stanbury House, la veille en fin de journée. Elle lui avait été reconnaissante de lui épargner de devoir retourner sur les lieux du drame.

— Je me suis faufilé par une porte de service, dit une voix près d'elle, et je suppose que vous n'avez pas envie non plus de leur parler.

Elle sursauta. Phillip Bowen avait surgi devant elle aussi soudain que Ricarda quelques heures plus tôt.

— Excusez-moi, je ne voulais pas vous effrayer. Je suis passé par les ruelles entre les maisons, après avoir contourné l'hôtel, pour ne tomber sur personne qui me demande comment je me sentais en tant qu'ex-témoin principal sur le chemin de la réhabilitation, et brusquement, vous êtes devant moi.

Elle sourit.

— On dirait bien que je n'arrête pas de me trouver nez à nez avec des gens que je n'avais pas vus. Je dois vraiment avoir la tête ailleurs.

— Il y a de quoi, non ? Ce n'est pas rien, tout ce qui s'est passé.

— Oui, mais on va laisser un peu de temps au temps, et ça va aller, dit Jessica, qui espérait qu'il n'allait pas se lancer comme Léon dans un discours sur sa vie définitivement marquée du sceau du mal.

Elle avait besoin qu'on l'encourage. Elle avait besoin de gens pour lui dire de ne pas regarder derrière elle, pour lui dire d'aller de l'avant, pour lui parler d'avenir.

Phillip dut sentir qu'elle ne souhaitait pas approfondir le sujet.

— J'espérais prendre le petit déjeuner avec vous, dit-il d'un ton léger, mais vous étiez déjà partie.

— Je suis une redoutable lève-tôt. Je me réveille aux aurores et aussitôt je pars marcher dans la campagne. Si je ne travaille pas, je suis capable de marcher toute la journée. C'est un peu bizarre, non ? Depuis que les circonstances m'ont incitée à m'interroger sur les différentes formes de folie, je me demande si ce besoin quasi compulsif de marcher n'est pas pathologique.

— Pathologique ? Non, je ne pense pas. C'est votre façon de

prendre les choses. Nous avons tous nos trucs. Au moins, avec le vôtre, vous ne faites de tort à personne.

— Vu sous cet angle, vous avez raison.

Elle voulait lui dire quelque chose mais hésita, puis se tut, faute de trouver les mots qui auraient exprimé sa pensée. Phillip demeura lui aussi silencieux, debout devant elle, les mains dans les poches de son jean. Il portait un tee-shirt blanc très chiffonné. Elle se fit la réflexion qu'il ne devait pas avoir d'autres vêtements que ceux qu'il avait fourrés dans un sac au moment de sa fuite.

— Phillip, je crois que je ne vous ai pas encore remercié, dit-elle enfin. Vous m'avez sauvé la vie, hier. Si vous n'aviez pas été là, Evelin m'aurait tuée. Je ne serais pas au milieu de cette rue sous ce beau soleil. Et...

Elle effleura son ventre et ajouta, un peu embarrassée :

— Vous avez aussi sauvé la vie de mon bébé. Deux vies en une seule journée.

— Oh... je ne sais pas, répliqua-t-il d'un ton qu'il s'appliqua à rendre détaché. Etant donné la façon dont vous teniez cette crosse de hockey, je ne suis pas certain que vous ayez eu besoin de mon aide. Quand vous êtes sortie de cette cave, vous étiez rudement déterminée à en découdre ! Evelin aurait pris un sacré coup sur la tête. Je crois que c'est plutôt à elle que j'ai sauvé la vie !

Elle ne le suivit pas sur ce mode humoristique.

— Je vous remercie, Phillip, dit-elle doucement. Je n'oublierai jamais ce que vous avez fait... Je ne vous oublierai jamais, ajouta-t-elle après une courte hésitation.

Ils se regardaient et, sans qu'il ait été nécessaire qu'ils se le disent, ils savaient l'un et l'autre qu'ils pensaient à ce qui aurait pu exister entre eux, à ce qu'il y avait eu depuis leur première rencontre, un jour d'avril, au bord d'un ruisseau. Une palette infinie de possibles, de promesses, de rêves. Dans d'autres circonstances... Mais leurs vies étaient trop différentes, chacune orientée dans une direction opposée. Leurs destins s'étaient croisés en un point minuscule, et les événements n'avaient pas permis que cela prenne une autre importance. Ils garderaient chacun le souvenir de l'autre, et peut-être le sentiment diffus d'avoir touché du doigt quelque chose qui ne s'était pas laissé saisir.

Jessica fut la première à s'arracher à ses pensées. Fidèle à elle-même, elle refusait de se laisser dominer par des idées dont elle savait qu'elles ne pouvaient mener à rien.

— Vous disiez, hier, que vous étiez à Stanbury pour voir la maison une dernière fois, et tirer un trait, dit-elle. Est-ce que cela signifie que vous renoncez à essayer de faire valoir vos droits sur la propriété ?

— Cela signifie que je laisse cette histoire derrière moi. Cela signifie que je m'accommode du fait de ne pas savoir qui était mon père. J'ai vécu quarante et un ans sans père. Je tiendrai bien encore au moins aussi longtemps.

Elle le regarda, presque un peu inquiète.

— Pourquoi si brutalement ? Vous étiez si... si...

— ... si obsédé, poursuivit Phillip à sa place. Vous pouvez le dire. J'étais littéralement obsédé. Je ne pensais plus qu'à ça. Puis je me suis posé des questions, c'était peut-être la première fois depuis que je courais derrière cette fichue baraque. Par là, je veux dire que pour la première fois j'ai accepté d'envisager l'idée que Kevin McGowan n'était pas mon père. Il était peut-être tout simplement un des fantasmes de ma mère, et, la morphine aidant, elle l'a ensuite transformé en ex-amant. Il est toutefois possible qu'il ait réellement été mon géniteur. Mais un géniteur n'est pas forcément un père. Un père assume ses responsabilités, il ne disparaît pas de la circulation en maudissant ces fichus spermatozoïdes qui ont trop bien fait leur travail. D'une façon ou d'une autre, il n'aurait pas été mon père. Vous comprenez ?

— Oui. Oui, évidemment.

— Et en poussant ce raisonnement, je me suis rendu compte que ce n'était pas non plus en m'installant dans sa maison et en tenant des discours imaginaires à un mort que j'aurais eu un père. Je partais encore dans le vide. Vieille habitude. Il s'est toujours dérobé à moi, et une bonne fois pour toutes en mourant. C'est ainsi. Il faut que je me fasse une raison. Et la vie continue.

— Et vous acceptez l'idée ?

— Laquelle ? De ne pas avoir de père ? Quand hier matin je marchais dans le petit bois derrière Stanbury House, je me suis posé une autre question, enchaîna-t-il sans attendre que Jessica réponde. Je me suis demandé si je pouvais vivre avec *ce père-là*. Où les révélations de ma mère m'avaient-elles mené ? J'étais en cavale. J'étais recherché dans tout le pays pour un crime particulièrement abominable. J'avais faim, soif, peur. Ce que j'ai fait à Géraldine... n'a pas de nom, et je le regrette infiniment. Et j'ai passé des heures et des heures à collecter des articles de journaux sur un type mort depuis des années pour les coller dans ces classeurs grotesques. Je n'ai pas fait ça accessoirement, de temps en temps. C'était ma vie. Je ne travaillais pratiquement plus. Je ne gagnais plus un centime. Je me faisais entretenir par cette pauvre Géraldine, je vivais comme une taupe au milieu de vieux papiers. Je passais mes journées à trier tout ce fichu bazar sur Kevin McGowan, je faisais des monceaux de photocopies, je les rapportais à la maison, je classais tout ça soigneusement, je relisais. Pendant ce temps, dehors, la vie continuait ! Et quand Géraldine a brûlé mes classeurs, je suis devenu dingue. J'aurais pu la tuer.

Il avait élevé la voix et les têtes des trois journalistes qui faisaient le pied de grue devant l'hôtel se tournèrent vers eux dans un même mouvement.

— Je crois que c'est là que j'ai commencé à comprendre qu'il fallait que je fasse machine arrière, poursuivit-il en baissant le ton. Cette affaire ne me menait nulle part, sinon à ma perte.

Jessica demeura silencieuse. Elle approuvait chacun des mots qu'il prononçait ; voilà peu, il se serait rué sur quiconque lui aurait dit la même chose. Personne n'aurait pu l'amener aux mêmes conclusions. Il avait effectué sur lui-même un travail qu'il n'avait pu faire que seul.

— En même temps, l'idée de pouvoir rejeter sur McGowan la responsabilité d'une bonne part de ce que j'ai fait de ma vie était extrêmement séduisante. Mais ça ne marche pas. On ne se débarrasse pas comme ça de ses responsabilités. C'est une illusion. Il arrive toujours un moment où on se rend compte qu'elles sont toujours là. Ça vous colle à la peau. Il n'y a rien qui colle plus que ça à la peau.

— Qu'allez-vous faire, maintenant ?

— Rentrer à Londres. Je parie que Géraldine est déjà chez moi à m'attendre pour « parler ». J'ai mauvaise conscience vis-à-vis d'elle, ça va maintenir les liens entre nous quelque temps encore. Et puis il faut que je travaille. Je ne sais pas encore dans quelle direction je vais chercher. Je ne suis peut-être pas fait pour un vrai métier de longue haleine, seulement pour des boulots occasionnels. On va voir.

Il tendit le bras et, dans un geste très tendre, effleura la joue de Jessica.

— Et vous ?

— Je rentre en Allemagne. Je me cherche un nouvel endroit où vivre avec Barney. Je rouvre mon cabinet. J'essaye de faire transférer Evelin en Allemagne. Et en octobre, j'accouche... Voilà pour le moyen terme, conclut-elle avec un petit haussement des épaules.

Phillip sourit.

— Et si nous nous occupions du très court terme ? Je commence à avoir faim, pas vous ? J'ai vu que votre voiture était garée à côté de l'hôtel. Pensez-vous qu'en dépit de notre statut de vedettes, on va pouvoir s'y engouffrer au nez et à la barbe de ces paparazzi ?

— Sûrement, affirma Jessica.

— J'aimerais vous montrer un très beau pub. C'est dans un village que j'ai découvert par hasard. On pourrait y déjeuner. Et parler un peu. Comme ça. Sans autre engagement.

Jessica lui rendit son sourire. Elle se sentait toujours triste et bouleversée, mais Phillip avait raison, il était important de ne pas négliger l'immédiat.

— Manger et parler un peu, dit-elle, c'est exactement ce dont j'ai besoin.

Sans hésiter, il lui prit la main, et ils se mirent en route.

Composition et mise en pages : FACOMPO, Lisieux